Emmanuel Todd
EL DESTINO
DE LOS INMIGRANTES
Asimilación y segregación
en las democracias occidentales

Traducción de Gabriel Hormaechea

Ensayo

TUSQUETS
EDITORES

Título original: *Le destin des immigrés. Assimilation et ségrégation dans les démocraties occidentales*

1.ª edición: junio 1996

La publicación de esta obra ha recibido una ayuda del Ministerio de Cultura francés y otra del Ministerio de Asuntos Exteriores francés
© de la traducción: Gabriel Hormaechea, 1996
Diseño de la colección y de la cubierta: BM
Reservados todos los derechos de esta edición para
Tusquet Editores, S.A. - Iradier 24, bajos - 08017 Barcelona
ISBN: 84-7223-784-2
Depósito legal: B. 19.327-1996
Fotocomposición: Foinsa, Passatge Gaiolà, 13-15 - Barcelona
Impreso sobre papel Offset-F. Crudo de Leizarán, S.A. - Guipúzcoa
Libergraf, S.L. - Constitución, 19 - 08014 Barcelona
Impreso en España

EMMANUEL TODD

Nació en 1951. Es doctor en historia por la Universidad de Cambridge y diplomado por el Institut d'Etudes Politiques de París. Encabeza el servicio de documentación del Institut National d'Etudes Démographiques de París. Es autor de numerosos ensayos, entre los que cabe destacar el premonitorio *La chute finale*, que, ya en 1976, anunciaba el hundimiento del sistema soviético; *L'enfance du monde* (1984), *La nouvelle France* (1988) y *La invención de Europa* (Ensayo 27), libro imprescindible para entender las raíces profundas a partir de las que ha ido conformándose lentamente la identidad múltiple del continente europeo.

Todd aborda el problema de la inmigración desde una original perspectiva antropológica, en la que las estructuras de parentesco y el status social de la mujer desempeñan un papel crucial en el destino inmediato de los inmigrantes que llegan a Europa.

Indice

Indice de mapas, gráficos y esquemas

Mapas:

Gráficos

Esquemas:

Para Marie

Introducción

Francia es la única democracia occidental cuya vida política está envenenada, desde hace diez años, por un partido de extrema derecha especializado en la satanización del inmigrante. La aparición y la persistencia del Front National son generalmente interpretadas como un solemne fracaso de la concepción francesa del hombre universal. Algunos piensan que la aparición del lepenismo marca el final de un rasgo específico, puesto que significa la renuncia a lo universal. Otros, aún más pesimistas, piensan que el ascenso de la extrema derecha, sucesora, tras un largo lapso de tiempo, del episodio de Vichy y del asunto Dreyfus, demuestra que la pretensión francesa de encarnar lo universal ha sido siempre una superchería. En resumidas cuentas: frente al hombre diferente, con otro origen geográfico o religioso, Francia tan sólo sería capaz de reaccionar con una vulgar intolerancia.

Esta argumentación plantea un problema lógico: en la medida en que la virulencia de su extrema derecha es un fenómeno único, sin equivalentes en Gran Bretaña, en Alemania o en Estados Unidos, por no citar más que los países que reciben más inmigrantes, Francia es un país singular, claramente diferente de las otras naciones en su relación con los extranjeros, y lo es en el peor de los sentidos. Si nos atenemos al análisis político de las reacciones frente a la inmigración, debemos concluir que Francia ha invertido su posición relativa en la escala de la tolerancia o del universalismo. El país del hombre universal, que declaró la emancipación de los judíos en 1791, se habría convertido en el país más refractario a los inmigrantes del Tercer Mundo.

Semejante inversión puede parecer natural a quienes imaginan que las sociedades son capaces de saltar de un sistema de valores a otro, sin lastre ni principio de inercia alguno. Para quien admite la persistencia temporal de las creencias y la continuidad histórica de las sociedades, una inversión como la apuntada, de mejor a peor, no es en absoluto normal. Los científicos saben que el análisis de un hecho extraño, discordante, suele abrir el camino hacia una interpretación radicalmente nueva: el fenómeno Front National bien podría constituir para las ciencias sociales uno de esos hechos extraños y reveladores.

Un examen sin prejuicios de la anomalía teórica que significa la extrema derecha francesa de los años 1984-1994 debe llevarnos a reflexionar sobre los fundamentos antropológicos de las democracias occidentales. Para lograrlo habrá que ampliar el campo de análisis, abandonar el terreno de la ideología pura y dejar de hablar en abstracto de las poblaciones que llegan del Tercer Mundo. En efecto, los debates entre franceses a propósito de si los inmigrantes tienen derecho a la diferencia o no lo tienen, casi nunca aluden al contenido objetivo de esa diferencia. Si queremos comprender el fenómeno Front National y la actitud de la población francesa frente a la inmigración, hay que renunciar a oponer un occidental «sin características» a un inmigrante «sin características», cuando uno se indigna ante los conflictos que causan o, como ocurre casi con la misma frecuencia, cuando uno no percibe su buena convivencia. Un análisis antropológico de los sistemas de costumbres de las poblaciones inmigradas que definiese compatibilidades e incompatibilidades, permitiría comprender el significado de las adaptaciones y de las tensiones.

Antropología frente a ideología

Los diferentes grupos de inmigrantes llegados del Tercer Mundo no se diferencian sólo por su apariencia física o por su adscripción religiosa. Cada uno de ellos es portador de un sistema antropológico específico cuyo núcleo central es la estructura familiar, que entraña un modo de vida determinado y sirve de soporte a creencias religiosas e ideológicas. Esa estructura familiar, que puede ser parecida o muy alejada de la que posee la sociedad receptora, define una diferencia cultural fundamental que, por otra parte, rara vez coincide con la diferencia física, más fácil de detectar. En Francia, los inmigrantes magrebíes combinan una diferencia física muy pequeña con una diferencia familiar máxima, mientras que los inmigrantes «ciudadanos franceses» procedentes de las Antillas presentan una gran diferencia física junto a una diferencia familiar mínima.

El status de la mujer, bajo o elevado, en el corazón del sistema familiar, es esencial. En primer lugar porque define en sí mismo un aspecto de la existencia en el que los pueblos son muy poco proclives a transigir y, en segundo lugar, porque cuando dos grupos humanos entran en contacto, el intercambio de mujeres es un mecanismo antropológico fundamental: si se produce, es un mecanismo de integración; en caso contrario, es un camino hacia la segregación. El índice de exogamia, proporción de matrimonios realizados por los inmigrantes, sus hijos o sus nietos con miembros de la sociedad receptora, es el índice antropológico más fiable de asimilación o de segregación y puede imponer su verdad a la de los indicadores políticos o ideológicos.

16

Un análisis en términos de estructuras familiares y de intercambio matrimonial lleva a una visión simplista de la relación interétnica, porque sólo contempla dos destinos posibles para el inmigrante: la asimilación o la segregación. Por encima de cierto porcentaje, el intercambio de cónyuges conduce a la dispersión de la población inmigrada en la sociedad receptora, por debajo de ese umbral, el rechazo del intercambio matrimonial garantiza el enquistamiento de un grupo enclavado.

Sólo la asimilación debe ser considerada como destino final. La segregación, que perpetúa un grupo minoritario en el seno de una población huésped mayoritaria, nunca debe ser considerada como una solución eterna. Siempre deja abierta la posibilidad de asimilación, aunque también puede desembocar, en ciertas sociedades y en determinados contextos de crisis, en tentativas de eliminar al grupo minoritario que, a veces, lleva siglos enclavado. España expulsó a sus judíos al final del siglo XV. Entre 1933 y 1945, Alemania intentó eliminar a los suyos y a los de toda la Europa continental. Así pues, curiosamente, la hipótesis de una segregación a largo plazo de ciertos grupos inmigrados conduce al análisis del destino de los judíos, que durante siglos encarnaron para la cristiandad la idea misma de la separación.

Los conceptos de la antropología social —estructura familiar, status de la mujer, tasa de exogamia— obligan a una visión realista de la relación interétnica, porque ponen de manifiesto el carácter esencialmente huero de la problemática del derecho o del no derecho a la diferencia. Cuando se analiza el nivel de la estructura familiar, la coexistencia de ciertas diferencias parece sencillamente inconcebible: las opciones antropológicas de las sociedades funcionan normalmente de forma binaria, de manera que las diferentes reglas se excluyen entre sí. El status de la mujer no puede ser simultáneamente bajo y elevado. Una regla de herencia no puede ser igualitaria y discriminatoria a la vez. No puede obligarse a un individuo a casarse con su prima y prohibírselo al mismo tiempo. La coexistencia de valores antagónicos es posible a escala planetaria pero, en un territorio determinado, ciertos elementos culturales básicos son incompatibles.

El paso de la ideología a la antropología nos reserva continuas sorpresas porque implica un deslizamiento desde la representación a la realidad de la relación interétnica y porque las representaciones, conscientes, contradicen a menudo las realidades, inconscientes. Así, las sociedades occidentales que más explícitamente afirman su tolerancia ideológica ante las diferencias humanas, no son forzosamente las que mejor aceptan las diferencias antropológicas, como veremos en el caso de Estados Unidos. En Francia, la fuerza del voto de extrema derecha, signo ideológico de intolerancia, oculta el rápido crecimiento de las tasas de exogamia de los inmigrantes, signo antropológico de tolerancia.

La omnipotencia de la sociedad receptora

El análisis antropológico de las diferencias de los inmigrantes no puede, por sí solo, llevarnos a la comprensión global de los mecanismos de asimilación o de segregación que operan en el mundo occidental. Efectivamente, ese análisis nos lleva a constatar que grupos semejantes en el plano de las estructuras antropológicas, paquistaníes y argelinos, jamaicanos y martiniqueses, tienen diferentes destinos en diferentes sociedades receptoras, inglesa o francesa. El análisis comparativo pone de relieve la capacidad de cada una de las sociedades desarrolladas para imponer, independientemente del contenido objetivo de la cultura inmigrada, su propia visión de la relación interétnica así como la solución de asimilación o segregación que le interesa, hasta el punto de que debe formularse la hipótesis de un principio de omnipotencia de la sociedad receptora. La antropología revela la existencia, en cada una de las grandes naciones postindustriales, de una matriz inconsciente específica, que determina su visión del extranjero y, finalmente, el destino de éste.

Cuando se pasa del plano de la ideología al de la antropología, Francia parece volver a ser ella misma, puesto que es la única democracia occidental comprometida en un proceso de asimilación de *todos* sus grupos inmigrados o minoritarios, con independencia de su apariencia física o de su origen religioso, a pesar de que la asimilación de los grupos magrebíes es un poco más lenta y dolorosa que la de los demás. El universalismo francés, no muy manifiesto hoy en día en sus expresiones ideológicas conscientes, está más o menos intacto en los comportamientos inconscientes. Por el contrario, las concepciones diferencialistas predominan en Alemania, en Inglaterra y hasta en Estados Unidos. En esos países, una matriz cultural y mental determina *a priori* la percepción de una humanidad segmentada, sin que eso quiera decir que las diferencias consideradas primordiales sean las mismas en todas partes. El mundo anglosajón pone el acento sobre todo en una característica externa: el color de la piel. Alemania lo pone sobre una característica interna: el credo religioso. El sistema familiar nunca es el rasgo seleccionado como esencial por los pueblos que *necesitan* percibir una diferencia. Muy al contrario, los pueblos que quieren creer en la universalidad del hombre y en la equivalencia de los pueblos, como es el caso de Francia, consideran que la diferencia familiar es fundamental e insoportable.

En el primer capítulo de este libro propongo una hipótesis de tipo antropológico que permite explicar por qué ciertas culturas son de temperamento universalista y por qué otras son, con no menos convicción, diferencialistas. Las estructuras familiares aparecen como fun- 17 dacionales, a través de las representaciones ideológicas que de ellas se derivan: allí donde se piensa que los hermanos son iguales, se cree *a priori* en la equivalencia de los hombres y de los pueblos. Si se concibe a los hermanos como diferentes, no puede evitarse la idea de una humanidad diversificada y segmentada. La ley que relaciona la estructura familiar con las representaciones ideológicas es tan válida para las sociedades receptoras como para las culturas inmigradas: se puede oponer el universalismo francés al diferencialismo alemán, de la misma manera que se opone el universalismo arábigo-musulmán al diferencialismo sij.

El estudio preliminar de las grandes culturas occidentales diferencialistas —americana (capítulos segundo a quinto), inglesa (capítulo sexto) y alemana (capítulos séptimo y octavo)— nos proporciona la suficiente perspectiva como para permitirnos una visión más eficaz de la Francia universalista en su relación con la inmigración (capítulos noveno a decimotercero). Paradójicamente, el análisis comparativo nos lleva a considerar que la concepción francesa de lo universal, real y activa en Francia, es un particularismo a escala planetaria, producto de una sociedad realmente única en su complejidad. En el plano antropológico, Francia es heterogénea, está dividida contra sí misma y, como consecuencia, es capaz de un desdoblamiento esquizofrénico en su relación con los extranjeros. El concepto de hombre universal y el asimilacionismo jacobino no son más que cortinas ideológicas que esconden la sutileza de las actitudes francesas concretas. Recíprocamente, Estados Unidos, productor y exportador de una ideología multiculturalista centrada en la tolerancia, es en la práctica de una gran simpleza, por no decir brutalidad, en la gestión real de los fenómenos de asimilación y de segregación.

En Francia, la asimilación de los inmigrados es consecuencia lógica del postulado universalista. Sería sin embargo un error pensar que un postulado diferencialista conduciría, simétricamente, a una segregación uniforme de los grupos inmigrados o minoritarios. Estados Unidos, que a pesar de su enorme esfuerzo consciente no logra deshacerse de una representación *a priori* del negro como hombre diferente, constituye una formidable máquina de pulverizar culturas y asimilar hombres. La sociedad americana, que ha nacido de un núcleo inicial inglés, es el resultado de un gigantesco proceso migratorio que ha mezclado todos los tipos europeos, cristianos o judíos, a los que en el periodo más reciente se han unido los asiáticos.

El carácter abierto de la sociedad americana es tan conocido que basta olvidar la dicotomía blanco/negro para cometer el error de pensar en ella como en un sistema universalista. El carácter abierto de la sociedad alemana, real aunque parcial, no es percibido con tanta facilidad: la segregación de los turcos es un fenómeno visible, pero la asimilación silenciosa de los ex yugoslavos es fácilmente pasada por alto. A pesar de su doctrina oficial y aunque lo haga a menor escala, Alemania asimila como América. En ambas sociedades diferencialistas, segregación y asimilación mantienen de hecho relaciones de complementariedad funcional: señalar a una comunidad como portadora de la idea de diferencia permite borrar todas las demás diferencias, redefinir todas las otras minorías como equivalentes a la etnia dominante y por tanto como asimilables.

La existencia de un grupo paria también conduce a la definición de cierto igualitarismo interno del pueblo dominante. El análisis antropológico de la inmigración y de sus consecuencias conduce casi de forma natural a una visión de la democracia menos ingenua que la que actualmente prevalece. El examen de los casos americano y alemán muestra hasta qué punto el aumento de la potencia de una concepción étnica o racial entre los ciudadanos puede favorecer la emergencia democrática. La historia de Atenas sugiere que la democracia es, en sus comienzos, de origen étnico, al encontrar en la exclusión del «otro» el resorte de su igualitarismo interno. Un modelo histórico así concebido puede parecer pesimista, porque contradice el estereotipo dominante e ingenuo de una concordancia automática entre democracia y universalismo. No obstante, ese modelo permite entender por qué Estados Unidos, arquetipo actual de la democracia, no consigue deshacerse de la estigmatización del negro. Y no se trata de un modelo que implique una visión reaccionaria que asocie de manera sistemática el ideal democrático con la diferencia humana: la principal contribución de Francia a la historia de la humanidad radica, precisamente, en haber facilitado que la democracia se desembarazase de su ganga étnica original y en haber definido un cuerpo de ciudadanos sin referencias de raza o de sangre.

1

Universalismo y diferencialismo: simetría y asimetría en las estructuras mentales

En la historia se producen momentos de universalismo explícito, durante los cuales se afirma la equivalencia de los hombres y de los pueblos, sobre una base ideológica o religiosa. En lo que a Europa se refiere, el primer universalismo que alcanza un nivel de formalización consciente es el de Roma: la extensión progresiva de la ciudadanía romana desembocó, en el año 212 d.C., en el edicto de Caracalla, que concedía a todos los hombres libres del Imperio el derecho de ciudadanía romana. El universalismo romano es una de las componentes esenciales del primer cristianismo, que sueña con extender a la humanidad entera el derecho de ciudadanía celeste. ¿? pero extramundana!

El descubrimiento de América y de los indios, categoría de hombres sin catalogar hasta 1492, pone de manifiesto la existencia de un universalismo ibérico, español o portugués. Tras un largo debate, la Iglesia católica declara que los indios del Nuevo Mundo tienen alma, constatación que no impide a los conquistadores masacrar a unos y explotar a otros, pero que también les permite reconocer y educar a sus hijos habidos de amantes indígenas. La lengua castellana acaba siendo la lengua de los indios, en un proceso de aculturación que no está aún totalmente terminado, especialmente en Perú y Bolivia.

La Revolución francesa es otro gran momento de universalismo europeo, que conduce a la noción de un hombre universal absoluto. Libre e igual, el ciudadano francés no es sino el prototipo de una especie llamada a cubrir el planeta.

El comunismo ruso constituye una cuarta versión. El *homo sovieticus* no es libre, pero sí igual. En el pensamiento de quienes lo concibieron, la servidumbre es para todos los hombres, sin distinción de origen. Llegado tarde a la historia de los universalismos, el comunismo no aporta gran cosa a las concepciones romana, católica y francesa en lo que concierne a la unidad del género humano. Pero, en la práctica, el comunismo es la primera doctrina universalista que, por un momento, parece capaz de unificar el planeta o, cuando menos, de borrar la distinción entre Europa y Asia. Entre 1950 y 1985, el marxismo-leninismo reina desde Serbia hasta Vietnam, a través de Rusia y China. La conquista de Cuba y la aparición de regímenes afines en

Africa llevan la doctrina fuera del Viejo Mundo. El hombre comunista puede ser blanco, amarillo o negro. Por un momento, parece más universal que el cristiano con que soñaba san Pablo.

No obstante, la invención de doctrinas universalistas no es patrimonio exclusivo de Europa. En China, por ejemplo, el comunismo se contenta con recubrir una concepción de la civilización que es de esencia universalista. Nacido en el norte del país, el tipo de vida china es exportable y puede ser adoptado por todos los pueblos. Los bárbaros «crudos» deben ser «cocidos» por la civilización china. Ese asimilacionismo consciente permite la aparición de un imperio que progresa tanto por contagio cultural como por colonización y conquista militar. Desde un punto de vista puramente demográfico, tal vez el universalismo chino haya sido el más eficaz, puesto que ha formado un grupo humano estable que comprende aproximadamente la cuarta parte de la humanidad.

El islam es el universalismo no europeo más conocido por los europeos. La religión de Mahoma está basada, con tanta seguridad como la de Cristo, en la convicción *a priori* de que existe una esencia humana universal que permite a cualquier individuo adquirir, por conversión, la condición de musulmán. Entre Senegal e Indonesia, el hombre musulmán puede ser negro, blanco o amarillo.

Así pues, el más somero examen revela que el universalismo no es específico de una única región del mundo o de una sola época de la historia. Ese examen también revela que existen varios tipos bien diferenciados de universalismo y que pueden ser compatibles o excluyentes. El universalismo chino acepta y digiere el comunismo, doctrina de origen europeo. Por el contrario, el islam parece tan refractario al marxismo-leninismo del siglo XX como lo fue al cristianismo entre los siglos VII y XIX. Varias concepciones del hombre universal se enfrentan, irreductibles las unas a las otras.

No todos los universalismos alcanzan el mismo grado de formalización ideológica. La Revolución francesa, que especula conscientemente con la noción de hombre universal, representa, desde el punto de vista teórico, una cima difícil de superar. El asimilacionismo chino constituye tal vez el polo opuesto, con una expresión ideológica mínima, hasta el punto de que debe hablarse de universalismo implícito. La historia muestra, no obstante, que un determinado pueblo puede pasar del universalismo implícito al universalismo explícito y viceversa. El caso del pueblo ruso es hoy en día uno de los más interesantes. Entre los siglos XV y XIX, el universalismo ruso funciona de manera implícita: la expansión de Moscovia y más tarde del imperio, hacia el Báltico, el Caspio, el mar Negro y la otra orilla del río Ural, combina la colonización por campesinos rusos con la asimilación de grupos ugrofineses y turco-mongoles. No todas las poblaciones finesas o tártaras han sido digeridas, pero la concepción rusa de la etnia nunca ha prohibido la rusificación de poblaciones asiáticas. En este punto, el contraste con la expansión de Estados Unidos en América del Norte es total. Al contrario de los iroqueses, los apaches o los cheyenes, los mordvos, los vogules o los buriatos son considerados asimilables, incluso si no todos son asimilados, puesto que aún subsisten en el territorio de Rusia poblaciones enclavadas que conservan esos nombres antiguos. El comunismo conduce el universalismo ruso a la fase explícita del internacionalismo proletario. Hacia 1990, el hundimiento de la ideología comunista devuelve el universalismo ruso a la situación de implícito. El pueblo ruso ya no es portador de un modelo para la humanidad, pero las poblaciones rusas dispersas por los márgenes del imperio creen tan firmemente en el hombre universal que, por un momento, parecen dispuestas a convertirse en estonias, letonas, ucranianas o tártaras cuando Estonia, Letonia, Ucrania o Tartaria reclaman su independencia. Se puede hablar de asimilacionismo a la inversa, puesto que se trata en este caso de que poblaciones de lengua rusa se fundan en otros grupos. En la práctica, la potencia de la civilización rusa hace que ese asimilacionismo a la inversa sea poco realista. Pero el voto de muchos rusos a favor de la independencia de las repúblicas periféricas en las que se encontraban en el momento de la desmembración del imperio es sin duda una espectacular manifestación de universalismo, de rechazo a la idea de que exista una diferencia esencial entre rusos y no rusos.

La conclusión es que el final del internacionalismo comunista no implica el final del universalismo ruso, de la misma manera que el final del Imperio romano no trajo consigo la muerte del universalismo latino, como tampoco la extinción del islam conduciría a la desaparición del universalismo árabe. La creencia en la unidad del género humano es característica de ciertas poblaciones, pero parece enraizada en un nivel más profundo que el de la ideología consciente. Sobre esa actitud profunda pero estable, nacen, mueren y se suceden formalizaciones conscientes: el caso de Francia es ejemplar desde ese punto de vista, puesto que asistimos a la sucesión, en su territorio, de los universalismos romano, católico, revolucionario y en cierta medida comunista, puesto que el internacionalismo proletario sedujo, durante dos generaciones, a los obreros de la región de París. Esas erupciones de universalismo, más o menos fuertes, denuncian la presencia de un factor escondido, de naturaleza antropológica. Al contrario, otras poblaciones parecen portadoras de un rasgo opuesto, el diferencialismo. Tal o cual grupo humano reivindica una esencia única, inimitable, y manifiesta su hostilidad a las ideas de equivalencia de los hombres y de fusión de los pueblos.

Ocho diferencialismos

Así, la concepción griega de ciudadanía se opone a la romana por su carácter inextensible. A partir del año 451 a.C., sólo un individuo hijo de padre y madre atenienses puede ser ciudadano de Atenas.[1] Esa ley de cierre de la ciudadanía, propuesta por Pericles, parece el exacto negativo de la ley de Caracalla que confirma y acaba la apertura de la ciudadanía romana. Atenas, a pesar de su poderío cultural y militar, se conforma con ser una ciudad-estado y no un imperio universal. La Grecia clásica está muy lejos de la noción de hombre universal y cada una de sus ciudades afirma su diferencia.[2]

La historia de Alemania revela, en su conjunto, el predominio de un temperamento diferencialista de larga duración que hace que se sucedan, alternativamente, fases explícitas durante las cuales se crean ideologías diferencialistas, y fases implícitas durante las que la gente se contenta con vivir diferencias sin teorizar. El particularismo de las ciudades y de los principados alemanes de la Edad Media, que conduce a la fragmentación geográfica y estatal del Sacro Imperio Romano Germánico, es la primera manifestación histórica clara de un diferencialismo implícito. Pero el diferencialismo implícito alemán se manifiesta en todas las épocas a través de la hostilidad frente a la idea de asimilación. Desde Europa central hasta la cuenca del Volga, los grupos alemanes emigrados entre la Edad Media y el siglo XVIII protegen su identidad para no ser absorbidos por el medio que les rodea. Hoy vemos cómo algunas de esas poblaciones vuelven a la República Federal de Alemania. El código de nacionalidad tradicional alemán, basado, como la idea ateniense de ciudadanía, en la noción de derecho de sangre, legitima su identidad étnica.[3] Recíprocamente y en teoría, Alemania no aspira a asimilar poblaciones no germánicas. Porque en la práctica, el atractivo de la civilización alemana garantiza, durante la Edad Media y más tarde, la germanización de numerosas poblaciones eslavas, tanto en Alemania Oriental como en Austria. Se da la asimilación sin asimilacionismo. Pero ese fenómeno no trae consigo la aparición de una ideología universalista, que pretenda deducir de la equivalencia de los hombres y de los pueblos la posibilidad para cualquier hombre de convertirse en alemán. La asimilación funciona en clave amnésica, puesto que la diversidad de origen de las poblaciones de lengua alemana es expulsada fuera del campo de la conciencia nacional. El diferencialismo hace de la identidad étnica una característica heredada, míticamente transmitida por la familia o por la sangre. En la historia alemana se pueden identificar dos momentos de diferencialismo explícito. En el siglo XVI, la reforma protestante quiebra el universalismo romano en buena parte del territorio europeo: Lutero inicia su lucha contra el poder de la Roma católica con un *Manifiesto a la nobleza cristiana de Alemania*. La afirmación del carácter específico de la nación alemana es central en el mensaje original de la Reforma. La segunda formalización del diferencialismo alemán tiene lugar en el siglo XX y toma la forma del *pangermanismo*, que mantiene una vez más que Alemania, única portadora de la idea de civilización, tiene una misión especial. El nazismo, que cree en la misión del ario más que en la del alemán, es diferencialista pero trasciende la noción étnica inmediata de germanidad.

La teoría japonesa de la pertenencia étnica es un claro exponente de la lógica diferencialista, reforzada por una insularidad que aumenta la «verosimilitud» de la noción de pureza étnica y facilita el desarrollo de una concepción absolutamente genealógica de la identidad nacional. Con las teorías nacionalistas que acompañan a la modernización del país, a finales del siglo XIX y primera mitad del XX, Japón se convierte en una nación-familia, racialmente homogénea y distinta de todas las demás:

«Según los deseos de la diosa Amaterasu, Japón no debe conocer más que una única línea de descendencia imperial, desde sus orígenes hasta el fin de los tiempos. Ni el emperador puede ser destronado, ni la dinastía interrumpida. La nación debe fundirse en una única voluntad en torno al Estado-Familia y unirse alrededor de los ideales de piedad filial y de lealtad. Se trata de una estructura peculiar de Japón y única en el mundo, que hace de ese país un país mimado por los dioses. En los demás países, la ausencia de *kokutai* produce crisis, revoluciones, periodos de decadencia, fases de contestación al Estado, producto de ideologías radicales que serían aberrantes en el caso de Japón».[4]

En consecuencia, el hombre japonés no es una variante más del hombre universal. No cualquier hombre puede ser japonés, ya que el ser nipón es una cualidad heredada. Tanto en el caso de Japón como en el de Alemania, la derrota del diferencialismo explícito —uno tiene la tentación de escribir «histérico»— de los años comprendidos entre 1900 y 1945, no implica la desaparición del diferencialismo implícito, enraizado en actitudes antropológicas más profundas.

Los pueblos ateniense, alemán y japonés han representado un papel de capital importancia en la historia de la humanidad, a pesar de su repugnancia por sentirse simple y llanamente humanos. Pero muchas poblaciones portadoras del rasgo diferencialista son pequeñas y por así decir, periféricas a la historia de la humanidad. Una actitud étnica que potencia la percepción de las diferencias entre los hombres y entre los pueblos, desemboca con más frecuencia en la cristalización de micronaciones que en la formación de potencias culturales de envergadura. Desde ese punto de vista, es arquetípico el pueblo vasco, que mantiene, frente al universalismo castellano, una identidad étnica cuyo origen se pierde en la noche de los tiempos y de la que ya no se sabe a ciencia cierta sobre qué criterio objetivo se apoya, puesto que la mayor parte de los vascos habla español. Hacia 1980, sólo entre el 20 y el 25% de ellos entendía el vasco y entre el 10 y el 15% era capaz de leerlo y escribirlo.[5]

Hasta muy recientemente, Inglaterra se caracterizaba por combinar un diferencialismo implícito marcado con un diferencialismo explícito débil. Aunque en la práctica han sido frecuentemente hostiles a la mezcla étnica o racial sobre el terreno, los ingleses han estado mucho tiempo sin producir ninguna doctrina que afirmase violentamente su diferencia ni su carácter único, como han hecho los alemanes o los japoneses. Ese equilibrio está siendo modificado, desde mediados de los años sesenta, por la irrupción de las teorías *multiculturalistas* en el conjunto del mundo anglosajón. A partir de ahí, en Inglaterra, en Australia, en Canadá o en Estados Unidos florece la ideología de la diferencia.[6] Pero, al contrario de las doctrinas alemana, japonesa, judía o vasca, el multiculturalismo anglosajón no atribuye un papel único y específico a una etnia en particular (que hubiese sido la anglosajona, claro está). Todos los pueblos son diferentes, pero sin que eso quiera decir que uno de ellos sea, por esencia, superior a los demás. Ese diferencialismo aparece así, en el plano teórico al menos, como «no polarizado» por un grupo humano en particular. Las otras teorías diferencialistas están polarizadas por los pueblos alemán, japonés o vasco, en torno a los cuales se organiza el universo.

La idea de diferencia humana puede servir para identificar y separar grupos étnicos según su apariencia física, su lengua, su religión o cualquier otro criterio de definición. Pero el diferencialismo también puede organizar la división social del trabajo, fomentando entonces la idea de que los diversos grupos profesionales que forman un pueblo son de esencias diferentes. En los casos de Japón, Alemania o Inglaterra, por atenernos a grupos de gran tamaño que constituyen sociedades completas desde el punto de vista económico, puede percibirse cierto diferencialismo interno, cuyas modalidades varían según la época considerada. En su forma más moderna y más atenuada, ese diferencialismo interno llevará, por ejemplo, a que el conjunto del grupo étnico considere que la estratificación profesional es natural y que los obreros deben seguir ocupando su lugar en la estructura social. En el contexto de una sociedad industrial, esa actitud permite el predominio de movimientos obreros reformistas que no contestan el orden social, como la socialdemocracia o el laborismo. En las sociedades de tipo universalista, por el contrario, el obrero, que es un hombre universal como los demás, no puede aceptar una situación que marca de manera evidente su subordinación. De ahí la aparición en la época moderna de movimientos socialistas de tinte revolucionario, comunistas o anarquistas, en Rusia, en España o en Francia. En la época preindustrial, el diferencialismo interno favorece el nacimiento de sociedades organizadas en órdenes que clasifican a los individuos según su «estado» —noble, clerical, burgués, campesino—. En Inglaterra, Alemania y Japón, el diferencialismo interno no destruye la idea de una unidad lingüística de grupo, subrayada por la existencia de ritos religiosos comunes a los diversos estratos profesionales. Cuando una categoría especializada está formalmente aislada, es numéricamente insignificante y se la trata como paria; es el caso de los judíos mineros de plata en Alemania o de los burakumin que ejercen los oficios de la carne y el cuero en Japón. En el fondo, se trata de una categoría considerada como exterior al grupo étnico.[7]

El sistema hinduista de castas, particularmente vivo en el sur de la India, lleva sin embargo hasta sus últimas consecuencias el diferencialismo interno que aplica la idea de la no universalidad del hombre a la organización socioprofesional. Los oficios se transmiten de forma sistemática por herencia y los matrimonios entre grupos profesionales están prohibidos. El sacerdote, el alfarero, el militar, el campesino, el jornalero, el curtidor son seres vivos de naturaleza distinta sin que exista naturaleza universal humana alguna que los relacione entre sí.[8] En el caso de la civilización india, ambos niveles de diferencialismo, explícito e implícito, están estrechamente unidos. En el sistema de castas es difícil distinguir la teoría de la práctica. El diferencialismo indio es fuerte porque fragmenta el propio grupo étnico. A pesar de ello, no parece que pueda colocarse a la India por encima de la Europa protestante en una imaginaria escala general de intensidad de diferencialismo. En el nivel implícito, práctico, el ínfimo índice de matrimonios entre blancos y negros americanos pone de manifiesto una endogamia racial que no tiene nada que envidiar a la endogamia profesional india. En el nivel explícito, ideológico, la Alemania nazi ha llevado la deshumanización de un grupo humano, los judíos, más lejos de lo que lo haya hecho jamás la India de las castas con los intocables.

El diferencialismo indio coloca a un grupo social, el de los brahmanes, por encima de todos los demás, en términos de pureza religiosa. Así pues, en su aspecto interno, puede considerársele polarizado. Si se pasa del plano de las categorías socioprofesionales al de los grupos étnicos o nacionales, se constata que la civilización india, aunque percibe los pueblos como irreductibles los unos a los otros, no considera a ninguno superior a los demás por naturaleza. El diferencialismo externo indio se presenta como no polarizado. La India nunca ha postulado, como hicieron Alemania y Japón, su superioridad esencial. Un breve texto, extraído de un manual escolar de educación moral y cívica, resume bastante bien la actitud media india frente a la diversidad del mundo:

«Algunas personas son vegetarianas y otras no pueden vivir sin carne. Junto a esas diferencias de manera de vivir en el plano individual, grandes comunidades, naciones y fieles de diversas religiones tienen actitudes y costumbres diferentes. Unos prefieren un gobierno dictatorial. Otros prefieren un sistema socialista de gobierno. ¿Quién puede decir qué forma de gobierno es la mejor? Todas tienen sus ventajas y sus inconvenientes. Cada pueblo constituido en nación debe elegir por sí mismo el sistema que le conviene».[9]

En el norte de la India, existe un diferencialismo más clásico desde el punto de vista europeo: el de los sijs del Punjab, apoyado en un conceptualismo de orden religioso. El sijismo, religión reciente que data, *grosso modo*, del siglo XVI, se declara monoteísta y, en teoría, rechaza el sistema de castas. Pero el rechazo del diferencialismo profesional va acompañado de un separatismo nacional y religioso de gran virulencia, que sacude de vez en cuando la conciencia de los occidentales a través del asesinato, a manos de extremistas sijs, de un jefe de gobierno, como ocurrió con Indira Gandhi. Su negativa a cortarse el pelo, el uso del turbante y algunos otros ritos permiten a los sijs manifestar su diferencia,[10] mientras la obligación de llevar consigo un puñal subraya la componente guerrera de su sistema religioso.

El diferencialismo judío tradicional, es decir, anterior a las diversas asimilaciones de la época moderna, representa el caso raro de una polarización invertida: el pueblo escogido, señalado por el Eterno entre todos los demás, está castigado por no haber sabido ponerse a la altura de la misión religiosa y ética que le había sido encomendada. Se trata de una percepción del mundo polarizada, puesto que insiste en el papel específico de un pueblo y es, a la vez, una percepción invertida, porque ese pueblo se autodefine como débil y perseguido en lugar de hacerlo como dominador. No obstante, el diferencialismo judío, como el japonés, se apoya en el concepto de pueblo-familia, cuya cohesión es consecuencia de un sistema genealógico. Una buena parte de la Biblia está consagrada a la formación del pueblo de Israel a partir de una familia-ancestro. Al mismo tiempo, antes de la elección de Israel, el mito del Génesis es particularmente claro en su definición de la unidad del género humano. La relación del judaísmo con la diferencia y con lo universal no es sencilla, pero con esto no estamos descubriendo Roma.

Así pues, no existe una única cultura de la diferencia. Cada una de las actitudes ateniense, alemana, japonesa, vasca, inglesa, india, sij y judía tiene sus características propias. Pero en todas subyace un postulado de no equivalencia de los pueblos. Recíprocamente, las mentalidades romana, española, francesa, rusa, china y árabe, aunque se distinguen unas de otras por múltiples rasgos, todas incluyen el postulado de un hombre universal, cuya esencia única trasciende la diversidad de las apariencias físicas o de las costumbres. La descripción que acabamos de hacer es muy esquemática, pero nos permite avanzar en la comprensión de los mecanismos mentales que determinan las percepciones universalistas y diferencialistas, al mismo tiempo que nos ayuda a descubrir un factor común a todas las culturas universalistas y su contrario, común a todas las culturas diferencialistas. *La vida familiar de los pueblos de tendencia universalista está regulada por un fuerte principio de simetría que no se encuentra en la vida familiar de los pueblos de tendencia diferencialista.*[11]

Estructuras familiares simetrizadas

Las tradicionales estructuras familiares romana, rusa, china y árabe, definen papeles simétricos para los hermanos. El ciclo de desarrollo del grupo doméstico rural es de tipo comunitario, y asocia idealmente al padre con sus hijos casados. Al morir el padre, los hermanos pueden seguir viviendo juntos por algún tiempo, pero su separación, inevitable a la larga, implica un reparto equitativo de los bienes del que las hermanas están excluidas, lo que permite caracterizar la transmisión de los bienes como patrilineal.[12] Dos hermanos ocupan siempre posiciones simétricas en el espacio familiar. Un sistema así concebido dice al subconsciente que si los hermanos son iguales, los hombres en general son iguales y los pueblos también. En todos esos casos, la misma estructura del grupo familiar admite un plano de simetría, ya que cada hermano, idénticamente ligado al padre, aparece explícitamente como el reflejo de otro hermano.

El ciclo de desarrollo del grupo doméstico rural típico de la Cuenca de París, de Castilla o de Andalucía no es comunitario sino nuclear. No es posible identificar ninguna asociación fuerte entre padre e hijo o entre hermanos. Bien al contrario, el matrimonio de los hijos supone que éstos abandonen el hogar de los padres y funden su propio núcleo familiar. Pero este modelo nuclear es acompañado por una regla de herencia fuertemente igualitaria que no hace diferencia entre varones y hembras. Todos los hijos deben heredar igual, y las costumbres rurales velan por que los adelantos y las dotes distribuidas a hijos e hijas para facilitarles el matrimonio, no contradigan el principio de igualdad a la muerte de los padres. Esta preocupación por la estricta igualdad no es típica de la mayoría de los sistemas nucleares, sino que parece una huella del igualitarismo del sistema comunitario romano. En la historia de la familia romana puede apreciarse, desde la República hasta el Bajo Imperio, un movimiento que va del comunitarismo hacia el individualismo, de la gran familia indivisa hacia la familia nuclear, movimiento que es acompañado por una emancipación de las mujeres y por una bilateralización general del sistema parental.[13] Finalmente, padre y madre cuentan tanto el uno como el otro en la definición del status social del hijo. El carácter bilateral de la familia nuclear igualitaria de la Cuenca de París, al manifestarse en reglas de herencia que no distinguen a hombres de mujeres, parece no ser sino el punto de llegada de la evolución del sistema parental romano. Hay que decir que la familia comunitaria romana nunca había excluido a las mujeres de la herencia de manera tan formal como lo hacen las familias comunitarias china y árabe.[14] La distribución geográfica del tipo familiar nuclear igualitario, que escasamente rebasa los límites de Europa, es lo bastante elocuente respecto a su origen romano. Es el tipo familiar mayoritario en los países latinos: Francia, España, Italia, Portugal y la Suiza de lengua francesa, a pesar de que en cada uno de estos países de lengua latina, pueden identificarse otros tipos familiares minoritarios —especialmente en el norte de Portugal y de España—.[15] Fuera de ahí, la familia nuclear aparece acompañada por un principio de divisibilidad de la herencia que no es el radical principio de igualdad familiar del mundo latino.[16]

Por tanto, hay que diferenciar dos tipos de simetría familiar:

—la *simetría masculina restringida*, que supone la igualdad sólo de los hermanos;

—la *simetría generalizada*, que supone la igualdad de todos los hijos, varones y hembras.

Con esas dos variantes de la simetría podemos hacer coincidir dos concepciones del hombre universal. La simetría masculina restringida dice a la conciencia que los hermanos son iguales y al inconsciente que los hombres, en el sentido restrictivo de individuos de sexo masculino, son iguales. La simetría generalizada dice a la conciencia que hermanos y hermanas son iguales y al inconsciente que los seres humanos, hombres y mujeres, son iguales. Es evidente que esa distinción es fundamental para entender la oposición entre los universalismos francés y árabe. El universalismo francés, que se apoya en el principio de sistema familiar generalizado, tiende a considerar a la mujer como un representante más del «hombre universal». El universalismo árabe, al derivar de una simetría masculina restringida, excluye a las mujeres de la noción de hombre universal.

Roma, España, Portugal, Francia, Rusia, China y el mundo árabe son siete ejemplos de universalismo práctico e ideológico y otros tantos ejemplos de una práctica familiar simetrizada, de reglas de herencia igualitarias. Ese principio familiar de simetría de los hermanos o de los hijos no se encuentra en los sistemas familiares de los pueblos de temperamento diferencialista.

Estructuras familiares no simetrizadas

Los sistemas familiares dominantes en el Japón, la Alemania y el País Vasco tradicionales incluyen, por el contrario, un fuerte principio de asimetría. El ciclo de desarrollo del grupo doméstico rural es del

30

tipo matriz: en cada generación hay un único heredero, designado por la costumbre o escogido por los padres, mientras los demás hijos quedan excluidos de la sucesión. En Japón y en Alemania domina el principio de la *primogenitura* masculina, de forma que generalmente el heredero es el mayor de los hijos varones. Pero en ciertas regiones se aplica el principio de *ultimogenitura* masculina, como ocurre con frecuencia en el norte de Alemania o en el sur de Japón. En buena parte del mundo vasco, la regla es la *primogenitura absoluta*, es decir, que el mayor de los hijos, varón o hembra, es designado sucesor.[17] Esta fórmula se encuentra también en ciertos pueblos del norte de Japón.[18] En todos los casos, los demás hijos, hombres o mujeres, deben casarse con el heredero o la heredera de otra familia, o bien hacerse soldados o sacerdotes, o ambas cosas a la vez, como ocurre en el caso de los caballeros teutónicos y de los monjes guerreros japoneses. Todo ciclo de desarrollo del grupo doméstico del tipo matriz, sea cual sea su variante, produce un flujo continuo de reclutamiento para esas profesiones especializadas, hasta el punto de que una superproducción de sacerdotes o de soldados mercenarios en una sociedad local, indica con frecuencia que hay un «sistema matriz» en funcionamiento. Así ocurre con los mercenarios suizos, escoceses o de Hessen entre los siglos XVI y XVIII. Allí donde está en vigor, el sistema matriz define diferentes destinos para los hermanos: serán primogénitos o segundones, campesinos, sacerdotes o soldados, casados o solteros, etcétera. En las duras condiciones de vida del mundo preindustrial, lo más frecuente es que los hermanos no sean iguales, en la medida en que el derecho de sucesión sobre la casa y las tierras es un auténtico privilegio. Ese sistema familiar, que considera que los hermanos son diferentes, determina una estructura mental que predispone a percibir a los hombres y a los pueblos como diferentes. La franca desigualdad entre los hermanos abre incluso la posibilidad de una categorización abiertamente inigualitaria de los hombres y de los pueblos, y conduce a distinguir entre elegidos y excluidos, entre superiores e inferiores.

La familia sij del Punjab aparece como una forma imperfecta de la familia matriz. Las reglas de herencia son, en teoría, igualitarias, como en el conjunto de la India del norte, pero el examen concreto del ciclo de desarrollo del grupo doméstico muestra que en la práctica, los núcleos familiares sijs nunca ponen en relación dos hermanos casados y presentan siempre la forma no simetrizada de una asociación padre-hijo.[19] La especialización militar de esta población subhimalaica permite que los hijos no sucesores renuncien a su parte de la herencia en provecho de un único hermano. Así pues, el guerrero sij no es más que un caso particular de mercenario producto de la familia matriz.

Encontramos un ideal de diferenciación entre hermanos en el corazón de la tradición judía, tal y como aparece en la Biblia, reflejo y modelo a la vez de un tipo de vida familiar.[20] Los preceptos del Deuteronomio otorgan una parte doble al primogénito, pero no excluyen de la herencia a los otros hijos.[21] Las genealogías bíblicas evidencian el funcionamiento de una variedad particular de familia matriz, cuya ambigüedad está perfectamente simbolizada por el mito de Jacob y Esaú. La asociación de Isaac, padre, y Esaú, hijo primogénito (principio de primogenitura masculina) es rota por la madre Rebeca en provecho de Jacob, el hijo menor. El sistema pone de relieve la desigualdad de los hermanos, de los hombres y de los pueblos, pero, asimismo, deja bien sentada una preferencia invencible por el débil, hijo o pueblo.[22]

La Grecia antigua, en lo que a las relaciones entre hermanos se refiere, está más cerca de Israel que de Roma. Los escasos e imperfectos datos de los que disponemos, sin probar un inigualitarismo estricto, sugieren una práctica general de la desigualdad, que se deduce del deseo de tener, para cada familia, un heredero sucesor y no varios. Fustel de Coulanges, obsesionado por la ciudad estable compuesta por un número invariable de familias, busca en Esparta, Tebas y Corinto la prueba de la existencia de reglas de indivisión de la propiedad y de una especie de «mayorazgo». Quiere encontrar en Atenas, en donde la herencia es divisible, la huella de un privilegio del primogénito.[23] Pero la prueba más convincente de la existencia de una distinción entre hermanos en la tradición helénica se encuentra probablemente en el modelo griego de expansión y de colonización: cada ciudad enviaba a sus segundones a ultramar, en un proceso migratorio asombrosamente parecido a la colonización alemana de la Edad Media. En cuanto al abundante mercenariado griego, hay que decir que recuerda al mercenariado suizo, escocés o de Hessen.

El sistema familiar tradicional de los campesinos ingleses es de tipo nuclear, pero no incluye ningún principio de simetría.[24] Los padres distribuyen libremente los bienes familiares entre hijos e hijas sin que ningún principio de igualdad les obligue. El uso del testamento institucionaliza esta divisibilidad sin obligación de igualdad. El sistema define a los hijos como diferentes entre sí, pero no como desiguales, rasgo que lo distingue de las estructuras familiares alemanas, japonesas o vascas.

Las estructuras familiares de la India del sur dravídica incluyen un fuerte principio de asimetría, inmediatamente perceptible en el sistema de matrimonio. Una regla de alianza preferencial hace que un hombre deba casarse con la hija del hermano de su madre, es decir, según la terminología antropológica convencional, su prima cruzada matrilateral. Por el contrario, el matrimonio con las primas paralelas, hijas del hermano del padre o hijas de la hermana de la madre, está prohibido. La otra prima cruzada, hija de la hermana del padre, está autorizada o, con mucha menor frecuencia, es preferida a la prima cruzada matrilateral. Entre ciertas castas del país tamil, se añade la regla preferencial del matrimonio oblicuo, según la cual un hombre puede o debe, si las diferencias de edad lo permiten, casarse con la hija de su hermana mayor. La regla de la alianza matrilateral o sorolateral organiza una percepción asimetrizada del espacio social, según la cual hay que casarse con ciertas primas y rechazar a otras. En el nivel de las mentalidades puras, la desigualdad de las primas de la familia dravídica parece una concepción más débil que la desigualdad de los hermanos de la familia matriz alemana, vasca o japonesa. Pero la regla de alianza asimétrica, endógama, produce una separación práctica de los grupos familiares que desmultiplica mecánicamente el potencial diferencialista del sistema mental. Las familias aliadas en cadenas asimétricas constituyen las castas endógamas.

Podemos establecer una relación más inmediata y concreta entre la familia matriz de Europa o de Japón y la familia asimétrica endógama del sur de la India. El ciclo de desarrollo del grupo familiar dravídico es nuclear, ya que cada matrimonio implica la creación de un hogar independiente, inmediatamente o tras un tiempo de residencia con los padres. La regla de herencia efectiva parece del tipo «divisibilidad sin igualitarismo», a juzgar por lo que dejan presumir las monografías de campo, muy insuficientes en este punto.[25] Pero toda la simbólica familiar insiste en la diferencia de papeles entre primogénitos y segundones, oposición que con frecuencia va asociada, en la mentalidad de los individuos, a la existencia de castas superiores e inferiores.[26] En particular, la regla del matrimonio asimétrico pesa explícita y prioritariamente sobre el mayor de los hermanos. Como bien explica Louis Dumont, en cada generación, un hermano, a ser posible el mayor, debe casarse con su prima cruzada matrilateral. Los segundones son libres de casarse con quien quieran, si es el caso, con otra prima cruzada.[27] Así pues, la desigualdad en el tratamiento de los hermanos, característica de la familia matriz, se encuentra en la familia asimétrica endógama dravídica.[28] El matrimonio oblicuo, con la hija de la hermana, también hace intervenir la noción de primogenia, puesto que se trata forzosamente de un matrimonio con la hija de la hermana mayor. Todo el sistema dravídico está organizado, psicológicamente, en torno a la solidaridad entre hermano y hermana: el matrimonio entre primos cruzados, hijos de un hermano y de una hermana, prolonga su inquebrantable afecto, como lo hace el matrimonio entre un hombre y la hija de su hermana mayor. Ahora bien, la relación hermano-hermana asocia dos seres humanos de sexo opuesto y evoca por naturaleza la idea de asimetría. Su predominio borra la relación entre hermanos y suprime la posibilidad de una simetrización masculina de las relaciones familiares.

La noción de certidumbre metafísica a priori

Roma, España, Portugal, Francia, Rusia, China, Arabia: siete focos de universalismo, siete sistemas familiares simetrizados por reglas de sucesión igualitaria. En todos los casos, la equivalencia de los hermanos trae consigo la de los hombres.

Grecia, Israel, Alemania, Japón, País Vasco, el Punjab sij, Inglaterra, India dravídica: ocho focos de diferencialismo, ocho sistemas familiares no simetrizados que tratan a los hermanos como diferentes. El análisis detallado revela que la intensidad del diferencialismo ideológico está en función del grado de desigualdad entre hermanos. A los sistemas matrices francamente inigualitarios de tipo alemán, japonés o vasco, corresponden diferencialismos polarizados que organizan el universo en torno a un pueblo determinado. El diferencialismo judío tradicional pertenece al mismo modelo, con la diferencia de que el pueblo central se percibe a sí mismo como dominado y no como dominante, reflejo fiel de un sistema matriz que privilegia al benjamín antes que al primogénito, a diferencia de lo que hacen los modelos alemán, japonés o vasco. A los sistemas familiares dravídico o inglés, débilmente inigualitarios, corresponden diferencialismos no polarizados, que no consideran que un pueblo determinado tenga una posición central. La insuficiente calidad de los datos que poseemos sobre las estructuras familiares sijs o de la Grecia antigua no permite alcanzar, en su caso, el mismo grado de precisión en lo que concierne a la relación entre familia e ideología.

La identificación de una analogía de estructura entre familia e ideología permite entender la permanencia en el tiempo de las actitudes universalistas y diferencialistas. En el contexto de la sociedad preindustrial, los sistemas familiares son estables a lo largo de larguísimos periodos. Poseen su propia lógica y reproducen, de generación en generación, los mismos principios de simetría o de asimetría. Determinan en todo momento las actitudes de universalismo o de diferencialismo implícito, pero también son capaces de alimentar, en determinadas fases de progreso o de crisis, accesos de universalismo o de diferencialismo explícito.

El hecho de que sea la estructura familiar la que determina el universalismo o el diferencialismo sitúa el concepto de Hombre, universal o múltiple, fuera de la realidad concreta del contacto entre pueblos y etnias. El que se crea en la unidad o en la diversidad del género humano, no depende de la observación empírica de individuos de tal o cual región del mundo, cuyo comportamiento ratificaría o no la hipótesis de una esencia humana universal. La educación deposita en el inconsciente de los niños el postulado, por ejemplo, de una equivalencia de los hermanos que se traduce, si pasamos al terreno ideológico, en equivalencia de los hombres en general. Pertrechado con este filtro de análisis, el individuo adulto no buscará la realidad objetiva en el comportamiento concreto de los extranjeros, sino la confirmación de que todos los hombres son iguales. El universalismo, producido y reproducido por los valores familiares, escapa en cierto sentido a cualquier realidad social objetiva. Lo mismo puede decirse del diferencialismo, determinado por la educación en la esfera privada de la familia y no por el contacto interétnico, es decir por el contacto entre específimenes «diferentes» de humanidad. Esa es la razón por la que el universalismo y su contrario, el diferencialismo, tienen para los individuos adultos que los viven la condición lógica de *certidumbres metafísicas* a priori.

La manera romana de afrontar las diferencias objetivas, físicas o culturales, ilustra a las mil maravillas la actitud mental universalista. En su avance hacia el dominio del mundo, Roma encontró individuos y pueblos de una prodigiosa diversidad. Las poblaciones de la cuenca mediterránea, culturalmente muy distantes del pueblo conquistador, le resultan cercanas en su aspecto físico o en su nivel de desarrollo. Romanos, griegos, cartagineses, judíos y muchos otros pueblos pueden definirse como gente «morena y bajita que sabe escribir». Por eso, el reconocimiento por parte de Roma de una esencia universal que permite transformar todos esos tipos de hombres en ciudadanos, no puede presentarse como un ejemplo particularmente llamativo de la capacidad romana para ignorar la diferencia. Por el contrario, del otro lado del valle del Ródano, galos y germanos aúnan, desde el punto de vista romano, una apariencia física monstruosa y un subdesarrollo intelectual descorazonador. Son de una estatura descomunal, tienen la piel blancuzca, el pelo claro y, a menudo, los ojos extrañamente azules. Al exotismo somático se superpone el desconocimiento de la escritura, indicador tipo de barbarie, en esa época como en otras. Añadamos la práctica de ritos bárbaros como los sacrificios humanos o la costumbre de los jefes galos de decorar sus casas con hileras de calaveras, y podremos hacernos una idea del sentimiento físico-cultural de extrañeza que pudieron experimentar los conquistadores latinos habituados a la vida urbana, al agua corriente de las termas y a los procesos electorales. Y a pesar de todo, en unas pocas generaciones, los galos son aculturizados y su lengua es eliminada. Una vez latinizados darán a Roma senadores y hombres de letras. Nada en su apariencia ni en sus costumbres se parecía a Roma, ni indicaba con claridad la posibilidad de convertirlos en ciudadanos corrientes. Roma podría haber adoptado otra actitud y haberlos hundido en la indiferencia. De hecho, esa otra actitud ya había sido puesta en práctica por Marsella, otra gran ciudad de la Antigüedad, colonia focea que siempre se había negado a considerar helenizables a los galos del interior.[29] El comportamiento asimilador de Roma no puede explicarse con un simple análisis de las diferencias entre conquistadores y conquistados. Los romanos «saben» previamente, por decirlo así, que, a pesar de la inquietud que les produce el primer contacto, los galos son hombres como los demás. Esa certidumbre se la proporciona la educación igualitaria inculcada por un sistema familiar independiente en sí mismo del contacto interétnico. Los valores «internos» del fondo antropológico romano dicen, en el nivel consciente, que los hermanos son iguales y en el nivel inconsciente que los hombres son iguales. ¿Cómo explicar entonces las diferencias objetivas entre bárbaros y romanos?

En *La guerra de las Galias*, César deja entrever claramente cuál es el camino intelectual por el que un romano resuelve el problema de la diferencia cultural: toda diferencia es interpretada en términos de retraso de civilización. Cuanto más lejos está un pueblo de la *Provincia* romana, más seguro está el conquistador de que allí encontrará formas exóticas de vida. Así, los germanos son más salvajes que los galos, a quienes ya ha refinado la influencia mediterránea. Entre los belgas, los más bárbaros son los nervios, porque son los más lejanos. Los bretones de Kent son más civilizados que los demás, porque están más cerca de la Galia.[30] En el fondo, a César no le interesa demasiado el análisis etnográfico y las pocas observaciones sobre las costumbres que pueden encontrarse en *La guerra de las Galias*, están tomadas, en general, de etnógrafos griegos como Posidonio.[31] En la representación romana del mundo, la diferencia objetiva no es manifestación de una esencia inmutable, sino que puede ser reabsorbida por el avance del progreso. Así pues, en el texto que describe el nacimiento de la Galia romana puede encontrarse una teoría de la asimilación y del progreso en total conformidad con la de la Tercera República Francesa.

La postura romana pone también de relieve que la actitud universalista es «ambivalente»: hay diferencias culturales que son interpretadas en términos de retraso cultural del propio pueblo romano. Así, se reconoce a la civilización griega como superior en el orden intelectual, postura mental que conduce a la helenización sistemática de las elites romanas desde la época de las guerras contra Cartago. Merece la pena subrayar esta componente de la mentalidad universalista porque hoy en día está de moda considerar el universalismo como intolerante por naturaleza frente a la diferencia cultural. El caso de Roma muestra que, al contrario, el universalismo funciona en ambos sentidos: los galos aceptan la civilización de los romanos, que a su vez han aceptado buena parte de la de los griegos.

¿Qué pueden decir los romanos de la diferencia física? En el fondo, nada. Primero les sorprende y luego se acostumbran. Esa es, en concreto, su actitud frente a la diferencia física normalmente considerada como máxima: la que separa a las poblaciones negras y blancas. Lloyd A. Thompson, en *Romans and Blacks*, muestra cómo la llegada de los negros al mundo romano produjo, en un primer momento, reacciones de hostilidad ante lo diferente y cómo más tarde la costumbre diluyó la percepción del color. El intercambio sexual llevó de forma natural a la absorción permanente de la población originaria del Africa negra. Con toda razón, Thompson opone esta secuencia, que lleva desde la hostilidad hasta la trivialización, a lo que podríamos llamar secuencia anglosajona, en la que el nivel de hostilidad para con las poblaciones negras aumenta con la duración del contacto.[32] La actitud de la Roma antigua es el prototipo de la actitud latina en todas las épocas ulteriores. La capacidad para asimilar individuos de origen africano o galo, no se deriva simplemente del hecho de que los galos y los negros son, en efecto, hombres, sino del hecho de que los romanos funcionan con la convicción mental *a priori* de que el género humano es uno, convicción asentada en el principio de simetría y de igualdad que rige la familia romana. Esa certidumbre, de naturaleza metafísica, les da tiempo para acostumbrarse a cualquier diferencia concreta y para eliminarla, ya sea física o cultural.

¿Perpetuación o desaparición de los valores de simetría y de asimetría?

Encontrar el origen del universalismo y del diferencialismo en la educación familiar, permite entender la historia de los contactos interétnicos en el mundo preindustrial. Provistos de esta sencilla hipótesis, podemos explicar por qué romanos y chinos han sido universalistas mientras que griegos y judíos han sido diferencialistas. De la misma manera, cobra sentido la conquista asimiladora de una parte del mundo por el islam árabe, como lo cobra el rechazo del universalismo católico por parte del protestantismo alemán. La Revolución francesa, el mestizaje ibero-indio en América latina, el rechazo inglés de la mezcla racial en América del Norte dejan de aparecer como azares de la historia o como idiosincrasias culturales carentes de sentido. La capacidad explicativa de la variable familiar se extiende también sin dificultad a los fenómenos de la época industrial: en ese periodo las estructuras familiares se descomponen, pero lo hacen transmitiendo con particular virulencia sus valores fundamentales de simetría o de asimetría, de igualdad o desigualdad, a la nueva sociedad que se forma. Igualmente podemos explicar el frenesí universalista ruso de la época comunista y la histeria diferencialista alemana o japonesa de la primera mitad del siglo XX. No obstante, no podemos, sin previa reflexión, prolongar este esquema hasta el actual periodo de inmigración intercontinental, para afirmar que los pueblos de tradición universalista seguirán siéndolo en el siglo XXI y que, recíprocamente, los pueblos diferencialistas en un pasado próximo o lejano seguirán siéndolo eternamente. Existen incertidumbres en lo relativo al papel y al estado de la estructura familiar que obligan a considerar varias hipótesis.

Nada nos autoriza a afirmar sin verificación empírica previa que la familia postindustrial seguirá produciendo y reproduciendo los valores tradicionales de simetría o de asimetría, de igualdad o de desigualdad. Desde ese punto de vista, el progresivo alejamiento histórico del mundo rural plantea un problema particular: en ausencia de la casa y su explotación rural que transmitir, la sucesión inigualitaria estricta tiende a desaparecer. Las reglas de igualdad, que se generalizan en el plano formal, parecen de aplicación muy incierta en el mundo postindustrial, puesto que lo que se transmite a los hijos consiste mucho más en inversiones educativas difíciles de cuantificar que en bienes materiales más fáciles de reducir a cifras. Las costumbres de la herencia dejan, pues, de ser indicadores válidos por lo que hace a las actitudes familiares típicas, respecto de los principios de simetría o de asimetría, en el terreno del trato dado a los hijos. En el estadio actual, sería necesario describir con detalle la educación de hijos e hijas, en cada país, para saber si las familias hacen sutiles diferencias o no: a través de la distribución del afecto paterno o materno, o a través de la elección de formaciones y oficios, parecidos o diferentes según los hijos. No disponemos de un estudio comparativo así planteado, que es técnicamente muy difícil de realizar. Por otra parte, y tal vez sobre todo, las bajísimas cifras de los indicadores de fecundidad en el mundo occidental, con un número de hijos por explotación rural casi siempre inferior a 2,1, hace que las fratrías que de hecho incluyen a varios hermanos sean, en la práctica, la excepción. La vida familiar real de los individuos hace inútil la aplicación de los principios de igualdad o de desigualdad. Quedan abiertas dos posibilidades en relación con la perpetuación de los valores tradicionales de simetría o de asimetría.

Del sistema familiar al sistema antropológico

Hipótesis 1: *las reglas de igualdad o de desigualdad no pueden ser concebidas independientemente de la regulación de las relaciones reales entre hermanos* y de su aplicación concreta a la vida económica de las familias, es decir, a la transmisión de los bienes por herencia. La desaparición de la vida rural sedentaria y de las fratrías numerosas ligadas a la ausencia de control de la natalidad implica, más allá de una fase de transición y debilitamiento progresivo, la desaparición de los valores fundamentales de igualdad o de desigualdad. En ese caso debemos imaginar que, dentro de un tiempo, las correspondientes relaciones humanas habrán desaparecido. El fin de los diferencialismos anglosajón o alemán, y de los universalismos hispánico o francés, estaría en cierta forma programado por los cambios de la vida familiar.

Hipótesis 2: *la inculcación por parte de la familia de los valores de igualdad o de desigualdad es independiente de los problemas concretos de herencia, que no son más que un punto particular de aplicación de valores independientes de la vida económica.* La desaparición de las fratrías numerosas y de las reglas de herencia simples, inigualitarias o igualitarias, no implica la desaparición de las actitudes fundamentales. Las familias siguen transmitiendo a los hijos las ideas de igualdad o de desigualdad, no solamente de los hermanos concretos, sino de los hermanos, de los hijos y de los hombres en general. Por otra parte, nada nos obliga a considerar que los padres sean los únicos encargados de esa transmisión *a los hijos.* Todos los adultos, en un territorio determinado —padres, tíos y abuelos, vecinos y maestros—, participan, en grados diferentes, como es lógico, en la tarea de inculcar los valores fundamentales. El *sistema antropológico,* conjunto de las relaciones humanas en un territorio dado, desempeña un papel global en la transmisión de los valores. El sistema familiar no es más que una de esas componentes, su núcleo central. *Si aceptamos la existencia de una transmisión global por parte del medio local, de adultos a niños, de las nociones de igualdad o de desigualdad de los roles humanos,* podemos suponer que hay una perpetuación de las actitudes colectivas resultantes en el campo de las relaciones interétnicas. Los diferencialismos inglés o alemán pueden sobrevivir a la sociedad postindustrial, como pueden hacerlo los universalismos francés o español.

En el estado actual de las investigaciones, es imposible observar directamente los mecanismos de transmisión de los valores y afirmar, por ejemplo, que la noción de igualdad de los hermanos o de los hombres sigue siendo reproducida e inculcada en los niños por el medio local de la Cuenca de París, o que los valores opuestos de diferencias o de desigualdades siguen siendo grabados en el espíritu de los niños de Inglaterra o de Alemania.[33] Me parece, no obstante, que esta segunda hipótesis, que sugiere la perpetuación de los valores de igualdad o de desigualdad en los medios locales de las sociedades postindustriales, y en consecuencia la persistencia de importantes contrastes entre Francia, Alemania e Inglaterra, es la única que permite explicar ciertas divergencias recientes entre esas tres naciones en el campo de las relaciones interétnicas. Esa hipótesis también permite explicar por qué la sociedad americana no logra liberarse, a pesar de todos sus esfuerzos conscientes, de una concepción racial de la vida social. La inmigración de poblaciones llegadas del Tercer Mundo obliga a las sociedades desarrolladas a poner de manifiesto su posición universalista o diferencialista. Ahora bien, el análisis detallado del proceso de integración de las poblaciones inmigradas, que a veces conduce a la asimilación y a veces a la segregación, nos lleva a la conclusión de que se da una permanencia de valores fundamentales de igualdad o de desigualdad de los hombres que, procedentes de un pasado lejanísimo, vuelven a manifestarse en la actualidad. Tal vez, en el fondo, cada una de las sociedades postindustriales esté demostrando, por su comportamiento frente al hombre del Tercer Mundo, su incapacidad para superar, en la edad del ordenador, una matriz inicial heredada de los tiempos fundacionales.

La hipótesis de una autorreproducción de los sistemas antropológicos, y no simplemente de la familia, permite, pues, un análisis funcional eficaz de las recientes diferencias de comportamiento entre las grandes naciones occidentales. Nuestra actual incapacidad para observar los mecanismos exactos de la transmisión de los valores que constituyen esos sistemas —igualdad o desigualdad, simetría o asimetría— no debe hacernos abandonar el análisis. Se trata de una situación típica de la física clásica, que establece relaciones matemáticas funcionales entre dos fuerzas cuya exacta naturaleza se le escapa. La teoría de la gravitación universal permitía describir con precisión los movimientos de los cuerpos celestes, pero no se permitía ninguna especulación sobre la naturaleza de la atracción a distancia. Las ciencias sociales, como es evidente, no pueden pretender alcanzar la precisión matemática de las auténticas leyes, pero sería absurdo exigirles una comprensión de la naturaleza absoluta de las cosas a la que las ciencias exactas debieron renunciar para desarrollarse.

2
Diferencialismo y democracia
en Norteamérica. 1630-1840

Los inmigrantes que en el siglo XVII desembarcan en diversos puntos de la costa americana proceden de diferentes regiones de Inglaterra y pertenecen a dos grupos religiosos distintos.[1] Los puritanos de Massachusetts, fieles a un calvinismo estricto, llegan entre 1629 y 1640 de East Anglia, situada al nordeste de Londres. Los de Virginia, miembros de la Iglesia anglicana, se instalan entre 1642 y 1675 y representan el sur y el oeste de su país de origen. Los fundadores de Pensilvania son cuáqueros, que salen del norte de los Midlands entre 1675 y 1725. No obstante, todos son protestantes y practican un mismo sistema familiar, individualista y no igualitario.[2] En los tres casos, el ciclo de desarrollo del grupo doméstico es nuclear. El matrimonio de un hijo implica la constitución de un núcleo familiar autónomo, distinto del de los padres. En el grupo llamado a dominar el conjunto americano en el plano simbólico, el de los puritanos de Nueva Inglaterra, el modelo nuclear es radical, puesto que desde la pubertad, los chicos son enviados a otras familias como criados.[3] Esa práctica del *sending out* es típica de la región inglesa de origen. En Virginia, donde los grandes propietarios sueñan con construir una aristocracia, el ideal no es tan claramente nuclear, pero la práctica sí que lo es.[4] La versión pensilvaniana y cuáquera de la familia también es nuclear, en una posición intermedia entre los dos casos precedentes, por lo que a la intensidad de la norma se refiere.[5]

Ninguna de las variantes de ese sistema familiar nuclear define a los hermanos como iguales. La herencia se divide en la práctica, pero en todas partes pueden observarse ventajas para el hijo primogénito. En Virginia, la legitimación de esas prácticas inigualitarias se apoya en el ideal aristocrático. En Massachusetts y en Pensilvania, es la regla bíblica de la parte doble para el mayor la que sirve de soporte teórico al principio de no igualdad de los hermanos.[6] El caso de Massachusetts es particularmente significativo, ya que puritanos como John Winthrop teorizan sobre la cuestión de la herencia. La primogenitura que practica la aristocracia inglesa es rechazada sin que por ello ningún principio de simetría de tipo romano desemboque en una igualdad estricta. Los protestantes de Nueva Inglaterra interpretan los preceptos del Deuteronomio, que combinan la divisibilidad de la herencia con la parte doble para el primogénito, como una vía intermedia *(«a middle way»)* entre el inigualitarismo aristocrático y el igualitarismo abstracto. En realidad, lo único que hacen todas esas discusiones es legitimar la transferencia al otro lado del Atlántico de las prácticas de herencia tradicionales en East Anglia. El uso del testamento, muy frecuente puesto que la mayor parte de los propietarios lo hacen, pone de relieve otra continuidad anglo-americana. En esos documentos, el principio de divisibilidad se aplica entre chicos y chicas, aunque con frecuencia se favorezca al mayor y el pequeño suela heredar la casa.[7]

Así pues, los matices que existen entre las regiones de la costa americana no hacen más que reproducir matices que se dan entre las regiones inglesas. En todos los casos los hijos pueden ser definidos como libres pero no iguales. Lo que distingue desde un principio la familia americana de la familia inglesa, es que su estructura está formalizada en el plano ideológico. En el siglo XVII, el carácter experimental de la sociedad americana obliga a los diferentes grupos y sectas a formular una teoría de la familia ideal. En Inglaterra, el sistema familiar dominante es el mismo, individualista y no igualitario, pero se contenta con existir prescindiendo de cualquier formulación teórica.[8]

El diferencialismo bíblico

En el caso de los fundadores de América, la ley de correspondencia entre estructura familiar e ideología se pone de manifiesto por la existencia de un sistema religioso conscientemente diferencialista. La metafísica protestante proyecta sobre el plano ideológico la desigualdad de los hermanos típica del sistema familiar, que transfigura en principio de desigualdad de los hombres. Escuchemos a Calvino:

«Llamamos predestinación al consejo eterno de Dios, por el cual ha determinado lo que quería hacer de cada hombre. Porque no los creó a todos de igual condición, sino que dirige a unos hacia la vida eterna y a otros hacia la eterna condenación».[9]

La mayor parte de los grupos religiosos que fundan América proceden de la tradición calvinista, aunque casi todos ellos terminan por abandonar, en el Nuevo Mundo, la teoría de la predestinación. Tras algunos titubeos, restablecen la noción de libre albedrío que concede a cada individuo la posibilidad de decidir por sí mismo su salvación o su condenación.[10] No obstante, los puritanos de Nueva Inglaterra permanecen apegados al predeterminismo estricto un poco más de tiempo que los de la vieja Inglaterra. Incluso parece que la travesía del Atlántico refuerza temporalmente su fe en el poder omnímodo de

Dios, puesto que se aferran a ese dogma autoritario en el mismo momento en el que los grupos puritanos que han permanecido en Inglaterra, triunfantes con Cromwell, aceptan la idea del libre albedrío. Desde ese punto de vista, es arquetípico el caso del líder y teólogo John Cotton (1585-1653), que mientras está en Inglaterra defiende que el hombre puede prepararse por sí mismo a recibir la gracia de Dios, pero que, una vez llegado a América apoya la concepción calvinista estricta según la cual el hombre es incapaz de regenerarse por sí solo.[11]

De todas formas, puede considerarse que, hacia finales del siglo XVII, el libre albedrío es una idea compartida por una aplastante mayoría de iglesias y sectas americanas. Los cuáqueros y los anglicanos, que migran un poco más tarde que los puritanos de Massachusetts, ya han abandonado la teoría de la predestinación cuando llegan al Nuevo Mundo. En un contexto protestante, la teoría del libre albedrío conduce al principio de tolerancia religiosa y al pluralismo institucional. Entre todos esos cambios, América evoluciona, aunque con un pequeño retraso, igual que la rama revolucionaria del protestantismo inglés, y especialmente igual que los *Independents* de Cromwell, que no admiten que institución humana alguna pueda ser considerada infalible.[12]

El desarrollo progresivo de esa teología liberal pone de manifiesto un proceso de ajuste de la representación de Dios como padre, impuesta por la estructura familiar. La doctrina protestante de la predestinación, originalmente adaptada a poblaciones de estructura familiar autoritaria, germánicas o francesas de Occitania, se debilita para adaptarse a poblaciones de modelo familiar liberal. Los calvinistas del Midi francés, que provienen de un sistema familiar autoritario en el que es fácil encontrar tres generaciones conviviendo en la misma casa —abuelos, padres, hijos—, permanecen fieles a la representación de un Dios todopoderoso que salva o condena, pero con quien no se discute, porque los padres occitanos son el modelo de esa imagen. Los padres ingleses y americanos no controlan el destino concreto de sus hijos más allá de la adolescencia y en consecuencia no pueden mantener, en el plano del inconsciente, el ideal de un Dios tan absoluto. Una concepción liberal de la salvación se compagina mejor con la estructura liberal de la familia americana. Ciertos debates teológicos a propósito del status de los descendientes de los *visible saints*, fundadores del Nuevo Mundo, ilustran perfectamente la independencia religiosa de los hijos, puesto que el status de elegido, en efecto, no es transmisible de padres a hijos. En cada generación, cada individuo debe experimentar una conversión interior independiente de la de su padre. Así pues, el bautismo de los hijos de los miembros de la iglesia no es algo que se dé por descontado. Esa actitud pura y dura, que no deriva simplemente del principio de desigualdad, sino que lo hace también del principio de libertad, plantea un problema de organización social, ya que los presupuestos metafísicos ponen en peligro la perpetuación del grupo religioso. A lo largo del siglo XVII, no se encuentra ninguna solución general a este problema, puesto que Massachussetts y Connecticut no consiguen ponerse de acuerdo sobre el status de los hijos de los miembros de una congregación.[13]

Esa evolución hacia el liberalismo no lleva a los protestantes americanos a una concepción igualitaria de la salvación de tipo católico. Los puritanos, que pretenden construir en América una nueva Jerusalén, abandonan la corrupción del mundo cotidiano que representa Inglaterra. Son una elite autoproclamada, tan revolucionaria como insensible a la noción de igualdad. La idea de la desigualdad de oportunidades continúa muy viva: ser elegido es un privilegio entre los humanos y no todos los individuos experimentan la necesaria conversión interior. Las iglesias son asociaciones a las que se pertenece de forma voluntaria y que no tienen vocación de englobar por principio a toda una comunidad territorial. Hacia 1700, de los 93.000 habitantes de Nueva Inglaterra, tan sólo una quinta parte era miembro de alguna Iglesia.[14]

El diferencialismo puritano, originariamente dirigido contra la Inglaterra anglicana o católica, pronto se vuelve contra las poblaciones autóctonas del Nuevo Mundo. Los ingleses de América rechazan la mezcla racial con las poblaciones indias. Se trata de un diferencialismo que bien puede calificarse de explícito, aunque se exprese en el lenguaje metafórico de la Biblia. Los puritanos se identifican con el pueblo de Israel que abandona Egipto en busca de la tierra prometida. Y resulta que el Dios del Antiguo Testamento es, en ese momento de la narración bíblica, un diferencialista convencido:

«Respondió El: "Mira, voy a hacer una alianza; realizaré maravillas delante de todo tu pueblo, como nunca se han hecho en toda la tierra ni en nación alguna; y todo el pueblo que te rodea verá la obra de Yahvé; porque he de hacer por medio de ti cosas que causen temor. Observa bien lo que hoy te mando. He aquí que voy a expulsar delante de ti al amorreo, al cananeo, al hitita, al perezeo, al jiveo y al yebuseo. Guárdate de hacer pacto con los habitantes del país en que vas a entrar, para que no sean un lazo en medio de ti. Al contrario, destruiréis sus altares, destrozaréis sus estelas y romperéis sus cipos.

»No te postrarás ante ningún otro dios, pues Yahvé se llama Celoso, es un Dios celoso. No hagas pacto con los moradores de aquella tierra, no sea que cuando se prostituyan con sus dioses y les ofrezcan sacrificios, te inviten a ti y tú comas de sus sacrificios; y no sea que tomes sus hijas para tus hijos, y que al prostituirse sus hijas con sus dioses, hagan también que tus hijos se prostituyan con los dioses de ellas"», Éxodo, 34 (10-16).

No hay, pues, por qué asombrarse ante la falta de entusiasmo de los ingleses del Nuevo Mundo por casarse con mujeres de los pueblos iroqués, cheroqui o semínola. De todas formas, no debe exagerarse la importancia del texto bíblico: explicita un diferencialismo del mundo anglosajón cuyo origen real debe buscarse en una estructura familiar que no considera que los hermanos sean iguales y que produce y reproduce a nivel inconsciente la *certidumbre metafísica a priori* de la no equivalencia de los hombres y de los pueblos. Los anglicanos de Virginia no son, como los puritanos de Massachusetts, fervientes lectores de la Biblia que se identifiquen con el pueblo de Israel, pero tampoco se casan con indias. La actitud de los puritanos ingleses para con los negros tampoco puede explicarse por una interpretación mecánica del tema del Exodo, puesto que fueron los mismos europeos los que trasplantaron a los africanos del Antiguo al Nuevo Mundo. Y sin embargo, ya en 1705, Massachusetts dicta una ley que prohíbe las relaciones sexuales entre individuos de diferente raza, dirigida tanto contra los negros como contra los indios.[15] No por eso es menos cierto que la adhesión literal a la Biblia implica una ligera distorsión del diferencialismo «natural» inducido por la estructura familiar anglosajona. La familia corriente inglesa ignora la primogenitura y se contenta con afirmar la no equivalencia de los hermanos, sin designar a uno de ellos como dominante. Su expresión ideológica normal es un diferencialismo no polarizado, que no coloca a un pueblo particular en el centro del universo. La Biblia, por el contrario, presenta como modelo una estructura familiar obsesionada por la idea de la primogenitura y evoca la historia de un pueblo en particular, elegido por el Eterno. En el contexto anglosajón, tanto entre los protestantes de América como entre los de Inglaterra, la fidelidad a la Biblia produce una desviación del sistema ideológico natural que va de un idealismo no polarizado hacia un idealismo polarizado. Toda relajación de la influencia bíblica sobre la cultura americana o sobre la inglesa implica una vuelta al equilibrio natural no polarizado del sistema ideológico-familiar.

Otros aspectos de la historia colonial inglesa

La historia colonial inglesa, particularmente rica, permite observar numerosos movimientos de poblaciones anglosajonas a través del planeta y constatar que la transferencia a ultramar nunca trae consigo la fusión con las poblaciones indígenas, sea la que sea la intensidad de la fe protestante de las poblaciones emigradas. Los *convicts* deportados a Australia en el siglo XIX, que no se caracterizan por una fe religiosa intensa, no se mezclan con las poblaciones aborígenes.

Y tampoco lo hacen los ingleses de Hong Kong, que representan otro tipo de colonizador que corresponde a una variante religiosa media. La ausencia de mestizos en Hong Kong contrasta de manera sorprendente con la situación de Macao, equivalente portugués situado a unas decenas de kilómetros, en donde la confrontación entre europeos y chinos del Guangdong ha producido una sociedad racialmente mezclada que en ciertos aspectos recuerda el tipo latinoamericano.

La primera migración de poblaciones «anglosajonas» históricamente registrada se remonta a los siglos v y vi d.C. En el caso de la conquista de Gran Bretaña, sería más exacto hablar de anglos, sajones y jutos, grupos germánicos que provenían de la costa continental del mar del Norte, entre Holanda y Jutlandia. No sabemos nada de la estructura familiar de esos grupos, que en lo religioso son paganos. Aún no son «ingleses», puesto que todavía no han sufrido la conquista normanda ni la influencia de la lengua francesa. No obstante, a pesar de la deficiencia de los datos históricos que poseemos, el análisis de las relaciones interétnicas en la conquista anglosajona de Gran Bretaña revela un estilo que no puede dejar de llamar nuestra atención. Las poblaciones bretonas romanizadas son empujadas hacia la costa oeste de la isla, hacia Cornualles, Gales, el noroeste de Inglaterra y el oeste de Escocia. Es imposible afirmar que no se produce ninguna mezcla racial, pero es seguro que en Gran Bretaña no ocurre nada comparable a la fusión de las poblaciones francas y galorromanas, típica de territorio francés.[16] Los francos son asimilados por una civilización galorromana superior: se convierten al cristianismo y pierden su lengua germánica. Los anglosajones se niegan en un principio a convertirse y eliminan del territorio conquistado cualquier vestigio de la lengua indígena. Esa es sin duda la razón de que los analistas de estructuras familiares que trabajan, en el siglo xx, sobre las islas británicas, detecten la persistencia geográfica de la separación entre poblaciones celtas y germánicas. Las estructuras familiares inglesas, individualistas y no igualitarias, son características de la mayor parte de la isla, pero en el oeste, desde Cornualles hasta Escocia, pasando por Gales, Lancashire y Cumberland, pueden identificarse los restos de otro tipo de familia.[17]

Si el estilo colonial de países como España, Portugal o Francia recuerda el de Roma, nada nos impide suponer que el de Inglaterra responde a un modelo anglosajón casi tan antiguo como el romano. Por supuesto, los datos históricos no permiten un estudio estadístico comparativo de las mezclas o no mezclas étnicas que han tenido lugar en las diversas épocas de la Antigüedad, pero es importante darse cuenta de que, dejando aparte su actual modernidad tecnológica, los pueblos europeos, los franceses y los ingleses, han sido primitivos, portadores de ideas muy simples respecto a las relaciones interétnicas. No podemos excluir la hipótesis de que exista una continuidad histórica de esas actitudes fundadoras, lo que equivale a decir que los pueblos de la Europa moderna tal vez sigan siendo unos primitivos en ciertos aspectos de sus culturas.

La Declaración de Independencia y la paradoja democrática

En 1776, la Declaración de Independencia parece marcar un nuevo punto de partida de la historia de Estados Unidos y proclamar una nueva visión del hombre. Esa declaración, por su contenido, está muy lejos de la concepción calvinista del siglo precedente, lo que hace que, en un primer análisis, corramos el peligro de diagnosticar una discontinuidad fundamental en la historia americana. La Declaración, redactada por Jefferson con la ayuda de John Adams y Benjamin Franklin, trasluce un igualitarismo que se compadece mal con la tradición protestante.

«Afirmamos como verdades evidentes que los hombres han sido creados iguales, que su Creador los ha dotado de ciertos derechos inalienables, entre los que se encuentran el derecho a la vida, a la libertad y a la búsqueda de la felicidad.»[18]

Nadie sabe exactamente lo que la noción de igualdad representaba en el pensamiento de los redactores de la Declaración, pero lo cierto es que esa parte del preámbulo estaba llamada a convertirse en uno de los principios fundamentales de la democracia americana, que justificó en particular el desarrollo del sufragio universal masculino *blanco* en la mayor parte de los estados antes de 1830, y en todos antes de la guerra de secesión. Así pues, el igualitarismo de 1776 no aparece, con la perspectiva de la historia, como una cláusula de estilo, ni como un frágil reflejo, al otro lado del Atlántico, de la filosofía francesa de las Luces. Se trata sin duda de un principio dinámico, cuya acción puede detectarse a todo lo largo de los siglos XIX y XX. En 1863, en el discurso de Gettysburg, el presidente Lincoln se refiere de manera muy clásica al principio de igualdad incluido en la Declaración de Independencia. Desde la segunda guerra mundial, la reflexión sociológica y política sobre Estados Unidos toma casi siempre la Declaración de Independencia, liberal e igualitaria, como punto de partida de la tradición americana y rechaza el contenido diferencialista del calvinismo de un pasado caduco. Así, en 1944, Gunnar Myrdal subrayaba la contradicción existente entre los principios de la vida política americana, derivados de un ideal de igualdad, y la segregación de los negros, excluidos en la práctica de la vida política. Ese libro sugería que Estados Unidos debería, tarde o temprano, afrontar el problema de la extensión a los negros de los derechos y usos democráticos.[19]

La misma amnésica visión de un igualitarismo fundador puede encontrarse en el ensayo más reciente de Alan Bloom, *The Closing of the American Mind*, que, de manera clásica, reduce la tradición de Estados Unidos a la Declaración de Independencia:

«Norteamérica nos cuenta una única historia: la del avance ineluctable e ininterrumpido de la libertad y de la igualdad. Desde el asentamiento de sus primeros colonos y de sus principios políticos, nunca se ha puesto en tela de juicio la idea de que la libertad y la igualdad representan para nosotros la esencia de la justicia. Ningún individuo serio o conocido se ha situado fuera de ese consenso».[20]

No podemos por menos de asombrarnos ante la seguridad con que Bloom coloca las nociones de libertad e igualdad en el centro de la tradición americana, mencionando la Biblia a título informativo, sin parar mientes en el inigualitarismo metafísico del calvinismo original. Pero ¿cómo es posible que una sociedad pase en un siglo y medio de una concepción calvinista inigualitaria de la humanidad, con sus elegidos y sus condenados, a una concepción radicalmente opuesta?[21] Es evidente que en la historia de Estados Unidos pueden discernirse factores objetivos que favorecen el desarrollo de una práctica social igualitaria, el más importante de los cuales es, probablemante, el elevado nivel de educación de las poblaciones protestantes, precozmente alfabetizadas. Un segundo factor de democratización es la apertura geográfica de esta sociedad conquistadora, que dispone de tierras roturables en cantidad ilimitada. Se entiende bien que esos factores hayan podido desgastar el modelo inigualitario calvinista, pero no se comprende cómo habrían podido provocar una *inversión* de los presupuestos metafísicos de la sociedad americana.

El problema de la *inversión* de valores americanos conscientes sólo tiene una explicación lógica satisfactoria: entre 1650 y 1776 *la certidumbre metafísica a priori de la diferencia humana se focaliza progresivamente sobre las poblaciones no europeas, sobre los indios y sobre los negros.* Esa focalización sobre la diferencia india o negra permite que se borre la diferencia entre ingleses blancos y que nazca una ideología igualitaria parcial. Puede hablarse de un proceso de «externalización» de la diferencia. A decir verdad, esta solución la sugiere la propia Declaración de Independencia que, tras afirmar la igualdad de los hombres, define a los indios como despiadados salvajes *(merciless savages)*, considerando así, implícitamente, las nociones de Blanco y de Hombre como intercambiables. Ese enfoque permite comprender el papel pionero de virginianos como George Mason o Thomas Jefferson en la producción de la ideología igualitaria.[22] En esa época, Virginia posee el

40% de todos los esclavos negros de Estados Unidos, y tiene un sentimiento de igualdad blanca muy fuerte. En el capítulo de *Democracia en América* dedicado a la aparición del dogma de la soberanía popular en Estados Unidos, Tocqueville se maravilla de que los que dieron el impulso inicial a la democratización fuesen los estados más aristocráticos del Sur:

«Así, cosa extraña, el impulso democrático fue tanto más irresistible en cada estado cuantas más raíces tenía la aristocracia en él. El estado de Maryland, que había sido fundado por los grandes señores, fue el primero en proclamar el voto universal e introdujo en el conjunto de su gobierno las formas más democráticas».[23]

Ese papel motor no es consecuencia de una pasión perversa de la aristocracia por destruir su propia legitimidad, sino del hecho de que la economía de la plantación, de la que vive, supone la presencia de una importante población negra, cuya diferencia física estimula el sentimiento de igualdad blanca.

El posterior crecimiento de la fuerza del ideal democrático parece ir asociado, en cada etapa, al afianzamiento de una concepción racial de la vida social. El hombre que mejor simboliza la democratización, Andrew Jackson, presidente entre 1828 y 1836, es paradigmático desde ese punto de vista por su odio feroz a los indios.[24] En la segunda mitad del siglo XIX, la conquista del Oeste americano lleva el proceso hasta sus últimas consecuencias, puesto que desemboca localmente en el nacimiento de una sociedad desprovista de elites tradicionales. Pero, con una lógica implacable, ese nuevo avance de la fuerza del sentimiento democrático va acompañado por el desencadenamiento de las pasiones raciales.[25] Entre 1860 y 1890, la destrucción física y social de 250.000 indios de las Grandes Praderas constituye uno de los momentos culminantes del diferencialismo americano, mucho más mortífero que los episodios precedentes.[26] En esta fase de nacimiento y afirmación de la democracia americana, no parece que pueda establecerse una distinción pertinente entre indios y negros que, juntos, constituyen una categoría no blanca capaz de estimular la homogeneización del grupo de los europeos. Más tarde, la eliminación cuantitativa de los indios, que quedan reducidos a la situación de grupo marginal, producirá la focalización diferencialista sobre los negros. Esta concepción restringida de una igualdad blanca inducida por la diferencia negra o india no puede ser considerada como absolutamente inconsciente. En vísperas de la guerra de secesión, Jefferson Davis, líder sudista, expresa una clara conciencia del fenómeno cuando declara ante el Senado: «Una de las razones por las que nos resignamos a su existencia (la del esclavo negro) es que eleva a los blancos a un nivel general, que realza la dignidad de todos los blancos en contraste con una raza inferior.»[27] El Sur parece forzado a cierta transparencia mental por su sistema esclavista.

Recapitulemos la secuencia lógica que va del inigualitarismo calvinista al igualitarismo de 1776:

—El sistema antropológico define a los hermanos como no iguales.

—En un primer momento, la no igualdad de los hermanos se traslada al plano ideológico-religioso como no equivalencia de los hombres, elegidos o condenados.

—La certidumbre metafísica *a priori* de la no equivalencia de los hombres y de los pueblos se va focalizando progresivamente sobre indios y negros, que acaban siendo los condenados.

—Los americanos blancos se definen como elegidos e iguales, concepción de igualdad blanca que permite el nacimiento del sistema democrático.

Nos encontramos así ante la paradoja de una democracia que no se funda en una adhesión primaria al ideal de igualdad, sino que en ella el ideal de igualdad es un producto derivado, una construcción secundaria. Parafraseando la formulación psicoanalítica, podemos definir el modelo americano de 1776 como un modelo que combina la adhesión consciente al ideal de igualdad con la aceptación inconsciente del principio de diferenciación humana. El análisis antropológico nos lleva a la conclusión de que la obsesión racial no es una imperfección de la democracia americana, sino uno de sus fundamentos. Esta interpretación permite entender ciertos rasgos originales de la democracia americana y en especial su aceptación de la desigualdad económica.

La ausencia de un principio de igualdad profundamente enraizado en el fondo antropológico explica por qué ciertas democracias, étnicas o raciales, funcionan de forma tan armoniosa, sin maximalismos revolucionarios. Estados Unidos no se ha sentido amenazado, en ningún momento de su existencia, por una revolución social que pretendiese extender a las relaciones económicas la igualdad jurídica y cívica que define el sistema político. Ese es un punto que marca un contraste clásico entre la república americana y la francesa, tan evidente a partir del siglo XIX. En París, la idea de igualdad ante la ley transciende continuamente el campo jurídico para pasar al económico, y conduce a la elaboración precoz de doctrinas socialistas y a revoluciones populares en cadena. En Estados Unidos, el concepto lockeano de la libertad asentada sobre un derecho absoluto a la propiedad se impone sin dificultades, sin que las clases populares deduzcan del principio de igualdad cívica la noción más amplia de igualdad económica. El éxito de la Constitución americana en la definición de un campo limitado de la igualdad cívica y jurídica (blanca) sólo es un misterio si no

50

queremos ver que el sistema antropológico americano, proyección en ultramar del fondo primitivo inglés, no contiene la idea de igualdad.

Como resultado de este análisis, obtenemos la imagen, que puede resultar chocante, de una democracia que funciona bien porque ignora el principio de igualdad «antropológica». Evidentemente, el precio que hay que pagar por esa armonía es la existencia de una categoría racial expulsada fuera de la esfera de la democracia blanca. Pero, ¿qué puede ocurrir con esa democracia cuando se esfuerza, conscientemente, en extender la igualdad jurídica a su población no blanca? En el capítulo cuarto, dedicado a la segregación de los negros, mostraré que fracasa, porque la acción política consciente choca con los valores inconscientes, diferencialistas, del sistema antropológico. En el capítulo quinto, dedicado a la aparición del multiculturalismo, mostraré también cómo la atenuación del sentimiento racial consciente que se ha producido en los Estados Unidos durante los últimos decenios ha conducido a una debilitación del sentimiento igualitario blanco, contribuyendo así a una relativa desorganización del mecanismo democrático.

En mi opinión, tener en cuenta la existencia de un substrato antropológico no igualitario significa un paso adelante lógico en el análisis de la «*Herrenvolk democracy*» que ha propuesto Pierre L. van den Berghe. Ese autor, de una lucidez poco común, ha definido en varias de sus obras una forma sociopolítica que combina sistemáticamente democracia y racismo, limitando el principio de soberanía popular al uso interno del grupo blanco. En un principio, Van den Berghe había desarrollado el concepto de *democracia del pueblo de los señores* para analizar Africa del Sur, modelo de democracia liberal para los blancos y modelo de separación racial si se toma en consideración el conjunto de los hombres incluidos en el sistema social, blancos y negros. Más tarde lo aplicó a Estados Unidos, país que describió como una *Herrenvolk democracy*[28] desde su nacimiento hasta la segunda guerra mundial. Se trata de un concepto que tiene el mérito de identificar y nombrar una forma sociopolítica paradójica pero bastante común. El análisis antropológico nos permite ir más allá de la paradoja e identificar la fuente de las creencias inigualitarias en el fondo de valores familiares originales del grupo dominante. De esta forma, las relaciones entre concepciones democráticas y raciales no aparecen ya como una simple yuxtaposición, sino como una relación de complementariedad. En un sistema que rechaza inconscientemente la igualdad entre los hermanos y entre los hombres, democracia y segregación racial constituyen una totalidad funcional. Sin la división en razas, que permite la plasmación exterior del principio de la diferencia humana, la democracia blanca no podría funcionar, puesto que los dominantes del sistema no disponen de una noción de igualdad cívica derivada de la certidumbre *a priori* de la igualdad de los hombres.

Así pues, la historia de América asocia diferencialismo y democracia, exclusión racial y sentimiento igualitario en el conjunto de los ciudadanos. Cuando esa combinación aparece en Estados Unidos, entre 1650 y 1830, no es una novedad histórica porque, en realidad, no hace sino resumir uno de los principales fundamentos de la democracia griega. En Grecia, al igual que en Estados Unidos, el igualitarismo no está inscrito en la estructura familiar, puesto que los hermanos no se definen como equivalentes.[29] Ahora bien, la emergencia de la democracia ateniense revela de manera particularmente evidente la interacción de la conciencia étnica y del sentimiento de igualdad cívica. Diferencia ateniense y homogeneidad del conjunto de los ciudadanos también constituyen una totalidad funcional. El cierre del derecho de ciudadanía ateniense, por exclusión de los hijos de madre extranjera, aparece en el 451 a.C., en el periodo de afirmación de la democracia.[30] Luego, en el siglo IV, sencillamente se prohíben los matrimonios mixtos entre extranjeros y atenienses. La idea de una especificidad étnica ateniense alimenta el ideal democrático de la mayor de las ciudades griegas, de la misma manera que la noción de una especificidad blanca favorece el desarrollo de una conciencia igualitaria americana. Atenas y Estados Unidos no constituyen casos marginales en la historia del ideal democrático, sino arquetipos esenciales. Ambos ejemplos combinados sugieren la existencia de una relación fuerte entre conciencia étnica y emergencia democrática, de la que tendremos ocasión de comentar diversos ejemplos cuando examinemos los diferencialismos asociados a la familia matriz. Sin embargo, afirmar que todas las democracias son étnicas o raciales sería un error. La Revolución francesa se esforzó en asociar la democracia a lo universal, en apoyar la idea de igualdad de los ciudadanos sobre algo diferente de la percepción de los extranjeros como diferentes por naturaleza. La igualdad de los ciudadanos franceses no debe ser sino una aplicación particular del principio general de igualdad de los hombres. En ello radica la novedad de una concepción que intenta superar el antiguo modelo de democracia étnica. El análisis detallado del modelo francés revelará, no obstante, que existe una componente etnocéntrica, minoritaria pero necesaria.[31]

En el caso de Atenas, hay que hablar más bien de una concepción étnica que de una concepción racial. Sigue siendo cierto, a pesar de todo, que tanto en Atenas como en Estados Unidos, la definición del grupo de los ciudadanos acaba por apoyarse en la noción de endogamia, de matrimonio exclusivo en el interior de una categoría. La endogamia ateniense define un cierre total del grupo de los «iguales» sobre sí mismo, puesto que engendrar ciudadanos corresponde a parejas de ciudadanos. Por el contrario, la endogamia racial americana define una ciudadanía extensible, porque la categoría de los «blancos» es mucho más amplia que la de los «anglosajones». La noción de raza es aparentemente muy rígida, porque clasifica y reparte a los individuos según criterios biológicos que escapan del todo a la voluntad. Pero, en la práctica, une tanto como separa, puesto que permite establecer parentescos ficticios entre dos grupos étnicos distintos por su lengua, su religión, su nivel cultural o sus costumbres. Así, la noción de raza favorece al mismo tiempo la asimilación y la segregación. En el caso de Estados Unidos, la definición de una categoría racial blanca ha permitido una de las más vastas experiencias de fusión étnica que se haya realizado jamás en la historia de la humanidad. Entre 1840 y 1930, la inmigración de europeos procedentes de los más variados países parece empujar a América más allá de sus orígenes ingleses. No obstante, el examen del proceso de asimilación pone de relieve la capacidad de perpetuarse del sistema antropológico fundador, por medio de una reabsorción sistemática de las diferencias de costumbres objetivas aportadas por los inmigrantes. Estados Unidos, nacido de un gigantesco proceso migratorio, constituye un primer y espectacular ejemplo del principio de omnipotencia de la sociedad receptora.

3
La asimilación
de los blancos en Estados Unidos

La transición democrática americana, que entre 1630 y 1840 conduce del calvinismo a la aparición de una democracia blanca, concierne a una población de origen inglés en su inmensa mayoría. Hacia mediados del siglo XIX se inicia una inmigración masiva que deja de ser principalmente inglesa, pero que desemboca en un proceso de asimilación a gran escala. El principio de igualdad blanca se hace progresivamente extensible a diversas categorías de europeos que inmigran entre 1840 y 1930. Irlanda, Alemania y los países escandinavos se convierten, entre 1840 y 1880, en los principales focos de emigración hacia Estados Unidos. Entre 1890 y 1920, nuevas oleadas procedentes del este y del sur de Europa reemplazan la inmigración que provenía del noroeste: judíos que llegan desde el Imperio ruso, polacos e italianos constituyen entonces el grueso de la inmigración. Las leyes restrictivas de 1921 y 1924, cuya aplicación es total a partir de 1929, introducen una pausa en la historia de la inmigración americana: un sistema de cuotas que favorece a los países del noroeste de Europa limita el número de inmigrantes a un máximo teórico de 150.000 por año. A partir de los años sesenta y setenta, Estados Unidos vuelve progresivamente a una política de apertura que ya no concierne de forma mayoritaria a Europa, sino al mundo entero. Asia se convierte en el principal foco de inmigración hacia América. Filipinos, coreanos y chinos parecen empujar a Estados Unidos más allá de su identidad europea y blanca, como lo hacen los mexicanos, que son el resultado de la mezcla entre indios precolombinos y españoles. Constituidos por un inmenso fenómeno migratorio, Estados Unidos ilustra a las mil maravillas el principio de *omnipotencia de la sociedad receptora*, siempre capaz de imponer a los inmigrantes sus concepciones familiares o religiosas y sus formas de vida, cualesquiera que sean la naturaleza y la solidez de la cultura inmigrante, aunque el proceso de asimilación se prolongue a lo largo de tres o cuatro generaciones. En estos momentos está llegando a su término la asimilación de los grupos europeos, pero la de las inmigraciones asiática y mexicana, más recientes, está lejos de completarse.

Los europeos que van llegando sucesivamente a partir de 1840 no son en general portadores de un sistema antropológico de tipo inglés, individualista en el plano familiar y protestante en el plano religioso. En realidad sólo algunos daneses y holandeses podrían reivindicar estructuras familiares y religiosas análogas a las de Inglaterra.[1] Un buen número de grupos nacionales es católico, como los irlandeses, los italianos y una considerable proporción de alemanes. Entre esos católicos, algunos son realmente practicantes, como los irlandeses y los alemanes, pero otros están muy descristianizados, como los italianos, que proceden del sur de la península, donde casi no hay sacerdotes y cuyo catolicismo oficial esconde un indiferentismo mezclado con ritos paganos desde la segunda mitad del siglo XVIII.[2] Los noruegos y los suecos son protestantes, pero sus estructuras familiares son de tipo «matriz»: esas estructuras, al contrario de las del modelo angloamericano tradicional, no promueven una independencia precoz de los hijos sino que recomiendan mantener en el hogar familiar un heredero casado y establecer grupos familiares complejos que comprendan tres generaciones.[3]

Un sistema de ese tipo, que mantiene a hombres adultos y casados bajo la autoridad de sus padres, implica una concepción autoritaria de la vida familiar y de los métodos educativos específicos. La *familia matriz* es abiertamente inigualitaria, puesto que designa a un hijo como sucesor y deshereda a todos los demás. El sistema familiar americano, *nuclear absoluto*, se contenta con afirmar que los hermanos son diferentes, sin establecer jerarquías entre ellos. Las estructuras matrices, autoritarias e inigualitarias, también son típicas de irlandeses y alemanes, ya sean católicos o protestantes. Encontramos la misma orientación matriz, aunque con un matiz de flexibilidad, en las poblaciones judías procedentes de los imperios ruso y austríaco. Los italianos del sur, al contrario, son individualistas en materia familiar, puesto que favorecen la instalación autónoma de los hijos en el momento de casarse, actitud que los acerca a los anglosajones; pero también son portadores de una costumbre de herencia igualitaria de tipo romano, reflejo jurídico de una simetrización de los papeles de los hermanos. Su sistema familiar es del tipo *nuclear igualitario*, liberal en lo que concierne a las relaciones padres-hijos, igualitario en lo que se refiere a las relaciones entre hermanos, cercano a las variantes francesa de la Cuenca de París, castellana y andaluza.[4]

Queda claro, pues, que la inmigración de los años 1840-1900, que comprende sobre todo irlandeses, escandinavos y alemanes, es mayoritariamente portadora de un sistema familiar de tipo matriz, no individualista. La importación masiva de esa componente antropológica autoritaria explica probablemente el aumento, del 2,4% al 7,3%,[5] del porcentaje de grupos familiares que comprenden tres generaciones en los censos americanos realizados entre 1850 y 1880. Seguidamente, los inmigrantes japoneses, judíos y coreanos inyectan dosis suplementarias

Tipos familiares originales de los grupos inmigrantes				
	Periodo de máxima llegada	Tipo familiar	Relación padres-hijos	Relación entre hermanos	Matrimonio entre primos
Irlandeses	1840-1915	matriz	vínculo fuerte	asimetría	no
Alemanes	1870-1910	matriz	vínc. fuerte	asimetría	no
Suecos/Noruegos	1870-1910	matriz	vínc. fuerte	asimetría	no
Polacos	1900-1915	nuclear	autonomía	simetría	no
Judíos	1900-1915	matriz	vínc. fuerte	asimetría	sí
Italianos	1900-1920	nuclear/ igualitario	autonomía	asimetría	no
Chinos	1870-1882, 1970-1990	comunitario	vínc. fuerte	simetría (débil)	no
Japoneses	1900-1920	matriz	vínc. fuerte	asimetría	sí
Coreanos	1970-1990	matriz	vínc. fuerte	asimetría	no
Filipinos	1970-1990	nuclear	autonomía	no simetría	no
Iraníes	1980-1990	comunitario	vínc. fuerte	simetría	sí

de valores matrices en el cuerpo social americano. A pesar de todo, a largo plazo, los valores fundamentales de la familia matriz no logran marcar las estructuras de la sociedad americana, mientras que su persistencia es manifiesta, ya en los umbrales del siglo XXI, en la organización de las sociedades de origen de los inmigrantes irlandeses, suecos, alemanes, japoneses o coreanos. Antes de entrar a examinar en detalle el fenómeno de la brutal asimilación que significa la liquidación de los valores matrices por parte de la sociedad americana, hay que analizar, sumariamente, su persistencia en las sociedades postindustriales más modernas, tales como la alemana, la sueca o la japonesa.

Persistencia postindustrial de las sociedades «matrices»:
Alemania, Suecia y Japón

Es indudable que, allí donde la familia matriz dominaba la cultura rural, la industrialización y la urbanización conducen a una rápida disminución del número de grupos familiares que comprenden tres generaciones. La cohabitación del padre y del hijo casado, bien adaptada a la transmisión de explotaciones agrícolas familiares y de talleres artesanales, pierde sentido en un medio industrial y urbano. En el siglo XX, en las ciudades de Alemania, Suecia o Japón, el *grupo familiar* nuclear, que comprende únicamente a padres e hijos solteros, domina como en un sistema antropológico nuclear. No obstante, la desaparición del grupo familiar de tres generaciones no implica que desaparezcan los valores fundamentales del sistema matriz, cuya supervivencia puede observarse bajo otras formas en la vida familiar y, a través de múltiples reencarnaciones, en la vida social. En el plano familiar, la permanencia de los valores se manifiesta a través del mantenimiento de estrechos lazos entre padres e hijos casados, que crean redes de parentesco que desbordan el estrecho grupo familiar nuclear. Esas solidaridades permiten la mutua ayuda, tanto en el plano económico como en el de la educación de los hijos. Los valores matrices se perpetúan sobre todo en el propio corazón del grupo familiar de apariencia nuclear, por medio de una educación que insiste en los valores de autoridad y de disciplina, así como en las nociones de transmisión y de mejora del patrimonio intelectual o profesional de la familia. El principio de continuidad del linaje, central en el sistema matriz, es más bien modificado que destruido por el cambio de contexto socioeconómico. Perdurar a través de los tiempos, en un universo rural, quiere decir sobre todo perfeccionar y transmitir, de generación en generación, una explotación agraria. En un medio industrial o postindustrial, el principio de linaje conduce a otras aplicaciones: cada familia es portadora de un proyecto a largo plazo que puede ser la producción y la conservación de un bien industrial y comercial. No obstante, el proyecto matriz es cada vez más inmaterial: en el contexto postindustrial de una elevación general del nivel intelectual y técnico, el deseo de promoción social se plasma sobre todo en la producción de hijos bien educados. Para alcanzar ese objetivo, las familias matrices modernas, caracterizadas más bien por un sistema mental que por el grupo familiar de tres generaciones, restringen a menudo su descendencia para concentrar la atención y la ayuda de los padres en un solo hijo. Hoy en día, tanto en Alemania como en Japón y en el suroeste de Francia —tres regiones de familia matriz campesina—, fecundidades muy bajas aparecen asociadas a excelentes resultados escolares de los hijos.[6] El heredero único del pasado es reemplazado por un único hijo o hija. Bajo el antiguo régimen demográfico, un único hijo no hubiese garantizado con suficientes garantías la supervivencia de la familia. Una mortalidad infantil que se situaba entre el 20 y el 30% exigía, como medida de seguridad, una descendencia múltiple, ya que sobre cada hijo pendía la amenaza de una muerte prematura. Cuando sobrevivían varios descendientes, sólo uno era nombrado heredero de la casa y las tierras. En nuestros días, con una mortalidad infantil inferior al 1%, la producción de un único hijo permite la continuidad familiar. No permite, sin embargo, la continuidad social, puesto que si los padres necesitan un hijo para prolongar su familia, la sociedad exige dos para perpetuarse (2,1 si tenemos en cuenta la mortalidad).

Así pues, la familia matriz —estructura mental y sistema de valores— puede sobrevivir al grupo familiar matriz como forma de organización doméstica. Pero, cualquiera que sea su destino, difícil de analizar en la práctica, la familia matriz campesina transmite a las sociedades industriales que se constituyen en los siglos XIX y XX sus valores de autoridad y de desigualdad. Su concepción de la jerarquía pasa de ser familiar a ser social. Tras una crisis de transición, intensa en el caso de Alemania y de Japón, menos manifiesta en el pequeño país que es Suecia, la sociedad se redefine a la vez como moderna y como ordenada: alta productividad, disciplina y perfección en el trabajo, respeto de la autoridad tanto en la empresa como frente al Estado, aceptación de las distinciones sociales, estabilidad de los electores y del sistema de poder que, en la mayoría de los casos, tiene un partido dominante que casi nunca es desplazado. Esas tres *sociedades matrices* tienen una especie de aire de familia para el visitante que llega de una cultura más individualista. Aparte de la prosperidad y de la limpieza, que son evidentes, la disciplina de los comportamientos puede verificarse inmediatamente en esa manifestación simbólica que consiste en el respeto de los semáforos por parte de los peatones cuando no hay ningún coche, que es característica de Tokio y de Estocolmo, de Berlín Este y de Berlín Oeste, puesto que ese parámetro eminentemente antropológico no había sido localmente afectado por el titánico, aunque superficial, enfrentamiento entre el liberalismo y el comunismo.

En resumidas cuentas: ¿qué es una sociedad matriz? Es un universo postindustrial que ha sabido encontrar, más allá de los graves problemas engendrados por la destrucción de un mundo rural particularmente estable y enraizado, la fuerte integración del individuo en el grupo característica de la familia matriz tradicional. La sociedad matriz es una traslación postindustrial de la *Gemeinschaft* tan cara a Ferdinand Tönnies, mundo cerrado y jerárquico del que erróneamente se pensaba que sólo era realizable en un universo mayoritariamente rural.[7]

Hacia 1990, al final de un siglo y medio de inmigración de grupos humanos que con frecuencia son portadores de un sistema mental de tipo matriz, Estados Unidos no tiene nada de una *Gemeinschaft*. Las sociedades americana por una parte y japonesa y alemana por la otra, son percibidas cada vez con mayor claridad como representantes de dos tipos distintos de sociedad postindustrial. El individualismo absoluto del modelo americano se opone a la fuerte integración del modelo germano-nipón. Ese individualismo, fácilmente perceptible en las relaciones económicas y sociales, es también mensurable en el nivel familiar. Sin embargo, hubiese podido esperarse que la inmigración matriz, alemana, sueca, noruega, irlandesa, judía japonesa y coreana, hubiera provocado una modificación de las estructuras familiares americanas que fuese en la dirección de un refuerzo de las solidaridades intergeneracionales, de la autoridad y de la disciplina educativa. El examen empírico, sobre tres generaciones, de la población en su conjunto, así como de comunidades testigo, muestra que nada de eso se ha producido. *El modelo familiar hiperindividualista americano siempre acaba por imponerse a las nuevas poblaciones, tras una fase de transición, más o menos larga, que a veces incluye un reforzamiento temporal del sistema parental original de los inmigrantes.* Pero, al final del camino, siempre prevalece la familia nuclear absoluta, es decir, el tipo inglés primitivo. Más allá de la organización doméstica, evidentemente nuclear, la persistencia de una estructura mental de tipo «nuclear absoluto» puede detectarse en un sistema de valores que preconiza la radical autonomía de los hijos.

La familia norteamericana moderna

Nada más acabar la segunda guerra mundial, los sociólogos, encabezados por Talcott Parsons, elaboran la teoría de la familia americana: describen un tipo nuclear, ajeno a cualquier red de parentesco. Parsons asocia de manera muy explícita nuclearidad y modernidad, individualismo familiar y movilidad social americanas.[8] El grupo familiar ideal está compuesto solamente por una pareja casada y sus hijos. Pero la nuclearidad del sistema va mucho más allá de la del grupo familiar. La familia debe preparar al hijo para la libertad, de forma que el padre, para él, es más un amigo que una figura de autoridad. El conjunto del sistema educativo empuja a los hijos a integrarse bien en su grupo de iguales y a emanciparse de su familia tan pronto como les sea posible. *Hay un principio de disociación de los individuos inscrito en el mismo corazón de la estructura familiar americana* del siglo XX, principio que puede detectarse estadísticamente por sus efectos mecánicos. Efectivamente, el imperativo de separación induce la extraordinaria movilidad de la población americana. Por ejemplo: entre 1975 y 1980, el 46% de los americanos cambió de domicilio. De ellos, el 10% cambió de condado y el 10% de estado.[9] Semejante movilidad sería imposible si no la preparase la familia, imponiendo la idea de que padres e hijos existen para separarse, y de que la separación representa mucho más que una autonomía formal de la joven pareja. Hijos e hijas casados no deben ser vecinos de sus padres. Al final del proceso, los padres y las madres retirados pueden vivir en un complejo residencial reservado a las personas de edad.[10]

En ese ideal hipernuclear de la vida familiar puede reconocerse una traslación postindustrial de la familia inglesa o americana de los siglos XVII y XVIII. Entonces, la práctica del *sending out* de los hijos, desde su pubertad, marcaba la separación como un valor positivo. Así pues, en el caso de América, al igual que en los de Japón, Alemania o Suecia, la revolución industrial y urbana no implica que desaparezcan las estructuras antropológicas y, en especial, las familiares. La universal apariencia nuclear del grupo familiar urbano no debe llevarnos a engaño. En Japón, Alemania o Suecia, técnicas educativas específicas permiten la pervivencia del sistema mental de tipo matriz, que se manifiesta en las persistentes relaciones entre padres e hijos adultos. En América, el carácter imperativo de la disociación de las generaciones y la obsesión por la autonomía psíquica de los hijos van mucho más allá de la simple racionalidad doméstica.

Los cambios socio-económicos del siglo que media entre 1850 y 1950 no modificaron substancialmente las costumbres de herencia americanas, que son indicador del tipo de relaciones entre hermanos y hermanas. Esas relaciones, desde el punto de vista formal, son igualitarias en el caso de sucesión *ab intestato*. Pero, salvo en Luisiana y Puerto Rico, en donde los códigos conservan elementos de igualitarismo romano,[11] el uso del testamento sigue siendo, como en Inglaterra, absolutamente libre, de manera que los padres pueden repartir sus bienes como se les antoja y hasta desheredar a los hijos. En la práctica, el principio de separación de generaciones y la actual longevidad de los individuos hacen que la herencia efectiva sea un elemento secundario del sistema familiar. La obligación de los padres no va más allá de la financiación de los estudios, que no está regida por ningún principio de igualdad. El bajísimo nivel de interacción y de solidaridad entre hermanos adultos sigue siendo uno de los elementos estructurales más estables y más típicos del sistema familiar americano. Por lo que concierne al grupo de hijos, las escasas representaciones culturales estandarizadas se refieren a las relaciones entre hermano y hermana, en las que la hermana mayor, que ocupa un lugar especial en el imaginario americano,[12] aparece como dominadora. Como en el caso de la familia dravídica del sur de la India, pero en un tono menor, el lazo hermano-hermana hace pensar en un principio de no simetría, puesto que niega implícitamente el eje de simetría natural que es la relación entre unos hermanos semejantes por naturaleza. En Norteamérica, el lazo hermano-hermana es residual, mientras que en la India del sur es primordial. Los tamules deben casarse, si es posible, con la hija de su hermana mayor. Para los norteamericanos, el papel de la hermana mayor termina al salir de la adolescencia.

Esa posición particular de la hermana mayor debe relacionarse con otro rasgo fundamental de la familia norteamericana, el predominio de la madre. La situación privilegiada de la mujer norteamericana es un hecho antiguo que ya señaló Tocqueville en la primera mitad del siglo XIX.[13] Pero habría que remontarse a la cultura inglesa del siglo XVII, o incluso antes, para encontrar el origen de ese modelo familiar que concede a la mujer un importante papel. A través de toda la historia de Estados Unidos, puede rastrearse un proceso de refuerzo del status de la mujer que conduce, por etapas, al desarrollo de la ideología feminista.[14]

En términos generales, la comparación de la familia americana del siglo XX con la familia inglesa del siglo XVII sugiere una acentuación de los rasgos iniciales más que una atenuación de éstos por efecto de la llegada de los valores propios de la inmigración matriz procedente de Europa o de Asia. En Estados Unidos, la familia es cada vez más conscientemente individualista, el grupo familiar cada vez más nuclear, la solidaridad entre hermanos y hermanas cada vez más débil y el papel de las mujeres cada vez más importante. El único lazo de parentesco que, en ciertas circunstancias, parece capaz de sobrevivir a la llegada de la edad adulta de los hijos es el lazo madre-hija, que sin duda es el más elemental de todos, porque encarna el principio mismo de la reproducción biológica y porque es el primero en reactivarse en caso de crisis individual. Pero sigue tratándose del inicial sistema antropológico inglés, y no parece que la inmigración de tipo «matriz» haya influido a largo plazo en la evolución de las estructuras familiares americanas. La permanencia de un rasgo resume la del sistema: la movilidad geográfica, producto mecánico del sistema familiar que desolidariza a los miembros de la familia nuclear, no hace sino reproducir la excepcional movilidad de los campesinos ingleses del siglo XVII, tan poco estables en sus pueblos como los americanos del XX en sus ciudades.[15] Hoy en día, no parece que nada substituya las tradiciones irlandesa, noruega, alemana, sueca o judía, todas las cuales veían en la familia algo más que un grupo de padres-hijos temporal: existía un linaje que cuando menos cubría tres generaciones, con solidaridades que trascendían el grupo familiar nuclear. El análisis detallado de los grupos noruego y judío, portadores de dos variantes de la familia matriz, nos permite seguir, de manera más ajustada, el proceso de destrucción de las culturas inmigradas.

La destrucción de la familia matriz: los ejemplos noruego y judío

Los campesinos que entre 1840 y 1850 abandonan Noruega occidental para instalarse en Wisconsin, son bastante representativos de las poblaciones europeas portadoras de un modelo matriz, con heredero único y cohabitación de generaciones.[16] Su desplazamiento es del tipo clásico de migración «en cadena»: los primeros individuos instalados llaman a su lado a parientes, vecinos y amigos originarios de la misma microrregión. Así, en el Medio Oeste americano, se forman comunidades casi homogéneas en el plano étnico. En un principio, la estructura familiar es allí más sencilla que en Noruega. La proporción de grupos familiares con dos parejas casadas cae del 14% en la zona de origen, entre 1801 y 1865, al 8,9% entre los noruegos de América hacia 1860. En sistema matriz, los emigrantes son en general hijos no herederos y, como consecuencia, disociados de sus padres. No son sucesores, sino fundadores de nuevos linajes. Por eso, en un primer momento, el número de grupos familiares que incluyen abuelos, padres e hijos es muy pequeño. No obstante, entre 1860 y 1880, el porcentaje de grupos familiares múltiples aumenta entre los inmigrantes de Wisconsin, hasta alcanzar el 17% del total, proporción superior a la que se observaba en Noruega.

En este caso particular, la reconstrucción de una comunidad en la tierra de acogida conduce a cierta forma de hiperconformismo familiar temporal, probablemente como reacción frente al choque cultural que representa la emigración al otro lado del Atlántico. Los individuos trasplantados hacen una interpretación particularmente rígida de su código cultural. El romper con la tradición rural noruega queda para sus hijos. Ya en 1900, la proporción de grupos familiares con más de dos parejas casadas cae al 7,1%, a la espera de alinearse totalmente con las tasas, aún más bajas, de Estados Unidos. Pero, antes de desintegrarse, el sistema de costumbres produce una especie de canto de cisne. El fenómeno, sin ser universal, es frecuente y debe tenerse en cuenta cuando se evalúa la tendencia a la asimilación de una población. *Un refuerzo del sistema de parentesco en el periodo inmediatamente posterior a la inmigración no indica una tendencia definitiva del sistema. No permite en modo alguno afirmar que el grupo étnico no es asimilable.*

En la fase de transición, el sistema de costumbres americano deforma en un punto, antes de destruirla, la estructura familiar noruega. Una vez en Estados Unidos, los lazos entre padres e hijos casados, que en Noruega expresaban la voluntad de transmisión patrilineal del patrimonio, de padres a hijos, consisten cada vez más en la recuperación de la madre de la esposa por parte de la joven pareja. Así pues, se manifiesta ya una desviación patrilineal del sistema de parentesco.[17]

El caso de la familia judía, trasplantada de Europa oriental a Estados Unidos entre 1880 y 1920, es todavía más ilustrativo del poder desintegrador de la sociedad receptora americana. Para cualquier grupo humano, la estructura familiar es un elemento central del sistema cultural, pero el judaísmo tradicional hace de esa centralidad de la vida familiar un elemento consciente y ritualizado. Se trata de una fe monoteísta particularmente rigurosa, pero también de una religión de la familia que se expresa por un alto nivel de solidaridad ínter e intrageneracional. El principio de solidaridad de la familia judía está en absoluta contradicción con la norma individualista de la familia americana.[18] ¿Cómo conciliar el lazo padres-hijos de la tradición judía con la disociación de generaciones adultas de la tradición anglosajona? Sin duda, ambos modelos coinciden en el principio de diferenciación de los hermanos, pero, ¿cómo hacer compatibles la separación de los hermanos americanos y la cooperación de los hermanos judíos tradicionales? ¿Y qué decir de los primos, tan presentes en la vida familiar judía e inexistentes en la vida familiar anglosajona?

En 1967, un estudio sobre los grupos familiares judíos de la costa este de Estados Unidos, zona donde se conservan relativamente bien las costumbres europeas, revelaba una substancial evolución hacia el tipo nuclear.[19] La proporción de grupos familiares extensos que comprendían, además de la pareja y de sus hijos, a uno o a varios parientes, caía del 8,1% en el caso de los jefes de grupo nacidos en el extranjero, al 3,3% en el caso de los nacidos en Estados Unidos de padres norteamericanos. En el nivel de la tercera generación, ya casi no existe diferencia objetiva entre vida familiar americana media y vida familiar judía americana. Un estudio más reciente, que data de 1983, va más allá de un simple análisis de estructura de grupos familiares y se aplica a captar directamente los *valores*.[20] No analiza una región sino una muestra representativa de la población judía americana. El sondeo revela que el nivel de interacción familiar de los judíos americanos no difiere ya del del resto de la población, protestante o católica. Es muy débil, especialmente por lo que concierne a las visitas a miembros de la familia. Los padres judíos no se distinguen de sus homólogos, protestantes o católicos, más que por una insistencia aún mayor en lo relativo al ideal de autonomía de los hijos, valor americano normal. Esa diferencia habla más de una asimilación hiperconformista que de perpetuación de un sistema antropológico antiguo.

Tanto en el caso de los judíos como en el de los noruegos, la adaptación cultural incluye una potenciación del papel de la mujer. El sistema familiar judío tradicional es ambiguo en lo que al papel de la mujer se refiere. Dependiendo del punto de vista que se adopte, puede concluirse una posición dominante del hombre o de la mujer. Las reglas de herencia excluyen a las mujeres y definen un sistema *patrilineal*. Por el contrario, la transmisión de la pertenencia al pueblo judío es *matrilineal*. En conclusión, el sistema antropológico judío, que combina elementos de patrilinearidad y de matrilinearidad, debe ser descrito globalmente como un sistema *bilateral* que concede igual importancia a las parentelas paterna y materna. La inmersión en el sistema antropológico americano produce un giro patrilineal de transición: el peso tradicional de los padres judíos se combina, antes de desaparecer, con el poder de la madre americana, para dar como resultado el personaje de la «madre judía», cómico y amenazante al mismo tiempo. El mito de la madre judía, tan popular en el mundo occidental actual gracias a Philip Roth y a algunos otros, parece tener un origen en gran medida norteamericano.

Algunos datos estadísticos sobre la comunidad judía de Portland, Oregón, entre 1880 y 1930, permiten verificar ese análisis.[21] La diferencia de edad entre esposos es un indicador clásico del poder masculino. Allí donde los hombres se casan con mujeres mucho más jóvenes que ellos, es que están en situación dominante y desempeñan, con respecto a la mujer, un papel intermedio entre el de esposo y el de padre. Ahora bien, entre los judíos de Portland, muchos de los cuales son originarios de Alemania, existen inicialmente grandes diferencias de edad que van disminuyendo progresivamente, mientras aumenta la proporción de mujeres de edades muy próximas a las de sus maridos. En 1880, el 62% de las mujeres judías nacidas en Alemania se había casado con hombres que les llevaban entre siete y diez años, en consonancia con el modelo familiar alemán, que es de tendencia patrilineal.[22] Esas separaciones de edad se atenúan en dos generaciones y hasta aparece una proporción no desdeñable de mujeres mayores que sus maridos. El realineamiento patrilineal es particularmente espectacular en el caso de los judíos alemanes, cuya adaptación implica una auténtica inversión del status de la mujer. La transformación de las estructuras familiares de los grupos judíos originarios de Polonia o de Rusia, más cercanos al tipo judío medio, no es tan radical.[23]

La capacidad de reducción de la diferencia objetiva de la que da muestras la sociedad norteamericana es tanto más impresionante cuanto que los noruegos occidentales y los judíos, son ellos mismos portadores de una cultura de tendencia diferencialista, muy preocupada por la identidad del grupo étnico y su preservación. Ello es evidente en el caso de los judíos, bastante tradicionalistas, que llegan de Europa oriental, pero lo mismo puede decirse de las poblaciones noruegas del oeste, conocidas en ese pequeño reino europeo por su cuidado en lo referente a la conservación de su autonomía cultural, que condujo en el siglo XIX a la creación de una lengua regional, el landsmal, que acabó siendo lengua oficial junto al riksmal.[24] Los campesinos de la región de Bergen, a pesar de ser capaces en su territorio de defender una vieja lengua campesina contra la lengua de la capital, en el Medio Oeste no pueden resistir la presión cultural de la sociedad norteamericana. Y eso a pesar de su reagrupamiento inicial en comunidades homogéneas. La incapacidad de esos dos grupos para proteger su sistema antropológico habla a las claras de cierta omnipotencia de la sociedad receptora.

La religión de los italianos: el concepto de vampirización cultural

Los italianos que se instalan en Estados Unidos a comienzos del siglo XX provienen en su mayoría del sur de Italia y, en consecuencia, son portadores de un sistema familiar nuclear que potencia la autonomía de los hijos. Tanto en Sicilia como en Calabria o en la región de Nápoles, para establecerse, una joven pareja debe fundar un grupo familiar autónomo.[25] La familia *nuclear igualitaria* se distingue de la familia *nuclear absoluta* norteamericana por una componente igualitaria muy estricta. La adaptación de este tipo familiar al medio americano es más difícil de observar que la de los tipos noruego o judío, cuya transformación se expresa estadísticamente por la desaparición de los grupos familiares de tres generaciones. La evolución de la relación fraterna italiana es más difícil de observar, pero no quedan dudas en cuanto a la desaparición de la relación de simetría entre los hermanos: en el nivel de la tercera generación, es imposible detectar rasgo específico italiano alguno en la vida social americana. Sin embargo, los estudios de los que disponemos, ponen de manifiesto la existencia, como en el caso noruego, de una fase de transición que acentúa, hasta deformarlos, ciertos aspectos del sistema antropológico original. Los hermanos italianos, iguales pero rápidamente separados en el contexto napolitano, calabrés o siciliano, se muestran capaces de cooperar en situación de emigración, compartiendo, por ejemplo, recursos económicos y viviendas.[26] El imperativo de supervivencia hace del principio de igualdad un instrumento de solidaridad. De ahí la acogedora imagen de la familia italo-americana, sin duda opuesta a la norma norteamericana media de una fría y débil relación entre hermanos, pero no menos en contraste con el egoísmo de la familia nuclear de la Italia del sur, que tan acertadamente ha señalado Edward Banfield.[27] Esta densa familia italiana de América no es más que una nueva y efímera forma que precede a la ruptura final del lazo entre hermanos adultos.

En el caso de la cultura del sur de Italia, la capacidad de asimilación de la sociedad receptora americana puede comprobarse sobre todo en un campo adyacente al de la familia, diferente pero fuertemente asociado a ella por su naturaleza: la religión. En efecto, el tipo familiar nuclear igualitario aparece con frecuencia asociado a la ausencia o escasa existencia de creencias religiosas. El escaso autoritarismo de la relación padre-hijo no alimenta sino una imagen frágil del Dios padre, mientras que el principio igualitario se opone a la idea misma de la existencia de un ser trascendente, superior a todos los demás.[28] Italia del sur no es una excepción al modelo: ya desde el siglo XVIII, su práctica religiosa es insignificante; y su reclutamiento de clérigos, raquítico. La religión popular de Italia del sur es una mezcla de supersticiones con un leve barniz de cristianismo. Clasificados oficialmente como católicos en el momento de instalarse en Nueva York, su indiferentismo religioso teñido de anticlericalismo sorprende al medio receptor. A partir de los años ochenta del pasado siglo, en la Iglesia norteamericana, controlada por los irlandeses, se habla de un problema «italiano» del catolicismo. Los italo-norteamericanos ni van a misa ni contribuyen en absoluto al reclutamiento de sacerdotes para la institución. La tradición religiosa de los italianos del sur resiste hasta los años cuarenta, pero durante los años cincuenta, los norteamericanos de origen italiano que se instalan en los prósperos barrios exteriores, se integran en la vida de las parroquias y comienzan a subvencionar las escuelas confesionales.[29] En unas pocas generaciones, Norteamérica les ha impuesto su visión de la religión, que no es ciertamente muy católica, puesto que rechaza el principio fundamental de la autoridad del sacerdote o del Papa. La religión americana media exige en esencia pertenecer a un grupo que admita la existencia de Dios y que respete las otras «denominaciones». El protestantismo al que son «conducidos» los italianos no es el del continente europeo, sino una forma nueva, nacida en Norteamérica, en cierto sentido paródica del protestantismo de las sectas en su fase más tardía. La «irreligión de tradición católica» ha sido eliminada en el proceso de adaptación al nuevo mundo y reemplazada por un resto de creencia protestante en un vago Dios. El italiano católico conserva su etiqueta, pero pierde su creencia. La sociedad receptora vacía la cultura de su contenido no dejando más que el nombre, como un vampiro succiona la sustancia del individuo dejándole su forma exterior. Esta transformación es una vampirización cultural.

Familia matriz y adaptación socioeconómica

La destrucción de las estructuras familiares con fuertes lazos integradores —irlandesas, alemanas, escandinavas o judías— parece ineluctable en un contexto norteamericano y se repite, entre 1950 y 1990, con los tipos japonés, coreano y chino. A pesar de todo, el sistema familiar no es un elemento pasivo en el proceso de adaptación de los emigrantes porque, aunque todos los grupos recibidos como asimilables por la sociedad receptora son asimilados (principio de omnipotencia), lo son siguiendo trayectorias diferentes, definidas en gran medida por sus sistemas antropológicos iniciales. Así, al grupo matriz le corresponde con frecuencia una trayectoria específica que combina una fuerte identidad étnica de transición con una asimilación que, aunque es algo tardía, interviene en un nivel relativamente elevado de la estructura socioprofesional. Dos rasgos fundamentales definen la familia matriz: fuerte solidaridad entre generaciones y desigualdad entre hermanos. Se trata de un tipo de familia que proporciona a los individuos sometidos al trauma migratorio una doble protección, profesional y educativa por una parte, ideológica por otra.

Protección profesional y educativa: en la fase de la primera generación, nacida fuera de Estados Unidos, la extensión y la solidaridad del grupo familiar matriz facilitan el desarrollo de actividades de pequeña empresa que permiten escapar al trabajo asalariado industrial. El sastre judío de Nueva York, el horticultor japonés de California y el vendedor coreano de legumbres de ambas costas norteamericanas escapan a la proletarización. Todavía no forman parte de la clase media, pero evitan la integración por abajo, como simples obreros industriales. La actividad de pequeña empresa les coloca en una situación de espera y les permite acumular unos ahorros que pueden ser reinvertidos en la educación de los hijos. En la fase de la segunda generación, los hijos, nacidos en suelo americano y anglófonos, se benefician de la solidez del lazo padres-hijos. El principio de solidaridad familiar acaba siendo proyecto educativo. La atención paterna anima a los hijos y les facilita los estudios, incluso cuando los padres están lejos de dominar la lengua del país que les ha acogido. En un sistema cultural abierto de tipo norteamericano, la cohesión de la familia matriz produce éxitos escolares de los hijos, como es el caso de los niños de origen judío y japonés. Dentro de la gama de los tipos matrices, las variantes judía y japonesa son las de mayor solidaridad familiar. La diferenciación entre hermanos no implica su disociación sino su colaboración, actitud general que en un contexto tradicional era simbolizada por el matrimonio entre primos de primer grado, es decir, entre hijos de dos hermanos.[30] El tradicional respeto que las culturas judía y japonesa profesan a la escritura y a la actividad intelectual, injertado en una estructura familiar concebida para transmitir las capacidades profesionales o culturales adquiridas, da como resultado una entrada masiva en la universidad norteamericana de estudiantes de origen judío entre 1930 y 1950, y de origen japonés entre los años comprendidos entre 1970 y 1990.[31]

Un segundo tipo de protección, ideológica esta vez, se deriva de una antropología matriz. El principio de desigualdad de los hermanos se convierte en no equivalencia de los hombres y de los pueblos, produciendo así un universo mental diferencialista. Más allá de la familia, el grupo étnico en su conjunto presenta cierto nivel de cohesión que lo convierte, durante la fase de transición, en una especie de concha protectora, simbólica y práctica. La pertenencia étnica, como identidad valorada y valorizadora, borra las humillaciones individuales que resultan de la situación de inmigrado y de dominado. De forma más concreta, esa pertenencia define un espacio de ayuda mutua que rebasa el marco de la familia extensa y facilita, a través de las redes profesionales, el éxito económico de los individuos.

No es necesario ir mucho más allá para comprender la eficacia de la adaptación a la sociedad norteamericana de las poblaciones judía y japonesa, a pesar de la hostilidad inicial de la población receptora, moderada en el caso de los judíos, blancos aunque no cristianos, e histérica en el de los japoneses, no blancos. Esos dos procesos, por ser actuales o recientes, son particularmente fáciles de analizar, pero el examen de adaptaciones matrices más antiguas, protestantes, como la alemana o la sueca, revelaría algunos puntos comunes. En una sociedad mayoritariamente rural y con pocas uni-

Trabajadores por cuenta propia en Estados Unidos en 1980			
Coreanos	16,5 %	Mexicanos	4,4 %
Japoneses	11,1 %	Hawaianos	3,9 %
Chinos	9,0 %	Filipinos	3,6 %
Cubanos	8,3 %	«Negros»	3,0 %
«Blancos»	7,4 %	Portorriqueños	2,9 %
Indios (Asia)	6,6 %		

Fuente: A. Hacker, *Two Nations. Black and White, Separate, Hostile, Unequal*, Nueva York, Charles Scribner's Sons, 1992 pág. 109.

versidades, las trayectorias de integración habían de ser forzosamente diferentes, pero con frecuencia podrían observarse integraciones bastante logradas en las capas medias de la sociedad americana, tras pasar por una fase de actividad agrícola o artesanal. El caso irlandés contradice parcialmente esa representación esquemática de la trayectoria ideal de asimilación que corresponde a los sistemas matrices. El catolicismo tradicional que tan fuertemente impregnaba la cultura irlandesa no era favorable al éxito escolar y universitario, rasgo regresivo que explica algunas de las dificultades de las poblaciones concernidas. No obstante, la invasión de la policía, de la Iglesia católica norteamericana y del aparato del Partido Demócrata por parte de los irlandeses representa una forma de éxito en el ascenso hacia las clases medias, que les distingue de los grupos étnicos inmigrados, portadores de sistemas nucleares familiares, como han sido, en diferentes épocas, los italianos, los filipinos y los mexicanos. Esos grupos, portadores de sistemas antropológicos individualistas, se adaptan, pero lo hacen en otro nivel de la sociedad americana y siguiendo otro proceso. En su caso, ni el acceso a la enseñanza superior, ni el establecimiento de pequeñas empresas son particularmente masivos. A pesar de estar inicialmente más cerca de la estructura familiar norteamericana tipo, también nuclear, tardan mucho más en acceder al nivel de las clases medias.[32] La trayectoria ideal de su asimilación a la sociedad norteamericana pasa por formar parte del mundo obrero o, en términos más generales, por el trabajo poco cualificado.

Sería absurdo esbozar una visión idealizada de la familia matriz que la presentase como particularmente capacitada para promover dinamismo cultural y económico en cualquier lugar y época. Al contrario, en sus territorios de origen y en ciertos contextos históricos, los sistemas antropológicos matrices son muy capaces de bloquear cualquier desarrollo. Las ventajas del modelo —atención a la educación de los hijos, capacidad de transmisión de competencias, cohesión de las redes profesionales— son las mismas que en situación de emigración, pero en su territorio están contrarrestadas por desventajas específicas: en una sociedad tradicional cerrada, urbana o rural, las múltiples solidaridades que constituyen el sistema matriz ligan de tal manera a los individuos entre ellos que pueden producir una parálisis general del espíritu de iniciativa. Un sistema social compuesto únicamente por familias muy integradas puede bloquearse por exceso de cohesión y, a veces, naufragar en un exceso de conservadurismo. Si aparece asociada al catolicismo, la familia matriz puede representar un enorme obstáculo a la modernización, como se ve en el caso de Irlanda. Incluso en una sociedad como la alemana, protestante en sus dos terceras partes, la familia matriz puede provocar, por exceso de integración y de continuidad, una parálisis socioeconómica. Durante los primeros setenta y cinco años del siglo XIX, Alemania, totalmente alfabetizada, resiste a la revolución industrial: sus campesinos, sus artesanos y su nobleza rechazan el desarraigo que la fábrica y la ciudad moderna representan. La familia matriz se deshace de sus propias implicaciones negativas cuando se encuentra en situación de minoría, inmersa en una sociedad individualista y móvil de tipo norteamericano. Entonces libera un potencial puramente dinámico. Sus hijos, con un elevado grado de educación, se emancipan de la tradición y pueden así convertirse en empresarios, médicos o universitarios. En un contexto anglosajón, donde la familia nuclear absoluta apoya poco a los hijos una vez superada la pubertad, quienes provienen de un sistema inmigrado de tipo matriz tienen, por principio, cierta ventaja sobre la población mayoritaria. De ahí las dificultades que tuvieron los Wasps (White Anglo-Saxon Protestants) para hacer frente a la competencia universitaria, primero judía y luego japonesa, en diferentes momentos del siglo XX. Se trata de una ventaja que no es eterna, puesto que el sistema matriz se autodestruye en el proceso. En la tercera generación, la disciplina familiar y las tradiciones educativas de la cultura de origen están ya muy deterioradas. La cuarta generación se caracteriza por aceptar las costumbres americanas mayoritarias.

Los sistemas antropológicos matrices inducen a una paradójica trayectoria de asimilación. Por un lado, en un primer momento, engendran una fuerte cohesión del grupo étnico que en cierto sentido retarda la asimilación a la sociedad receptora pero, por otro lado, garantizan una buena promoción profesional, puesto que proporcionan a los individuos ciertas ventajas en la competencia económica y escolar. Cuando, finalmente, el sistema familiar se disuelve en el medio, como consecuencia del debilitamiento del lazo padres-hijos tradicional y del intercambio matrimonial, los individuos ya se encuentran bien situados en la estratificación socioeconómica y su integración en la sociedad receptora parece perfecta. En resumen, la resistencia cultural produce un retraso en la asimilación que, al final, acaba siendo perfecta.

La fusión de las naciones blancas

La integración cultural de las poblaciones inmigradas blancas precede a su fusión por matrimonio. Todos los grupos de origen europeo entran, los unos detrás de los otros, en un único universo matrimonial. Los protestantes son los primeros en intercambiar cónyuges con los anglosajones, de los que no les separa diferencia religiosa alguna. Les siguen los católicos alemanes, irlandeses, polacos e italianos, cuyas particularidades religiosas van borrándose de manera progresiva. Finalmente son absorbidos los judíos, a pesar de que su sistema antropológico tradicional incluye una preferencia endógama por el matrimonio en el interior del grupo.[33]

En Estados Unidos, la endogamia judía había resistido bastante bien hasta, más o menos, 1965, fecha en la que sólo el 11% de los individuos nacidos judíos se había casado con una persona que no era de su religión. Pero el índice de exogamia aumenta hasta el 31% para los individuos casados entre 1965 y 1974, y al 57% para los matrimonios de los años comprendidos entre 1985 y 1990.[34] Ese índice aumenta con el nivel educativo, para alcanzar valores máximos entre los individuos con estudios superiores. Las capas de trabajadores manuales y de artesanos son relativamente conservadoras. Así pues, el aumento del nivel de exogamia sigue al ascenso del grupo en la estratificación socioprofesional norteamericana.[35] El alcance de la mezcla entre poblaciones judías y no judías, da una idea indirecta *a minima* de lo que puede ser la mezcla de las poblaciones de origen cristiano entre sí: los grupos católicos y protestantes, anglosajones, irlandeses, polacos, italianos o alemanes están cerca de la fusión total e indiferenciada.

Actualmente, la tendencia general es la de una última aceleración del proceso de asimilación por matrimonio. Un reciente estudio, realizado a partir del censo de 1960 y que compara tres generaciones —casados antes de 1930, entre 1930 y 1945, y entre 1945 y 1960— demuestra que con el tiempo, el índice de matrimonio exogámico aumenta en la segunda generación, la de los hijos de inmigrantes. Esa aceleración es perceptible en todos los grupos, judíos y no judíos, excepción hecha de los irlandeses.[36] En semejante contexto, el análisis de los orígenes étnicos propuesto por el censo norteamericano es un ejercicio irreal, porque la mayoría de los individuos proviene de múltiples orígenes.[37]

Inmigración y persistencia de la homogeneidad antropológica

La afluencia a Estados Unidos de una población muy variada en el plano cultural, que originariamente comprende grupos diferentes en su organización familiar y en su tradición religiosa, no ha impedido la formación de una sociedad extraordinariamente homogénea. La eliminación de las diferencias va mucho más lejos que la asimilación lingüística. Los sistemas familiares no individualistas o igualitarios son destruidos en unas pocas generaciones y las creencias religiosas son sutilmente pulverizadas. Esa homogeneización parece tanto más milagrosa cuanto que el código antropológico inglés inicial no era en absoluto universalista y no reconocía *a priori* la existencia de hombre universal alguno. Unicamente la idea de libertad justifica, en el plano ideológico, la apertura del Nuevo Mundo a las diversas categorías europeas. ¿Cómo pueden irlandeses, alemanes, escandinavos, italianos y judíos ser reconocidos como iguales a los descendientes del pueblo fundador? Por el mismo mecanismo que hizo posible, entre 1630 y 1840, el desarrollo de una democracia en ausencia de un principio igualitario inscrito en el fondo antropológico. La diferencia negra, que permitió olvidar las diferencias entre clases sociales, autoriza más tarde la desaparición de las diferencias familiares y religiosas de las que los inmigrantes blancos son portadores. En resumen, la segregación de los negros permite la asimilación de los blancos.

4
La segregación
de los negros en Estados Unidos

En lo que al rechazo del matrimonio entre blancos y negros se refiere, América no ha cambiado desde su fundación. El nivel de prohibición oficial de la unión interracial varía con la fecha y el Estado, pero en la práctica el porcentaje de matrimonios mixtos sigue siendo muy bajo. A partir de la segunda guerra mundial, las legislaciones que prohibían las uniones entre individuos clasificados en categorías raciales diferentes han sido progresivamente eliminadas, y fueron declaradas globalmente inconstitucionales por el Tribunal Supremo en junio de 1967.[1] No obstante, a pesar de que se ha producido una ligera evolución en estos últimos veinte años, el porcentaje de parejas mixtas sigue siendo muy bajo. En 1992, la proporción de norteamericanos negros casados de manera endógama en su categoría racial era del 95,4% en el caso de los hombres y del 97,7% en el de las mujeres.[2] Si damos la vuelta al punto de vista, obtenemos una tasa de exogamia del 4,6% para los hombres y del 2,3% para las mujeres. *Uno de los rasgos fundamentales de la endogamia racial norteamericana es un sesgo asimétrico que hace pesar una prohibición máxima sobre el matrimonio con la mujer negra.* En ciertos lugares y ciertas épocas, se observa una elevación significativa del número de hombres negros que se casan con una mujer blanca, pudiendo alcanzar tasas de exogamia racial masculina superiores al 10%. Pero esas alzas se combinan con la persistencia de un tabú absoluto sobre el matrimonio entre un hombre blanco y una mujer negra. Así, en Boston, una de las capitales de la lucha contra la esclavitud, la proporción de hombres negros casados con una mujer blanca alcanza el 13,7% entre 1900 y 1904, pero la tasa de exogamia de las mujeres negras parece estancada en el 1,1%.[3] La proporción de hombres negros que escapan a la endogamia racial vuelve a caer al 3,2% en el periodo que va de 1914 a 1938, y el de las mujeres al 0,7%. En los Estados Unidos de nuestros días se produce ese mismo tipo de fluctuación asimétrica, que relaja temporalmente la prohibición en el caso del hombre, pero que mantiene en todo momento la que pesa sobre la mujer del grupo marcado como diferente, y lo hace de manera particularmente clara en la más abierta de las sociedades regionales americanas: California. Según el censo de

Autorretrato racial de Estados Unidos
La población americana según el centro de 1990
(en millares)

Población de Estados Unidos	248.710
Blancos	199.686
Negros	29.986
Indios americanos, esquimales y aleutianos	1959
Asiáticos y originarios de las islas del Pacífico	7274
Otras razas	9805
De origen hispánico *	22.354
De origen no hispánico	226.356

* Los individuos de origen hispánico pueden pertenecer a cualquiera de las razas.

1980, mientras el 10% de los hombres negros vivía en pareja con una persona de otra raza, blanca en una aplastante mayoría de casos, tan sólo el 3% de las mujeres negras lo hacía.[4] Estos datos estadísticos evocan una total rigidez del modelo endógamo para las mujeres del grupo paria y una relativa elasticidad para los hombres, que no debe exagerarse. Tanto en la ciudad de Los Angeles alrededor de 1980 como en Boston alrededor de 1900, el aumento de la tasa de exogamia masculina negra es un fenómeno temporal. Un estudio detallado del condado de Los Angeles muestra que los hombres negros que se casan fuera de su grupo son individuos móviles recientemente llegados del Este o del extranjero. Así pues, la relativa elevación de la tasa no concierne a la población masculina negra instalada desde hace tiempo, fenómeno que sugiere que la ruptura de la endogamia racial no es más que un fenómeno transitorio, ligado a la movilidad, y al que seguirá un nuevo cierre.[5] De cualquier forma, en el caso de los hombres existe cierta apertura, aunque sea limitada en el tiempo y en el espacio, que no se observa en el de las mujeres.

Entre 1970 y 1992, y a escala de todo el país, la proporción de norteamericanos negros que se casan con norteamericanas blancas pasa de un 1,2% a un 4,6%. En el mismo periodo, la asimetría del intercambio matrimonial persiste: el ligero aumento de la proporción de mujeres negras que viven con hombres blancos (del 0,7% al 2,3%) es una ilusión estadística en el contexto de un hundimiento generalizado del matrimonio y de la pareja en la comunidad negra. Si nos atenemos a los individuos clasificados como negros y blancos, dejando a un lado otras categorías raciales, el número de mujeres negras casadas con un hombre blanco pasa de 24.000 de entre 3.324.000, en 1970, a 83.000 de entre 3.598.000, en 1993. Esa variación oculta el fenómeno esencial del periodo: el aumento masivo de la proporción de norteamericanas negras que no tienen marido, ni negro ni blanco. Si consideramos el conjunto de las mujeres casadas o cabezas de familia monoparental, puede obtenerse una visión más realista de los destinos matrimoniales de las norteamericanas negras. En 1970, el 70,5% tiene una pareja negra, el 29% es madre soltera y el 0,5% vive con un americano blanco. En 1992, el 48,9% tiene una pareja negra, el 49,8 es madre soltera y el 1,2% vive con un americano blanco. Esa tasa de exogamia femenina negra del 1,2% es excepcionalmente baja y define uno de los niveles de endogamia más elevados examinados en este libro. Sólo puede compararse con la endogamia de las mujeres turcas en Alemania o con la de los europeos de Argelia, hombres y mujeres, durante el periodo colonial.[6] El rechazo por parte de un grupo dominante, en este caso los norteamericanos blancos, a casarse con mujeres de un grupo dominado, los norteamericanos negros, es probablemente el mejor indicador que pueda imaginarse de diferencialismo implícito.

Los asiáticos se convierten en blancos

La organización racial de la sociedad americana no puede ser considerada como dicotómica en su origen, limitándose a oponer los negros a los blancos. Entre los siglos XVII y XIX, los indios, tanto como los negros y a veces más, fueron objeto de una segregación matrimonial casi absoluta. Lo que Tocqueville describe cuando estudia «las tres razas en Estados Unidos», es un sistema ternario en el que los negros no acaparan toda la necesidad *a priori* que tienen los anglosajones de percibir esencias humanas diferentes. Los chinos que desembarcan por los años que median entre 1870 y 1882 en la costa Oeste, para trabajar en la construcción de las líneas de ferrocarril, polarizan localmente la percepción de la diferencia racial, en ausencia de una población negra lo bastante numerosa como para cumplir esa función. A partir de 1882 queda prohibida su inmigración. Pero, durante todos los años ochenta de ese siglo, las comunidades chinas son víctimas de auténticos pogromos. Los chinos son objeto de una segregación rigurosa, cuyo rasgo capital lo constituye la fobia al ma-

La situación matrimonial
de las mujeres negras en Estados Unidos

Situación	1970		1980		1992	
	Miles	%	*Miles*	%	*Miles*	%
Casadas con un negro	3300	70,5	3277	56,2	3515	48,9
Casadas con un blanco	24	0,5	46	0,8	83	1,2
Casadas con «otros»	—	—	14	0,2	10	0,1
Madres solteras	1358	29,0	2495	42,8	3582	49,8
Total	4682	100	5832	100	7190	100
Casadas con un hispano			53		80	

Fuente: Bureau of the Census, *Household and Family Characteristics*, marzo de 1980 y marzo de 1992.

trimonio interracial, de forma que se les aplican las leyes que prohíben el matrimonio *(miscegenation)*. California, a la vanguardia, hace un particular esfuerzo legal para impedir los matrimonios mixtos entre blancos y asiáticos. El Congreso declara en 1907 una ley por la que toda mujer norteamericana que se case con un extranjero (y en la práctica sólo los asiáticos son auténticos extranjeros, llamados a seguir siéndolo puesto que la naturalización les está vedada) perderá automáticamente la nacionalidad norteamericana para adquirir la de su marido.[7] No se trata de forma diferente a los japoneses, que siguen de cerca a los chinos. La identificación de diferencias raciales busca en todas direcciones, hasta el punto de que la propia definición de blancura no es estable. Los ciudadanos norteamericanos de principios del siglo xx dudan si clasificar como «blancos» a los primeros italianos que se instalan en la costa Este.[8]

El cambio de actitud de la población de origen europeo con respecto a los indios y a los asiáticos es evidente en los decenios que siguen a la segunda guerra mundial: ese cambio lleva a la desaparición conceptual y práctica de las nociones de raza cobriza y raza amarilla.[9] Los descendientes de los pieles rojas —1,9 millones según el censo de 1990— son redefinidos como miembros de pleno derecho de la comunidad norteamericana: actualmente, el 54% de las mujeres de origen indio se casa con blancos.[10] La aceptación de los asiáticos es un fenómeno aún más impresionante en el plano cuantitativo. Su inmigración se ha reanudado progresivamente: entre 1960 y 1990, 825.000

inmigrantes chinos, 650.000 coreanos, 950.000 filipinos, 130.000 japoneses y 530.000 vietnamitas se instalan en Estados Unidos.[11] Los grupos étnicos correspondientes entran en el universo matrimonial de los americanos blancos: en la California de 1980, los índices de matrimonio mixto en las poblaciones asiáticas siempre son superiores al 10%, salvo en el caso de los hombres coreanos y vietnamitas. Las diferencias entre los porcentajes de los diferentes grupos se explican, en parte, por las diferentes fechas de instalación, correspondiendo los índices más elevados a las inmigraciones más antiguas, y los más bajos a las más recientes. Los vietnamitas, que en su inmensa mayoría han llegado después de la derrota de 1975, tienen tasas de exogamia de tan sólo el 4% para los hombres, pero ya de un 19% para las mujeres. Los japoneses, que globalmente son el grupo más antiguo, han alcanzado la fase de dispersión en la sociedad norteamericana central con un 17% de matrimonios mixtos en el caso de los hombres y un 36% en el de las mujeres. El detalle de los datos respecto a los matrimonios de norteamericanos de origen japonés, analizados en relación con el nivel cultural, sugiere que el mecanismo de disolución del grupo por exogamia es muy parecido al de la población judía: la frecuencia de parejas mixtas aumenta de manera muy uniforme con el nivel escolar, siendo los individuos con estudios superiores los que mayor tasa de matrimonios mixtos presentan.[12] En todos los grupos asiáticos, a diferencia de lo que ocurre entre los negros, el nivel de exogamia de las mujeres es superior al de los hombres. La caída del diferencialismo implícito se manifiesta por una propensión del grupo dominante a tomar del grupo minoritario más mujeres de las que le cede.

Así pues, las concepciones raciales de América no son estables en el tiempo. El diferencialismo definió en un principio varias razas prohibidas, designadas por colores convencionales: cobrizo, amarillo, negro. La evolución reciente de los comportamientos redefine ciertos grupos como aceptables, siendo el «amarillo» el más importante en el plano cuantitativo, especialmente en el actual contexto de la inmigración que proviene de Asia. Pero la ruptura del aislamiento indio es un fenómeno aún más significativo en el plano simbólico. La asimilación de los pieles rojas, el más antiguo objeto del diferencialismo americano, ha hecho de los negros el único pueblo testigo portador de diferencia.

De la esclavitud a la segregación

El examen de los datos antropológicos objetivos, y particularmente el del índice de matrimonios mixtos, revela una América relativamente estable en su actitud frente a la población negra y muestra que las escasas oscilaciones observables no hacen variar el mecanismo global de segregación. Por el contrario, el examen de la vida política e

Proporción de individuos casados fuera de su grupo étnico o racial: California 1980		
	Hombres	Mujeres
Japoneses	17 %	36 %
Coreanos	6 %	27 %
Filipinos	20 %	27 %
Mexicanos	18 %	22 %
Vietnamitas	4 %	19 %
Chinos	11 %	14 %
Negros	10 %	3 %

Fuente: R.M. Jiobu, *Ethnicity and Assimilation,* State University of New York, 1988, pág. 161, según una nuestra extraída del censo de 1980.

ideológica americana pone de relieve que, entre 1776 y 1994, existen dos grandes oleadas reformadoras. Ya desde los años 1830-1840 se inicia el debate sobre la esclavitud que conduce a la guerra de secesión y a la emancipación de 1863. Por otra parte, es interesante constatar que los ataques a la esclavitud comienzan inmediatamente después de la culminación, hacia 1830, de la democracia blanca, como si, por efecto de la inercia, el principio de igualdad tendiese, según el modelo de Myrdal, a extenderse desde la esfera blanca a la esfera no blanca de la población, a pasar de la reivindicación democrática a la reivindicación abolicionista. La reconstrucción que sigue a la guerra de secesión no logra hacer de los negros emancipados ciudadanos normales. Los blancos del Sur recuperan pronto el control de su sociedad y elaboran una legislación segregacionista: liberados en el plano jurídico, los negros son privados, en la práctica, del derecho de voto y son separados de la enseñanza blanca. Pero el fenómeno fundamental de los años 1863-1900 es el desarrollo, *en la parte abolicionista* del país, de actitudes separatistas, como reacción frente a la emigración hacia la industria del Norte de negros que ahora son libres para desplazarse. Los habitantes del Norte unionista, tras haber emancipado a los negros del Sur y afirmado su esencial humanidad, soportan mal la inmigración de los antiguos esclavos hacia su mundo industrial. Se niegan a cualquier contacto y dan lugar así a la formación de guetos. El negro abstracto del Sur era un hombre. El negro concreto del Norte, aunque sea obrero y libre, no entra ya en la categoría de «hombre universal». Esta primera tentativa de emancipación de los negros pone de manifiesto la existencia de un conflicto entre un *estrato consciente universalista* y un *estrato inconsciente diferencialista* de la mentalidad norteamericana. Existe una dinámica igualitaria que funciona en el nivel de la conciencia, pero es rota por un compacto conjunto de actitudes subconscientes. Entre 1880 y 1920, el inconsciente recupera el control de la conciencia, puesto que las teorías políticas dominantes relegitiman una concepción racial de la sociedad: en 1896, una decisión del Tribunal Supremo (Plessy versus Ferguson) valida oficialmente, a escala nacional y no sólo sudista, la idea de dos comunidades «*separadas pero iguales*». Hoy hablaríamos de *apartheid*.

No me demoraré en el comentario del fracaso de la primera tentativa de emancipación de los negros norteamericanos, y no porque esté más lejana en el tiempo, sino porque los objetivos igualitarios de los hombres políticos del Norte no fueron en ningún momento firmes y meditados. Todavía en 1858, en su célebre debate con Douglas, Lincoln no parece convencido —es lo menos que puede decirse— de la homogeneidad del género humano:

«No soy ni nunca fui partidario de instaurar de cualquier manera la igualdad social y política de las razas blanca y negra; no soy, y nunca fui, partidario de hacer de los negros electores o jurados (...). Añadiré que entre las razas blanca y negra existe una diferencia física que, creo, impedirá siempre que ambas razas vivan juntas en una situación de igualdad social y política».[13]

Hablando de manera más general, las poblaciones del norte muestran, antes de la emancipación de los negros, lo que no hay más remedio que llamar una auténtica *negrofobia*, un sentimiento de miedo y de odio que se expresa en ataques físicos directos. Ya desde finales de los años veinte del pasado siglo comienzan en el Norte, a pesar de que allí los negros son muy poco numerosos, pogromos en serie. En 1829, en Cincinnati, un ataque contra el barrio negro obliga a la mitad de sus habitantes a huir a Canadá. Pero donde tiene lugar el mayor número de agresiones a los negros, en los dos decenios que siguen, es en Filadelfia, a pesar de ser la capital de los cuáqueros abolicionistas.[14] El odio a la esclavitud, real en el Norte durante los años que preceden a la guerra de secesión, no se basa, si dejamos a un lado el círculo de los abolicionistas militantes, en una convicción de la igualdad de los negros. Para muchos habitantes de Nueva York, Boston o Filadelfia, oponerse a la adopción por parte de los nuevos Estados del oeste de la institución esclavista, significa sobre todo evitar la expansión al conjunto de Estados Unidos de las poblaciones negras.

Sin poner en duda los sentimientos humanitarios de los abolicionistas más convencidos, se tiene a veces la impresión de que las poblaciones del Norte contestan la esclavitud fundamentalmente porque permite que existan los negros y porque promueve una interacción demasiado estrecha entre negros y blancos. Según los abolicionistas, la esclavitud comete el pecado de favorecer la explotación sexual de las esclavas negras por parte de sus dueños blancos. Conscientemente, esa argumentación se apoya en el principio universalista de un derecho de los negros a ser respetados. Inconscientemente, expresa un rechazo diferencialista al intercambio sexual entre las poblaciones blanca y negra. El sistema esclavista del sur de Estados Unidos hacía compatibles el rechazo del matrimonio mixto y la tolerancia de las relaciones sexuales entre dueños blancos y esclavos negros. Evidentemente, esas relaciones sexuales producían niños mulatos, no reconocidos por sus padres y automáticamente clasificados como «negros» por la conceptualización norteamericana. Así, una primera paradoja de la historia de las relaciones raciales americanas reside en que la abolición de la esclavitud, al liquidar la economía de plantación, produjo por primera vez en la historia del continente, una separación radical, sexual y genética, de las poblaciones «negra» y «blanca».

En consecuencia, el fracaso del abolicionismo de los años 1840-1880, inseguro y contradictorio en su igualitarismo, no es un fenómeno probatorio para quien quiere estudiar el enfrentamiento de las concepciones conscientes e inconscientes de la raza en la vida ideológica norteamericana. Por el contrario, el movimiento a favor de la igualdad de los negros, que comienza en la época de la segunda guerra mundial, crece a principios de los años sesenta y fracasa entre 1965 y 1990, es un caso tipo, por su perfección teórica.

La conciencia democrática en acción: 1940-1990

En 1944, el ejército americano que libera a Europa occidental de la ocupación nazi, practica la segregación de forma sistemática. Las unidades negras y blancas están separadas y toda la organización militar tiende a mantener la separación de ambos grupos raciales, tanto en lo que respecta a su residencia, como en lo relativo al asueto y al combate. El choque frontal con el nazismo, monstruoso producto de otra concepción racial de la vida social, produce, por reacción, una potenciación del sentimiento universalista en Estados Unidos. Durante el periodo de la guerra fría, la competencia planetaria del universalismo comunista alienta también a Estados Unidos a superar su limitada concepción de igualdad blanca. Se inicia además una segunda oleada emancipadora, esta vez perfectamente coherente, gracias en particular a los trabajos de Gunnar Myrdal sobre la cuestión negra, que presentan su igualdad civil como algo que deriva naturalmente de la fe democrática americana.[15] Estamos ya muy lejos de los titubeos de Lincoln a propósito de la noción de igualdad de los hombres. Los americanos de todos los colores que luchan por la extensión de los derechos civiles a los negros afirman de manera explícita y absoluta la igualdad de los hombres y la homogeneidad del género humano. Su primer éxito importante se produce, sin duda, en 1941, con el decreto del presidente Roosevelt que prohíbe la discriminación racial en las industrias militares y en la administración del estado. En 1948, el presidente Truman prohíbe la segregación en el ejército. En 1954, el Tribunal Supremo declara inconstitucional la segregación escolar y rechaza oficialmente la teoría del *separate but equal*. En 1955-1956, los negros de Montgomery, en Alabama, obtienen la supresión de la segregación en los transportes públicos, tras un boicot de 381 días. Entre 1956 y 1963, la lucha por los derechos civiles de los negros se extiende, siendo sus reivindicaciones principales el acceso a todas las instituciones educativas y el derecho efectivo al voto. Apoyado por una opinión pública mayoritaria en el país, el gobierno federal está dispuesto a imponer el fin de la segregación política y educativa del Sur, incluso con el uso del ejército.

Hacia 1990, después de casi treinta años de esfuerzos, los resultados políticos y escolares de la lucha por la igualdad de los negros parecen impresionantes. A pesar de no haber alcanzado una representación globalmente proporcional a su peso numérico, los americanos negros salen de la nada política. Ciudades como Detroit, Atlanta, Washington, Chicago, Los Angeles, Filadelfia o Nueva Orleáns eligen alcaldes negros. Los progresos educativos son enormes. La proporción de negros que terminan la enseñanza secundaria pasa del 12% en 1940 al 82% en 1989, fecha en la que el 12,7% de ellos continúa estudios superiores de cuatro o más años, frente al 1,6% de treinta años antes.[16] Estos incrementos no pueden atribuirse exclusivamente a la desaparición de la segregación escolar, porque son continuación de un movimiento secular. Entre 1870 y 1930, en un contexto político segregacionista, la proporción de negros alfabetizados había pasado del 20% al 84%.[17] De hecho, es la elevación del nivel cultural de las poblaciones negras, que es un fenómeno autónomo, la que ha desembocado, en los años cuarenta, en la ruptura del sistema segregacionista, tanto en el campo educativo como en el político.

Una serie de sondeos de opinión nos permite seguir, a lo largo de un extenso periodo, los progresos de la doctrina antisegregacionista entre los norteamericanos blancos. Mientras en 1942 sólo un 32% piensa que negros y blancos deben ir a las mismas escuelas, en 1982 el 90% acepta el principio de integración escolar. En 1942, el 46% de los blancos estaba en contra de la segregación en los transportes públicos, mientras en 1970 era el 88%. En 1963, sólo un 38% de los americanos blancos desaprobaba las leyes que prohibían el matrimonio interracial, en contraste con el 73% de 1987.[18] A partir de ahora, la opinión blanca rechaza también la idea de un derecho a mantener a la población negra en zonas específicas de residencia: del 59% en 1972, al 78% en 1989.[19] En el nivel consciente, los progresos del universalismo parecen irresistibles.

Reacción del inconsciente diferencialista

Esos sondeos captan el estrato consciente de las actitudes norteamericanas. Si ahora pasamos de las variables de opinión a las variables de comportamiento, comprobaremos que la actitud segregacionista continúa tan activa como siempre. La llegada de negros a las zonas de residencia y a las escuelas blancas sigue provocando la huida de los mismos individuos blancos que, en sus respuestas a las preguntas de los sondeos de opinión, aseguran estar convencidos del principio de igualdad de los hombres, sea cual sea su apariencia física. Los guetos persisten o vuelven a formarse en el centro de las grandes ciudades. El sistema de enseñanza pública, abierto a los negros, se hunde, mientras los hijos de las clases medias blancas evitan la mezcla racial asistiendo a escuelas privadas. Los niños blancos y negros no deben estar juntos, ni como vecinos, ni como compañeros de clase. Mientras se favorezca esa ausencia de familiaridad en la práctica, los adolescentes serán extraños los unos para los otros, incapaces de casarse entre sí. La *vecindad*, la *escuela* y el *matrimonio* son variables antropológicas cuya combinación define, por naturaleza, el campo de las relaciones interpersonales concretas del individuo. La subsistencia de los guetos, la negativa de los blancos a terminar en la práctica con la segregación escolar y la estabilidad de la endogamia racial, hacen pensar que el modelo diferencialista norteamericano es inamovible en su nivel antropológico. El inconsciente habla, ese inconsciente que no cree en la igualdad de los hombres ni en la unidad del género humano. Entre 1940 y 1990, la sociedad norteamericana nos ofrece el asombroso espectáculo de una disociación mental colectiva, de un conflicto entre el consciente y el inconsciente colectivos.

Para apreciar en su justa medida la intensidad del conflicto, hay que tomar conciencia de que ambos adversarios, el consciente y el inconsciente, son fuertes. La lucha por los derechos civiles no ha sido una ficción para lavarse la cara, sino un momento realmente dramático de la historia norteamericana, que ha exigido la reestructuración general del aparato legislativo y la intervención del ejército federal. Se han puesto en marcha técnicas radicales de reforma social como, por ejemplo, el *busing* obligatorio, que debía mezclar las poblaciones escolares, transportando en autocar a ciertos niños negros a distritos escolares blancos vecinos, que aunque nunca fue auténticamente aceptado por las poblaciones blancas, fue impuesto por las autoridades judiciales y aplicado por el poder ejecutivo. Igualmente, la *affirmative action*, que favorece a los negros para compensar sus obstáculos en el campo profesional o en la enseñanza superior, que nunca ha sido plenamente aceptada por la mayoría de la población, se ha practicado primero, y ampliamente, en el sector público, más tarde en las empresas privadas que trabajan para el Estado federal y, finalmente, en buena parte del sector privado puro. Es difícil imaginar un intento consciente más firme de una sociedad para eliminar su mecánica de separación racial. La movilización de la conciencia democrática americana ha sido masiva y costosa.

La reacción adversa del inconsciente diferencialista no lo ha sido menos. Mantener una separación en la práctica no es fácil para las poblaciones blancas. Van de Berghe señala un punto fundamental, desde una perspectiva sociológica, cuando llama a la segregación racial monomanía devoradora de tiempo *(time-consuming monomania)*. La cantidad de energía individual y social absorbida por la mecánica de separación de las dos categorías raciales fundamentales es prodigiosa. Debemos imaginar a millones de familias blancas dispuestas a trasladarse en el momento en que algunas familias negras se instalen en su barrio, y dispuestas a sacar a sus hijos del sistema escolar público, a pesar del coste económico que esa decisión conlleva. La suma de esos millones de decisiones familiares conduce a la implosión de las ciudades norteamericanas, con sus centros abandonados a las poblaciones negras que vuelven a encontrarse en un gueto. Esa operación, que tiene lugar a escala de una nación-continente, merecería un análisis global de tipo econométrico. El diferencialismo americano es una estructura mental capaz de engendrar espectaculares efectos macrosociales.

La apariencia física como único factor determinante

Así pues, el examen de los datos estadísticos sobre los negros americanos pone de manifiesto la existencia de dos tipos distintos de parámetros, algunos de los cuales son constantes y otros variables.

—La endogamia y la segregación espacial o escolar definen un campo antropológico aproximadamente estable: el aislamiento de larga duración de la población americana clasificada como negra, practicado por la parte de la población clasificada como blanca.

—El nivel educativo, el acceso a los diversos oficios y la participación política permiten identificar un eje histórico en el que pueden medirse algunos progresos muy notables: los norteamericanos negros, mayoritariamente analfabetos en 1870, realizan en su mayoría estudios secundarios hacia 1990. Algunos llegan a la universidad, mientras un buen número de hombres políticos negros es elegido para puestos importantes.

Esas dos caras de la realidad son percibidas en general, pero se las integra en un balance de tipo positivo/negativo que pone en el mismo plano de categorías índices de segregación e índices de asimilación. Según esa representación, la América de los años ochenta y noventa se caracteriza por una mezcla de fracasos y de éxitos, siendo el balance positivo para unos y negativo para otros. Hay en ello un error de interpretación. *Los parámetros de estabilidad y de movilidad, de asimilación y de segregación, no son equivalentes. No se compensan, sino que se definen mutuamente: el progreso educativo cambia el significado de la segregación matrimonial, residencial y escolar.*

Las poblaciones negras originales, que provenían del continente menos desarrollado, Africa, desprovistas de sistema de escritura y, en consecuencia, analfabetas en un 100%, podían ser «razonablemente» percibidas como diferentes por los europeos de los siglos XVII al XIX. Los americanos blancos, protestantes en su mayoría, representaban entonces la franja más avanzada de la población mundial. Si no consideramos más que la parte europea de su población, en 1850 Estados Unidos era todavía uno de los países más desarrollados del mundo en el plano educativo, con un índice de alfabetización situado entre el 85 y el 90%, cifra con la que entonces sólo podrían haber competido Suecia y algunas regiones de Alemania.[20] El contraste físico y cultural entre africanos y europeos, entre analfabetos negros y alfabetizados blancos, era entonces impactante y podía alimentar una concepción empírica de la diferencia humana que estableciese una relación entre retraso cultural y substrato biológico.

El analfabetismo de las poblaciones negras fue mantenido de manera artificial hasta la guerra de secesión en los Estados del sur, que prohibían que los esclavos accediesen a la escritura. Pero a partir de 1870, el desarrollo escolar de las poblaciones negras es rapidísimo y altera los datos del problema. Entre 1870 y 1900, la población de negros americanos alfabetizados pasa del 20 al 55%. En la misma época, los progresos de Italia son claramente más lentos, ya que el índice de alfabetización de ese país europeo y blanco, sólo progresa del 31 al 53%, entre 1871 y 1901. Esa diferencia en los ritmos de desarrollo explica por qué el índice de alfabetización de los inmigrantes italianos que entran en Estados Unidos entre 1900 y 1914 es inferior al de los negros americanos.[21] Cuando, tras algunos titubeos, los americanos «blancos» deciden clasificar como blancos a los italianos analfabetos, reconocen como más cercano a un grupo humano que, desde el punto de vista del nivel educativo, está más lejos de ellos que los negros. El criterio de la diferencia física se disocia del de la cultura. La noción de diferencia adquiere su sentido último y real: se hace patente que a los negros no les bastará con demostrar que son capaces de civilizarse, de aprender por ejemplo a leer y a escribir, para que se les reconozca su condición de seres humanos. El movimiento educativo ulterior confirma ese rechazo del criterio cultural y la preeminencia de la apariencia física como elemento de definición fundamental de la diferencia humana en la civilización americana. Al cabo de un siglo de progresos educativos de los negros, las universidades americanas nos ofrecen hoy el espectáculo de una desaparición puramente formal de la segregación: los estudiantes negros están ampliamente representados en ellas, pero el nivel de relaciones humanas entre estudiantes blancos y negros es muy bajo, restringido según Alan Bloom al respeto de las reglas de educación al uso, de modo que hay que considerar la amistad entre estudiantes blancos y negros como un fenómeno excepcional.[22] Hacia 1990, el 80% de los negros americanos ha realizado estudios secundarios, sin que ese movimiento masivo haya roto la segregación matrimonial y residencial. Es imposible poner en evidencia con mayor claridad el carácter autónomo de la mecánica diferencialista que para funcionar no necesita ninguna justificación objetiva extraída de la realidad sociocultural. Hoy en día se encuentran en América negros educados, de posición acomodada, cuya instalación en un barrio determinado continúa haciendo huir a las poblaciones blancas. Se constituyen guetos ricos para acogerlos.[23] Al cabo de cuatro siglos de recuperación del retraso cultural, es finalmente evidente que, en el caso de los negros, la apariencia física desempeña un papel fundamental.

Patologías sociales: fabricación de nuevas diferencias

La combinación de asimilación y segregación que caracteriza a los Estados Unidos de los años 1945-1990 ha creado una situación histórica nueva para los norteamericanos negros y ha producido una patología social totalmente específica. Ya no puede considerarse como subdesarrolladas a las poblaciones separadas: su nivel cultural relativamente desarrollado les permite vivir con plena conciencia su alienación, en un sistema que sigue definiéndoles en la práctica como seres diferentes. A partir de ahora, los negros americanos, educados y rechazados, deben vivir con la idea de su inferioridad, una inferioridad tanto más chocante, cuanto que es definida por el superficial criterio de la apariencia física. Una revuelta colectiva no es concebible en la práctica, puesto que hacia 1990, los negros no constituyen más que el 12,1% de la población norteamericana. Queda la posibilidad de una desintegración psíquica y moral de los individuos, cuyo síntoma más evidente es la descomposición del tejido familiar.

Entre 1950 y 1960, la familia negra norteamericana se parecía a la mayor parte de los tipos de familia antillana salidos de la esclavitud, que combinaban el predominio de la familia nuclear con cierta inestabilidad del lazo matrimonial, como revela la presencia de entre un 20 y un 25% de familias monoparentales.[24] Hacia 1960, un siglo después de la emancipación, más del 80% de los niños negros norteamericanos vivía con ambos progenitores.[25] La persistencia de la segregación, en el contexto de un aumento del nivel cultural, ha conducido a la total destrucción de la familia norteamericana negra y a la aparición de la madre soltera como norma estadística dominante. La proporción de niños negros que viven sólo con su madre pasa del 19,9% en 1960 al 51,2% en 1990. Los negros, hombres definidos como no humanos por la sociedad que los domina, dejan de comportarse como esposos y padres. La desaparición de los padres trae consigo una reaparición de las abuelas, porque las madres aisladas se refugian con frecuencia en casa de su madre. Por eso, los grupos familiares ampliados a una parentela no nuclear son bastante numerosos entre los negros americanos, el 15% frente al 3% de la población blanca, hacia 1980.[26] Si combinamos el predominio de las madres solteras con la extensión de ciertos grupos domésticos a tres generaciones, obtenemos la imagen de los linajes femeninos que asocian una mujer, sus hijas y sus nietos. Pero no nos decidimos a considerar como una estructura, como un sistema, esta forma creada por la desaparición de los hombres. Esta familia matrifocal de los americanos negros no puede ser considerada, en ningún caso, como una forma cultural autónoma, porque algunos de sus elementos reflejan, exagerados, valores norteamericanos centrales. El aumento del número de familias monoparentales es un fenómeno que también alcanza, aunque en menor grado, a la mayoría blanca de la población. Entre 1960 y 1990, la proporción de niños clasificados como blancos que viven con una madre aislada pasa del 6,1% al 14,2%.[27] En la medida en que el eje madre-hija es el único lazo de parentesco consanguíneo que presenta cierta estabilidad en la organización familiar norteamericana blanca, la reorganización del grupo doméstico negro en torno a ese eje evoca una interpretación caricaturesca de la matrilinearidad norteamericana más que un retorno a la fragilidad del lazo conyugal de la época de la esclavitud.

No es difícil achacar a la desorganización del tejido familiar negro una multitud de «diferencias» derivadas, médicas o demográficas. En 1990, la tasa de mortalidad infantil era de 8,1 ‰ para los americanos blancos, y de 16,5 para los americanos negros. En Washington, ciudad con un 65% de población negra, la tasa de mortalidad infantil alcanzaba el 23,2 ‰ en 1988. Para evaluar el significado de esas diferencias, podemos comparar esas cifras con algunos datos regionales franceses, respecto a sectores de población de origen europeo y africano. En el territorio metropolitano francés, la tasa de mortalidad infantil en 1989 era del 7,5 ‰, en la Martinica del 9 ‰ y en Guadalupe del 10 ‰. El caso de los departamentos franceses de ultramar muestra hasta qué punto es fácil mantener una relativa homogeneidad médica del territorio nacional, y hasta qué punto las diferencias que se observan en Estados Unidos son efecto de la estructura social.[28]

La descomposición del tejido familiar, marco de formación inicial de la personalidad, trae consigo el desarrollo de una patología social específica, consistente en un aumento de los comportamientos de agresión y de autodestrucción en el seno de la población negra. Hacia 1980, para el grupo separado, la mortalidad por alcoholismo era 2,8 veces más elevada que para la población mayoritaria, la mortalidad por toxicomanía 2,2 veces mayor y la mortalidad por tuberculosis 7 veces mayor.[29] La tasa de defunciones masculinas por homicidio era, en 1989, de 8,2 por 100.000 habitantes entre los americanos blancos y de 61,1 entre los americanos negros.[30] El inventario de las diferencias negras es interminable, tan fácil de establecer como imposible es hacerlo respecto a diferencias objetivas entre grupos étnicos blancos, todos parecidos porque no existen, ya que la cultura americana central los ha mezclado sin posibilidad de vuelta atrás.

En ese estadio del desarrollo social, que se alcanza entre 1975 y 1990, el terreno está abonado para la aparición en escena de nuevos ideólogos de la diferencia que encuentran en la realidad social indicadores estadísticos que demuestran la existencia de una diferencia negra irreductible. El círculo se ha cerrado: la definición *a priori* de los negros como diferentes ha producido comportamientos diferentes que permiten justificar la percepción de los negros como diferentes. En realidad, el sufrimiento y el comportamiento suicida de las poblaciones negras no hacen más que suministrarnos la prueba última de su no diferencia, de su banal humanidad. Un grupo que progresase culturalmente, pero que aceptase sin ansiedad la perennidad de su aislamiento sería un grupo muy extraño, un grupo no humano.

La «certidumbre metafísica a priori» como hipótesis necesaria

El comportamiento de los norteamericanos blancos, constante, irreductible, obsesivo, no puede explicarse a base de los comportamientos negros, cambiantes a lo largo de la historia y, además, esencialmente derivados, producidos como reacción. Por el contrario, en mi opinión, la hipótesis de una certidumbre metafísica *a priori* de la diferencia humana, instalada en el inconsciente del norteamericano blanco por un sistema antropológico que tiene su fuente original en el sistema familiar nuclear absoluto, explica de manera satisfactoria la mayor parte de los hechos observados y medidos.

El sistema antropológico, ya se trate de su núcleo de valores familiares o de sus niveles secundarios, es exterior al problema negro. La noción de no igualdad de los hermanos y de los hombres existe *a priori* y necesita focalizarse en un grupo humano cualquiera. En un primer momento, la necesidad de percibir al género humano como diferenciado conduce a definir a los cobrizos, los negros y los ama-

Proporción de individuos clasificados como negros en la población de Estados Unidos			
Año	% Negros	Año	% Negros
1790	19,3	1890	11,9
1800	18,9	1900	11,6
1810	19,0	1910	10,7
1820	18,4	1920	9,9
1830	18,1	1930	9,7
1840	16,8	1940	9,8
1850	15,7	1950	10,0
1860	14,1	1960	10,5
1870	12,7	1970	11,1
1880	13,1	1980	11,8
		1990	12,1

rillos como ajenos a la esencia humana blanca. Esa operación mental y social produce, de rechazo, la noción de una igualdad blanca que permite la asimilación de irlandeses, alemanes, escandinavos, italianos, judíos y polacos. La emergencia *en el nivel consciente* de la noción de igualdad introduce un elemento dinámico en el sistema mental y cultural. El igualitarismo, como consecuencia de la interrelación autónoma del pensamiento y de la acción política consciente, parece estar condenado a extenderse a todos los hombres, sin distinción de raza. De ahí las tentativas de destrucción de su sistema racial que América ha emprendido. Ese universalismo consciente y derivado choca entonces con el substrato inconsciente diferencialista que sigue sin aceptar la igualdad de todos los hombres. La acción autónoma del ideal igualitario no es insignificante, puesto que acaba por incluir en el mundo blanco a indios y asiáticos, pero la paradoja última de esa secuencia, lógica y perversa a la vez, es que al final del proceso los negros acaban siendo los únicos portadores de la idea de diferencia. Por lo menos un ser deberá desempeñar el papel de hombre diferente, puesto que la mentalidad diferencialista *a priori* lo exige: los negros serán ese grupo.

La elección de la apariencia exterior de las personas como criterio último de clasificación pone de manifiesto algo que es fundamental en la civilización americana: el hecho de que concede prioridad a la apariencia sobre la esencia y, probablemente, cierta incapacidad para admitir la existencia de un ser interior, actitud paradójica en una sociedad que se define, ante todo, como individualista. ¿Resulta que, al final, el individuo de la filosofía política americana no es más que una fachada desprovista de substancia?

5
La ilusión multiculturalista

El modelo explicativo expuesto en los tres capítulos precedentes define el sistema mental y social americano como un sistema fundamentalmente diferencialista, que extrae de la no simetría de los hermanos la certidumbre insuperable de la no equivalencia de los hombres. La designación de uno o de varios grupos como diferentes por esencia —negros, cobrizos o amarillos—, permite, en un primer momento, la realización de una igualdad limitada a la humanidad blanca, de un «universal blanco». Más tarde, ese igualitarismo derivado induce a una dinámica autónoma: América se esfuerza por incluir en su concepto de hombre universal a los individuos de origen no europeo. Todos los indicadores estadísticos de los que disponemos hacen pensar que los asiáticos, inmigrantes tempranos o tardíos, y los indios supervivientes serán redefinidos finalmente como blancos y asimilados por vía matrimonial. Pero, al final del camino, el sistema antropológico focaliza la noción de diferencia en la categoría «negra» de la población e impone que se perpetúe la segregación de un grupo paria. El sistema ideológico no consigue despegarse de su matriz antropológica.

Sin embargo, *aunque la lucha consciente de los años 1950-1990 no logra una adhesión del inconsciente a la idea de un americano negro igual a los demás americanos, sí que consigue perturbar seriamente la concepción secundaria de la igualdad blanca.* La tentativa de suprimir el referente negro altera la percepción igualitaria interna del mundo blanco. El diferencialismo predemocrático vuelve a aparecer. Ya en 1963, Nathan Glazer y Patrick Moynihan lanzan en *Beyond the Melting Pot* el tema de la irreductibilidad de las culturas de origen de los diversos tipos de americanos, haciendo una comparación entre irlandeses, italianos, judíos, negros y portorriqueños de Nueva York.[1] Como proyecto científico, ese ensayo es probablemente uno de los más absurdos que jamás se hayan escrito sobre el tema de la asimilación y la segregación, puesto que predice la perpetuación de las diferencias de costumbres «blancas» en el mismo momento en que están a punto de desaparecer. Pero como manifiesto ideológico, ese libro es un prodigioso éxito, puesto que abre el debate y la moda de la etnicidad. Su fecha de publicación es capital: en 1963, la lucha por los derechos civiles de los negros alcanza su punto culminante con cerca de 700 manifestaciones en el territorio de Estados Unidos.² *Beyond the Melting Pot* es un síntoma y un símbolo: si América concede la igualdad a los negros, la noción general de igualdad desaparece; si el negro accede a la condición de hombre universal, la noción de hombre universal desaparece. En el plano político, extender a los negros la ciudadanía perturba esa noción. La *Voting Rights Act* de 1965 representa un momento capital en la historia de la emancipación política de los negros norteamericanos, puesto que les franquea el acceso a la ciudadanía política en el Sur segregacionista. Pero, en el mismo momento en que los negros del Sur empiezan a votar, la participación electoral blanca cae en el país. Entre 1960 y 1988, el índice de participación en las elecciones presidenciales cae del 62,6% al 49,1%.³ El esfuerzo consciente para incluir a los negros en el proyecto igualitario debilita el sentimiento de igualdad política blanca. En el plano económico, el periodo de la emancipación negra se caracteriza por un ensanchamiento de las distancias entre los ingresos de los blancos. De 1964 a 1989, el porcentaje de americanos blancos que tienen unos ingresos más de dos veces superiores a la media nacional aumenta del 12,9 al 16%.⁴ La proporción de ingresos inferiores a la mitad del nivel medio también progresa, pasando del 15,5 al 18,8%. El bloque central, que tiene unos ingresos comprendidos entre la mitad y el doble de la media, cae del 71,6% al 65,3% del total. Así pues, la desigualdad económica entre blancos progresa durante el periodo de la emancipación negra. La ideología multiculturalista va a dar una forma «positiva» al quebranto del sentimiento igualitario blanco.

En los años 1965-1990, una floración diferencialista desemboca en la revitalización de la idea de *etnicidad*. De pronto, el universo blanco parece aspirar a la fragmentación. Cada cual debe expresar su diferencia, redescubrir sus raíces italianas, judías o irlandesas. En 1974, el Congreso vota una *Ethnic Heritage Studies Program Act*, «*para favorecer una mejor comprensión de los orígenes étnicos y de las raíces de todos los ciudadanos norteaamericanos*». En 1977, la compañía aérea Pan American hace suya la idea de «raíz» y lanza una campaña publicitaria invitando a los norteamericanos a visitar las tierras de su país ancestral.⁵

El deseo de diferencia desborda las categorías étnicas clásicas, puesto que la pertenencia al sexo femenino e incluso la preferencia de tal o cual tipo de vida sexual empiezan a definir grupos humanos específicos. El feminismo y la militancia homosexual se apoyan sobre *el* postulado diferencialista fundamental: la existencia de esencias humanas distintas e irreductibles. El origen italiano o judío, la pertenencia al sexo femenino o la preferencia por relaciones homosexuales dejan de ser atributos secundarios y deben, por el contrario, ser el eje de la identidad y de la existencia del sujeto. El fenómeno de la asimilación se carga de connotaciones negativas: la reducción de las diferencias se convierte en un pecado en este Nuevo Mundo que aspira a eternizarlas. A partir de mediados de los sesenta, Estados Unidos exporta esta ideología multiculturalista que sus universitarios, a veces asociados a sus colegas británicos o australianos, difunden por todo el planeta con un entusiasmo ingenuo y tal vez devastador. Japón o Alemania, dos sociedades matrices cuyo temperamento diferencialista no les impide, como veremos, tener una fuerte aspiración a la unidad de su cuerpo social, reciben amonestaciones americanas, universitarias y multiculturalistas.[6] A Alemania se le recomienda aceptar el desarrollo de una cultura turca autónoma y a Japón se le reprocha asimilar a sus coreanos o a sus ainus, pueblo primitivo de la isla de Hokkaido.[7] Francia, país de origen del concepto de hombre universal, merece una particular atención, porque su tradicional rechazo de la diferencia étnica o religiosa podría conducirla a un conflicto frontal con el multiculturalismo.[8] El conflicto, inevitable, es no obstante amortiguado. Más adelante veremos que, aunque en ella domine un universalismo auténtico, Francia es capaz de producir en ciertas partes de su territorio un diferencialismo «matriz» que, mezclado con el multiculturalismo anglosajón, ha producido, entre 1965 y 1990, formas híbridas que combinan temáticas norteamericanas y maurrasianas formando un todo extraño y afortunadamente inestable.[9]

La inexistencia de culturas blancas

El multiculturalismo, aplicado a los norteamericanos blancos de origen europeo, es exponente de una inversión nostálgica de la realidad, puesto que el culto a la etnicidad florece en el mismo momento en que se acelera la desaparición de las diferencias étnicas objetivas.

Cuando reinaba el ideal de asimilación de las poblaciones blancas —irlandesas, italianas, polacas o judías—, todavía eran fácilmente identificables barrios étnicos, tradiciones familiares divergentes, elevados niveles de endogamia o creencias religiosas distintas. La oleada multiculturalista invade el mundo euroamericano en su fase terminal de homogeneización: las encuestas de opinión muestran hasta qué punto las identificaciones étnicas están desprovistas de substancia. Con frecuencia, a los norteamericanos que se adhieren a ese multiculturalismo no les queda ningún conocimiento real de las culturas irlandesa, italiana, polaca o judía tradicionales, y se aferran a estereotipos construidos por la sociedad receptora para definir su propia etnicidad. Un maravilloso estudio de Mary C. Waters, *Ethnic Options*, que toma como material de trabajo las respuestas a las preguntas sobre el origen (*ancestry*) del censo de 1980, permite una mejor comprensión de la naturaleza del fenómeno. Ese estudio pone de relieve el carácter superficial y opcional de la pertenencia étnica de los individuos blancos que con frecuencia tienen varios orígenes europeos.[10] Las raíces inglesas o escocesas, evocadoras de poblaciones frías y severas, son poco reivindicadas.[11] Una ascendencia italiana, que recuerda un cálido universo familiar y gastronómico, es considerada como ideal.[12] La herencia alemana, desprestigiada por el nazismo, es rechazada. Las únicas huellas «étnicas» utilizables son con frecuencia algunas tradiciones alimenticias, de forma que la voluntad de identificación con uno u otro grupo no va más allá de la receta de un plato típico. Más aún: Mary C. Waters cita con humor el caso de una americana de origen irlandés que celebra su identidad étnica preparando una *choucroute*.[13]

La inexistencia de una cultura negra

La lucha de los negros por los derechos civiles fue llevada, entre 1945 y 1963, por líderes como Martin Luther King, en nombre de una ideología de tipo universalista. Situado en la perspectiva trazada por Myrdal, Martin Luther King exigía la aplicación a los negros de los principios generales formulados por la Declaración de Independencia norteamericana.

Los tumultos callejeros de los años 1965-1968 marcan un punto de inflexión, con la aparición de grupos, de líderes y de temas que reivindican una especificidad negra. Black Power, Black Panther Party, «*Black is beautiful*»: tres ejemplos precoces de la aparición de un diferencialismo negro. A principios de los setenta, Jesse Jackson, por entonces joven líder, hace repetir a su público de estudiantes de Chicago: «Tal vez haya perdido la esperanza, pero soy alguien, soy negro, guapo, orgulloso y debo ser respetado».[14] Al término de ese proceso de afirmación de la identidad, en los años ochenta, los negros han sido redefinidos como *Africans-Americans* y hay ideólogos que reconstruyen una historia mítica de Africa, madre de las artes, de las armas y de las leyes. Egipto es ahora clasificado como negro y los imperios africanos del Oeste son convertidos en potencias mayores de la historia mundial.[15] Existen psicólogos «negros» de la educación que exigen programas escolares que permitan revalorizar las aptitudes particulares de los *Africans-Americans*. Resulta un tanto estremecedor ver a intelectuales negros reivindicando la vieja asociación entre substrato biológico y organización psíquica que constituía el mismísimo corazón de las doctrinas raciales europeas de los años 1880-1945.[16] Pero, en el fondo, no hacen más que seguir el juego que impone el sistema antropológico e ideológico dominante. Los negros con educación, cada vez más numerosos pero siempre separados, parecen teledirigidos por el sistema hacia esa solución lógica. Así pues, es completamente normal que se desemboque en la formación de ese nuevo diferencialismo que, en realidad, parece mucho más americano que negro, hasta en sus aspectos más ridículos. La relación entre blancura de la piel y aptitud intelectual, que es uno de los puntos fundamentales del sistema mental anglosajón, no es menos cómica que la inversa, que asocia piel negra con grandeza africana. La historia de la humanidad se extiende a lo largo de aproximadamente cinco milenios, desde la invención de la escritura, en Mesopotamia y en Egipto, hacia el año 3000 a.C. Sin embargo, los anglosajones no adquirieron la capacidad de leer hasta muy tarde, hacia el siglo VII de nuestra era, lo que quiere decir que durante tres milenios y medio, los representantes más pálidos de la especie humana figuraron, *junto a* sus representantes más oscuros, entre los pueblos menos avanzados del planeta.[17] La actual mitificación de la historia negra por parte de los diferencialistas «afroamericanos» no es más que un subproducto lógico de la mitificación de la historia «blanca» por parte de la tradición anglosajona.

El problema fundamental de la reivindicación «étnica» negra es que, en un contexto americano, no es fácil definir una historia y una cultura «negras», independientes de la experiencia central, es decir, de la opresión racial. El esfuerzo de Lawrence W. Levine por demostrar la persistencia de rasgos culturales africanos a pesar del desarraigo y de la esclavitud, está más cerca de la invención ideológica que de la antropología social.[18] Cuando una población negra inmigra tardíamente a Estados Unidos y por eso mismo es portadora de una auténtica cultura, distinta de la tradición norteamericana, su «etnicidad» es rápidamente borrada por el sistema, como en el caso de los jamaicanos que llegaron antes de 1925.[19] Cuando estos últimos desembarcaron en Nueva York, manifestaron un comportamiento cultural y económico diferente del de los negros americanos, que incluía una evidente voluntad de éxito.[20] En su caso se observan todos los componentes del esfuerzo del inmigrante por insertarse: empresa individual, ahorro, esfuerzo educativo, inversión mobiliaria. Los jamaicanos no tardan en proporcionar numerosos cuadros y líderes a los norteamericanos negros. Hacia 1930, se estima que aproximadamente un tercio de los miembros de profesiones liberales «americanas negras» ha nacido en el extranjero. Ese particular dinamismo, que tiene su base en una cultura menos obsesionada por los problemas raciales, no podrá mantenerse. Para América, los jamaicanos son simplemente negros y sus hijos serán negros americanos, aculturizados, que habrán perdido su acento de origen y su voluntad de éxito. También los haitianos francófonos, recientemente inmigrados, serán víctimas de una *asimilación negativa:* sus hijos, americanizados, se convertirán en negros como los demás. El ejemplo jamaicano muestra una vez más que en un contexto norteamericano, la percepción física es siempre más fuerte que la percepción cultural, y que la percepción de los colores es una pieza esencial del mecanismo que garantiza la reabsorción de las diferencias culturales objetivas, tanto para los escasos inmigrantes negros como para los numerosos inmigrantes blancos o asiáticos. Con o sin ideología multiculturalista, Norteamérica es una formidable máquina de borrar diferencias, para no quedarse más que con una, la diferencia negra, que no es cultural. La familia monoparental y el índice de homicidios en los guetos no son más que el polo negativo de la cultura norteamericana central. En el caso de los negros, el multiculturalismo norteamericano disfraza una diferencia racial clásica y estable.

La cultura hispánica como disfunción

Adoptada por los norteamericanos blancos, la ideología multiculturalista aparece como una ficción bastante anodina. Absorbida por los negros, se presenta como funcional en la medida en que lleva a las elites del grupo paria a reivindicar ellas mismas su diferencia, disminuyendo así el costo social de la segregación racial. La aplicación del multiculturalismo a los hispanos puede, a primera vista, parecer anodina o funcional. Descendientes en su mayoría de mestizos, los hispanos, omnipresentes en la literatura administrativa americana, parecen devolver a América su tradicional modelo ternario. A la trilogía de los siglos XVIII y XIX —blancos/negros/indios— parece sucederle, con una tranquilizadora continuidad, el triángulo blancos/negros/hispanos. Pero la aparición de esta tercera categoría, de la que no se sabe bien si, en el inconsciente de los norteamericanos blancos, es lingüística o racial, resulta profundamente disfuncional para la sociedad norteamericana, porque existe una cultura mexicana en la realidad, geográficamente cercana y afianzada en prestigiosas historias del mundo ibérico y del Imperio azteca.

En 1980, en Estados Unidos vivían 14,6 millones de «hispanos» y en 1990, 22 millones, es decir, un aumento del 50% en diez años. De ellos 13,5 millones son de origen mexicano, y particularmente numerosos en los estados del Sudoeste americano, entre Texas y la California meridional. Hay otros dos subgrupos importantes: los cubanos (un millón), numerosos en Florida, representantes en general de las elites blancas de la isla, que inmigraron inmediatamente después de la revolución castrista; y los portorriqueños (2,7 millones), concentrados en Nueva York, resultado de un mestizaje típicamente hispánico que mezcla blancos y negros en todos los grados posibles. A estos tres componentes principales hay que añadir inmigrantes de todos los demás países de América latina. Pero el análisis de la cuestión hispana debe considerar a los mexicanos en primer lugar, por razones de número y de contigüidad territorial.

A los mexicanos que han inmigrado en el siglo XX no se les ha tratado como a los indios de los siglos precedentes. El nivel de hostilidad de la población anglófona receptora hacia ellos parece comparable al que encontraron los irlandeses o los italianos en periodos anteriores de la historia norteamericana, aunque haya sido un poco más fuerte en Tejas, cuyo mito de origen se define por la lucha contra México. Si consideramos los años 1960-1990, los hispanos de origen mexicano no parecen particularmente separados en el campo residencial, escolar o matrimonial.[21] En 1980, el 25,4% de los hombres de origen mexicano estaba casado con una mujer no hispana y el 18,9% de las mujeres tenía un marido no hispano.[22] Teniendo en cuenta que se trata, en su mayoría, de una inmigración relativamente reciente, hay que considerar que estas cifras son elevadas y ponen de manifiesto que no existe segregación matrimonial. El nivel de exogamia femenina hace pensar en que está produciéndose un intercambio de simetrización, al no pesar tabú específico alguno sobre los mexicanos. Los logros económicos de los mexicanos son menores que los de los asiáticos, pero comparables a los de los italianos que llegaron en los años 1900-1920, con los que tienen varias características antropológicas comunes, tanto en el terreno de la organización familiar como en el de las tradiciones religiosas. Aunque algunos rasgos del fondo indio antiguo aconsejan prudencia, podemos considerar que el sistema familiar de los inmigrantes mexicanos es cercano al modelo nuclear igualitario castellano, que a su vez es parecido al de la Italia del sur. Su sistema de parentesco, fundamentalmente bilateral, conserva no obstante una ligera inflexión patrilineal de origen indio. En el terreno religioso, los mexicanos, como los italianos del sur, entran en la categoría de los católicos no practicantes de matiz anticlerical. Hacia 1990, los indicadores sociodemográficos habituales no describen un grupo marginal, roto en su nivel familiar como en el caso de la población negra. En esas fechas, el porcentaje de familias dirigidas por mujeres —lo más frecuentemente madres solteras— era del 17,3% entre los «norteamericanos blancos», del 18,5% entre los mexicanos y del 56,2% entre los negros. La proporción de mujeres entre los cabezas de familia es todavía menor entre los cubanos: el 16,1% solamente. Entre los portorriqueños encontramos una desintegración familiar de tipo «negro», con un 44% de mujeres cabeza de familia.[23] Los portorriqueños, que proceden de un universo en el que europeos y africanos se mezclan sin demasiados complejos, son brutalmente reclasificados por las normas raciales americanas, en Nueva York o en cualquier otra parte, en blancos y negros. Los azares de la genética hacen que, en las familias mestizas, aparezcan hijos de colores muy variados: negros, blancos o café con leche en todos sus grados. De esa forma, la clasificación dicotómica anglosajona rompe directamente a las familias portorriqueñas al quebrar los lazos de parentesco y de fraternidad, declarando blanco a este hermano y negro a aquel otro. No hay cultura capaz de resistir semejante reciclaje de individuos. Pero los portorriqueños sólo son el 12% de los hispanos. Ninguno de los otros subgrupos muestra una patología familiar específica. En 1987, la tasa global de mortalidad infantil hispana era del 7,9 por cada mil nacimientos vivos, frente al 8,6 ‰ de la blanca. En esa fecha, la tasa de los negros[24] ascendía al 17,9 ‰. La menor mortalidad infantil entre los hispanos tal vez responda al tradicional carácter protector de su estilo de vida familiar, que mantiene en el hogar una mayor proporción de mujeres.

A principios de los años sesenta, los mexicanos habrían podido ser descritos como inmigrantes en vías de asimilación. En la segunda mitad de esa década, les alcanza —como a los demás hispanos— la oleada diferencialista que invade al conjunto de la sociedad americana. Según Linda Chávez, los líderes de la comunidad rompen con el asimilacionismo, para reclamar la conservación de su identidad étnica, precisamente en 1968. Pero el diferencialismo hispano es una invención de la cultura anglosajona, adaptada por elites americanizadas. Su única cronología —arranque a finales de los sesenta, desarrollo en los años setenta— hace pensar en un origen americano y no mexicano. El detalle de la historia de este despertar cultural muestra el decisivo papel que desempeñan instituciones como la Fundación Ford, muy comprometida, a partir de 1968, en la ayuda a la fabricación de una conciencia hispana.[25] La cultura norteamericana de los setenta quiere diferencias. Rápidamente, la cuestión lingüística pasa a ser central y conduce a la reivindicación de papeletas de voto y de una educación bilingües. La etnicidad no se presenta aquí bajo el amable aspecto de una inofensiva celebración de la identidad a base de *choucroute* o de espaguetis, porque encuentra apoyo en la existencia de una población hispanófona en el Nuevo Mundo que hacia 1993 engloba, fuera de Estados Unidos, a 285 millones de personas. Los hispanos no necesitan inventarse una historia para existir como grupo étnico.

Alimentada por un importante diferencial de fecundidad entre México (3,5 hijos por mujer en 1990) y Estados Unidos (2,0), la inmigración de mexicanos continúa en California, Tejas, Nuevo México y Arizona, masiva e incontrolable, tan real como ficticia es la invasión magrebí en Francia. Curiosamente, toma el aspecto de una reconquista en territorios que pertenecieron a España y cuya toponimia hispánica se ha conservado de manera bastante general. Según el censo de 1990, los hispanos constituían el 25,8% de la población de California y el 25,5% de la de Tejas. Estas cifras globales en los Estados no permiten apreciar ciertos niveles de concentración mucho más importantes, cerca de la frontera mejicana. En el condado de Los Angeles, la proporción de hispanos alcanza el 37,8%, frente al 40,8% de los «anglos» (blancos de origen europeo según la nueva terminología), al 10,8% de asiáticos y al 11,2% de negros.[26] En el condado de Béjar, que incluye la ciudad de San Antonio en Tejas, los hispanos representan el 49,7%

de la población, frente al 41,9% de anglos y al 7,1% de negros. Estos niveles de concentración se producen de forma espontánea por causa del dinamismo demográfico de México y de la absoluta permeabilidad de la frontera, independientemente de cualquier voluntad de segregación por parte de los norteamericanos blancos o de cualquier deseo de supervivencia cultural por parte de los inmigrantes mexicanos. Sería un error deducir únicamente de la expansión numérica y territorial una persistencia étnica, puesto que no todos los hispanos registrados por las estadísticas norteamericanas son hispanófonos. Linda Chávez ha mostrado que, con frecuencia, los niños sometidos a programas de educación bilingüe son anglófonos en vías de americanización.[27] Estudios detallados muestran que en la tercera generación, es decir, la de los nietos de los inmigrantes, el 84% de las familias «hispanas» es anglófona en casa.[28] Los inmigrantes mexicanos que llegaron antes de los sesenta, venían a ganarse la vida y, subyugados por la fuerza de la civilización receptora, no eran portadores de proyecto de supervivencia cultural alguno. Pero la acumulación de emigrantes recientes a lo largo de la frontera, en los márgenes exteriores de México, al combinarse con la reivindicación multicultural impuesta por la sociedad americana, ha renovado, entre 1980 y 1990, los datos del problema hispánico.

Actualmente es difícil decir cuál de las dos tendencias, separatista o asimilacionista, acabará por imponerse entre la población de origen mexicano. En el terreno educativo, los propios padres de alumnos mexicanos dudan. Aceptan globalmente las reivindicaciones de los líderes de su comunidad, pero no desean que el aprendizaje del español entorpezca el del inglés. Hacia 1988, el 78% de los padres mexicanos no quería, de ninguna manera, que el tiempo dedicado al aprendizaje del inglés se redujese.[29] Recientes estadísticas sobre la educación demuestran, no obstante, que la integración de los hispanos a través de la escuela está cambiando de naturaleza. La evolución resulta particularmente llamativa cuando se estudian los resultados escolares por generaciones. Las cifras promedio ponen de relieve los progresos normales entre la primera y la segunda generación, pero muestran un empeoramiento relativo de los resultados en la tercera generación.[30] El empeoramiento concierne al acceso a la universidad, etapa terminal en un contexto americano del proceso de integración a través de la educación. Se trata de datos difíciles de interpretar pero que, a pesar de todo, hacen pensar en la existencia de cierta resistencia a la asimilación. Otro índice de duda es la falta de interés que demuestran los hispanos por la naturalización americana. Hacia 1985, tan sólo un tercio de los inmigrantes latinoamericanos parece estar naturalizado. Finalmente, entre 1980 y 1992, la tasa de exogamia de los hispanos parece estar descendiendo: la de los hombres cae del 25,4 al 14,6% y la de las mujeres, del 18,9 al 15,2%.[31] Así, los datos estadísticos disponibles nos hablan de cosas contradictorias: por un lado aparece una voluntad de establecerse definitivamente en Estados Unidos y, en consecuencia, de aprender el idioma inglés; por el otro, traslucen cierta indiferencia a formar parte de la nación norteamericana, así como una adhesión a las tesis diferencialistas de los líderes comunitarios. La caída de la tasa de exogamia no implica, en sí misma, un cambio de actitud, pero es sin duda consecuencia del desarrollo de una masa de inmigrantes, cada vez más compacta y autosuficiente, que ocupa un territorio definido a lo largo de la frontera sur de Estados Unidos.

El carácter intrínsecamente universalista de la cultura mexicana aumenta la confusión intelectual y social que el multiculturalismo norteamericano ha producido. México, enemigo de la noción de diferencia étnica o racial, se define como una «nación de bronce», formada por la fusión de poblaciones físicamente diferentes en su origen. A menudo se piensa en el mestizaje hispano-indio, pero es menos frecuente que se sepa que México es una de las pocas naciones del mundo que ha disuelto totalmente una población de origen africano, a fuerza de matrimonios mixtos. El país llegó a tener un 10,8% de zambos, hijos de padre africano y madre india.[32] Según Pierre L. van den Berghe, México, más que Brasil, representa el arquetipo de país latino al que la mezcla de razas no angustia demasiado. En pocas palabras: lo contrario de Estados Unidos. Esa es, sin duda, una de las razones por las que el 50% de los hispanos de California y el 41% de los de Texas se negaron, en el censo de 1990, a situarse en la clasificación racial americana, y sólo el 45% y el 57% respectivamente aceptaron definirse como blancos. La negativa a clasificarse racialmente es también característica de algunos inmigrantes musulmanes.[33] Si los mexicanos aceptasen las normas raciales norteamericanas, y en especial la clasificación en blancos y negros, estaríamos ante un signo evidente de asimilación. Pero, en este caso, el multiculturalismo se presenta como disfuncional para la sociedad norteamericana, puesto que favorece la perpetuación de una cultura que no sólo existe, sino que además se define, en parte, por su rechazo a la categorización racial que estructura el conjunto de la sociedad norteamericana.

Los límites de la libertad

Con el multiculturalismo, Estados Unidos cierra un vasto ciclo ideológico que conduce desde el diferencialismo religioso del siglo XVII hasta el diferencialismo étnico de finales del siglo XX. Los protestantes estaban interesados en la diferencia entre elegidos y condenados. Los multiculturalistas son afectos a la diferencia entre blancos y negros, anglos e hispanos, hombres y mujeres, judíos y cristianos, italianos y escoceses, homosexuales y heterosexuales. El primer diferencialismo norteamericano se apoyaba en una clasificación dicotómica, el más reciente multiplica unos criterios cuya combinación produce una imagen infinitamente fragmentada, caleidoscópica según algunos, de la sociedad norteamericana. Esa imagen es una ilusión ideológica, puesto que, en el nivel de los comportamientos objetivos, las relaciones humanas elementales —vecindad, educación y matrimonio— dan testimonio de la persistencia de dos únicos grupos: los blancos y los negros, los elegidos y los condenados. La incapacidad de la sociedad norteamericana para superar, a pesar de sus esfuerzos, sus propias categorías raciales demuestra la fuerza de la determinación antropológica. Los valores de libertad y de no igualdad que estructuran la familia original no son destruidos, ni siquiera modificados, por el desarrollo cultural, económico y social de Estados Unidos. Entre 1940 y 1990, la primera de las sociedades postindustriales no consigue convertir a los negros en hombres como los demás. En la era del ordenador, subsiste una matriz antropológica primitiva que define la naturaleza de un grupo humano de 250 millones de habitantes, del mismo modo que definía la de unas pocas comunidades fundadas por los emigrantes ingleses del siglo XVII.

La existencia de una matriz primitiva explica también el carácter inquebrantable del ideal americano de libertad, capaz de sortear todos los desafíos, todas las crisis del siglo XX, económicas, sociales o políticas. Pero ningún esfuerzo consciente, lógico o moral, consigue eliminar la creencia en la diferencia humana. Los hermanos no son representaciones simétricas de una misma esencia, luego los hombres no pueden ser iguales. Alcanzamos aquí uno de los límites de la libertad norteamericana. Los ciudadanos de Estados Unidos gozan de una libertad política, económica y social asombrosa. Pero no son libres de acceder a una conciencia igualitaria y universalista. Son prisioneros de una determinación antropológica contra la que nada pueden.

6

Inglaterra: diferencialismo de clase contra diferencialismo de raza

La comparación de las concepciones inglesa y americana de la relación interétnica es particularmente interesante. La matriz antropológica inicial de ambas naciones es la misma, porque la familia nuclear absoluta, liberal pero indiferente a la idea de igualdad, dominaba tanto en el campo inglés como en las colonias del Nuevo Mundo. En ambos casos puede identificarse un *a priori* diferencialista fundador. No obstante, Inglaterra había seguido siendo, hasta fecha reciente y a diferencia de Estados Unidos, una nación blanca homogénea, si prescindimos de unos cuantos millares de negros, empleados en el servicio doméstico de Londres, en el siglo XVIII, o antiguos marinos establecidos, en el siglo XIX, en puertos como Liverpool y Cardiff. A pesar de todo, la isla de Gran Bretaña no puede definirse como «étnicamente» homogénea, puesto que quedan en ella minorías regionales, en Escocia y sobre todo en Gales, donde, según el censo de 1981, medio millón de personas hablaba la lengua celta original. Tampoco Inglaterra propiamente dicha es un sistema étnico cerrado, ya que en ella pueden observarse, a partir de mediados del siglo XIX, una importante inmigración irlandesa y, entre 1880 y 1906, una substancial inmigración judía de origen europeo oriental, corrientes que, por otro lado, tienen sus equivalentes en la historia de Estados Unidos. Pero después de la segunda guerra mundial, comienza en Inglaterra una inmigración de tipo intercontinental que se acelera en los sesenta y los setenta y lleva a antillanos, paquistaníes e indios a instalarse en las ciudades inglesas, rompiendo el carácter uniformemente blanco de Gran Bretaña.

En Estados Unidos nos encontramos con una población de origen anglosajón que ha sido precozmente confrontada con la diferencia cultural o física. El caso de Inglaterra constituye una especie de contraejemplo, con una población que descubre tardíamente la existencia de una humanidad no europea. La comparación de las reacciones norteamericana e inglesa pone de manifiesto fuertes similitudes que la historia no puede explicar. La identificación de un sistema antropológico común permite explicar ese paralelismo de actitudes frente al problema de las relaciones interétnicas o interraciales. La inmigración de poblaciones de color revela la existencia en Inglaterra de una *negrofobia* latente que no deja de recordar a la de las poblaciones norteamericanas blancas. El color de la piel no tarda en convertirse en el determinante fundamental de la pertenencia étnica. Tanto en Inglaterra como en Estados Unidos, el contacto interracial conduce a la floración de una ideología multiculturalista agresiva que recomienda perpetuar las culturas inmigradas. Y efectivamente, se asiste en Gran Bretaña a la constitución de minorías visibles y organizadas, a veces ubicadas en espacios urbanos que recuerdan por algunas de sus características a los guetos del otro lado del Atlántico. Pero en Inglaterra no se encuentra una separación racial tan rígida como la de Estados Unidos, rasgo subrayado por el hecho de que el índice de matrimonios entre «blancos» y «negros» es muy alto. La existencia de un diferencialismo de clase particularmente fuerte, heredado de la industrialización de los años 1750-1850, bloquea el desarrollo, en la isla que vio nacer al proletariado moderno, de un diferencialismo racial coherente.

El diferencialismo interno

En el mismo momento en que Estados Unidos emprende el camino democrático, Inglaterra toma el camino opuesto: la polarización social. En Estados Unidos, puede rastrearse, desde el final del siglo XVII hasta el cuarto decenio del siglo XVIII, un continuo aumento del sentimiento igualitario blanco que, apoyado en la idea de la inferioridad india o negra, exterioriza, por así decir, la necesaria diferencia. El igualitarismo blanco conduce a la consolidación de la América democrática jacksoniana.

Durante el mismo periodo, Inglaterra conserva su homogeneidad étnica «europea», pero inicia una doble transformación económica: revolución agrícola y revolución industrial se suceden para desembocar en la constitución de un vasto proletariado. Entre 1750 y 1850, el crecimiento demográfico y el éxodo rural acaban por producir una población activa mayoritariamente industrial y urbana. Aparece una clase obrera, concentrada en las regiones mineras y textiles del norte de Inglaterra, del sur de Gales y de la cuenca central escocesa. La importancia del carbón en esa primera revolución industrial garantiza un papel particular a los mineros, cuyas colectividades solidarias y cerradas forman los focos iniciales del desarrollo de una cultura obrera específica. Ya en 1841, los sectores de las minas, de la industria manufacturera, de la construcción y de los transportes emplean al 51% de la población activa británica.[1] La población agrícola sólo significa el 28% del total. En la misma época, la agricultura ocupa al 69% de la población activa americana.[2]

En el siglo XIX, el *a priori* diferencialista se focaliza en Inglaterra sobre la polarización socioeconómica objetiva, mientras en Estados Unidos lo hace sobre la existencia objetiva de indios y negros. Para las clases medias inglesas, el obrero se ha convertido en «el otro», el hombre diferente por esencia. La aristocracia es el modelo de otra diferencia, positiva esta vez. En la sociedad inglesa se desarrolla una división lingüística basada en la formación de dialectos y de acentos de clase de una asombrosa consistencia que garantiza la permanencia de la diferenciación interna al grupo étnico. Ningún otro país europeo, ya sea de temperamento universalista o diferencialista, conoce hoy una división lingüística semejante. Alemania, donde domina una cultura diferencialista autoritaria y donde la integración de la clase obrera a la vida política nacional no se ha hecho sin dificultades, está fragmentada por la existencia de distintos dialectos regionales. Pero se trata de unos dialectos que engloban a las clases obreras locales en sistemas lingüísticos verticalmente integrados, unificadores desde el punto de vista de la estratificación social. Esa es, sin duda, una de las razones por las que al canciller Schmidt, socialdemócrata alemán, le parecía que Inglaterra estaba empantanada en su sistema de clases.[3] Debemos a Benjamin Disraeli, primer ministro conservador de la reina Victoria, una de las más claras descripciones de la brecha que divide a la sociedad inglesa en el momento de llegar a su madurez, en la segunda mitad del siglo XIX:

«Dos naciones, entre las que no existe ni relación ni simpatía: cada una de las cuales ignora las costumbres, las ideas y los sentimientos de la otra, como si viviesen en zonas diferentes, o en planetas diferentes».

La sociolingüística, disciplina que nace en Estados Unidos con los trabajos de William Labov, se dedica a definir las diferencias lingüísticas entre grupos sociales de una misma nación que, en teoría, hablan la misma lengua. La existencia de importantes desviaciones en la práctica del inglés permite hablar de verdaderos dialectos, sociales y no simplemente regionales, como es lo habitual en el continente europeo. Algunos rasgos característicos de diferenciación se encuentran a ambos lados del Atlántico y permiten distinguir esos dialectos del inglés estándar. Entre los rasgos dialectales más reveladores se encuentran el abandono, en la conjugación de los verbos, de la ese final de la tercera persona singular —*he know, he don't* en lugar de *he knows, he doesn't*— y la doble negación: *I can't eat nothing*. El análisis sistemático revela que si en Estados Unidos el corte lingüístico separa a los blancos de los negros, en Inglaterra divide a la sociedad en trabajadores manuales y no manuales. Un estudio realizado en Norwich detecta un 70% de abandono de la ese en la tercera persona del verbo por parte del estrato superior de la clase obrera, un 87% en el estrato medio y un 97% en el estrato inferior *(lower working class)*. En las clases medias inferiores, el olvido de la ese tan sólo es del 2% y en las intermedias *(middle middle class)*, del 0%. Un estudio comparable llevado a cabo en Detroit, Estados Unidos, muestra que el abandono de la ese en la tercera persona del verbo es típico del *negro English* local.[4] La lengua hablada, que es una variable eminentemente antropológica, puesto que expresa interacciones concretas entre individuos, define una diferencia racial primordial en Estados Unidos, y en Inglaterra una diferencia de clase. Pero en el caso inglés, las nociones de raza y de clase no pueden ser tomadas como absolutamente opuestas. En el siglo XIX, los obreros casi se habían convertido en una raza extranjera para las clases medias inglesas.[5] Resulta chocante constatar hasta qué punto, todavía hoy, las nociones de clase y de raza son asociadas de manera casi automática, imbricadas en fórmulas sintéticas de rutina del tipo *«class and race»*, por los intelectuales y novelistas británicos. Los trabajadores inmigrantes «no blancos» que llegan tras la segunda guerra mundial, lo hacen a esa sociedad fuertemente segmentada por un diferencialismo de clase.

La inmigración de los años 1948-1990

La inmigración originaria del Tercer Mundo comienza a llegar a Inglaterra mucho antes que a Francia. Pero, igual que en Francia, es el antiguo imperio colonial en disolución el que suministra la mayor parte de los efectivos. Ya a comienzos de los años cincuenta llegan antillanos en número significativo, principalmente jamaicanos. Según las cifras del Home Office, en el año 1952 entran en Gran Bretaña 2200; en 1953, 2300; en 1954, 9200, y en 1955, 30.370. La afluencia se estabiliza en ese nivel hasta finales de la década, luego se observa un nuevo salto hasta 57.170 en 1960 y finalmente hasta 74.590 en 1961, cifra techo que no volverá a ser alcanzada. En 1962, las medidas legislativas y la independencia de Jamaica rompen el flujo migratorio. Desde 1969, el número de antillanos que abandonan Gran Bretaña compensa el de antillanos que se instalan en ella. Se establece así un equilibrio de la balanza migratoria.[6]

La inmigración de trabajadores de origen indio se inicia más despacio. Entre 1955 y 1960, la media de inmigración neta anual es de 5500 en el caso de los indios y de 2800 en el de los paquistaníes, frente a 27.000 en el de los antillanos.[7] La afluencia que proviene del sur de Asia no cobra importancia hasta 1961, en vísperas de las medidas restrictivas introducidas por la *Commonwealth Immigrant Act* del 1 de julio de 1962. La inmigración india neta alcanza 42.800 individuos entre enero de 1961 y julio de 1962, y la paquistaní 50.180. Al contrario de lo que ocurre con los antillanos, a la brutal caída de 1962 le sigue, en el caso de los indios y de los paquistaníes, una importante recuperación de la inmigración que se prolongará hasta mediados de los setenta. Medidas restrictivas cada vez más severas, que acaban por afectar a la posibilidad de ciertos reagrupamientos familiares, reducen progresivamente la inmigración que proviene de la parte no europea del antiguo imperio colonial: de las 55.000 entradas anuales de 1976 a un poco más de 20.000 entre 1986 y 1988.[8]

Como queda dicho, la inmigración antillana es la más antigua. De los antillanos nacidos fuera de Gran Bretaña y presentes en ella en 1984, el 68% había entrado antes de 1964, mientras que ése era el caso de tan sólo el 39% de los indios, el 24% de los paquistaníes y el 13% de los originarios de Bangladesh.[9] La formación de la comunidad antillana de Inglaterra se remonta a los años cincuenta; por su parte, la de las comunidades india y paquistaní, a los años comprendidos entre 1960 y 1975.

Las medidas legislativas y reglamentarias aplicadas desde 1962, y que se suceden en cascada a partir de esa fecha con la *British Nationality Act* de 1964, la *Commonwealth Immigrant Act* de 1968, la *Immigration Appeals Act* de 1969, la *Immigrant Act* de 1971 y la *British Nationality Act* de 1981, no discuten los derechos de los inmigrantes ya instalados en suelo británico, pero corrigen escalonadamente la generosa concepción imperial de la Nationality Act de 1948, que concedía a todos los habitantes de la Commonwealth, es decir del ex imperio, el derecho de acceso al Reino Unido. Esas medidas, claramente dirigidas contra los «inmigrantes de color», *coloured immigrants,* según la terminología que en ese momento se impone en Gran Bretaña, cierran el país a la inmigración de masas procedentes del Tercer Mundo, pero no suprimen el derecho de suelo que impera en la concepción inglesa de la nacionalidad. A través de la naturalización o del nacimiento en territorio británico, los inmigrantes legales y sus hijos se convierten en ciudadanos y electores en Gran Bretaña.

El color, más que la cultura

La acción de los diversos gobiernos, conservadores y laboristas, que se suceden en Londres y que se esfuerzan por cortar los flujos migratorios, refleja la inquietud de la población inglesa, cuya hostilidad frente a las poblaciones de color no tarda en ponerse de manifiesto. El primer incidente racial importante de posguerra tiene lugar, ya en 1948, en Liverpool, donde provocadores blancos atacan a poblaciones negras.[10] Pueden contabilizarse otras agresiones en Londres en 1949 y en 1954. Los tumultos callejeros, más graves, que en 1958 se producen en Nottinghan y, otra vez, en Londres, provocan un golpe de timón del Gobierno, que inicia las restricciones a la inmigración.

Los grupos «étnicos» en Gran Bretaña

	1985-1987 en millares	% del total	% nacidos en G.B.
Blancos	51.333	94,4 %	96 %
Todas las minorías	2473	4,5 %	43 %
Antillanos	521	1,0 %	53 %
Africanos	105	0,2 %	37 %
Indios	745	1,4 %	37 %
Paquistaníes	404	0,7 %	43 %
De Bangladesh	111	0,2 %	31 %
Chinos	120	0,2 %	26 %
Arabes	71	0,1 %	13 %
«Mezclados»	255	0,5 %	76 %
Otros	141	0,3 %	36 %
Origen no precisado	570	1,0 %	70 %

Fuente: J. Haskey, «The ethnic minority populations of Great Bretain: their size and characteristics», *Population Trends*, n.º 54, invierno de 1988, páginas 29-31.

Lo primero que llama la atención en estos acontecimientos es su precocidad: las poblaciones de color son, por entonces, insignificantes: los grupos antillanos, africanos, indios y paquistaníes no llegaban a sumar el 1% de los habitantes de Gran Bretaña.[11] El segundo elemento característico es la inmediata focalización sobre la noción de color. Porque resulta evidente que lo que más choca a las poblaciones locales es la apariencia física de los inmigrantes. Cuanto más oscuro es un inmigrante, más amenazador les parece. Esa es la razón de que los antillanos produzcan la máxima ansiedad, a pesar de que son mucho menos numerosos que los indios y los paquistaníes. Esa particular posición de los negros en la conciencia colectiva inglesa se consolida a todo lo largo de los años setenta. En los ochenta, la literatura sociológica británica sugiere que el inmigrante típico, «con problemas», es en Gran Bretaña más bien el negro que el sudasiático, asombrosa percepción para un francés, habituado a la designación del «musulmán de piel morena» como objeto de focalización. La obsesión por el color es particularmente intensa en las obras que tratan de problemas educativos. En las escuelas «multiétnicas» o «multirraciales», los profesores perciben a los alumnos negros como especialmente agresivos y violentos. Esa focalización sobre los negros no pone totalmente a salvo a los inmigrantes originarios del sur de Asia, globalmente clasificados como «de color». Cuando sus sentimientos racistas son muy intensos, los jóvenes ingleses de origen proletario prefieren linchar a indios o paquistaníes, que son menos corpulentos que los antillanos, ejercicio casi ritualizado bajo el nombre de *Paki-bashing*.[12]

A partir de mediados de los ochenta, tras una treintena de años de contactos «interétnicos», la literatura administrativa oficial categoriza a los inmigrantes y a sus hijos siguiendo criterios explícitamente raciales. Una categorización dicotómica fundamental opone los blancos a los no blancos, que a su vez se subdividen en diversas etnias sobre la base de un criterio cultural secundario.[13] Los hijos de los inmigrantes de color, ciudadanos británicos, se convierten en miembros de minorías étnicas cuyas características sociales y demográficas son analizadas separadamente por las publicaciones de la Office of Population Censuses and Surveys. Las perspectivas de crecimiento de las minorías de color son examinadas con ansiedad por estudios que tienen dificultades para afrontar la transformación completa y definitiva de los hijos o los nietos de los inmigrantes en británicos de modelo estándar. Sobre el terreno, es decir, en las grandes ciudades del sur o del centro de Inglaterra, donde se concentra la inmensa mayoría de los inmigrantes llegados de la New Commonwealth, se asiste a la formación de enclaves étnicos, aunque su densidad y homogeneidad nunca alcanza la de los guetos negros americanos.[14] Este fenómeno de separación territorial se explica por la hostilidad de la población receptora inglesa y su tendencia a abandonar los centros de las ciudades donde se instalan las minorías de color.

La prioritaria focalización sobre el color lleva a la población inglesa a no percibir las distancias culturales reales que separan a las diversas comunidades inmigradas. Ciertamente, ningún grupo puede ser considerado como «de cultura inglesa», en el sentido antropológico amplio de la palabra «cultura». Pero los jamaicanos, que constituyen la mayoría de los inmigrantes negros, son sin duda, de entre todos los grupos que se instalan, los más cercanos por sus costumbres a la población receptora. Como los británicos, son de lengua inglesa y cristianos, a pesar de que su práctica religiosa original es, después de la segunda guerra mundial, mucho más alta que la de los habitantes de las ciudades del sur de Inglaterra.[15] Los inmigrantes llegados del sur de Asia, menos alejados de los ingleses desde el punto de vista físico, son por el contrario absolutamente exóticos en lo que a costumbres se refiere. Según las estimaciones, entre el 60 y el 80% de los indios son sijs, de lengua penjabi y practicantes de una religión específica, monoteísta pero derivada del hinduismo. Los demás, entre el 20 y el 40%, son originarios de Gujarat y por tanto politeístas. Los paquistaníes, la mayoría de los cuales procede de la pequeña región de Mirpur, son musulmanes, pero de lengua penjabi, como los sijs. Independientemente de cualquier cuestión lingüística, los índices de alfabetización de los países de origen también subrayan la proximidad relativa de los jamaicanos. Hacia 1960, el índice de alfabetización es ya del 82% en Jamaica, mientras que en el Punjab indio sólo es del 31% y del 15% en Paquistán.[16]

Si nos situamos ahora en el nivel antropológico más profundo de las estructuras familiares, encontraremos que los jamaicanos, a pesar de importantes diferencias, están más cerca de los ingleses que los sijs o que los paquistaníes, especialmente en lo que concierne a la situación tradicional de la mujer, elemento esencial en el contacto interétnico. Ninguno de los sistemas familiares inmigrados es del tipo nuclear absoluto, liberal y no igualitario. Pero la familia jamaicana, «nuclear con inflexión matriarcal», es objetivamente la menos extraña desde el punto de vista inglés.[17] Incluso cuando se trata de un grupo familiar extenso, que asocia a una madre con sus hijas y la descendencia de éstas, ese tipo familiar no impone un estilo de relación autoritaria entre padres e hijos. La posición relativamente secundaria de los hombres proporciona a las mujeres un máximo de autonomía, elemento estructural que encuentra su equivalente en la familia inglesa. El sistema antropológico jamaicano, poco autoritario y bastante feminista, aunque específico, es altamente compatible con el sistema nuclear absoluto inglés. Tanto más cuanto que, en un primer momento, los jamaicanos que se establecen en Londres parecen decididos a llevar la compatibilidad hasta aceptar ajustar su vida familiar al estilo del medio inglés que les rodea. Así, la unión libre, característica de la vida jamaicana, parece ser abandonada, puesto que el índice de matrimonios legales de los antillanos aumenta notablemente en Inglaterra durante los primeros años del proceso de reagrupamiento familiar.[18]

Los sistemas familiares paquistaní e indio son, por su parte, francamente individualistas y antifeministas. En la vida rural tradicional del Punjab, musulmán o sij, la autoridad de los padres se manifiesta a través de la cohabitación rígida de las generaciones adultas, en la que el hijo casado debe obediencia al padre. El matrimonio se pacta entre los padres, a ser posible con una prima en el caso del sistema paquistaní que es del tipo musulmán endógamo, y siempre fuera del grupo de parentesco en el del sistema sij, de tipo nordindio exógamo. Ambos tipos familiares son rigurosamente patrilineares. El modelo paquistaní admite a todos los hijos en la sucesión (ciclo comunitario), el modelo sij admite uno sólo en la práctica, de forma que los demás se ven con frecuencia forzados a encontrar un empleo como artesanos o como soldados (ciclo matriz).[19] En la parte norte del subcontinente indio, ya se trate de zona musulmana o hinduista, el papel de las mujeres es subordinado, radicalmente incompatible con la tradición inglesa, una de las más feministas del mundo occidental.

Así pues, la designación de los negros como inmigrantes con problemas típicos se produce a pesar de su relativa proximidad cultural, o tal vez precisamente por ella. En efecto, para una sociedad receptora diferencialista no hay nada más inquietante que un grupo inmigrante *muy diferente en la apariencia física pero muy cercano en las costumbres*, porque el hecho de que exista parece contradecir la certidumbre metafísica *a priori* de una diversidad coherente de las esencias humanas. A los sijs y a los paquistaníes, más alejados en términos de tradiciones familiares y religiosas, físicamente diferentes pero menos que los antillanos, se les percibe globalmente como menos amenazadores, porque son más normales, más compatibles con el *a priori* diferencialista: al ser diferentes tanto en el plano físico como en el cultural, su diferencia global, armoniosa, no produce ninguna discordancia intelectual. Estos matices en cuanto a las actitudes frente al color no deben hacernos olvidar que, en Gran Bretaña, todos los principales grupos inmigrantes llegados del Tercer Mundo son percibidos y clasificados como «no blancos», ya sean antillanos, indios o paquistaníes. El conjunto de los datos hace pensar en una focalización general sobre la noción de raza, y sugiere que el marcador primordial de la diferencia humana es el color de la piel. Más adelante veremos cómo esa actitud, que es común a ingleses y americanos, no sólo se opone a la de los franceses, sensibles únicamente a la diferencia cultural, sino también a la de los alemanes, capaces de asustarse de diferencias allí donde objetivamente no las hay, ni físicas ni de costumbres, abstracción pura que, en su caso, conduce a la designación de la diferencia religiosa, interior e invisible, como la ideal. Así pues, en Inglaterra, la ansiedad se focaliza de manera primordial sobre las diferencias físicas, incluso si eso exige una reorganización del sistema ideológico que pretende hablar de la cultura.

El reajuste ideológico: del color al multiculturalismo

Nada más acabar la segunda guerra mundial, las elites y los partidos políticos británicos abordan el problema de la emigración de origen no europeo, sin haber reflexionado demasiado, pero a partir de presupuestos universalistas. El país acaba de desempeñar un papel histórico decisivo en el aplastamiento del nazismo y la unidad del género humano es entonces un artículo de fe. Por otra parte, durante la guerra, la llegada de tropas americanas que practicaban la segregación racial había sorprendido y chocado a muchos ingleses. El desarrollo en el conjunto de la población de fuertes sentimientos raciales también constituye una desagradable sorpresa para los dirigentes del país, tanto de izquierdas como de derechas, sobre todo en el clima optimista de los años 1950-1960. Por entonces, Inglaterra aparece como el país más irreprochable en lo tocante a actitudes frente a las cuestiones raciales y étnicas. Es un modelo de tolerancia, capaz primero de hacer frente a Hitler y luego de llevar a cabo la descolonización no traumática de sus colonias más importantes.

Ya a finales de los años sesenta, es decir, tres lustros antes de la aparición en Francia del lepenismo, Enoch Powel, parlamentario conservador, se erige en portavoz del miedo «blanco». En abril de 1968, en Birmingham, Powel libera la expresión pública de la ansiedad antiinmigrante, en un discurso en el que explica que el problema fundamental no es la discriminación de la que son objeto los inmigrantes, sino las molestias que los británicos indígenas deben soportar. Fue entonces cuando pronunció la famosa frase: «Cuando miro al porvenir, siento muchas aprensiones. Como al romano, me parece ver el Tíber teñido de sangre». En los días siguientes llegaron 110.000 cartas a su despacho parlamentario: todas, salvo 2300, eran aprobadoras. Un sondeo de opinión muestra entonces que el 82% de los británicos piensa que Powel ha hecho bien pronunciando ese discurso y que el 74% está de acuerdo con él «en general». El estilo de Enoch Powel lo coloca automáticamente, en un país como Gran Bretaña, fuera del mundo de la gente bien educada, tanto de derechas como de izquierdas. Pero el Partido Conservador adopta con facilidad la idea de controlar la inmigración, a pesar de que tenga que excluir del *Shadow Cabinet* a Enoch Powel, por ser demasiado brutal en sus formulaciones. Durante los setenta, Inglaterra está obsesionada, como Francia durante los ochenta, por el problema de la inmigración. Hacia 1973 y 1974, el National Front, organización de extrema derecha asombrosamente parecida al Front National francés, con cuadros neofascistas o neonazis y simpatizantes que se contentan con ser antiinmigrantes, parece estar a punto de tener un éxito electoral. En 1973, con ocasión de las elecciones parciales de West Bromwich, alcanzó el 16,2% de los sufragios emitidos, y sus resultados en las elecciones locales de 1976 y de 1977 no son desdeñables.[20] Por un momento, y a causa de sus éxitos en el medio obrero, parece una prefiguración de su homólogo francés. En cualquier caso, participa en la destrucción del movimiento laborista inglés, de la misma manera que el Front National participa en la destrucción del Partido Comunista Francés. Pero, en enero de 1978, Margaret Thatcher conmueve la opinión pública con una intervención muy clara sobre la inmigración, durante una entrevista televisada:

«La gente tiene auténtico miedo a que este país se vea ahogado por gentes de una cultura diferente (...). Mire, la personalidad británica ha hecho tanto por la democracia, por el derecho, ha hecho tanto en todas partes, que si hay una posibilidad de que se vea ahogada, la gente reaccionará y será hostil para los que llegan».[21]

110

En las elecciones de 1979, triunfa el Partido Conservador y desaparece el National Front. La obsesión por la inmigración persiste. El Partido Conservador gana las elecciones de 1979, 1983, 1987, e incluso las de 1992, a pesar del creciente rechazo, por parte de la mayoría de la población, de los principios fundamentales de su política económica y social. El Partido Conservador se ha convertido en el defensor implícito de una nueva identidad blanca, papel que se ve reforzado por la especialización del Partido Laborista como defensor de las minorías de color.

La reacción positiva de las masas ante la temática antiinmigrante plantea un grave problema moral a los laboristas, que durante un tiempo resisten a la presión popular. A lo largo de los años cincuenta y hasta comienzos de los sesenta, rechazan la idea de controlar la inmigración, en nombre del principio de la universalidad del hombre. Apoyándose en los principios asentados durante la lucha contra el nazismo, se niegan a admitir que existan diferencias fundamentales entre seres humanos de apariencia física distinta. Pero tras la votación de la *Commonwealth Immigrant Act* de 1962, el Labour se doblega, por etapas, pero totalmente. La izquierda británica se convierte a un diferencialismo que podríamos calificar de militante. En mayo de 1966, Roy Jenkins, por entonces ministro del Interior, define *«la integración, no como un proceso de nivelación por asimilación, sino como una igualdad de oportunidades, acompañada de diversidad cultural, en una atmósfera de mutua tolerancia».* Así pues, el Partido Laborista acepta la idea de que existen diferencias no reductibles que separan a los grupos humanos. Se esfuerza en luchar contra la discriminación racial, pero después de haber aceptado implícitamente el principio de la existencia absoluta de las razas: abandona la idea de que las «razas» observadas, definidas por apariencias físicas específicas, no son más que agrupaciones transitorias, producidas por el aislamiento histórico de poblaciones y susceptibles de ser destruidas y descompuestas por la mezcla a través del matrimonio, por la producción de hijos con apariencia y color intermedios.

Los laboristas no abandonan todas las acciones «progresistas», puesto que defienden medidas legislativas que deben permitir luchar contra la discriminación racial: las *Race Relation Acts* de 1965, 1968 y 1976. En 1977, se crea una Commission for Racial Equality. Se trata de impedir, en la medida de lo posible, actos discriminatorios en materia de empleo, de alojamiento y, en general, de la vida cotidiana. Pero la formulación esencializa la noción de raza. De hecho, en el plano lógico, lo que está haciéndose con la noción de igualdad racial llega a algo que se parece mucho al *separate but equal* de los años cumbre de la segregación norteamericana, aunque el objetivo de la conceptualización sea realmente proteger al grupo separado y no oprimirlo. La Commission for Racial Equality, legado de los laboristas a los conservadores, que vuelven al poder en 1979, se interesa por los problemas de las escuelas a partir de 1981. Se trata de encontrar solución a las dificultades escolares de los hijos de los antillanos. El principio de una educación única y asimiladora es progresivamente abandonado. El informe Swann, publicado en 1985, recomienda instituir una educación multicultural que permita a los niños de color *nacidos en Inglaterra* evitar el traumatismo de una ruptura con su cultura de origen. Propone aumentar el número de enseñantes pertenecientes a minorías étnicas y que se protejan las lenguas de origen de los alumnos. Hacia 1988, 77 de las 115 Local Education Authorities ya han adoptado el principio de educación multiétnica. Este punto de vista no entusiasma a los conservadores que están en el poder y, frente a los izquierdistas multiculturalistas que dominan el Greater London Council, se presentan como los defensores, moderados y relativos, de los conceptos unitarios y asimilacionistas de la inmediata posguerra.[22] Su universalismo es, en gran medida, una ilusión. Los conservadores, aunque mantienen la idea de integrar a los inmigrantes en la vida inglesa tradicional, siguen siendo sobre todo los precoces partidarios del cierre de fronteras. Los laboristas, partidarios durante más tiempo de la apertura de las fronteras nacionales, se esfuerzan luego en definir con gran energía unas fronteras internas a la sociedad inglesa. El desacuerdo entre la derecha y la izquierda del sistema diferencialista británico radica en la discusión sobre dónde debe colocarse la línea de demarcación: alrededor de Gran Bretaña o en torno a los centros de las ciudades.

No debe subestimarse el papel de la izquierda radical en la definición del multiculturalismo. El discurso izquierdista defiende el principio de la evaluación positiva de las culturas inmigradas y mantiene que sólo el orgullo étnico puede permitir una buena adaptación escolar de los niños pertenecientes a grupos minoritarios. Algunos paralogismos de la argumentación conducen a desarrollos increíbles: hay libros que hablan del carácter culturalmente partidista de las matemáticas.[23] Las anécdotas históricas sobre sabios «blancos» como Pascal y Pitágoras favorecerían la alienación negra. Uno no puede por menos de recordar, ante semejantes alusiones a una matemática eurocéntrica, la «ciencia judía» del antisemitismo. La negación de una razón humana universal, idealmente encarnada por las matemáticas, es típica de la ideología nazi y de ciertos textos de Oswald Spengler publicados en los años veinte.[24] Esa negación representa una expresión límite, más allá de la cual aceptar una concepción racial de la vida social no puede seguir escudándose en pretendidas buenas intenciones.

El Partido Laborista acaba por convertirse en el defensor oficial de las minorías étnicas, como el Partido Demócrata es el defensor de los negros en Estados Unidos. Un sondeo de opinión efectuado en 1979, muestra que los conservadores recogen el 46% de las intenciones de voto de los electores blancos, el 25% de las de los sudasiáticos, indios o paquistaníes, y el 13% de las de los antillanos.[25] A principios de los ochenta, y a pesar de la oposición de la dirección del Partido Laborista, los izquierdistas londinenses promueven la creación de «secciones negras» en el partido.[26] El diferencialismo de izquierdas alcanza su madurez en las elecciones generales de 1987, en las que fueron elegidos cuatro parlamentarios de color, en circunscripciones de fuerte componente étnico: tres negros y un indio de religión católica.[27] El diferencialismo inglés de izquierdas o de extrema izquierda utiliza normalmente el color de la piel como marcador fundamental, capaz de dividir a la humanidad en categorías discontinuas. A pesar de todo, se distingue de la tradición del diferencialismo anglosajón por una utilización original de los colores de piel.

La literatura administrativa británica clasifica todos los grupos de inmigrantes del Tercer Mundo —antillanos, indios, paquistaníes, africanos, chinos, árabes o procedentes de Bangladesh— como «no blancos», siguiendo amplios criterios que contradicen las clasificaciones de la antropología física tradicional, para la que los indios del norte, los paquistaníes y los árabes son blancos. Pero algunos «antirracistas» militantes de Gran Bretaña llegan a clasificar como «negros» a indios y paquistaníes. Esas diferentes atribuciones de color a las poblaciones llegadas del sur de Asia o del Cercano Oriente, no derivan de la distancia objetiva entre la tez blanca-rosada de los ingleses y la piel mate, en diferentes grados, de los paquistaníes, de los indios o de los árabes. La ideología diferencialista deriva de una certidumbre metafísica *a priori*, afianzada en las estructuras antropológicas no igualitarias de la sociedad receptora. Parte de la realidad visible, pero organiza las percepciones en función de sus necesidades *a priori*. Ahora bien, si es verdad que la presencia en Inglaterra de poblaciones negras abre la posibilidad de un diferencialismo de tipo racial, no es menos cierto que el 1,2% de antillanos y africanos censados hacia 1985 en el Reino Unido es insuficiente para dar cuerpo a un objeto mítico. Así pues, el diferencialismo inglés se esfuerza por ampliar la categoría de los no blancos más allá de los límites que en otras partes son considerados como normales. Todos juntos, antillanos, africanos, indios, paquistaníes, gentes de Bangladesh, chinos, árabes y demás suman, a mediados de los ochenta, un poco menos de 2,5 millones, lo que constituye el 4,5% de la población británica, proporción más capaz de focalizar la atención. El diferencialismo americano, al disponer del 12,1% de negros, no necesita ampliaciones y nunca ha pretendido considerar como «negros» a sus mexicanos ni a sus indios. La percepción de la «diferencia» es una necesidad del sistema antropológico que está obligado, en función de ciertos parámetros inamovibles, a construir un objeto de focalización. Pero la lógica propia del diferencialismo conduce a una interpretación subjetiva de la realidad física y cultural. El

113

examen detallado de los grupos étnicos del Reino Unido revela que la construcción de una categoría «no blanca» por parte de la ideología diferencialista no se corresponde con ninguna realidad antropológica, ya que cada uno de los tres grupos principales, antillanos, paquistaníes y sijs, sigue un camino diferente en la sociedad inglesa. Los sijs han tomado el camino de la asimilación a largo plazo, que no excluye manifestaciones intermedias de afirmación de su diferencia. Los paquistaníes, sin constituir un grupo endógamo estanco, parecen destinados a seguir siendo por mucho tiempo una comunidad diferenciada. Los antillanos manifiestan todos los signos de una alienación específica que, no obstante, no conlleva una segregación matrimonial de tipo americano. El diferencialismo racial o étnico, que aparece triunfante en la literatura administrativa, sociológica o política, existe también en los medios populares que son, precisamente, los que mantienen la parte esencial del contacto con las poblaciones llegadas del Tercer Mundo. Y ese diferencialismo popular impone a los diversos inmigrantes reacciones específicas que no son sino ejemplos ingleses del principio de la omnipotencia de la sociedad receptora. Pero funciona mal y no desemboca en una segregación a largo plazo a causa de la competencia implícita del diferencialismo de clase. En Gran Bretaña no existe *un* pueblo blanco, apegado a su homogeneidad y capaz de imponer normas raciales precisas para preservarla. Las clases sociales en Inglaterra son casi grupos étnicos, algunos de los cuales están lo suficientemente alejados desde el punto de vista cultural de los estratos medios dominantes como para no tomarse demasiado en serio su pureza racial.

La transformación de las minorías

Los inmigrantes antillanos, sijs o paquistaníes que llegan en los años cincuenta, son portadores de sus propias culturas, pero no de un proyecto de supervivencia cultural. Al principio se trata de hombres que buscan ganarse la vida, empujados por la presión demográfica de sus países de origen y atraídos por la fuerte demanda de mano de obra en la industria británica. La migración, concebida en un principio como temporal, acaba muchas veces siendo definitiva, estabilización que probablemente sorprende tanto a los inmigrantes como a los ingleses. Mujeres y niños se reúnen con los hombres, quienes pasan de trabajadores solteros a padres de familia. El cierre de fronteras que se inicia en 1962 acelera el proceso de estabilización de la inmigración. A partir de ese momento, ya no puede pensarse en posibles idas y venidas: hay que tomar una decisión, irse o quedarse. Los primeros inmigrantes que pasan del Tercer Mundo a la sociedad industrial están bajo los efectos del impacto cultural y tienen una predisposición psicológica a la asimilación. Como hemos visto, los antillanos empiezan a cambiar la unión libre por el matrimonio legal. Los sijs abandonan el turbante y se afeitan la cabeza, renunciando así al signo fundamental de su credo religioso.[28]

La hostilidad de la población inglesa modifica esas actitudes. Finalmente, a las comunidades inmigradas se les impone el diferencialismo y se produce una especie de regreso forzoso a la cultura de origen. Antillanos, sijs y paquistaníes se ven obligados a hacer frente a una situación de rechazo. Pero, en ese estadio, el contenido de la cultura de origen desempeña un papel en el proceso de adaptación. Los tres grupos no disponen de las mismas armas ni de las mismas defensas para resistir y adaptarse a una situación de rechazo.

Los sijs, entre dos diferencialismos

La religión sij, nacida en el siglo XVI del contacto entre el hinduismo y el islam, define un pueblo elegido, portador de un credo monoteísta y poseedor de un libro santo, el *Granth*. Esa religión adopta el principio hinduista de la reencarnación, pero también cree en la posibilidad de la salvación definitiva en una especie de paraíso, el *Sach Kand*, lugar de eterna felicidad. Es una religión de estilo marcial: uno de los signos distintivos, abandonado en Inglaterra, del sij ortodoxo, consiste en llevar un pequeño puñal. Aunque rechaza el sistema de las castas, el sijismo es diferencialista: en teoría, los sijs son iguales frente al mundo exterior. No obstante, en el Penjab, un mundo que no está totalmente separado del universo diferencialista hindú, subsisten castas. El diferencialismo sij se basa o se nutre en un sistema familiar de tipo matriz, autoritario e igualitario. Las reglas de la herencia son formalmente igualitarias, pero en la práctica es un solo hijo el que sucede al padre en la explotación agrícola familiar, mientras que los demás se ven forzados a emigrar.[30] Uno de los rasgos característicos de la cultura penjabi, sea sij o no, parece ser el fuerte antagonismo entre hermanos.[31] Pero, en algunas regiones del Penjab en las que la adopción de la religión sij es reciente e imperfecta, subsisten huellas de un sistema poliándrico anterior, puesto que algunos hermanos primogénitos conceden a sus hermanos menores derecho de acceso sexual a su esposa, siguiendo un modelo que recuerda al del vecino Tibet. La familia matriz penjabi es muy patrilineal: como en el resto del norte de la India, y como en la tradición árabe-musulmana, las mujeres son seres secundarios. Una de las características demográficas y antropológicas del Penjab tradicional es el infanticidio de los bebés hembras, práctica que se manifestaba, hasta fecha muy reciente, en la desmesurada proporción de varones en los censos. La *sex ratio* del Penjab era, en 1961, de tan sólo 864 hembras por cada mil varones.[32]

115

La adaptación de los grupos étnicos en Inglaterra					
	Alfabetización del país de origen hacia 1960	Resultados escolares en Londres (ILEA examination score)	Fecundidad del país de origen hacia 1960	Fecundidad en Inglaterra. 1990	Familias monoparentales hacia 1987-1989
Antillanos	82 %	13,6	6,0	1,6	49 %
Indios	31 %	24,5	6,0*	2,2	6 %
Paquistaníes	15 %	21,3	6,0	4,7	8 %
«Blancos»	99 %	15,2	2,7	1,8	15 %

* Estimación

Sin embargo, la diferencia media de edad entre marido y mujer es de tan sólo 3,1 años en 1971, dato que tal vez indique un resto de autonomía femenina.[33]

El hecho de que la identidad sij sea de tipo diferencialista hace que los inmigrantes rechazados por las poblaciones inglesas estén perfectamente armados, casi preparados para afrontar una fase de marginación. El paso de la India a Inglaterra los transfiere de un medio diferencialista a otro. La familia matriz, que implica al mismo tiempo un gran orgullo étnico, un fuerte potencial educativo y una notable aptitud para la empresa individual, protege a los individuos minoritarios de las agresiones culturales y psicológicas que les inflige la sociedad dominante. En un primer momento, el rechazo de los sijs conduce a la formación en Inglaterra de una cultura enclavada relativamente próspera.[34] En los años sesenta, los hombres sijs vuelven a dejarse crecer la barba y el pelo, y usan de nuevo el turbante. La llegada de refugiados sijs de las ex colonias inglesas de Africa oriental acelera ese proceso: éstos, fuertemente britanizados, ya han interiorizado las normas separatistas de la cultura inglesa.[35] El retorno del turbante se afirma entre los jóvenes sijs de la segunda generación nacidos en Inglaterra. A finales de los sesenta, los sijs ya han establecido cerca de cuarenta lugares de culto (gurdwaras) en el país.[36]

Ninguna de esas adaptaciones puede interpretarse como simple persistencia. Así, el retorno del turbante no se limita a indicar la persistencia de una fe tradicional. La religión, además de una creencia metafísica, siempre es un lazo social. Pero no puede afirmarse que en Inglaterra el sijismo pase de una dominante metafísica a otra étnica. La familia sij que sobrevive en Inglaterra en los años setenta, es una forma sutilmente modificada del modelo original penjabi, influida por los valores ingleses de autonomía de la mujer y libertad de los hijos. Las esposas empiezan a trabajar mientras hijos e hijas obtienen una especie de derecho a veto en el procedimiento del matrimonio convenido, que persiste.[37] Por otra parte, adaptan rápida y completamente el control de natalidad. Ya en 1981, el índice sintético de fecundidad de las mujeres nacidas en la India es de 3,1; en 1990 es de 2,2, nivel que define al grupo sij como absolutamente modernizado y occidental. Se establece una forma de familia matriz flexible que permite algunas formas de negociación —entre marido y mujer, entre padres e hijos—. Liberada del asfixiante contexto patriarcal de la sociedad local penjabi, la familia matriz sij da muestras de poseer un potencial de adaptación cultural y económico que recuerda al de los judíos y los japoneses inmigrados a Estados Unidos. En 1990, la mortalidad infantil india se equipara a la del país receptor, en un nivel muy bajo: 7,4 defunciones antes del primer año de vida de cada 1000 hijos de madres nacidas en la India, frente a una media británica de 7,5. Los sijs se lanzan a la creación de empresas económicas individuales y sus hijos obtienen excelentes resultados escolares, superiores a los de los ingleses blancos.[38] A finales de la década comprendida entre 1980 y 1990, el porcentaje de miembros del grupo étnico indio con edades comprendidas entre los dieciséis y los sesenta y cuatro años que han realizado estudios superiores alcanza el 15% y supera al de los «blancos», que tan sólo es del 13%.[39] Estas cifras globales no tienen en cuenta las diferencias entre tipos de educación superior y no indican ninguna ventaja de los indios en el acceso a las tres universidades de prestigio que constituyen el corazón del sistema cultural británico. Pero incluso cuando se refieren a una educación técnica, expresan un notable dinamismo en la cultura sij. La combinación de una estructura familiar verticalmente integrada y de una identidad étnica fuerte permite una adaptación positiva, a pesar de las actitudes separatistas de los ingleses blancos. Esa dinámica de adaptación deja *abierta la posibilidad de una ulterior asimilación de los sijs, parecida a la de los judíos y los japoneses en Estados Unidos.* Eso es lo que muestra el análisis de los matrimonios mixtos, muy escasos en la primera generación que inmigró a Inglaterra y ya numerosos en la segunda generación. Hacia 1985-1988, tan sólo el 5% de los hombres del grupo étnico indio nacidos fuera del Reino Unido tenía esposa o compañera «blanca». En la segunda generación, nacida en Inglaterra, esa proporción es del 16%.[40] En el caso de la comunidad india, cuyo índice de fecundidad de 2,2 hijos por mujer no permite a largo plazo otra cosa que una reproducción sin crecimiento, el simple mantenimiento de una tasa del 16% de matrimonios mixtos conduciría en unas pocas generaciones a la desaparición del grupo étnico, a la pura asimilación. El inicial diferencialismo de los sijs, grupo dinámico y, al mismo tiempo, dominado, tal vez conduzca a una más eficaz asimilación.

Los paquistaníes: persistencia y fundamentalismo

Los paquistaníes que se han instalado en Inglaterra son de religión musulmana sunnita. Su sistema familiar puede describirse como comunitario, patrilineal y endógamo.[41] El ciclo de desarrollo rural tradicional asocia a un padre y a sus hijos casados en una vasta unidad doméstica. En ese sistema, los hijos ocupan posiciones simétricas: tienen el mismo derecho a heredar cuando muere el padre. Las hijas están excluidas del reparto, con lo que no se respetan las reglas coránicas en ese campo.[42] Parece que el Penjab paquistaní tradicional practica el infanticidio de bebés hembras tanto como el Penjab indio, puesto que la *sex ratio* era allí, en 1951, de 896 mujeres por cada mil hombres.[43] El sistema matrimonial es patrilocal: los hombres no se mueven de su familia de origen y son las mujeres las que, en el momento del matrimonio, deben desplazarse para integrarse en el grupo comunitario de su marido. La preferencia por el matrimonio entre primos mitiga el desarraigo de las hijas, como ocurre en el sistema familiar árabe, que es estructuralmente idéntico. Si es posible, un hombre debe casarse con su prima paralela paterna, es decir con la hija del hermano de su padre. Esta aspiración ideal no se realiza más que en una minoría de casos, por un conjunto de razones demográficas. Pero si no existe una prima hermana con la edad adecuada, se busca en el nivel del segundo grado y luego entre parientes más lejanos. La cultura paquistaní, simetrizada en el plano familiar, es de tipo universalista en los planos ideológico y religioso. A la igualdad de los hermanos corresponde la igualdad de los hombres en general. Paquistán forma parte de la *Umma*, la comunidad musulmana de creyentes. Sin embargo existe una contradicción en el mismo interior de la concepción arábigo-musulmana del hombre, entre principio de universalidad y preferencia por la endogamia. La igualdad de los hermanos favorece la percepción ideológica de una humanidad homogénea, mientras que la endogamia empuja al grupo concreto a cerrarse en sí mismo, ya se trate de un grupo familiar, tribal o nacional.[44]

En consecuencia, la adaptación de los inmigrantes paquistaníes al contexto diferencialista inglés es menos natural que la de los sijs, que tienen una predisposición cultural a la separación. El universalismo del islam, que dice que todos los hombres son iguales, se opone al temperamento inglés, que los considera diferentes. La contradicción es menos evidente en el nivel interpersonal de la vida familiar. La endogamia musulmana produce grupos locales separados y, a su manera, puede contribuir al funcionamiento armonioso del separatismo social británico. El diferencialismo inglés choca con la ideología inicial de los paquistaníes pero no perturba demasiado su vida concreta. La estructura familiar paquistaní no se desintegra y, a diferencia de la de los sijs, más que adaptarse parece resistir. El status de la mujer evoluciona con menor claridad en un sentido progresista, puesto que en la fase inmediata a su llegada, se produce una acentuación del enclaustramiento femenino, de ese *purdah* característico de la parte norte del subcontinente indio.[45] Sus éxitos económicos y educativos, sin ser despreciables, son menos brillantes que los de los sijs. En el caso de los paquistaníes, no puede hablarse de una pura y simple conversión a la modernidad demográfica. Su tasa de mortalidad infantil sigue siendo dos veces superior a la media nacional, con 14,2 defunciones por cada mil nacimientos vivos en 1990. La natalidad, a pesar de un relativo descenso, se mantiene elevada. El índice sintético de fecundidad de las mujeres nacidas en Paquistán pasa del 6,3 en 1981 al 5,3 en 1984. Después de esa fecha, el índice mezcla a paquistaníes y originarias de Bangladesh. Aunque ese índice es de 4,7 en 1990, representa por lo menos cuatro hijos por mujer paquistaní, es decir, el doble de la fecundidad de los sijs.[46]

El hecho de que se mantenga esa elevada fecundidad debe asociarse, de la misma manera que el aumento de la fecundidad de las mujeres turcas que se observa en Alemania desde 1985, al desarrollo de un islam fundamentalista que nace tanto del clima diferencialista como de la perpetuación de la religión tradicional. Aparece un islam británico con su capital, Bradford, ciudad en donde los paquistaníes constituyen aproximadamente las tres cuartas partes de una población «étnica» de 68.000 individuos. Influido por su contacto con el mundo occidental, este islam es original: la militancia de los musulmanes de Inglaterra, sunnitas en un principio, les conduce a un acercamiento con el Irán de Jomeini. En septiembre de 1988, Salman Rushdie publica *Los versos satánicos*, libro en el que Mahoma aparece como un falso profeta, capaz de introducir en el Corán versos inspirados por Satán. En diciembre de 1988 comienzan las manifestaciones de musulmanes británicos exigiendo la prohibición del libro, durante las cuales se queman ejemplares. En febrero, Islamabad, capital de Paquistán, se moviliza contra Rushdie. Los líderes de los musulmanes británicos envían los pasajes incriminados del libro de Rushdie a las embajadas de los cuarenta y cinco estados miembros de la Conferencia Islámica. El único en reaccionar con claridad es Irán: el 14 de febrero de 1989, Jomeini exige el ajusticiamiento del autor y de los editores de *Los versos satánicos*, abriendo así una crisis más entre su país y Occidente. En ese momento, los manifestantes de origen paquistaní enarbolan retratos de Jomeini.[47] Este alineamiento de los musulmanes sunnitas de Inglaterra con los shiíes iraníes es síntoma de una situación de crisis religiosa e ideológica. Los paquistaníes no viven el enquistamiento de su comunidad en la sociedad inglesa como un fenómeno feliz y benéfico, sino como el resultado de la resistencia de la población receptora a asimilar a los hijos de los inmigrantes: éstos, devueltos a una religión de origen que ya no entienden muy bien, tienen que reinterpretarla. Al final del proceso, Inglaterra no es la sede de un conservadurismo islámico, sino un pequeño foco fundamentalista. La intolerancia étnica inglesa ha producido la intolerancia religiosa paquistaní. Pero, una vez más, no puede decirse que los paquistaníes se encierren radicalmente en sí mismos, como demuestra un análisis de la tasa de exogamia. Situada en torno al 5% entre los hombres nacidos en Paquistán, la tasa asciende en la segunda generación, nacida en Inglaterra, al 19% hacia los años comprendidos entre 1985 y 1987. Esa tasa es ligeramente superior a la de la segunda generación de los indios pero no puede, por sí sola, conducir a un proceso de dispersión del grupo étnico. El índice de fecundidad de las paquistaníes, de 4 hijos por mujer, compensaría de sobras, si se mantuviese, una pérdida de la quinta parte de los individuos por generación.

Los antillanos: la destrucción moral

Los jamaicanos, definidos como negros y separados por el diferencialismo inglés, no disponen de identidad protectora alguna. Son de lengua inglesa y religión cristiana. Las antillanas gozan, como las mujeres inglesas, de un status tradicionalmente liberal. Los sijs y los paquistaníes, una vez separados, pueden refugiarse en el sentimiento inicial de diferencia que habían vivido cuando llegaron a Inglaterra: rechazados por la cultura receptora, pueden a su vez rechazar, en nombre de su propia cultura, el indiferentismo religioso inglés, el impudor de sus mujeres y la indisciplina de sus hijos. A los jamaicanos no les queda ninguna escapatoria de ese tipo, ya que perciben como normales la mayor parte de los aspectos fundamentales de las costumbres inglesas, excepción hecha, quizá, de la muy débil práctica religiosa. La transformación de los antillanos en minoría étnica implica un traumatismo muchísimo más fuerte que el que puedan sufrir los paquistaníes o los sijs. El resultado del rechazo por parte de su propia cultura de referencia es una auténtica destrucción moral. Sus reacciones reproducen, en versión acelerada, las de los negros americanos: descomposición de la familia, fracaso escolar, delincuencia, tentativa desesperada de construcción de una identidad étnica protectora.

Pasada la fase inicial de refuerzo del matrimonio legal por incorporación a las prácticas mayoritarias inglesas, la pareja antillana se descompone. El propio sistema familiar margina a los hombres, a quienes el sistema cultural niega la consideración de hombres. El número de familias monoparentales crece, acercándose a las cifras norteamericanas negras. La proporción de esas familias alcanza el 49% entre 1987 y 1989, de las cuales el 44% está constituido por una madre soltera y sus hijos.[48] Esa cifra dobla la tasa de familias monoparentales en Jamaica, que se sitúa entre el 20 y el 25%. Los niños se convierten en candidatos típicos al fracaso escolar. Probablemente sea en el campo de la educación donde con mayor claridad se aprecie la acción destructiva de la sociedad receptora y donde el análisis del proceso inglés complete mejor el del modelo americano. En el caso de Estados Unidos, era imposible definir un potencial cultural inicial del grupo separado, ya que las poblaciones de origen africano estaban enclavadas en el grupo europeo desde el siglo XVII. En el caso de los antillanos de Inglaterra, puede definirse un nivel cultural inicial de las poblaciones negras que entran en contacto: el de Jamaica hacia mediados del siglo XX. Con una tasa de alfabetización del 85%, la isla ya está saliendo del subdesarrollo, y la educación constituye uno de sus valores centrales.[49] Así pues, los fracasos escolares de los jóvenes antillanos y la desaparición de los valores educativos jamaicanos en Inglaterra pueden ser considerados como un efecto inducido por la sociedad receptora: directamente por la marginalización de los adolescentes negros e indirectamente por la destrucción de su célula familiar.

La identidad negra que se constituye no tiene una lógica propia, como las identidades sij y paquistaní, sino que se define en su totalidad por la negación de ciertos aspectos de la cultura inglesa dominante que, aunque es la de los antillanos, los rechaza. La marihuana, el alcohol, el no respetar la ley en general, proporcionan a los jóvenes parados de origen antillano los elementos centrales de una contracultura o, mejor dicho, de una anticultura. A los elementos puramente delictivos, puede añadírseles, igual que en Estados Unidos, una relectura fantasmagórica de la historia africana: la Etiopía de Haile Selassie centra los sueños de la ideología «rasta», movimiento milenarista que se apoya en la temática bíblica del exilio y la redención. El rasta se esfuerza por sobreponer una identidad africana a jóvenes totalmente formados por el mundo occidental.

A partir de los años ochenta, los barrios negros de Londres, especialmente Brixton, se convierten en un campo de batalla crónico entre la policía y los jóvenes. Parece que en Gran Bretaña se ha iniciado una evolución de tipo americano, a muy pequeña escala, dado el tamaño del grupo antillano. La sociedad inglesa reproduce, de forma acelerada, el ciclo histórico de marginación ya trazado por la sociedad americana. Ese paralelismo sugiere por sí solo una determinación antropológica propia de las sociedades de tipo anglosajón, independiente de la historia y resultado de una concepción *a priori* de la diferencia humana. Los esclavos analfabetos importados por la América colonial y los inmigrantes educados que Inglaterra acepta se convierten, en los términos de proceso de adaptación más o menos brutales, en lo

121

mismo: un grupo marginal definido por el color. Existen no obstante diferencias importantes entre los negros de la cultura democrática americana y los negros de la cultura aristocrática inglesa. En efecto, la heterogeneidad de la cultura de Inglaterra protege a los antillanos de una segregación absoluta.

Clase contra raza

El aumento del número de familias monoparentales implica que deben considerarse con prudencia las cifras que conciernen a las parejas mixtas, que no abarcan más que una parte de la población en edad de estar casada. A pesar de todo, los datos británicos disponibles confirman que, ya desde la primera generación de inmigrantes, la proporción de hombres jamaicanos que viven en pareja con una mujer blanca es importante: del orden del 18% en el caso de los individuos censados en 1987-1989. En esas mismas fechas, la proporción de mujeres nacidas en las Antillas que viven con un hombre blanco es del 13%.[50] En la segunda generación, nacida en Inglaterra, la tasa de matrimonios mixtos aumenta fuertemente hasta alcanzar el 40%.[51] Nos encontramos muy lejos del raquítico 4,6% que hacia 1990 caracteriza a los hombres americanos negros. El artículo que manejo no proporciona el índice de exogamia de las mujeres negras en Inglaterra pero, a la vista de la elevada proporción de madres solteras, podemos deducir que, como en Estados Unidos, es netamente inferior a la de los hombres. A pesar de esa asimetría sexual del intercambio matrimonial, común a los modelos inglés y americano, podemos afirmar que con una tasa de matrimonio mixto masculino negro cerca de nueve veces superior a la tasa americana, el modelo inglés de relaciones raciales es específico. La doctrina multiculturalista común a las dos sociedades, elaborada en una misma lengua por ideologías situadas a ambos lados del Atlántico, oculta una diferencia de comportamiento que deriva de una diferencia de estructura entre las sociedades inglesa y americana. La población blanca americana representa una masa homogénea, objetivamente monocultural bajo su ideología multiculturalista. La población blanca británica presenta, por su parte, cierto grado de heterogeneidad cultural objetiva. La clase obrera inglesa se distingue de las clases medias por la lengua y, a veces, incluso por unas costumbres menos puritanas y menos matriarcales. El mundo de los trabajadores también está estratificado. El matrimonio mixto entre blancos y negros puede producirse en el mundo obrero, porque en su seno hay un número suficiente de individuos liberados, por su identidad de clase, de la noción de identidad blanca. Eso no significa que podamos extraer una visión optimista del alto nivel de intercambio matrimonial. La competencia entre diferencialismos de raza y de clase no conduce al universalismo. Los hombres negros casados con mujeres blancas no entran en la sociedad inglesa general, sino en sus capas más bajas, marcadas por un acento y dialecto *cockney* que se parece mucho, por su divergencia respecto al inglés estándar, al *negro English* en el que se expresan los negros americanos. Dilip Hiro, en su obra clásica sobre las minorías de color en Gran Bretaña, llega a sugerir que el individuo «blanco» de la pareja es absorbido por la comunidad negra y que, en realidad, se trata de un desclasado social. Los hijos serían considerados negros por el conjunto de la sociedad y educados como tales.[52] La tasa de familias monoparentales en el grupo étnico constituido por los individuos de ascendencia mezclada, «*mixed*» según la terminología administrativa inglesa, sugiere efectivamente que el matrimonio mixto conduce a un subgrupo social caracterizado por un elevado grado de descomposición familiar y cultural. El 33% de las familias cuyo cabeza de familia es un «*mixed*» es monoparental.[53] Si pudiésemos deducir de esa categoría global los individuos minoritarios de ascendencia anglo-india o anglo-paquistaní, que tienen estructuras sociales más sólidas, es probable que se alcanzase una tasa próxima al 40% para los individuos de ascendencia anglo-antillana, muy cercana a la de los antillanos. La semejanza de estructuras familiares, en una sociedad en donde el índice medio de familias monoparentales es del 15%, confirma la hipótesis de Dilip Hiro a propósito de una absorción de los individuos mulatos por parte del grupo negro.

Sigue siendo cierto que, en el caso de Inglaterra, no puede hablarse de endogamia racial. La estratificación social y cultural del país impide la aparición de un concepto plenamente desarrollado de identidad blanca. El análisis del modelo americano de relaciones raciales había puesto de relieve la relación funcional que existe entre democracia y organización racial, en una sociedad cuyo sistema antropológico fundador ignora el valor de igualdad. Desde un principio, las diferencias india y negra alimentan en Estados Unidos el sentimiento derivado de una igualdad blanca. Inglaterra también carece de un principio de igualdad enraizado en sus estructuras antropológicas, pero sus diferencias de clase, solidificadas en las costumbres antes de que comenzase el contacto con las poblaciones no europeas, la preservan de una organización racial estable.

7

Los sistemas matrices: percepción de la diferencia y sueño de unidad

Pasar de Inglaterra a Alemania no nos lleva fuera del universo diferencialista sino que nos conduce a distinguir rigurosamente dos tipos de diferencialismo.

Los valores liberales y no igualitarios de la familia nuclear absoluta determinan una concepción general de la diferenciación de la humanidad. Los valores autoritarios e inigualitarios de la familia matriz alemana implican otra concepción, más brutal pero contradictoria. No obstante, veremos una vez más cómo un sistema antropológico determina un concepto del hombre cuya lógica profunda escapa al medio social objetivo, al contacto interétnico o interracial concreto. Es imposible entender la situación de los inmigrantes establecidos en Alemania después de la segunda guerra mundial sin haber captado la lógica diferencialista *a priori* que confiere una parte de su sentido a la historia del país. Dado que Alemania ocupa un lugar muy especial en la historia del diferencialismo de exterminación, debemos situar la cuestión de la asimilación o de la segregación de los inmigrantes turcos en una continuidad histórica que incluye también la asimilación y posterior exterminación de los judíos, y debemos intentar una interpretación antropológica de la *Shoah*.* Por otra parte, el análisis en términos de valores familiares permite no considerar a Alemania como un caso único de diferencialismo matriz y escapar así a la germanofobia por un camino diferente a la simple y poco realista negación de cualquier especificidad alemana. Si no es razonable plantear proposiciones del tipo: «el nazismo, horror gratuito, habría podido desarrollarse en cualquier país», tampoco lo es desarrollar la idea de una Alemania que escapase por la masacre a cualquier ley histórica. Al mostrar el parentesco de varias estructuras mentales diferencialistas de tipo matriz —occitana, japonesa o vasca—, se rompe el aislamiento de Alemania, que ya sólo aparece como una variante extrema de un tipo general.

La familia matriz se organiza en torno a dos valores fundamentales,

---

* *Shoah*, palabra hebrea que significa «desastre», y con la que los judíos hacen alusión al Holocausto. *(N. del T.)*.

la autoridad y la desigualdad, que, unidos, definen un sistema de transmisión de tipo linaje de los bienes materiales y culturales. En cada generación se escoge un heredero, en general el mayor de los varones, que permanece bajo la autoridad del padre quedando los demás hermanos excluidos de la herencia. La combinación de los valores de autoridad y de desigualdad permite el funcionamiento de un sistema familiar coherente que parece engendrado por un único principio de jerarquía: el padre es superior al hijo y el hijo mayor es superior a los otros hijos. No obstante, la proyección de esos valores sobre el nivel ideológico, no produce un sistema armonioso, libre de contradicciones. Sin duda, no es difícil definir las sociedades matrices como jerárquicas, ordenadas en el sentido matemático del concepto, puesto que cada individuo se encuentra idealmente situado en una clasificación inferior/superior generalizada. Pero la combinación de integración vertical, que se deriva del principio de autoridad, y de diferencialismo, que es consecuencia del principio de desigualdad, induce a una tensión específica entre aspiración a la unidad y tendencia a la fragmentación, que puede observarse en la historia de la mayor parte de las «sociedades matrices». *La diferenciación de los hermanos dice al inconsciente que los hombres son diferentes y deben estar separados; pero la autoridad del padre impone al inconsciente la idea de que los hombres deben estar sometidos a un poder central y, en consecuencia, agrupados. Esta contradicción fundamental implica tensiones que a veces conducen a la aparición de un diferencialismo de expulsión o incluso de exterminio, muy distinto del diferencialismo de segregación específico de las sociedades anglosajonas, derivado del tipo antropológico nuclear absoluto.*

Morfología de las sociedades matrices preindustriales

En un contexto preindustrial, la familia matriz engendra y reproduce una morfología social específica, ya sea en Alemania, en Japón o en la Francia occitana del Sudoeste.[1] El ideal familiar, autoritario e inigualitario, sirve de modelo a la definición ideológica de los grupos humanos más complejos, ya sean socioprofesionales, religiosos o étnicos. El valor de autoridad favorece la idea de un individuo fuertemente integrado en el grupo; el valor de desigualdad favorece la percepción de los grupos no sólo como diferentes, sino también como incluidos en una relación de orden que distingue sistemáticamente entre superiores e inferiores. Las «sociedades matrices» preindustriales son, pues, típicamente «sociedades de órdenes», fragmentadas y jerarquizadas en «órdenes» religioso, nobiliario, campesino, cada uno de los cuales está a su vez meticulosamente subdividido. Al estar estructuradas por las nociones de linaje y de jerarquía, esas sociedades producen, cuando lo permite su riqueza agrícola, una numerosa pequeña nobleza: el cadete de Gascuña, el samurai japonés y el Ritter alemán son productos de estructuras antropológicas muy cercanas.

La familia matriz favorece la segmentación de la sociedad, tanto desde el punto de vista práctico como desde el ideológico. Cada grupo familiar es un linaje, campesino o noble, que aspira de forma muy concreta a perpetuarse. La superposición de los proyectos de cada linaje garantiza una separación duradera de los rangos. En Europa es frecuente encontrar, en el punto de unión de la práctica y la ideología, una focalización sobre la noción de pureza de sangre, transmitida por la familia linaje. De esa forma, la sangre define unas «razas» nobiliarias. En el sudoeste de Francia, la obsesión por la sangre, que se propaga a partir de los comienzos del siglo xv, ha acabado dejando una huella en la universidad: la especialización tolosana en el estudio de los hemotipos, que a veces deriva en intentos de definir en términos de grupos sanguíneos la diferencia vasca y algunas otras. No obstante, en Japón, la perpetuación del grupo familiar, con su tierra y su escudo, es relativamente independiente de las nociones genéticas primitivas: la práctica de la adopción, muy extendida, incluso sugiere cierto grado de indiferencia hacia la noción de sangre.[2] El linaje puede procurar transmitir bienes materiales y culturales independientemente de cualquier justificación biológica.

Así pues, las sociedades tradicionales de tipo matriz, obsesionadas por la diferencia humana y por los rangos sociales y religiosos, pueden ser descritas como inigualitarias en el plano ideológico. Pero, en la práctica, la familia matriz implica con frecuencia una distribución de los bienes económicos que no es muy desigual y que, dentro de los usos de las sociedades del Antiguo Régimen, hasta resulta relativamente igualitaria. Cada familia, sea noble, campesina o artesana, se esfuerza por transmitir su patrimonio intacto de generación en generación. El mecanismo de la indivisión impide la concentración del suelo en manos de unos pocos grandes propietarios y aristócratas. Así pues, las sociedades rurales que practican este sistema están constituidas, en general, por un campesinado medio bastante estable. Su estructura económica es objetivamente democrática, aunque las diferencias de situación material y de prestigio que existen entre los linajes campesinos sean localmente percibidas como muy importantes. Entre la nobleza se detecta una estratificación análoga: los países de familia matriz tienden a estar dominados por una pequeña nobleza pululante y no por una aristocracia todopoderosa pero cuantitativamente minúscula. Por otra parte, en el universo de la familia matriz en el que la obsesión por la diferencia se apoya con frecuencia en ínfimos matices, hay poca diferencia entre el campesinado rico y la baja nobleza. Cuando las sociedades campesinas están ubicadas en tierras pobres, en la montaña, por ejemplo, ganar un excedente agrícola es materialmente imposible. En ese caso escapan a cualquier dominio nobiliario: la desigualdad simbólica entre el primogénito y el segundón va acompañada por la igualdad real de las familias. En los Pirineos o en los Alpes, tales comunidades toman forma de democracias rurales —en Suiza, en el País Vasco o en Béarn—, a pesar de que paradójicamente se asienten en una estructura familiar radicalmente autoritaria e inigualitaria. En esas «democracias», la atmósfera no es liberal, como bien había intuido Tocqueville en el caso de Suiza.[3]

Judíos de Alemania, burakumin de Japón y cagots de Béarn

En las sociedades matrices tradicionales, la necesidad *a priori* de percibir diferencias entre los hombres mira hacia el exterior tanto como hacia el interior de la sociedad local: fuera del terruño, los hombres son diferentes. Por tanto, los órdenes locales están asociados por su sentimiento de pertenencia a una provincia. En Francia, muchas sociedades periféricas manifiestan un orgullo regional particular y particularista: vascos, bearneses, bretones, auverneses y saboyanos sienten mucho apego por sus identidades provinciales. En todos los casos se trata del producto de universos antropológicos de tipo matriz. Así, frente a un mundo exterior que perciben como diferente, las sociedades matrices confirman, a pesar de su segmentación en órdenes, una unidad interna. Pero el examen empírico de las sociedades matrices preindustriales muestra que su *necesidad* de percibir diferencias humanas no se satisface completamente ni con la fragmentación interna en órdenes, ni con la percepción externa de una población «extranjera», lejana y abstracta. Es frecuente encontrar en estos universos diferencialistas una categoría de hombres especial, interna y externa al mismo tiempo, localmente presente, pero tenida por exterior al grupo étnico y territorial.

El caso de los judíos presentes en territorio alemán, integrados por los oficios del dinero y por ciertas actividades comerciales, sin llegar a ser probatorio, es característico. Desde la Edad Media hasta el Antiguo Régimen, existe una realidad objetiva de la cultura judía, una especificidad religiosa que hace que no pueda atribuirse únicamente a la dinámica de la sociedad cristiana alemana la separación y la designación de un grupo marginal portador de la idea de diferencia. Los ejemplos de Japón y del sudoeste de Francia son, por el contrario, de una pureza ejemplar.

En el Japón tradicional, los burakumin, especializados en los oficios de la carne y el cuero, son designados como impuros por la moral budista. Marginales integrados, viven en simbiosis con las comunidades campesinas, pero están excluidos del intercambio matrimonial. Encarnan, en sus aldeas, una representación concreta de la diferencia.[4] Representando probablemente un 2,2% de la población japonesa a comienzos de la era Meiji, en 1868, son «testimonio» de la desigualdad de los hombres.[5] A pesar de los esfuerzos realizados en el campo jurídico para asimilar a estos burakumin al conjunto de la sociedad japonesa, el problema sigue sin estar resuelto en 1990.

En el sudoeste de Francia, en la orilla izquierda del Garona, los *cagots*, especializados en los oficios de la madera, son hasta el siglo XVII los exactos equivalentes de los burakumin japoneses. Aunque están absolutamente sanos, se les supone descendientes de leprosos. Su nombre original, tal y como aparece en el siglo XIV, es *crestian* o *crestiaa*, nombre que asocia la idea de lepra a la de marca divina, rechazo o elección. Con su reputación de impuros, viven en aldeas, se casan entre sí, no pueden ser enterrados en los cementerios y tienen un lugar especial en la iglesia. Tanto en su caso como en el de los burakumin, no hay ninguna diferencia observable ni de costumbres ni de religión. Son unos impuros que participan de la cultura local. Los *cagots* son a menudo ebanistas o carpinteros y resulta desconcertante verles tan próximos, por su profesión, al padre terrenal de Cristo: la justificación profesional de su separación hace más dramática su pertenencia al sistema religioso. Aparecen en el siglo XIV y cambian de nombre hacia mediados del siglo XVI, cuando empiezan a llamarse *gésitains, cagots, capots,* sin que sea posible decir si esa mutación terminológica está relacionada con el avance del protestantismo que alcanza al sudoeste francés en esa época y reactualiza la noción de marca divina, de predestinación, en la terminología calvinista.[6] El quebranto de su endogamia permite situar el final del mecanismo de segregación en la primera mitad del siglo XVIII. La liberación de los cagots es más el resultado de la influencia de la cultura francesa central que del progreso autónomo y local de las mentalidades.[7] La geografía del fenómeno hace pensar en su relación con la familia matriz. En el interior del sudoeste francés, región de familia matriz, el fenómeno es característico de las provincias donde el sistema matriz es particularmente fuerte, con epicentro en el Béarn y en Armagnac, donde los cagots constituyen entre el 1 y el 2% de la población. En el País Vasco y en Navarra, existe una zona de difusión secundaria. Del otro lado de los Pirineos, la necesidad diferencialista derivada de las estructuras mentales de tipo matriz puede focalizarse sobre otras diferencias, como la musulmana y la judía.[8]

La familia matriz actúa aquí en dos niveles. En el nivel ideológico, su valor de desigualdad conduce a la percepción de diferencias invisibles. En el nivel de la práctica, la obsesión por el linaje facilita la perpetuación en ciertas familias de estigmas característicos, la eternización de esencias inmateriales. Pero no todos los valores de la familia matriz consiguen una separación armoniosa de los grupos humanos, una fragmentación pacífica y aceptada de la sociedad. El principio de autoridad que rige la relación padres-hijos reúne a los individuos desiguales e implica una integración vertical del grupo. La necesidad de fragmentación se ve acompañada de una aspiración a la unidad. En el contexto preindustrial, ese principio de unidad es observable en diversos aspectos de la vida social, pero en ningún campo es tan evidente como en el terreno religioso.

La unidad contra la diferencia: la familia matriz y el monoteísmo

La estructura familiar de tipo matriz parece favorecer la aparición de una tendencia religiosa monoteísta que afirme la existencia de un único dios todopoderoso, independientemente del contexto teológico original: politeísmo antiguo, hinduismo o budismo. En un universo antropológico de tipo matriz, el peso de la imagen del padre alimenta la representación inconsciente de una autoridad trascendente que se opone al principio de fragmentación de la humanidad derivado de la desigualdad de los hermanos y de los hombres. No obstante, el principio de no igualdad también actúa en el plano religioso, en donde conduce a la noción de elección, a la idea de que unos hombres son elegidos y otros condenados.

El judaísmo antiguo nos proporciona el primer ejemplo de la aparición, en contexto antropológico de tipo matriz, de un monoteísmo que se combina con la idea de un pueblo elegido. La tensión específica entre universalismo y particularismo es característica de la religión judía: esa tensión se encarna en la oposición entre Isaías, que en el siglo VIII antes de nuestra era profetiza la conversión final de los pueblos enemigos, y de Ezra, que en el siglo V lucha por la supresión de los matrimonios mixtos. En las profecías de Isaías, la tendencia igualitaria se combina con la tendencia no igualitaria, puesto que lo que se busca es la sumisión de los pueblos extranjeros, en particular del egipcio, al Dios de Israel. Podemos llamar unitarismo a la concepción global de la humanidad que no niega la jerarquía de los pueblos, sino que encomienda a uno de ellos la misión de unificar el mundo. Así pues, el unitarismo, principio de integración vertical, se distingue del universalismo, principio de integración horizontal, que presupone la equivalencia de los hombres y de los pueblos.

Un llamativo segundo ejemplo de la aparición del monoteísmo asociada a la familia matriz es el de la religión sij, que afirma la existencia de un único Dios.[9] Pero ese unitarismo, mal escindido en la práctica del politeísmo hindú, se ha limitado a definir la unidad de la sociedad sij frente al mundo indio de las castas. En la medida en que la aparición del monoteísmo sij es generalmente considerada como una reacción hindú frente al monoteísmo radical del islam, es difícil demostrar el papel específico de la estructura familiar en el desarrollo de la concepción monoteísta sij, aunque su existencia refuerce la hipótesis de una asociación entre familia matriz y monoteísmo.

130

El ejemplo más concluyente es el de la evolución histórica del budismo japonés. Entre los siglos XII y XVI, podemos observar, muy lejos del mundo cristiano, en una sociedad que acepta el principio de la reencarnación y la existencia de dioses ligados a las fuerzas naturales, primero, la aparición doctrinal, y más tarde, el crecimiento en poderío social de una tendencia monoteísta que en algunas de sus concepciones recuerda asombrosamente al protestantismo alemán. Las predicaciones de Honen (1133-1212) y luego las de su discípulo Shinran (1173-1262) representan un primer estadio de elaboración doctrinal: del conjunto repetitivo y cíclico de las imágenes de Buda, emerge la figura de Amida, único salvador cuya gracia es la única capaz de conducir a los hombres a la Tierra Pura, noción del Extremo Oriente muy próxima a la del Paraíso de los cristianos.

Como el Dios de los hebreos, como el Dios de Lutero, Amida elige a quiénes salva, y no ellos a él: su gracia es una dádiva que llega de arriba.[10] En el siglo XV, Rennyo (1415-1499) rompe definitivamente con las doctrinas y organizaciones del budismo tradicional, transformando la Verdadera Secta de la Tierra Pura, Jodo-shinshu, en una impresionante potencia social y política, capaz de fundar ciudades autónomas y de inspirar, en todo el centro de Japón, insurrecciones campesinas en las que se mezclan aspiraciones económicas y religiosas. El Jodo-shinshu se impone entonces como la tendencia dominante del budismo japonés. En los templos de la secta, una única imagen de Amida, en medio de una atmósfera de gran sencillez, expresa la fuerza de la aspiración monoteísta. Tomo de entre otros muchos textos una carta de Rennyo, fundador en la práctica de la religión, que ilustra bien el principio unitario del amidismo:

«"Unica y sinceramente" quiere decir que si se adora al buda Amida, no se piensa en dos budas, de la misma forma que entre los humanos, uno no se somete, razonablemente, más que a un único señor. Así, en un libro profano se dice: "Un vasallo fiel no sirve a dos soberanos. Una mujer fiel no tiene dos esposos"».[11]

La estructura familiar japonesa es de tipo matriz y resulta difícil no ver en Amida una proyección metafísica del padre japonés, definido por el sistema antropológico como autoridad única y central. La total ausencia de relaciones históricas entre el mundo judeo-cristiano y el Japón de los siglos XII-XV, confiere una fuerza particular a este ejemplo. La familia matriz es un tipo frecuente en Europa, pero escaso a escala planetaria: la capacidad de Japón para extraer de una herencia cultural budista un monoteísmo tan cercano, por sus conceptos fundamentales, a ciertos aspectos de la tradición judeo-cristiana, no puede explicarse más que por el parentesco de las estructuras familiares.

La Reforma protestante, que empieza en 1517, es decir, muy poco después de la mutación del budismo japonés, puede interpretarse como un recentramiento monoteísta del cristianismo. El catolicismo medieval, cada vez más abarrotado de santos intercesores y complicado con la Virgen María, así como con el desdoblamiento Dios/Cristo de la imagen divina, se parece curiosamente a un politeísmo que no se atreve a presentarse como tal. Lutero elimina los santos y la Virgen, y aunque no suprime a Cristo, hace de su sufrimiento una manifestación del poderío del Padre. En una fase posterior, los calvinistas minimizan el papel de Dios hijo y prefieren la Biblia al Evangelio, como principal fuente de inspiración. El protestantismo, en todas sus variantes, restablece la imagen de un único Dios, y tanto en la Alemania luterana como en la Occitania calvinista, se establece en país de familia matriz: allí donde la autoridad de los padres terrenales es fuerte, la unicidad y la omnipotencia de Dios son fácilmente aceptadas. Pero el luteranismo también es expresión de un diferencialismo religioso cuyo objetivo confesado es separar a Alemania de la Iglesia universal. Lutero lanza la rebelión protestante a través de un manifiesto *a la nobleza cristiana de la nación alemana*, combinando así la afirmación monoteísta y el separatismo étnico, para acabar produciendo simultáneamente una imagen depurada de Dios y una fragmentación religiosa de la Europa cristiana.

Esas dos tendencias, monoteísta y separatista, complementarias y contradictorias, pueden observarse en las cuatro tradiciones religiosas que acabamos de evocar: judaísmo, sikhismo, Jodo-shinshu y luteranismo. El monoteísmo, derivado del componente autoritario del sistema antropológico, se mantiene explícito porque es central al dogma religioso. El separatismo, derivado de su componente inigualitaria, es evidente en el caso de las religiones judía, sij y luterana, que se definen explícitamente contra un entorno religioso contemplado como impuro y, por tanto, extraño, ya sea pagano, hinduista o católico. El carácter insular de la cultura japonesa hace que le sea difícil sentirse agredida por el mundo exterior, y el carácter separatista del Jodo-shinshu no resulta evidente en los textos, a pesar de que, en la práctica, la historia de la secta comprende fases de ruptura con el mundo a través de fundaciones de ciudades y de templos separados. La noción diferencialista de un pueblo japonés religiosamente elegido aparece, no obstante, como primordial en la secta Nichiren, contemporánea del Jodo-shinshu, que es hostil al amidismo, pero que representa una especie de segunda cara de la japonización del budismo. La combinación de los dogmas Jodo-shinshu y Nichiren define un budismo monoteísta y diferencialista.[12]

En los cuatro casos estudiados, podemos hablar de un diferencialismo religioso que encuentra su origen, como el diferencialismo religioso anglosajón, en el principio de no igualdad de los hermanos. Pero la existencia de un principio de unidad conduce a un conflicto entre monoteísmo y separatismo, entre aspiración a la unidad y búsqueda de la diferencia. La lógica del enfrentamiento es exterior a la reflexión metafísica, inscrita en la propia estructura de la familia matriz, en la existencia simultánea de los principios de autoridad y de no igualdad. En Alemania, la coexistencia de las tendencias separatista y unitaria conduce a la aparición de iglesias territoriales muy distintas de las sectas anglosajonas, que viven sin demasiada angustia la fragmentación religiosa de la humanidad.

Iglesias territoriales alemanas e iglesias voluntarias anglosajonas

La diferenciación de los hombres es un rasgo común a todas las metafísicas protestantes. La familia angloamericana, nuclear absoluta, se contenta con definir a los hermanos como diferentes, mientras que la familia matriz alemana hace de ellos seres francamente desiguales. Pero en ambos casos se potencia la percepción de esencias humanas distintas, de elegidos y condenados. El sistema familiar inglés o americano, con un padre liberal, no impone la figura de un Dios autoritario y unificador. Las sectas protestantes inglesas o americanas no aspiran, pues, a unificar el mundo ni, más modestamente, una comunidad territorial. Los elegidos, autoproclamados, deben constituir una *gathered church* que no siente la vocación de englobar al conjunto de los habitantes de una comunidad local.[13] Esa es la razón de que el temperamento protestante anglosajón prefiera una fragmentación en sectas, grupos religiosos fluidos que se diferencian entre sí sin oponerse realmente y que no mantienen ninguna organización territorial estable.

El temperamento religioso alemán no se siente a gusto en una situación tan poco definida. Es cierto que Lutero piensa que la mayoría de los hombres que le rodean no son auténticos cristianos sino condenados superficialmente bautizados, pero las iglesias luteranas que se establecen en el norte de Alemania en el siglo XVI y se estabilizan en el XVII, son iglesias *territoriales* encargadas de administrar, como órganos del Estado, la vida religiosa del conjunto de la población local. El principio de no igualdad engendrado por la familia matriz alemana es fuerte y, en cierta forma, más capaz que la diferencia no jerarquizada de la familia nuclear absoluta anglosajona de producir una visión no igualitaria de los hermanos, de las ciudades o de los pueblos y, en consecuencia, de conducir a una fragmentación de la humanidad. Pero la idea de desigualdad tropieza, en el contexto alemán, con el principio de integración vertical que deriva de la fuerte autoridad del padre en la familia matriz. Así pues, en Alemania, la Reforma solidifica una organización territorial que fragmenta horizontalmente al país en iglesias pero, al mismo tiempo, integra verticalmente a las poblaciones en esas iglesias. En términos generales, el principio de fragmentación

133

horizontal es más fuerte que el principio de integración vertical: la separación de Roma y la aparición de microestados religiosos constituyen una clara victoria del diferencialismo sobre el unitarismo.

En la parte de Alemania que permanece fiel a la religión católica, la integración vertical, por el contrario, es más fuerte que la fragmentación horizontal y permite, en el plano temporal, la estabilidad del Imperio austriaco y, en el plano espiritual, el mantenimiento del poder de Roma sobre la mitad de los territorios alemanes. El emperador y el Papa siguen siendo las piedras angulares de un sistema unitario que no deriva de un postulado de equivalencia de los hombres, sino de un ideal de jerarquía. El unitarismo político y el religioso se refuerzan mutuamente en el imperio de los Habsburgo. Fuera de esa esfera homogénea, el catolicismo contribuye a su manera a la fragmentación de la esfera política alemana, protegiendo mil particularismos locales, en Baviera, en Renania o en los cantones fundadores de la Confederación Helvética. Volveremos a encontrar en la periferia de Francia, en Bretaña, en el País Vasco, en Saboya o en Rouergue, también países de familia matriz, ese catolicismo a la vez unitarista y diferencialista, federando particularismos provinciales en la fidelidad a Roma y en la hostilidad al estado centralista.

Integración vertical
y fragmentación horizontal en la historia alemana

Fuera del campo religioso, la historia del diferencialismo alemán pone de relieve el enfrentamiento de un principio horizontal de fragmentación, por identificación del vecino con el hombre diferente, con un principio vertical de unificación, por sumisión de todos a un poder único. La Alemania medieval es imperial, heredera de un concepto unificado del mundo, a la vez que está dividida en innumerables principados y ciudades libres o episcopales. En el Sacro Imperio Romano Germánico, la desunión acaba por prevalecer. El principio unitario, destruido en la cuna de la civilización alemana, sobrevive en los territorios orientales de colonización, en el Imperio austriaco.

A lo largo de todo el siglo XIX, la filosofía política alemana sueña, tras los pasos de Hegel, con una unificación estatal que, finalmente, Prusia lleva a cabo por la fuerza contra los particularismos locales. Los años que van de 1870 a 1945 pueden describirse como una fase de ascenso de la tendencia unitaria y de reabsorción del principio de fragmentación. Primero el pangermanismo, y a continuación el nazismo, vuelven a la visión imperial de una Alemania que realiza la unidad de un mundo dividido en pueblos desiguales. Efectivamente, las ideologías que privan en Alemania entre 1914 y 1945 no se contentan con afirmar la desigualdad de los grupos humanos, sino que buscan imponer la construcción de una estructura unitaria.[14] Entre 1946 y 1990, la República Federal permite que vuelva a aparecer, en forma de Länder, el principio de diferenciación, lo que no sólo implica la división del territorio en subconjuntos que disponen de competencias bastante amplias, sino que también significa la coexistencia de unidades administrativas desiguales, de microestados como Baviera o la Baja Sajonia y de ciudades hanseáticas como Hamburgo y Bremen. No obstante, en el mundo germánico hay un particularismo que, desde finales de la Edad Media, ha resistido al unitarismo de manera eficaz y sin interrupción: la Suiza germánica. El principio de fragmentación se encarna en la independencia de la Confederación Helvética y en la autonomía de los cantones, de tamaños muy desiguales.

Una de las paradojas que el análisis antropológico pone de relieve consiste en que la esfera cultural alemana combina una fuerte tendencia a la fragmentación política con una gran homogeneidad de estructuras familiares. Es posible detectar algunos matices: el principio de no igualdad, imperfecto en Renania, se afirma a medida que nos desplazamos hacia el este. Pero la familia matriz domina en todas partes, no sólo en la Alemania propiamente dicha, sino también en Austria y en la Suiza germánica. Esa diversidad política y religiosa sobre un fondo de homogeneidad antropológica no es casual, porque es precisamente esa familia matriz relativamente uniforme la que, al definir en todas partes a los hermanos como diferentes, sugiere en todas partes al inconsciente una desigualdad de los hombres y de los grupos que conduce a la fragmentación territorial. La cultura alemana observa y subraya sin cesar diferencias mínimas o inexistentes entre bávaros, sajones y francos del este, prusianos y austriacos. Más allá de la fragmentación institucional, esa obsesión por la diferencia se expresa a través del culto al dialecto local, perpetuador de una diferencia que, en general, no es detectable en el nivel antropológico de la familia o de las costumbres.

De la desigualdad de los hermanos a la democracia

Los valores de autoridad y de desigualdad que estructuran las sociedades matrices tradicionales no impiden el proceso de democratización, si tomamos aquí el término en su sentido más general de acceso de las masas a la vida ideológica. Esa definición, que deja de lado la dimensión liberal y representativa de la democracia, coloca a Alemania como pionera de una primera forma de democratización, la de la conciencia religiosa. La Reforma luterana busca una relación directa entre el hombre y Dios, sin intercesión de una casta de sacerdotes, y exige un acceso directo de los fieles a los textos religiosos. Por eso el protestantismo procede rápidamente a la masiva alfabetización de las poblaciones. Así es como la Reforma lleva a cabo una de las condiciones prácticas de la democracia política: la igualdad ante el escrito.

En Estados Unidos, son las poblaciones protestantes y alfabetizadas las que, por etapas, instituyen un sufragio universal blanco, entre 1630 y 1840. En el mundo anglosajón, nuclear absoluto en el plano antropológico, la alfabetización permite la expresión de valores ideológicos liberales y no igualitarios. La componente liberal de la familia favorece la autonomía de los individuos, anima a expresar opiniones y permite la aparición de una democracia representativa. Su componente no igualitaria es opuesta a la idea de igualdad política de los ciudadanos, porque transmite al inconsciente el *a priori* de una diferenciación de los hombres. Pero, como he explicado en el segundo capítulo, la diferencia racial, india o negra, permite superar la diferencia entre blancos, quienes, frente a los grupos no blancos, se convierten en iguales entre sí. El conjunto de los ciudadanos libres define su homogeneidad por comparación con los grupos tenidos por exteriores. Eso es lo que nos permite referirnos a Estados Unidos como una democracia étnica o racial.

En Alemania, la alfabetización masiva se produce en una población cuyos valores familiares son autoritarios y no igualitarios, substrato que no ayuda a la natural aparición de una democracia representativa. En un sistema antropológico que contiene un fuerte valor de autoridad, la participación de las masas en la vida ideológica conduce más bien a la reafirmación de un ideal de sumisión: sumisión a Dios durante la Reforma protestante y sumisión al Estado durante las fases ulteriores de la historia alemana. Pero, tanto en Alemania como en Estados Unidos, la ausencia de un principio de igualdad inscrito en el corazón mismo de la estructura familiar no impide la aparición de cierta concepción de igualdad. El cuerpo social, formado en este caso más bien por súbditos que por ciudadanos, puede llegar a autodefinirse como homogéneo. No obstante, todavía con mayor claridad que en Estados Unidos, la igualdad no puede ser otra cosa que un rasgo derivado, resultante de un proceso de plasmación exterior de la diferencia. La percepción de grupos exteriores como diferentes permite una redefinición de los miembros del grupo matriz como iguales entre sí. El mecanismo es el mismo que en el caso norteamericano, pero funciona con un nivel de tensión mucho más elevado: no se trata ya de una *no igualdad* de los ciudadanos que debe ser superada, sino de una *desigualdad* de súbditos. Los grupos considerados exteriores serán, pues, explícitamente definidos como inferiores y no como simplemente diferentes. Una conciencia étnica hipersensible va a tener que luchar contra un fuerte ambiente jerárquico en el interior de la sociedad. En efecto, en ciertas sociedades matrices, pueden detectarse fases históricas que asocian democratización y potenciación de un nacionalismo etnocéntrico intenso.

El nazismo: democracia y pueblo de señores

El par democracia/etnocentrismo se observa en dos ocasiones en la historia de Alemania: durante la Reforma protestante, que combina la democratización de la conciencia religiosa con la afirmación de la identidad alemana y, de manera mucho más espectacular, durante la experiencia nazi. Una vez más, debemos olvidar aquí la dimensión liberal de la democracia tal y como se desarrolla en la tradición anglosajona o francesa. El historiador americano David Schoenbaum ha demostrado hasta qué punto el nacionalsocialismo representa el verdadero giro democrático de la historia de Alemania.[15] Durante ese periodo son abolidas las diferencias de clase tradicionales y los grupos sociales se fusionan en una fe común que a veces, con su ideal ario, va más allá de la nación. La ideología nacionalsocialista promueve la vuelta a la tierra y glorifica la Alemania medieval, bárbara o feudal, pero, en la práctica, el régimen anula las distinciones de clase y representa el acceso al poder de la pequeña burguesía. Metiendo en vereda a la Wehrmacht y al cuerpo de oficiales prusianos, el nazismo logra la democratización que la República de Weimar no había conseguido. En las cantinas de las SS, aristócratas, tenderos y obreros, sentados en las mismas mesas, simbolizan ese nuevo tipo de democracia. El concepto de *Gleichschaltung*, nivelación de individuos y grupos por el régimen, es vertebral en la revolución hitleriana. Esa nivelación interna, conducida desde arriba por un poder absoluto, se apoya de manera particularmente evidente en un proceso de plasmación externa de la diferencia: la existencia de los grupos inferiores judío y eslavo garantiza, o, mejor dicho, crea la igualdad interna del «pueblo de los señores». Porque, en realidad, es la Alemania nazi la que crea el concepto de *Herrenvolk*, tan juiciosamente utilizado por Pierre L. van den Berghe en su análisis de la democracia racial que se da en Sudáfrica y en Estados Unidos. El nazismo define una democracia étnica agresiva: transforma la vieja Alemania jerárquica en una nación igualitaria y conquistadora.

El *Herrenvolk* alemán nace de la modernidad del siglo XX, pero no es el primero en su género. Los valores inigualitarios y autoritarios de la familia matriz ya habían producido pueblos de señores en un contexto preindustrial, grupos apegados a la idea de desigualdad, pero que encontraban en la inferioridad del mundo exterior la justificación de una igualdad interna. El País Vasco del Antiguo Régimen está dominado por un tipo muy puro de familia matriz. En él, el ideal de nobleza define una diferenciación de la humanidad en inferiores y superiores. Pero en las provincias de Vizcaya y de Guipúzcoa, *todos los vascos* son considerados nobles. Son un pueblo de señores, mucho antes que los alemanes de la época nazi. El concepto de nobleza, aunque expresa una adhesión a la idea de desigualdad de los hombres, no define aquí un inigualitarismo interno sino externo a la sociedad local. Así pues, el diferencialismo vasco define una especie de protodemocracia étnica.

Los pueblos testigo, entre apariencia e interioridad

A los diferencialismos anglosajón y alemán les corresponden dos tipos distintos de pueblos testigo, designados por el grupo mayoritario para encarnar la idea misma de diferencia. Las características que los alemanes atribuyen a los judíos, y los americanos a los negros, no son las mismas: la confrontación de ambas categorías es altamente reveladora de la estructura mental de los pueblos «matrices» y «nucleares absolutos».

El diferencialismo norteamericano se centra en la apariencia física, especialmente en el color de la piel. La cultura no le interesa demasiado. Como es evidente, la ausencia en Alemania de poblaciones inmigradas negras o amarillas suficientemente numerosas hace imposible una comparación sistemática de las actitudes frente al color. La violentísima reacción de las poblaciones y de las ideologías ante el hecho de que Francia utilizara tiradores senegaleses para ocupar Renania, al terminar la primera guerra mundial, y las repetidas agresiones contra soldados americanos negros en 1994 sugieren, no obstante, que Alemania es capaz de utilizar la categoría física «negra» para centrar la noción de diferencia humana. La agresividad hacia los vietnamitas que se manifiesta en la antigua República Democrática Alemana tras la caída del telón de acero, pone de manifiesto cierta hostilidad frente a la «raza amarilla». La teoría nazi del hombre ario y del hombre judío se esfuerza en definir una dimensión física de la diferencia a fuerza de subrayar un contraste entre arios altos y rubios y semitas pequeños y morenos. Sin embargo, esas categorías físicas no son utilizadas de manera coherente: muchos alemanes son, como Hitler, bajos y morenos, y no responden en modo alguno al ideal del ario. Muchos eslavos, definidos como racialmente inferiores, son rubios. Los judíos pueden ser reconocibles como tales por su apariencia física, o no serlo en absoluto. En cuanto a los hijos de parejas mixtas judeocristianas, son mayoritariamente alemanes típicos, con toda la variedad que incluye la noción de alemán típico. ¿Cómo interpretar la alianza germano-nipona en términos de hostilidad de principio a la «raza amarilla», en el mismo momento en que los noticiarios cinematográficos norteamericanos describen a los combatientes japoneses del Pacífico como «hombres mono»? En Norteamérica, la apariencia física es el criterio único, simple y real de la categorización. La gente a quien se define como negra o amarilla es aquella a la que se percibe como negra o amarilla. Un individuo con antepasados negros y blancos, pero con apariencia blanca, será clasificado como blanco, por el procedimiento del *passing*. El diferencialismo alemán, en sus tentativas de clasificación, va más allá de la diferencia visible, más allá del envoltorio exterior de los hombres. Define unas diferencias invisibles, como por ejemplo una esencia judía considerada como especialmente maligna. No podemos entender esa capacidad de creer en una diferencia no perceptible en el plano físico sin evocar el concepto de hombre interior, absolutamente vertebral en toda la historia de la cultura alemana. La obsesión por el hombre interior no deja de estar ligada a la constitución psíquica media que se deriva de una educación en la familia «matriz», pero no es característica de todas las familias matrices.

Ya a comienzos del siglo XIV, el Maestro Eckhart *(c.*1260-*c.*1327), el más grande de los místicos renanos, en su tratado *Del hombre noble*, desarrolla la idea de un hombre interior diferente del hombre exterior.[16] En 1520, Lutero vuelve a esa oposición en *La libertad del cristiano*, presentando al hombre interior como sometido a Dios y al hombre exterior como sometido al mundo.[17] El pietismo alemán de los siglos XVII y XVIII, en el contexto de los estados-principado, protestantes y autoritarios, sistematiza la idea de un hombre interior libre y de un hombre exterior sometido al príncipe. Después, los filósofos y teóricos alemanes del nacionalismo exaltan la interioridad como cualidad esencial del alma germánica, como hace Hegel a principios del siglo XIX en sus *Lecciones de filosofía de la historia.*[18] Dejando aparte las formulaciones eruditas de Eckhart, Lutero o Hegel, la noción de interioridad es un tópico cultural aceptado por la mayoría del cuerpo social como descripción aceptable, ideal y normal al mismo tiempo, del comportamiento alemán. No resulta muy difícil detectar, en el tipo de educación que la familia matriz produce, un factor que predispone a la percepción dualista de un hombre interior opuesto al hombre exterior. En Alemania, la alfabetización engendra una conmoción espiritual. Pero los valores jerárquicos de la familia matriz imponen al individuo una disciplina social que es prácticamente imposible transgredir. El hombre interior pensará, el hombre exterior se conformará. Lo que se vive para sí se proyecta sobre el mundo circundante. En una sociedad que ve en cada individuo una disociación entre apariencia exterior y realidad interior, la interioridad tanto puede llevar una carga positiva como negativa. En consecuencia, el diferencialismo alemán no necesita de una diferencia física evidente para focalizarse. Define al judío, antes que nada, por su religión, es decir, por una característica espiritual, interior, invisible.

El tratamiento ideológico del mestizaje

Mulata o judeo-cristiana, en un medio diferencialista, la sangre mezclada produce más bien angustia que alivio. Su existencia contradice la afirmación *a priori* de la irreductible diversidad humana. En el contexto nuclear absoluto norteamericano, a los hijos de matrimonios mixtos blanco-negro se les considera negros y se les margina. La organización racial de la sociedad implica una regla quirúrgica que decreta que los individuos o son A o son B, pero en ningún caso son AB. Esa clasificación dicotómica es opuesta al modelo «latino», que acepta la noción de mestizaje y que, sin por ello dejar en absoluto de ver el color, se esfuerza en dar una descripción ajustada que distinga todos los matices entre el blanco y el negro. El empeño de la cultura anglosajona por disociar las generaciones es una pieza clave para el funcionamiento del mecanismo descrito, porque facilita la no transmisión simbólica de características «blancas» a los hijos nacidos de relaciones sexuales entre blancos y negros. El diferencialismo alemán, incluso en una fase de exacerbación como el nazismo, es incapaz de alcanzar una organización racial simple de tipo norteamericano. Una vez más, el sistema antropológico matriz se muestra contradictorio en sus efectos ideológicos. La desigualdad de los hermanos conduce a concebir como desiguales a los hombres, los pueblos y las razas. Pero el lazo padres-hijos hace difícil separar a los padres de los hijos nacidos de relaciones sexuales interraciales. Respecto a este particular, es característico el ejemplo de los titubeos nazis a la hora de clasificar a los hijos de matrimonios entre cristianos y judíos. En abril de 1933, se define como judío a todo individuo que tenga al menos un abuelo judío. En ese momento parece aplicable una sencilla regla de transmisión en tres generaciones, típica de la lógica matriz. Pero en noviembre de 1935, se adopta una nueva definición más aquilatada y más restrictiva, no dicotómica. Es judío todo individuo que tenga por lo menos tres abuelos judíos, o todo individuo que tenga dos abuelos judíos y pertenezca él mismo a la comunidad judía o esté casado con una judía. No es judío un individuo que no tenga más que un bisabuelo judío. Entre esos dos polos, se definen dos categorías de mestizos (*Mischlinge*). El *Mischling* de primer grado tiene dos abuelos judíos pero no está afiliado a la comunidad judía ni casado con una judía, el *Mischling* de segundo grado sólo tiene un abuelo judío.[19] Los titubeos de los nazis no son sólo consecuencia del gran número de individuos mezclados, que a menudo son imposibles de distinguir por su aspecto físico de los «arios» puros, sino que también se deben a que, a diferencia de la mentalidad nuclear absoluta, la mentalidad matriz no logra olvidar que el mestizo, a quien una parte de su ascendencia define para siempre como exterior al grupo ario, no deja de ser definido por la otra, también para siempre, como miembro del grupo ario. La perpetuación genealógica actúa simultáneamente a favor y en contra de la rejudaización de los mestizos. Ese es el motivo de que la teoría nazi acabe por institucionalizar la noción de *Mischling*.

De la segregación a la exterminación

En un sistema antropológico matriz, la combinación de los valores de desigualdad y de autoridad conduce a la coexistencia de dos aspiraciones contradictorias: la desigualdad lleva a la diferenciación, la autoridad a la unidad. Si por una parte se perciben diferencias irreductibles y por otra se sueña con la homogeneidad, se acaba por pensar en la eliminación del grupo humano «diferente». En ciertas fases de crisis histórica —religiosa o económica principalmente—, esa secuencia lógica puede desembocar en la expulsión o la exterminación del grupo sobre el que se ha focalizado la noción de diferencia. Aquí estamos tocando el corazón del problema nazi y del mecanismo antropológico que ha producido la exterminación de las poblaciones judías del continente europeo. Alemania buscó la homogeneidad eliminando la diferencia, a la que percibía como irreductible. El contraste con el diferencialismo anglosajón es llamativo. El principio de diferenciación de los hermanos lleva a las poblaciones de Estados Unidos a percibir *a priori* diferencias entre grupos humanos y a designar finalmente a los negros como pueblo testigo, portador de la idea de diferencia. Pero, en un sistema antropológico que no sueña con una integración vertical, que no aspira a la realización de una unidad trascendente, la existencia de un grupo separado no crea ninguna tensión dramática, ni siquiera en el caso de que mantener la segregación plantee en la práctica problemas de consideración. En un sistema matriz, cuando la tensión unitaria se acentúa a causa de una atmósfera de crisis, el destino del pueblo testigo puede ser la expulsión o incluso la exterminación. En consecuencia, redefinimos aquí el nazismo como efecto extremo de la contradicción entre percepción de la diferencia y sueño unitario que aparece en todos los sistemas matrices, a veces de forma amenazadora. Otro doloroso episodio de la historia judía, la expulsión de España en 1492, pone también de manifiesto el decisivo papel de la combinación de los valores de desigualdad y de autoridad en el fenómeno del rechazo.

La expulsión de los judíos de España

La España del siglo XV está aún dominada por los sistemas antropológicos matrices de su franja norte, que prolongan, por debajo de los Pirineos, los de Occitania: desde Cataluña hasta Galicia, pasando por el País Vasco y Asturias, los pequeños reinos cristianos que han resistido a la conquista árabe y que después han llevado a cabo la reconquista cristiana tienen como característica fundamental el principio del heredero único en el medio rural. La reunificación católica de la Península establece al final la preponderancia geográfica y demográfica del centro y del sur, en donde dominan ideales igualitarios cuyo origen, romano o árabe, es difícil de establecer. De norte a sur de la Península Ibérica, es posible rastrear el debilitamiento y la disolución de la familia matriz original, porque está explícitamente asociada a la noción de raza noble. Hacia mediados del siglo XVI, en el País Vasco central, todos los habitantes son, como hemos dicho, nobles; en León, la mitad son hidalgos; en Valladolid, la octava parte; en Sevilla y Granada, la doceava parte.[20] La España matriz y conquistadora comienza a disolverse al terminar la Reconquista, pero en la fase terminal parece vivir sus antiguos ideales con especial intensidad. El tema de la limpieza de sangre, típicamente asociado a la familia matriz, se convierte en una obsesión a principios del siglo XV, momento en el que, del otro lado de los Pirineos, en Béarn y Armagnac, cobra fuerza la segregación de los cagots, víctimas, a falta de judíos, de una concepción concomitante del linaje y de la pureza racial.[21] En España, los ideales vascos de nobleza y de diferencia étnica acaban siendo valores de referencia para el conjunto de la sociedad. Los judíos, que progresivamente son tildados de portadores de una diferencia intolerable, acaban por ser expulsados en 1492, mientras los conversos «judaizantes» son perseguidos por la Inquisición. Como en Alemania unos siglos más tarde, la conversión no es suficiente; igual que en Alemania, los hijos de matrimonios mixtos no tranquilizan, sino que son considerados impuros.

Esa crisis diferencialista y unitarista es un canto de cisne. Por una curiosa ironía de la historia, la España universalista nace en el mismo momento en el que la España diferencialista expulsa a sus judíos. Los emigrantes que salen de Andalucía por Sevilla y Cádiz para instalarse en el Nuevo Mundo, constituyen un patrón igualitario y universalista para la América hispánica. El desplazamiento del centro de gravedad antropológico de España, que va desde los valores del norte, autoritarios e inigualitarios, hacia los del sur, liberales e igualitarios, permite explicar por qué la España actual ya no comprende su historia medieval, por qué tiene un fuerte sentimiento de culpabilidad por la expulsión de los judíos, ahora que ya no siente el antisemitismo del pasado.

Llegar al límite: patología de la familia alemana en el siglo XIX

El conflicto entre percepción de la diferencia y deseo de homogeneidad es perceptible en la mayor parte de los contactos interétnicos en los que un pueblo matriz se encuentra en situación dominante. Pero

142

existen diversas soluciones prácticas que pueden llevar a una sociedad a la homogeneidad. En un universo matriz que en teoría no cree en la asimilación, ésta puede producirse en la práctica por olvido de los orígenes reales. Se trata de la solución más frecuente, que Alemania aplicó con los eslavos a lo largo de la mayor parte de su historia, y que hoy aplica Japón, tanto con los coreanos inmigrados en el periodo de entreguerras como con los ainus primitivos de la isla de Hokkaido. La expulsión es una solución más violenta y menos frecuente. El diferencialismo de exterminación nazi es único y resulta de una característica muy particular del sistema antropológico alemán.

La familia alemana, si la reducimos a su mecanismo fundamental de designación de un único sucesor, es parecida a todos los demás modelos matrices: sueco, japonés, occitano o judío. Pero la identificación de ese principio central no agota la descripción del tipo antropológico. En el siglo XIX, la familia alemana engendra una ideología educativa autoritaria que, a su vez, acaba por reforzar, al final de un proceso circular, la autoridad *en* la propia familia. Un mecanismo paralelo, pero de sentido contrario, es observable en Estados Unidos, en donde el sistema familiar individualista acaba por producir una ideología educativa ultraliberal que conduce a una intensificación del individualismo *en* la familia. En esas dos grandes sociedades productoras de ideología, la ideología ha traído consigo, a través de la experimentación educativa, la histerización de los valores antropológicos fundamentales: autoridad en Alemania, libertad en Estados Unidos.

Los principios educativos propuestos por Fichte en sus *Discursos a la nación alemana*, de 1807 y 1808, pueden considerarse como el punto de partida de un movimiento que conduce a la acentuación de la componente autoritaria de la familia matriz alemana:

«... el primer error de la educación actual reside precisamente en el reconocimiento del libre arbitrio del alumno y en el hecho de respetarlo (...) la nueva educación, por el contrario, deberá esforzarse, en el terreno que tenga que trabajar, por destruir totalmente la libre voluntad y por educar la voluntad en el sentido de una rigurosa sumisión a la necesidad y de la incapacidad de aceptar lo contrario».[22]

Desde mediados del siglo XIX, médicos y pedagogos alemanes producen una literatura dedicada a exponer unos métodos prácticos para la formación de la personalidad de los niños, en conformidad con los principios de Fichte, que llaman la atención por su insistencia en la disciplina y el rigor corporales. En cuanto a este particular, es característica la obra del doctor Daniel Gottlieb Moritz Schreber (1808-1861), ardiente y respetado propagandista de un rígido método de educación infantil a base de gimnasia y padre de un célebre psicótico, Daniel Paul Schreber (1842-1911), autor de una obra clásica: *Memorias de un neurópata.*[23] Hoy en día no cabe ninguna duda de que las técnicas educativas popularizadas por el padre fueron las responsables de la demencia de Daniel Paul y del suicidio de su hermano mayor. Schreber padre fue un hombre influyente, como indica el hecho de que uno de sus libros alcanzase cuarenta ediciones sucesivas, así que es lógico suponer que sus hijos no fueron las únicas víctimas de su proyecto pedagógico. No obstante, sobre la base de tan imprecisos datos, es difícil afirmar que el nivel de autoritarismo de la familia alemana media fuese modificado al alza por el desarrollo de una pedagogía experimental. Un indicador demográfico como la tasa de mortalidad infantil permite cuantificar y sugiere que podemos aceptar la hipótesis de que hubo un endurecimiento patológico de la familia matriz alemana a lo largo del siglo XIX.

En Suecia, región de familia matriz y religión luterana, la tasa de mortalidad infantil desciende, entre los años 1816-1820 y 1871-1875, de 176 a 134 fallecimientos por cada mil nacimientos vivos. En Prusia, durante el mismo periodo, la tasa de mortalidad infantil aumenta de 168 a 224. En Baviera, región de familia matriz y tradición católica, la mortalidad infantil, que ya era muy alta en 1836-1840, alcanza en 1861-1865 el nivel récord de 332. Hacia 1890-1900, el mundo germánico todavía se distingue en Europa por unas tasas de mortalidad infantil anormalmente elevadas si se tiene en cuenta su nivel de alfabetización: 196 por cada mil nacimientos en Prusia, 249 en Baviera, 256 en Sajonia, 212 en Wurtemberg, 207 en Baden, 247 en Austria, frente a 147 en Inglaterra, 149 en Francia, 153 en Bélgica y 104 en Suecia.[24] Este indicador, dicho sea de paso, coloca a Suiza, mayoritariamente germanófona, fuera de la esfera cultural alemana, ya que hacia 1900 tiene una tasa de tan sólo 138. Dos factores explican la verdadera masacre de inocentes que caracteriza al mundo germánico: el elevado nivel de hijos ilegítimos y el rechazo a amamantar a los niños.[25] Los hijos concebidos fuera del matrimonio son maltratados y vulnerables. Su gran número se explica por la rigidez de un sistema familiar inigualitario que condena a una elevada proporción de individuos al celibato, pero que no consigue forzarlos a la abstinencia. Si remontamos la cadena causal de la mortalidad infantil por ese lado, llegaremos, a través de los nacimientos ilegítimos, a la rigidez de una estructura familiar cada vez más indiferente a la noción de naturaleza humana y, de hecho, cada vez más autoritaria. El rechazo de la lactancia en el pecho materno, que proporciona anticuerpos naturales que protegen a los recién nacidos de infecciones, hace pensar de forma directa en un aumento de la distancia entre padres e hijos, modificación que es seguro que tiene relación con el aumento del nivel de autoritarismo en la familia.

Esa evolución lleva al sistema antropológico mucho más allá del autoritarismo tradicional de la familia matriz campesina. Los individuos viven la educación estricta, en el nivel inconsciente, como una persecución. Demasiados adultos alemanes de los años que van de 1870 a 1933 se ven forzados a encontrar una causa a su malestar psíquico, a ese sentimiento de persecución que arrastran desde la infancia. Al no poder comprender el origen de su sufrimiento, identifican al judío con el agente de su destrucción psíquica. En el contexto cultural alemán, la focalización del diferencialismo tradicional en el pueblo testigo es casi natural. Pero a las determinaciones antropológicas generales se añade una voluntad homicida. La Alemania nazi buscará su homogeneidad primero en la expulsión y luego en la exterminación, y no en la asimilación silenciosa.

El diferencialismo después de la crisis

Este modelo interpretativo considera el antisemitismo nazi como un fenómeno específicamente alemán, sin hacer de él una constante de la historia alemana: la evolución de las técnicas educativas en un periodo histórico particular conduce a la desviación paranoica de un sistema antropológico diferencialista. Podemos afirmar que la introducción en Alemania Federal, a partir de 1945, de los conceptos educativos americanos ha dado la vuelta a la tendencia fichteana del sistema. Si bien es cierto que el modelo pedagógico liberal de Estados Unidos no ha destruido el fondo antropológico alemán, no lo es menos que lo ha devuelto a su punto de equilibrio tradicional, el del autoritarismo que no es inhumano. Ese regreso al equilibrio no implica la desaparición del sistema, con sus valores de autoridad y de desigualdad. La existencia de un modelo diferencialista matriz, que asocia la percepción de las diferencias con la aspiración a la unidad, sigue permitiendo explicar ciertas actitudes alemanas fundamentales frente a la inmigración turca de la edad postindustrial. En este estadio del análisis, la anterior observación es de puro sentido común. Si los países anglosajones, a pesar de sus esfuerzos conscientes, no han logrado desembarazarse de su diferencialismo individualista, ¿cómo imaginar una mayor plasticidad histórica y antropológica de Alemania, cuyo diferencialismo, determinado por un rasgo antropológico francamente inigualitario, es mucho más brutal que el de Estados Unidos o el de Inglaterra?

8

Asimilación y segregación en Alemania

El destino de los trabajadores inmigrados en la Alemania de posguerra vuelve a poner de manifiesto la omnipotencia de la sociedad receptora postindustrial, capaz siempre de imponer a los grupos extranjeros su propia concepción de la relación interétnica. Entre 1960 y 1990, la cultura diferencialista alemana selecciona a los turcos como grupo testigo encargado por la Historia de encarnar en su territorio el principio de la diferenciación humana. La asimilación del grupo, alguno de cuyos parámetros demográficos muestra que progresa rápidamente entre 1975 y 1985, acaba por ser rechazada. La cultura turca de origen, objetivamente distinta de la cultura alemana pero muy alejada de la cultura árabe-musulmana, se transforma para adaptarse a las creencias *a priori* del medio receptor. Procedente de uno de los pocos países musulmanes en los que existe una verdadera tradición laica, la minoría turca de Alemania se convierte en un foco del islam fundamentalista. Efectivamente, el sistema antropológico alemán prefiere una designación religiosa, interior, del hombre diferente, allí donde el sistema antropológico anglosajón escogería una definición exterior por el color de la piel.

En el mundo anglosajón, la separación de ciertos grupos étnicos o raciales puede perpetuarse independientemente de cualquier formalización legal. Los negros de Estados Unidos son ciudadanos americanos. Los inmigrantes admitidos en el Reino Unido se naturalizan con facilidad, mientras que sus hijos son considerados británicos por un código de nacionalidad que da prioridad al derecho de suelo. Alemania procede de forma diferente: la exterioridad étnica de los inmigrantes es legalmente perpetuada por un código de nacionalidad que hace difícil la naturalización y que no considera alemanes a los hijos de los inmigrantes nacidos en la República Federal. Ese cierre de la nacionalidad confiere cierta sencillez técnica al análisis de las relaciones entre alemanes e inmigrantes, que contrasta con las dificultades que pueden encontrarse en países como Gran Bretaña y Francia, en los que el derecho de suelo produce familias heterogéneas por lo que a la nacionalidad se refiere y en donde la naturalización hace cambiar de estatuto a un buen número de individuos. No obstante, en el caso de Alemania, la simplicidad del sistema ideológico y administrativo, que insiste en el carácter perenne de los grupos nacionales, oculta una gran diversidad de tratamiento concreto de las diferentes categorías de extranjeros. Ciertos grupos, como el turco, son segregados, pero otros, como los yugoslavos, están en vías de asimilación. *Tanto en Alemania como en Estados Unidos, segregación y asimilación coexisten; mejor aún: se complementan. La designación de los turcos como hombres diferentes facilita la absorción silenciosa de los yugoslavos por parte de la comunidad alemana, de la misma forma que la designación de los negros como grupo paria garantiza la absorción explícita de los inmigrantes europeos o asiáticos por la comunidad americana.* Así pues, el derecho de sangre no es sino una pieza más de un mecanismo antropológico complejo. No funciona independientemente del contenido de las culturas inmigradas. El mismo es producto de una cultura diferencialista alemana que va más allá y hace que su transformación sea problemática. *Sobre todo, no resuelve la contradicción fundamental del diferencialismo matriz, el conflicto latente entre percepción de diferencias irreductibles y aspiración a la unidad.* El derecho de sangre es funcional sólo en parte. Por un lado garantiza la perpetuación de un grupo separado y fija jurídicamente la diferencia, pero por otro no satisface en absoluto la necesidad de homogeneidad social, la aspiración a la unidad derivada del principio de integración vertical de las sociedades matrices. Incluso es disfuncional, en la medida en que endurece la percepción de la diferencia, derivada del principio de desigualdad de los hermanos. Esa contradicción tradicional del sistema antropológico alemán permite explicar por qué la segregación de los turcos es mal vivida, no sólo por el grupo marginado, sino también por la población receptora.

El final de la homogeneidad:
la inmigración de los años 1960-1990

Al contrario de lo que con frecuencia se dice, la inmigración no es un fenómeno reciente en Alemania. Ya en 1910, el censo registraba la presencia de 1.260.000 extranjeros en territorio del Reich. En 1913, de los 410.000 mineros de la Cuenca del Ruhr, 164.000 eran polacos.[1] El dinamismo de la economía alemana de los años comprendidos entre 1880 y 1914 explica la presencia de estos trabajadores inmigrados. Alemania constituye entonces el único país que es a la vez exportador e importador de mano de obra: los emigrantes se van a Estados Unidos, los inmigrantes vienen de la Europa del Este. Ambos movimientos son espontáneos. La segunda guerra mundial trae consigo desplazamientos de mano de obra de tipo diferente. En 1944, siete millones y medio de trabajadores extranjeros, voluntarios o forzados, llegados del este y del oeste de Europa, son empleados por la economía alemana para reemplazar a los nacionales movilizados por la Wehrmacht. Ese traslado masivo es indicador de una lógica económica y política específica, pero confirma que la utilización de mano de obra extranjera es un viejo hábito en Alemania, y que la llegada de inmigrantes que se acelera a partir de 1960 no es una auténtica novedad.

Inmediatamente después de la guerra, el asentamiento masivo de refugiados alemanes que llegan del Este había dado a la República Federal una población activa suficiente para atender a las necesidades de la reconstrucción. Pero, ya en 1955, se firma un acuerdo con Italia para que proporcione trabajadores a los sectores de la agricultura y la construcción. A partir del comienzo de los años sesenta, Alemania practica una política muy activa de contratación en la esfera mediterránea y firma una serie de acuerdos bilaterales: con España y Grecia en 1960, con Turquía en 1961, con Portugal en 1964, con Yugoslavia en 1968.[2] El número de trabajadores extranjeros pasa de 548.000 en 1961 a 2.595.000 en 1973, es decir del 2 al 10% de la población activa empleada. Durante el mismo periodo, la población extranjera total, incluyendo los inactivos, pasa de 686.000 a 3.966.000, del 1,2% al 6,3% de la población de la República Federal. En 1973, hay 894.000 turcos, 673.000 yugoslavos, 622.000 italianos, 399.000 griegos, 286.000 españoles y 112.000 portugueses, además de 159.000 austriacos y 105.000 holandeses.[3] Pero, en noviembre de 1973, el comienzo de la crisis económica lleva a Alemania a cerrar las puertas y a animar a los inmigrantes sin empleo a que regresen a sus países de origen. El número de trabajadores extranjeros cae hasta 1.932.000 en 1976. Pero no todas las nacionalidades reaccionan igual: una tercera parte de los españoles y de los italianos abandona la República Federal, pero el número de turcos casi no varía.[4]

Durante los quince años que siguen al cierre del país a la inmigración de mano de obra, el grupo extranjero se estabiliza en términos de población activa, pero vuelve a crecer en términos de población total. En 1989, los *trabajadores* extranjeros son 2.132.000, es decir, el 7,7% de la población activa empleada, lo que equivale a tan sólo el 82% del número alcanzado en 1973, si bien los extranjeros son globalmente 4.845.000, o sea el 7,7% de la población total y el 120% del número alcanzado en 1973. Así pues, los porcentajes de activos y de inactivos convergen. Los extranjeros dejan de ser un grupo de trabajadores invitados, *Gastarbeiter*, para convertirse en una población normal, con mujeres e hijos. La visión teórica de una Alemania que no acoge más que trabajadores temporales ha cedido ante la presión de las circunstancias. El lugar absolutamente específico ocupado por los extranjeros en la economía ha impedido que sean reemplazados por ciudadanos alemanes, a pesar de la afirmación de una regla de preferencia nacional.[5] La aplicación de convenciones europeas sobre los derechos de los individuos y de las familias ha impedido el cierre de fronteras a las mujeres y los hijos. El nacimiento en suelo alemán de hijos de inmigrantes ha culminado el proceso de normalización demográfica. En diciembre de 1989, en vísperas de la aceleración de inmigración procedente de la Europa del Este, había en Alemania 1.613.000 turcos, 611.000 yugoslavos, 520.000 italianos, 294.000 griegos, 127.000 españoles, 75.000 portugueses y, ya, 220.000 polacos.[6] Estas cifras ponen suficientemente de manifiesto la particular posición de los turcos, que representan por sí solos el 33% de la población extranjera y constituyen la parte esencial de inmigración de origen no europeo en Alemania. En la medida en que la inmensa mayoría de sus hijos siguen siendo extranjeros, el tamaño del grupo turco censado en Alemania puede compararse directamente con el de las minorías étnicas de Gran Bretaña, evaluado a través de encuesta, puesto que en su mayoría son de nacionalidad británica. Los grupos de origen no europeo suponían en Gran Bretaña 2.473.000 individuos en 1985-1987, de los cuales 745.000 eran indios, 404.000 paquistaníes, 111.000 provenían de Bangladesh y 521.000 de las Antillas. Globalmente, la inmigración no europea es mucho menos numerosa en Alemania, pero está más concentrada en términos étnicos: los turcos representan un grupo más importante que cualquier otra categoría de inmigrantes en Gran Bretaña. Si nos atenemos a los musulmanes, 1.600.000 turcos tienen un peso específico mucho mayor que 515.000 emigrantes procedentes de Paquistán y Bangladesh, incluso si comparamos esos grupos con las poblaciones totales alemana y británica.

El análisis en términos de nacimientos según la nacionalidad de los padres permite evaluar de forma aproximada el peso de los diferentes grupos en la sociedad alemana del futuro: en 1990, en vísperas de la reunificación, los niños nacidos de dos progenitores extranjeros o de una madre extranjera soltera constituían el 11,8% del total de los niños nacidos en la República Federal. Los hijos de padres turcos constituían, por sí solos, el 6,2% del total de los nacimientos.[7] Esos son los niños que el código de nacionalidad alemán no define como alemanes.

De la familia matriz al derecho de sangre

Es indiscutible que en la República Federal existe un derecho de sangre que reserva la nacionalidad alemana para los hijos de alemanes. Los intentos de explicación de su origen sobrevaloran en general los factores políticos e infravaloran el peso de las determinaciones antropológicas y, como consecuencia, la solidez de un sistema jurídico fuertemente anclado en las mentalidades. En 1913, tras discusiones apasionadas, cristaliza la concepción alemana de la nacionalidad, que se define en contra de la opción jurídica francesa, rechazando tajantemente la idea de un derecho abierto que garantice al individuo el acceso a la nacionalidad del país en que ha nacido.[8] Alemania se define como una nación étnica, formada por el conjunto de los descendientes de una cepa original. Es alemán el hijo de padre alemán. El sesgo patrilineal del sistema no es modificado hasta 1973, por una ley que atribuye la nacionalidad a todo niño hijo de un padre o de una madre alemanes.[9] La opción alemana de una atribución genealógica de la nacionalidad, opuesta a las concepciones americana, británica y francesa de una atribución territorial, se explica en general por el carácter específico de una historia política compleja. Unificada tardíamente, Alemania ha sido, durante la mayor parte de su desarrollo, más bien una comunidad cultural que un Estado. Así, la ley de 1913 está marcada simplemente por una historia que en contadas ocasiones ha hecho coincidir los conceptos de nación, de Estado y de territorio.[10] A pesar de sus referencias a un pasado más o menos lejano, una interpretación de ese tipo no asocia los hechos jurídicos a los hechos de mentalidad, y sugiere cierta plasticidad de la concepción alemana del extranjero. El derecho de sangre es más sólido de lo que comúnmente se cree, porque en realidad no es más que una proyección ideológica de la familia matriz, una formalización legal parcial del sistema antropológico.

La expresión «derecho de sangre» puede ser tomada en sentido literal o metafórico. Bajo el nazismo, que la hipertrofia, es tomada sin duda literalmente, como racial. Hacia 1990, cuando a los soviéticos no germanófonos, pero descendientes de emigrantes de los siglos XVIII y XIX, se les concede la nacionalidad alemana sin más trámite que una simple solicitud, también puede hablarse de interpretación literal, biológica, del derecho de sangre. Pero es igualmente posible una concepción metafórica de la noción de derecho de sangre, según la cual la filiación no garantiza una transmisión genética automática sino que permite una transmisión predominante, a través de la educación familiar, de las características culturales y étnicas. En otras palabras, sólo los padres alemanes pueden transmitir a través de la educación una concepción alemana de la vida social, artística, política, etcétera. En su interpretación metafórica, el derecho de sangre postula una socialización dominante a través de la familia. Recíprocamente, el derecho de suelo, que lleva a considerar que todo individuo nacido en un territorio dado debe tener la nacionalidad correspondiente, no atribuye al suelo un potencial mágico de transmisión cultural: se limita a suponer que la socialización del individuo no se realiza exclusivamente en la familia, sino que también, y tal vez sobre todo, se realiza a través de las poblaciones que lo rodean, es decir de la vecindad. El ideal de una socialización a través de la familia es característico de los sistemas antropológicos que insisten en la importancia del lazo entre padres e hijos. La familia matriz, con su ideal de continuidad del linaje, es uno de esos sistemas. Es una familia que lo transmite todo:

un título nobiliario, una explotación agrícola, una especialización artesanal, una nacionalidad. El derecho de sangre alemán, que también podríamos llamar derecho familiarista de la nacionalidad, no es finalmente otra cosa que una ampliación al grupo nacional del principio de continuidad que era característico de la familia campesina tradicional.

Por el contrario, el derecho de suelo parece una implicación lógica de la familia nuclear, que más bien deja escapar a los hijos y confía a la colectividad local el cuidado de acabar su socialización: el principio de discontinuidad familiar entra en juego tanto en la transmisión de la nacionalidad como en la de las demás características sociales. La familia no lo transmite todo, de forma que el principio territorial debe substituir al principio del linaje como «definidor» de la pertenencia nacional. En Estados Unidos, donde el derecho de suelo es particularmente puro, todo individuo nacido en tierra americana es definido como americano, y la residencia fuera del territorio nacional acaba por amenazar la nacionalidad: una pareja norteamericana que viva fuera de Estados Unidos no puede transmitir su nacionalidad a sus hijos más que en el caso de que haya residido antes en territorio nacional.[11] Es inevitable notar la analogía estructural con la pertenencia religiosa en la Nueva Inglaterra puritana del siglo XVII: unos padres «elegidos», regenerados de una secta protestante, no transmitían automáticamente a sus hijos un estatuto equivalente ni la pertenencia a la secta.

En Alemania, al derecho de sangre viene a añadirse una práctica muy restrictiva de la naturalización, único camino posible para el acceso a la condición de ciudadano. Antes de la reforma de 1990, el acceso a la naturalización era una auténtica carrera de obstáculos. Era el punto de llegada de un largo y difícil camino de integración y de estabilización administrativa: primer permiso de residencia, permiso de trabajo restringido y más tarde general, permiso de residencia ilimitada, derecho de residencia. Al final de ese recorrido, es decir tras por lo menos diez años de residencia, las autoridades del Land podían conceder la naturalización. Pero era discrecional, ya que el hecho de cumplir todos los requisitos no garantizaba el *derecho* a la naturalización. Se exigía una asimilación al conjunto de la cultura alemana que comprendía desde el dominio de la lengua hasta el escrupuloso respeto de las reglas de circulación.[12] La imagen de esa naturalización por asimilación absoluta se completa con la obligación de renunciar a la nacionalidad de origen. El rechazo de la doble nacionalidad expresa a su manera la preocupación por la homogeneidad que anida en el corazón de la cultura alemana. Las reglas de naturalización expresan tanto como el derecho de sangre propiamente dicho los valores fundamentales de esa sociedad matriz. En ella se percibe la diferencia como algo esencial y debe ser aniquilada por un metódico proceso de asimilación. Las tasas de naturalización, ya débiles en todos los grupos extranjeros, son mínimas en el caso de los turcos, con 1,3 naturalizaciones por cada mil individuos que hacia 1985 llevaban residiendo en Alemania más de diez años. Con una tasa del 4,9, los yugoslavos parecen mucho más asimilables. Los valores calculados para los griegos (1,2), los españoles (1,6) y los italianos (2,3) no tienen exactamente el mismo significado, puesto que los individuos concernidos gozan de una protección jurídica substancial por el hecho de pertenecer a la Comunidad Económica Europea. Pero, llegados a este punto, se hace necesario definir en términos objetivos las «diferencias» inmigradas para poder comprender las reacciones del medio receptor alemán.

Comunitarismo yugoslavo y nuclearidad turca

De entre los inmigrantes llegados a Alemania entre 1960 y 1990, sólo los eslovenos, los portugueses del norte, los españoles de Galicia y algunos croatas de Dalmacia, son portadores de un sistema matriz comparable al de la Alemania tradicional.[13] En su conjunto no suponen más que una fracción muy minoritaria de los inmigrantes. Todos los demás grupos son, a diferencia de la población receptora alemana, de tradición igualitaria.

Los italianos —generalmente del sur— y los españoles —del centro y del sur— son portadores de sistemas antropológicos nucleares igualitarios, bastante cercanos al de la Cuenca de París, que se caracterizan por el liberalismo de la relación padres-hijos y por el igualitarismo de la relación entre hermanos.[14]

Los ex yugoslavos provienen de todas las regiones del Estado hoy desaparecido, aunque con un mayor porcentaje de croatas y eslovenos. No obstante se encuentran cantidades apreciables de serbios y hasta de macedonios. La pertenencia étnico-religiosa de las poblaciones yugoslavas no siempre corresponde a un sistema antropológico único. Los eslovenos católicos son claramente de tipo matriz y los serbios ortodoxos de tipo comunitario exógamo, pero los croatas, unificados por el catolicismo, constituyen un grupo heterogéneo en el plano familiar.

El comunitarismo familiar de los eslavos del sur, un tema clásico de la etnología, es característico de Serbia, Montenegro, Macedonia, Eslavonia y Bosnia. La *zadruga*, familia indivisa, igualitaria y autoritaria, conjunto de descendientes masculinos de un ancestro masculino, recuerda por su estructura a la familia comunitaria rusa, pero con un rasgo más claramente patrilineal. En Serbia, y aún más en Bosnia y Montenegro, es la base de las superestructuras clánicas extendidas, que comprenden, más allá de los hermanos, una parentela lejana. En Croacia central y occidental se observan tipos nucleares predominante-

La adaptación de los extranjeros en Alemania

	Fecundidad 1975	Fecundidad 1984	Nacimientos de padre extranjero en 1990: % de madres alemanas	Nacimientos de madre extranjera en 1990: % de padres alemanes	Naturalizaciones por cada mil residentes de más de 10 años
Turcos	4,3	2,5	4,4 %	1,2 %	1,3
Yugoslavos	2,2	1,5	20,9 %	20,0 %	4,9
Italianos	2,3	1,7	34,9 %	14,0 %	2,3
Griegos	2,8	1,3	17,9 %	9,9 %	1,2

Fuentes: columnas 1 y 2: M. Tribalat, «La fécondité des femmes en Allemagne», *Population,* marzo-abril de 1987, págs. 370-378; columnas 3 y 4: *Statistisches Jahrbuch 1991;* columna 5: R. Brubaker, *Citizenship and Nationhood in France and Germany,* Cambridge (Mass.), Harvard University Press, 1992, pág. 80.

mente igualitarios. Pero los croatas de Eslavonia y de Bosnia son del tipo comunitario exógamo, mientras que los de la costa dálmata tienen a menudo una organización de tipo matriz, tal vez de origen veneciano.[15] En el conjunto yugoslavo, el status de la mujer es inversamente proporcional al nivel de comunitarismo. Cuanto más solidario es el grupo masculino, más amplia es la familia y más periférico es el lugar de la mujer. En país de *zadruga,* la cultura rural consideraba a las mujeres como bienes intercambiables entre grupos masculinos. Allí donde la estructura familiar es francamente nuclear, como en Croacia central y occidental, el sistema de parentesco es bilateral y las mujeres heredan la tierra igual que los hombres.[16] En el interior de regiones como Bosnia, las diferencias de religión no marcan diferencia alguna de sistema de parentesco: los tipos familiares católicos, ortodoxos o musulmanes son todos comunitarios exógamos y el status de la mujer no varía de un grupo a otro.[17] Los musulmanes de Bosnia, al contrario de la mayoría de los grupos islamizados del planeta, no practican el matrimonio preferencial entre primos.

Los turcos, que son con mucho el más importante de los grupos inmigrados en Alemania, no son, como tampoco lo son los bosnios, musulmanes clásicos, a pesar de que a veces, erróneamente, se describe su tradición familiar como una simple variante del tipo comunitario endógamo común a árabes, iraníes y paquistaníes. La familia

comunitaria endógama combina una arquitectura patrilineal, que asocia al padre y a sus hijos casados, con una regla de matrimonio preferencial entre los hijos de esos hijos.[18] El examen de los datos regionales turcos lleva a contradecir esa representación. Si bien es cierto
que la familia comunitaria y patrilineal es dominante en el norte y en
el este de Turquía, no lo es menos que entre los turcos propiamente
dichos y entre los kurdos pueden identificarse tipos nucleares al oeste
y al sur, en las costas del Mediterráneo y del Egeo.[19] Allí donde esos
tipos nucleares dominan, los hijos no cohabitan con sus padres y las
hijas heredan como sus hermanos.[20] Al contrario de lo que se observa
en los países árabes, en Turquía no existe una marcada diferencia de
edad entre cónyuges, lo que hubiese sido el indicio de una relación
de desigualdad entre los dos sexos. Cuando el marido es de mucha
más edad que su esposa, ejerce en la práctica la autoridad de un padre. Pero en Turquía, en 1975, la diferencia de edad media no era más
que de 3,3 años, contra 7 en Irán, 5,5 en Paquistán o 4,5 en Argelia.
En la escala de las diferencias de edad, Turquía está muy cerca de un
país europeo y mediterráneo como Italia, en donde el marido, en las
mismas fechas, era 3,2 años mayor que su mujer. Ese equilibrio nos
habla de un nivel de igualdad entre hombres y mujeres parecido al que
puede observarse en el sur de Europa.

El hecho de que en la parte económica, cultural y políticamente
dominante de Turquía exista una estructura familiar nuclear y bilateral
explica la originalidad de una tradición religiosa capaz de aceptar el
principio de laicidad y la emancipación de la mujer. El laicismo kemalista nace en ese terreno antropológico sin equivalencia en ninguna otra parte del mundo musulmán occidental. No obstante, existe
una característica antropológica musulmana que es común al conjunto de las regiones de Turquía: la endogamia. El matrimonio entre
primos es posible en la zona nuclear y en la comunitaria, sin que
su frecuencia sea particularmente elevada.[21] En ese punto radica una
importante diferencia con el conjunto de los sistemas antropológicos
europeos de origen cristiano, todos ellos exógamos. Todas las regiones de Turquía están representadas entre los inmigrantes presentes
en Alemania hacia 1980. Pero el proceso migratorio, iniciado a principios de los años sesenta, comenzó por el oeste del país para extenderse progresivamente a sus zonas orientales, ya fuesen turcas
propiamente dichas o kurdas.[22] Así pues, el sistema de parentesco
bilateral del oeste y del sur de Turquía está bien representado desde
el principio en la inmigración y tal vez incluso constituya su matriz
antropológica inicial.

Diferencias de edad entre cónyuges en algunos países musulmanes o mediterráneos (años sesenta o setenta)	
Bangladesh	7,7 años
Irán	7,0 años
Egipto	6,6 años
Túnez	6,0 años
Paquistán	5,5 años
Indonesia	4,9 años
Jordania	4,7 años
Argelia	4,5 años
Grecia	4,4 años
Siria	4,3 años
Malasia	3,5 años
Turquía	*3,3 años*
Italia	3,2 años
España	2,7 años
Portugal	2,2 años

Fuente: E. Todd, *L'enfance du monde*, París, Éd. du Seuil, 1984, págs. 147 y 228.

La modernización: éxito en Turquía, fracaso en Yugoslavia

Hay algo absurdo en el hecho de plantearse la cuestión de la asimilabilidad de los turcos de Alemania a la cultura occidental, porque su país de origen es actualmente el único gran país musulmán mediterráneo que ha logrado despegarse de su cultura tradicional para entrar, al cabo de setenta años de esfuerzos, en la modernidad europea. Entre 1924 y 1938, la revolución kemalista opta por Occidente en detrimento de Oriente: Mustafá Kemal acaba con el califato, suprime los tribunales religiosos, prohíbe ciertos vestidos tradicionales, adopta el código civil suizo, reconoce a las mujeres los mismos derechos políticos que a los hombres, impone la transcripción de la lengua turca en caracteres latinos y el turco en los oficios religiosos. Hoy nos parece evidente que semejante programa no hubiese sido aplicable si Turquía no hubiese tenido, desde un principio, un carácter antropológico específico. El hecho de que sobre buena parte del territorio existan sistemas parentales bilaterales proporciona una base a la reforma: en esas regiones un status más elevado de las mujeres parece natural y aceptable.

A la muerte de Kemal, en 1938, nada está decidido. El índice de

Turquía: familia nuclear y familia comunitaria

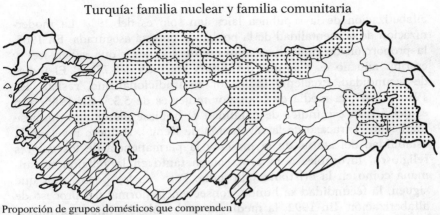

Proporción de grupos domésticos que comprenden
más que el núcleo conyugal con hijos (1985, medio rural)

[:::::] + del 40% (tipo comunitario)   [///] – del 30% (tipo nuclear)

Los islamistas en las elecciones de 1991

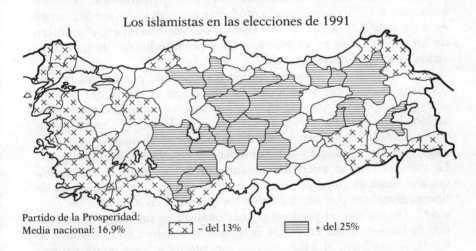

Partido de la Prosperidad:
Media nacional: 16,9%   [x x] – del 13%   [≡] + del 25%

La alfabetización de las mujeres en 1981

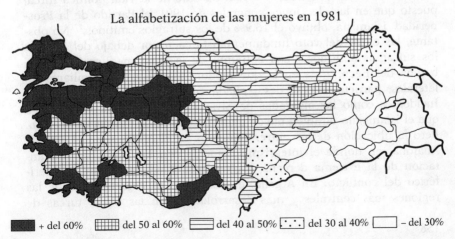

[■] + del 60%   [▦] del 50 al 60%   [▭] del 40 al 50%   [∴] del 30 al 40%   [ ] – del 30%

alfabetización de la república laica tan sólo es del 19%. La modernización de la mentalidad de la población no está asegurada. En 1965, la proporción de individuos mayores de seis años que saben leer y escribir aún no es más que del 49% y en 1985 del 77%.[23] El índice de fecundidad, excelente indicador de tradicionalismo, resiste. En 1966 y 1967, la media de hijos por mujer es de 5,3.[24] En 1985, aún es del 5,1. Si ese índice de natalidad se hubiese mantenido, hubiese implicado el fracaso de la revolución de Kemal. Hubiese revelado la estabilidad del status de la mujer y la permanencia de los valores religiosos, favorables a la procreación tanto en la religión musulmana como en la cristiana y la judía. Pero, en los pocos años que siguen, la fecundidad se hunde, consecuencia normal del proceso de alfabetización. En 1992, la media ya es de sólo 3,6 hijos por mujer. Esa cifra global esconde notables diferencias regionales: a orillas del mar Negro, zona de fuerte patrilinealidad, el índice todavía es superior a 4; en las provincias del este, muy patrilineales, bastante atrasadas y en algunos casos con fuerte implantación kurda, nunca es menor de 5,5. A orillas del Egeo y del Mediterráneo, el número de hijos por mujer es ya inferior a 3 y permite hablar de una transición demográfica terminada.[25]

Esa modernización mental ha ido acompañada por fuertes perturbaciones psicológicas y políticas. La oleada de violencia de los años setenta es típica de un país en transformación en donde crece la sensación de inseguridad. Pero, en contraste con lo que ocurre en varios países musulmanes clásicos, en Turquía, por el momento, el vuelco cultural no ha producido la hegemonía del fundamentalismo religioso. Lo que perturba el buen funcionamiento de las instituciones democráticas hasta el golpe de Estado de 1980 es una extrema derecha de tipo nacionalista con implantación en el este y en el centro de Anatolia.[26] Ocurre que el predominio nacionalista es un rasgo característico de las sociedades en donde la influencia religiosa no es demasiado fuerte. Ahora bien, el islam no está ausente de la vida política turca, puesto que en las elecciones generales de 1991, el Partido de la Prosperidad, islamista, obtuvo el 16,9% de los sufragios emitidos.[27] No obstante, las cifras del voto fundamentalista caen por debajo del 13% de los sufragios emitidos en el conjunto de la zona mediterránea y ribereña del Egeo, zona en la que predominan sistemas familiares bilaterales, particularmente desarrollada en términos de alfabetización. Incidentes como las algaradas de Sivas en julio de 1993 demuestran que el islamismo también puede manifestarse bajo su aspecto violento. Pero la ubicación de los enfrentamientos en el centro y en el este de Anatolia, en donde el integrismo coincide con las zonas de implantación de la extrema derecha nacionalista, muestra el carácter periférico del conflicto. En Argelia, el islamismo es característico de las regiones más centrales y más desarrolladas. En las zonas turcas de transición entre las regiones de tradición nuclear y comunitaria, bilateral y patrilineal, el sistema político debe dominar una cultura local menos progresista, mientras que la proximidad de la reivindicación autonomista kurda dramatiza los conflictos. El islam turco, por sí solo, no constituiría una amenaza para el equilibrio general de la República. La Constitución de 1982, al restablecer un sistema liberal y parlamentario, ha permitido la aparición de una vida política pluralista, a pesar de que subsistan hábitos de violencia.

El fracaso de la modernización yugoslava contrasta con el éxito de la modernización turca. Entre 1990 y 1994, la federación yugoslava se desgarra siguiendo líneas a la vez religiosas y tribales. Reaparecen naciones étnicas, cuya sofocante estructura evoca el antiindividualismo del sistema antropológico comunitario y patrilineal, tanto como la ideología comunista. El individuo se disuelve en el grupo nacional, cuya cohesión recuerda la *zadruga* de los eslavos del sur. La familia comunitaria, que es mayoritaria en Yugoslavia y dominante entre los serbios, los bosnios musulmanes y la mitad de los croatas, se nos presenta, en el fondo, como mucho menos europea que el modelo nuclear de los turcos de las costas mediterráneas y del Egeo. Se trata de una familia que no contiene el mínimo de individualismo necesario para posibilitar un proceso de modernización. Y a pesar de todo, Alemania decide asimilar a los yugoslavos, regresivos en su propio país, y segregar a los turcos, modernizados en el suyo.

En Alemania: asimilación de los yugoslavos, segregación de los turcos

Turquía, país de cincuenta millones de habitantes en 1985, con un 60% de campesinos, ha conseguido entrar en la modernidad. ¿Cómo no iban a lograrlo más aprisa y de forma más completa los emigrantes turcos en Alemania, procedentes de la parte alfabetizada de su sociedad de origen y sumergidos en un universo urbano desarrollado? Una vez más, el componente referido a la fecundidad resulta un buen indicador de modernización; resulta que el índice de fecundidad de las mujeres turcas de Alemania cae, entre 1975 y 1984, de 4,3 a 2,5 hijos por mujer.[28] Entre esas dos fechas, la fecundidad de las alemanas es muy baja —entre 1,4 y 1,3— así que no puede hablarse con propiedad de una adaptación del comportamiento demográfico de la población inmigrada al de la población receptora. Pero no por eso es menos cierto que la transformación demográfica de los turcos en Alemania es mucho más rápida que la de los paquistaníes en Gran Bretaña o que la de los argelinos, marroquíes y tunecinos en Francia. En este último país, en 1985, el número de hijos por mujer era aún, a pesar de una importante disminución, de 4,2 para las argelinas, 4,5 para las marroquíes y 4,7 para las tunecinas; en Gran Bretaña, el índice aún era de 5,3 para las paquistaníes.[29] En consecuencia, hay que decir que por su modernidad, los turcos de Alemania constituyen un grupo musulmán atípico. Su rapidez de adaptación demográfica recuerda a la de los sijs, cuyo nivel de fecundidad era, en 1990 y en Gran Bretaña, de 2,2. El comportamiento demográfico de los emigrantes turcos entre 1960 y 1985 indica que al llegar a Alemania estaban dispuestos a cualquier adaptación y, a largo plazo, a asimilarse. Pero en los años siguientes, la fecundidad de las mujeres turcas en Alemania vuelve a aumentar, hasta alcanzar 3,4 en 1990, es decir, un nivel superior al de las regiones desarrolladas del oeste de Turquía. Esa desadaptación demográfica no es sino un signo más, entre otros, del enquistamiento de una situación de segregación.

Hay otros indicadores que demuestran que el proceso de asimilación se ha interrumpido, a pesar de que muchos hijos de inmigrantes, nacidos o criados en Alemania y educados en escuelas alemanas, hayan alcanzado la edad adulta. La persistente separación del grupo turco no sólo es consecuencia de un código de nacionalidad que mantiene a los hijos en la nacionalidad de los padres, sino que también es consecuencia de la ínfima tasa de naturalización de los padres y de la baja frecuencia de matrimonios entre turcos y alemanes, tanto de la primera como de la segunda generación. El análisis estadístico de los matrimonios mixtos muestra que ciertos inmigrantes de origen europeo, y particularmente los yugoslavos, son bastante bien aceptados por la sociedad alemana, que los asimila en silencio. El lazo matrimonial no los transforma en ciudadanos del país receptor, puesto que en la República Federal, el matrimonio no da derecho a la nacionalidad alemana. Sin embargo sus hijos serán alemanes ya que la ley prevé que un padre alemán y, desde 1973, una madre alemana, pueden transmitir su nacionalidad al hijo, en el caso de que el cónyuge sea extranjero.

El análisis directo de los matrimonios celebrados en Alemania y que incluyen por lo menos un cónyuge turco o yugoslavo puede hacerse, pero es engañoso porque una parte no determinada pero importante de las uniones de los emigrantes se celebra en los países de origen.[30] Calcular, para un año determinado, la proporción de hombres (o de mujeres) turcos o yugoslavos que se casan con una alemana (o alemán) lleva a sobrestimar en mucho la frecuencia de matrimonios mixtos.[31] De todas formas, pronto aparece una importante diferencia entre turcos y yugoslavos.

La proporción de hombres yugoslavos que se casan con una alemana pasa del 44% en 1974 al 84% en 1990 y la de mujeres yugoslavas que se casan con un alemán sube del 57% al 82%. La estabilización del grupo inmigrado se acompaña de un crecimiento continuo de la tasa de exogamia. El fenómeno es poco más o menos igual para los dos sexos. Las alemanas no dudan en escoger un esposo yugoslavo y los alemanes no retroceden ante la posibilidad de tener una esposa yugoslava.

Las cifras que conciernen a los turcos dibujan un modelo diferente. Los índices son mucho más bajos para los dos sexos, pero con una notable distancia entre hombres y mujeres, ya que estas últimas son mucho peor aceptadas. Entre 1974 y 1985, la tendencia a la exogamia desciende: del 49% al 24% en el caso de los hombres y del 28% al 7% en el de las mujeres. Después de esa fecha, entre 1985 y 1990, el índice de exogamia aparente crece de golpe, pero se trata de un crecimiento cuya causa principal es el brutal descenso del número de matrimonios entre turcos en la estadística oficial alemana. Siguen formándose parejas turcas homogéneas, como demuestra el no menos brutal aumento de la fecundidad a partir de esa fecha, pero escapan al sistema de registro de la República Federal, probablemente porque las bodas se celebran en Turquía. Así pues, la evolución de los matrimonios mixtos pone de relieve la existencia de dos modelos en contraste: en el caso de los yugoslavos, una simétrica absorción de hombres y mujeres que se acelera con el tiempo; en el de los turcos, un bajo nivel de absorción, particularmente en lo que a las mujeres del grupo inmigrado se refiere, y un descenso tendencial de la exogamia que nos habla de la creciente segregación.

El examen de los nacimientos de niños atendiendo a la nacionalidad de los padres permite eludir el problema de la sobrestimación de la exogamia que presenta la estadística de los matrimonios. Los nacimientos que han tenido lugar en un año determinado, y que podemos clasificar según la nacionalidad de los padres, son resultado de la actividad procreadora de todas las parejas presentes, ya se hayan formado en Alemania, en Turquía, en Yugoslavia o en cualquier otra parte. Los nacimientos de niños hijos de padres alemanes, de dos padres de una misma nacionalidad extranjera, de un padre alemán y una madre extranjera o de una madre alemana y un padre extranjero, reflejan la existencia de parejas, casadas o no, con las nacionalidades correspondientes.[32] La proporción de hijos nacidos de parejas mixtas es, pues, un indicador de exogamia mucho más realista que el porcentaje de matrimonios mixtos. A pesar de todo, este nuevo instrumento estadístico dista mucho de ser perfecto. El hecho de que prescinda de las parejas mixtas sin hijos es más bien positivo, porque esas uniones no contribuyen a la fusión a largo plazo de las poblaciones. Pero hay que tener presente que las proporciones calculadas dependen en parte de los niveles de fecundidad respectivos de las diferentes categorías de parejas. La fecundidad de las parejas mixtas, que por definición encarnan una asimilación avanzada, es en general parecida a la del país receptor y menos elevada que la de las parejas extranjeras homogéneas. Así, el número de hijos nacidos de parejas endógamas está hinchado en relación con el de los hijos nacidos de parejas exógamas: en consecuencia, las tasas de «nacimientos mixtos» representan valores mínimos que, idealmente, deberían ser corregidos al alza, teniendo en cuenta el diferencial de fecundidad. A este problema viene a añadirse el hecho de que la fecundidad de las parejas extranjeras endógamas varía con el tiempo. Como acabamos de ver, la de las parejas turcas cae un 42% entre 1975 y 1984, para recuperarse en los años siguientes. De todas formas, las magnitudes globales y sus evoluciones dan una idea bastante precisa del proceso en curso.

En el caso de Alemania, el indicador de «nacimientos mixtos» confirma el de matrimonios mixtos, pero implica su revisión a la baja. Hacia 1990, la proporción de hombres yugoslavos que se casan con una mujer alemana, o de mujeres yugoslavas que se casan con un alemán, es superior al 80%. El 20% de los hijos de padre yugoslavo tiene madre alemana y el 20% de los hijos de madre yugoslava tiene padre alemán. Tanto el indicador de nacimientos mixtos como el de matrimonios mixtos registran el crecimiento tendencial de la exogamia, idéntico para ambos sexos. En conjunto, matrimonios y nacimientos mixtos revelan la existencia de un proceso de asimilación de los yugoslavos que no está terminado, pero que va acelerándose regularmente con el tiempo.

En el caso de los turcos, el indicador de nacimientos mixtos lleva a la conclusión de que no hay asimilación del grupo, cosa que el examen de las cifras relativas a los matrimonios sólo nos permitía entrever. En 1985, es decir, antes del vertiginoso descenso del número de matrimonios turcos homogéneos inscritos en el registro civil alemán, la proporción de hombres turcos que se casaban con una mujer alemana era del 24% y la de mujeres turcas que se casaban con un alemán del 7%. En 1990, el porcentaje de hijos de padre turco y madre alemana era de 4,4% y el de hijos de madre turca y padre alemán de 1,2%. Las cifras que se refieren a los nacimientos mixtos muestran, mejor que las de los matrimonios, el carácter absolutamente marginal de la mezcla de las poblaciones. Por otra parte, ninguno de los dos indicadores señala un movimiento ascendente. El aparente aumento del índice de nacimientos mixtos de mujeres turcas, del 0,44% en 1974 al 1,33% en 1985, es sólo un efecto mecánico del descenso de la fecundidad general de las mujeres turcas casadas con turcos, ya que el número de hijos habidos por esas parejas homogéneas cayó de 40.092 a 25.171. Si corregimos el indicador de nacimientos mixtos teniendo en cuenta las diferentes fecundidades de las uniones endógama y exógama, podemos obtener una estimación del número real de parejas mixtas que procrean en el año, sin olvidar que las cifras obtenidas sólo proporcionan una estimación de magnitud. La tasa de exogamia de los hombres turcos sería del 10% en 1990, igual que en 1984, y la de las mujeres rondaría el 2%.

Hay que encontrar una explicación a la situación tan particular de

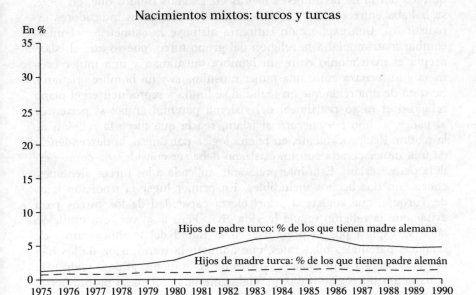

Nacimientos mixtos: turcos y turcas

En %

Hijos de padre turco: % de los que tienen madre alemana

Hijos de madre turca: % de los que tienen padre alemán

1975 1976 1977 1978 1979 1980 1981 1982 1983 1984 1985 1986 1987 1988 1989 1990

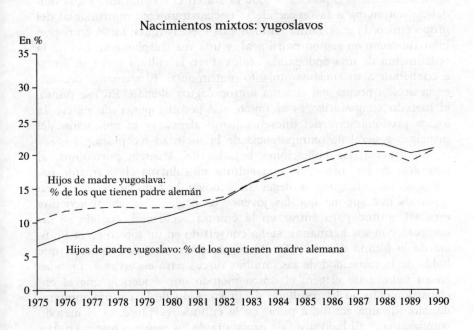

Nacimientos mixtos: yugoslavos

En %

Hijos de madre yugoslava:
% de los que tienen padre alemán

Hijos de padre yugoslavo: % de los que tienen madre alemana

1975 1976 1977 1978 1979 1980 1981 1982 1983 1984 1985 1986 1987 1988 1989 1990

la mujer turca en Alemania, cuyo bajísimo nivel de exogamia no deja de recordar al de las mujeres negras en Estados Unidos que, en 1992, se hallaba entre el 1,2 y el 2,3%, según los diferentes indicadores estadísticos.[33] Una explicación rutinaria atribuye la asimetría del intercambio matrimonial a la religión del grupo turco, puesto que el islam acepta el matrimonio entre un hombre musulmán y una mujer cristiana y lo rechaza entre una mujer musulmana y un hombre cristiano. Se trata de una regla que en realidad se limita a reproducir en el plano religioso el rasgo patrilineal del sistema parental árabe: si pertenece al padre, el hijo pertenecerá al islam, sea la que fuere la religión de la madre. Recíprocamente, en buena lógica patrilineal, la descendencia de una mujer casada con un cristiano debe ser considerada como perdida para el islam. Esta interpretación, aplicada a los turcos alemanes, choca con dos hechos ineludibles. En primer lugar la tradición laica de Turquía, que sugiere *a priori* cierta capacidad de los turcos para evitar que la religión regule la vida civil. Pero a su vez, esa tradición laica se explica por la presencia en la mitad del territorio turco de sistemas parentales bilaterales, que admiten la transmisión de los bienes materiales y espirituales a través de las mujeres. ¿Cómo podría un sistema antropológico turco, parcialmente bilateral en su propia tierra, pasar de golpe a ser patrilineal una vez sumergido en un sistema alemán que también es bilateral (a pesar de cierta inflexión patrilineal si se le compara con los tipos francés o inglés)? No puede descartarse completamente la hipótesis de que exista en el sistema turco una tendencia autónoma a favorecer cierto enclaustramiento matrimonial del grupo étnico: la endogamia familiar existe en Turquía, tanto en región bilateral como en región patrilineal, y una vez trasplantada, facilita la redefinición de una endogamia étnica. Pero la cultura turca se limita a contribuir a su enclaustramiento matrimonial. El elemento decisivo es la acción propia del sistema antropológico alemán. En ese punto, el método comparativo es el único que permite poner de relieve la lógica predominante del diferencialismo alemán y la aplicación del principio general de omnipotencia de la sociedad receptora.

En Francia, las poblaciones llegadas del Magreb, portadoras, al contrario de los turcos, de una cultura musulmana clásicamente patrilineal, no consiguen proteger su endogamia familiar o étnica. La hipótesis que supone que las jóvenes de origen magrebí tienen una especial aptitud para entrar en la cultura occidental, cuando se las compara con sus hermanos, se ha convertido en un tópico en la Francia de la última década.[34] En Alemania reina el tópico opuesto, que habla de la capacidad de las familias turcas para encerrar a sus hijas en su cultura de origen: el único método que evidencia que el enclaustramiento no es resultado de una opción de la cultura inmigrada, sino de una actitud *a priori* de la cultura receptora, es el método comparativo.[35] El bajo nivel de exogamia de las mujeres turcas en Alemania es mucho menos ilustrativo de la patrilinealidad tradicional del islam que de una característica antropológica fundamental en los diferencialismos de todo tipo: la negativa, por parte del grupo dominante, a casarse con mujeres del grupo dominado. La mujer turca de Alemania, igual que la mujer negra en Estados Unidos, es declarada tabú.

A partir de 1985 empiezan a llegar a la edad del matrimonio jóvenes turcos de ambos sexos educados en Alemania, aunque en esa fecha se trata casi siempre de jóvenes que no han nacido en la República Federal.[36] A diferencia de sus progenitores, estos turcos hablan alemán. Son los equivalentes de los *beurs* y de las *beurettes* de Francia, con el matiz de que no tienen acceso a la nacionalidad del país receptor. Tanto las estadísticas de nacimientos mixtos como las de matrimonios mixtos revelan que la ruptura del aislamiento lingüístico no trae consigo, en su caso, un aumento de la frecuencia de intercambio matrimonial con la población receptora. Por el contrario, las diferentes curvas sugieren que la germanización cultural va acompañada por un refuerzo de la separación comunitaria.

La focalización en el islam

En Alemania, el único grupo designado como absolutamente diferente ha sido el turco. Tanto los yugoslavos como, en menor medida, los italianos y los griegos, si lo desean y tienen paciencia, pueden eludir el derecho de sangre e integrarse en la sociedad receptora. Esa asimilación, que contradice el concepto oficial alemán de nación o de etnicidad, hay que calificarla de silencioso y se trata de algo opuesto a la asimilación abierta que era la norma en Estados Unidos hasta 1965 poco más o menos. ¿Por qué han sido los turcos los elegidos para encarnar el papel de los hombres diferentes y ser excluidos de la asimilación silenciosa que se lleva a cabo en la República Federal? Cualquier criterio de diferencia, física, antropológica o religiosa, puede justificar la segregación de los turcos de la sociedad receptora, pero el elemento decisivo ha sido el tercero: su pertenencia al islam.

El criterio esencial no es el físico, aunque contribuya a la detección social de los individuos. Los inmigrantes griegos o italianos procedentes del sur de la península tienen un aspecto tan mediterráneo como el de los turcos y, a pesar de ello, no se les ha incluido en la categoría de los rechazados. Por el contrario, es posible que el criterio físico represente un papel importante en la situación excepcionalmente favorable de los yugoslavos que, aun siendo variados en lo que a talla y pigmentación se refiere, a menudo son altos o tienen una coloración clara, sin que esos dos elementos produzcan forzosamente individuos altos y rubios.[37] En Yugoslavia es imposible establecer ningún tipo de relación entre credo religioso y color de la piel, puesto que, llegado el caso, tanto los católicos de Croacia como los ortodoxos de Serbia o los musulmanes de Bosnia pueden ser rubios de ojos claros. La variedad de tipos físicos yugoslavos es más o menos la misma que la de la población alemana, lo que sin duda facilita la fusión de ambos grupos.

La organización familiar, que el status de la mujer hace muy visible, facilita menos la categorización de los inmigrados en Alemania que en el resto de Europa. La mayor parte de los grupos extranjeros difiere de la población receptora alemana por su sistema antropológico, pero según unos criterios que no son claros. En primer lugar porque el status de la mujer en Alemania no es tan alto como en Inglaterra o en Francia. Allí subsiste, a pesar de la bilateralidad del sistema parental, una orientación patriarcal de la vida familiar que se manifiesta en una no participación de las mujeres en la vida económica y social, rasgo que acerca un poco a los alemanes a la mayor parte de sus inmigrantes. En segundo lugar, porque las poblaciones extranjeras más importantes son heterogéneas: cada una contiene varios subgrupos, de los que únicamente algunos presentan un status de la mujer demasiado bajo para los criterios antropológicos alemanes —en particular, bosnios y montenegrinos, griegos del norte, italianos del sur, turcos de Anatolia y kurdos de nacionalidad turca—. El status de la mujer no permite una selección fácil y clara de las poblaciones inmigradas, como la que, en Francia y en Inglaterra, facilita la oposición del feminismo antillano y la patrilinealidad de los musulmanes.

El criterio religioso carece de ambigüedades, si exceptuamos el caso del grupo musulmán bosnio, cuyo islamismo exógamo es particularmente atípico. La presencia de una población turca que globalmente podemos clasificar como musulmana hace que las particularidades religiosas de los otros inmigrantes aparezcan como diferencias secundarias, incluso cuando se trata de ortodoxos, como en el caso de griegos y serbios. En el mundo germánico, que entre los siglos XVI y XIX padeció tan desgarradores conflictos religiosos, la diversidad de confesiones cristianas ya no es un factor de tensión. Las estadísticas matrimoniales demuestran que hoy en día católicos y protestantes alemanes se casan sin dificultad.[38] Así es que gracias al matrimonio se desvanece, al menos parcialmente, la problemática weberiana de la oposición de comportamiento entre protestantes y católicos. No obstante, la tan germánica tradición de diferenciar los grupos según un criterio religioso, no desaparece con la extinción del conflicto entre católicos y protestantes, ni con el exterminio de la comunidad judía llevado a cabo por los nazis entre 1933 y 1945. La divergencia vuelve a darse en nuestros días gracias a la aparición y estabilización del grupo musulmán. La estadística oficial alemana, tan habituada a diferenciar los individuos por su credo religioso como lo está la americana a distinguirlos por su tipo racial, añade ahora en sus tabulaciones una columna de «musulmanes» a las ya tradicionales de «protestantes», «católicos» y «judíos». Esa manera de clasificar a los hombres satisface más que cualquier otra al diferencialismo matriz alemán. Como hemos visto en el capítulo anterior, la idea de un hombre interior opuesta a la de un hombre exterior es algo medular en la cultura alemana. Ahora bien, el fundamento de la vida religiosa es la afirmación de que existe un alma invisible e indestructible. El etiquetado religioso, tan típico de la cultura alemana como lo es el etiquetado físico en la cultura anglosajona, encuentra en el islam una diferencia ideal, capaz de suceder a las diferencias católica, protestante y judía.

La islamización de los turcos por parte de Alemania

El hecho de que muchos turcos, en el momento de llegar a Alemania, sean representantes de una tendencia laica del islam, poco más o menos como los franceses de la Cuenca de París, los andaluces y los italianos del sur representan una rama laica de la tradición cristiana, no impide que la sociedad receptora los catalogue como musulmanes. Hasta asistimos a un paradójico proceso de islamización de los turcos inducida por el contexto cultural alemán, que acompaña y tal vez explica el aumento de la fecundidad turca en Alemania, entre 1985 y 1990. En los años que van de 1965 a 1985, el fundamentalismo musulmán se afirma como la tendencia ideológico-religiosa dominante entre los inmigrantes, algo que no consigue en la propia Turquía. Hacia 1990, la organización islamista moderada Milli Görüs domina la vida asociativa de los turcos afincados en Alemania, mientras que su equivalente en Turquía, el Partido de la Prosperidad, no logra en las elecciones de 1991 más que el 16,9% de los sufragios.[39] Que un grupo inmigrante segregado reafirme su tradición religiosa es un fenómeno frecuente. Ya hemos comentado el caso de los indios y los paquistaníes de Inglaterra, a quienes la hostilidad de la sociedad receptora inglesa ha empujado a reafirmar su identidad sij o musulmana. Pero en su caso sólo se trataba de la radicalización de una fe real (entre los paquistaníes, por ejemplo, se da un deslizamiento desde el islam sunnita tradicional hacia una fe más violenta, influida por el jomeinismo), mientras que en el caso de los turcos de Alemania, la evolución conduce directamente de la laicidad al fundamentalismo.

Aún no sabemos hasta qué punto las tradiciones religiosas alemanas serán capaces de influir en profundidad en el islam turco de Alemania, ni si el grupo turco será germanizado y marginado al mismo tiempo. ¿Adoptará ese grupo un modelo diferencialista de la vida social e ideológica? ¿Se adaptará a una concepción inigualitaria y jerárquica de la vida familiar? Es demasiado pronto para decirlo. Pero ya estamos en condiciones de señalar hasta qué punto el cerco comunitario es capaz de invertir el sistema ideológico-religioso turco, en lo que concierne a algunos puntos fundamentales. El fundamentalismo islámico que sirve a la definición de una identidad particularista en Alemania, se opone punto por punto a la tendencia ideológica central de la República turca, que podríamos calificar como nacionalismo universalista. Cuando se encuentran en posición políticamente dominante y confrontados con una minoría étnica como la kurda, los turcos se muestran partidarios de un asimilacionismo abierto, cercano al de los jacobinos franceses, aunque menos realista y más violento. El ideal de la República turca sería que los kurdos se incorporasen a la vida social y nacional como ciudadanos corrientes. En resumen: en Alemania, la permanencia de la identidad aparente va acompañada por una desnaturalización de la cultura turca. Una vez más, nos encontramos con que lo único que sobrevive en el proceso migratorio es la etiqueta étnica.

Cómo se fabrica un grupo paria

Antes de que su marginación se consolidase, los turcos de Alemania, gracias a su inicial capacidad de adaptación, no parecían muy diferentes de los sijs de Inglaterra. El paralelismo de sus respectivas modernizaciones demográficas era el indicador más significativo a ese respecto. Una comparación más metódica de ambos sistemas antropológicos permite poner de relieve ciertas particularidades de la situación del grupo turco que, partiendo de una cultura universalista, se ha visto constreñido por un medio de acogida diferencialista a replegarse sobre su identidad.

Los sijs tenían la suerte, por así decirlo, de ser desde un principio portadores de un sistema cultural diferencialista: a su organización familiar autoritaria e inigualitaria de tipo matriz, correspondía el sentimiento de pertenecer a un pueblo elegido, fiel a una religión única, que les preparaba bastante bien para encajar la negativa de la sociedad inglesa a asimilarlos inmediatamente. Colocados por Inglaterra en situación de espera, los sijs gozan, en el seno de esa sociedad, de una segunda ventaja para adaptarse, a saber: la relativa debilidad del potencial educativo de la familia nuclear absoluta de la sociedad receptora, menos capaz que la familia matriz sij de arropar con fuerza a sus hijos. Esa es la razón de que los resultados escolares de los niños sijs fueran, ya a partir de los años ochenta, mejores que los de los niños «blancos». Esos logros, aunque de menor nivel, son comparables a los de los estudiantes asiáticos en las universidades americanas. Japoneses, coreanos y chinos del sur, como portadores de estructuras familiares autoritarias e inigualitarias en grados diversos, gozan de una relativa ventaja en relación con los americanos blancos, educados en un contexto familiar muy individualista. Pero, en Alemania, la relación de fuerza educativa entre la población receptora y la población inmigrada es la inversa: las estructuras familiares turcas, ya sean nucleares o comunitarias, nunca tienen el potencial educativo de tipo matriz que caracteriza a la familia alemana y que explica el poderío económico de la República Federal. Así pues, la población inmigrante turca, separada del grupo mayoritario, no goza de ninguna ventaja relativa en la competencia educativa o económica. Los resultados escolares de sus hijos son peores que los de los niños alemanes.[40] El índice de paro de los turcos de Alemania, ya se trate de la primera o de la segunda generación, es claramente más elevado que el de la población receptora: 16,7% frente a 6,8% en el censo de 1987.[41]

Esas desventajas, incluso acumuladas, no deberían conducir a la comunidad turca alemana a un desmoronamiento psicológico y cultural comparable al de los antillanos de Inglaterra. Original o deformada, la identidad turca existe: la historia del Imperio otomano no tiene nada que envidiar a la del Imperio alemán. De manera que el grupo marginado puede apoyarse en el recuerdo de una historia brillante que llevó a su pueblo desde la estepa euroasiática hasta el dominio de la mitad del mundo mediterráneo, y en la realidad política de una Turquía que alcanzará los cien millones de habitantes en el año 2025. La reestructuración a base del islam garantiza, por su parte, la existencia de redes de ayuda mutua capaces de resistir los azares de la evolución económica del mundo postindustrial. Así pues, la sociedad alemana parece comprometida en la fabricación de un grupo marginal estable, marcado por una especificidad étnica y religiosa al mismo tiempo. No deja de impresionar que, medio siglo después del exterminio de la comunidad judía, esté en marcha este proceso de definición de un nuevo grupo paria, aunque los turcos actuales difieran en diversos rasgos de los judíos de las épocas medieval y moderna. La especialización económica de los turcos de Alemania sigue siendo, a pesar de la reciente aparición de un grupo comerciante, esencialmente obrera, a diferencia de la especialización de los judíos, que se dedicaban a los oficios del comercio y del dinero.[42] El sistema antropológico turco es muy diferente del de los judíos, que era de tipo matriz y no presentaba más diferencia con el alemán que cierto sesgo endógamo, una mayor flexibilidad en las relaciones entre padres e hijos y unas relaciones más afectivas entre hermanos. Pero no hay nada que nos autorice a descartar que, en el futuro, ciertos valores familiares turcos se alineen con los del medio alemán, en particular los de jerarquía, ya que el sistema ideológico y antropológico global deforma, más allá de la ideología, el sistema familiar del grupo dominado. Es razonable pensar que la endogamia familiar turca se mantendrá, como resultado de la persistencia de la endogamia cultural y religiosa. En ese caso, la adaptación familiar traería consigo mejores resultados escolares y, finalmente, una especialización económica más favorable. Al final de ese proceso, que como es lógico duraría varias generaciones, Alemania habría judaizado literalmente a una población mediterránea.

Percepción de la diferencia y sueño de unidad

Como a otras sociedades matrices, a Alemania no le gustan las diferencias, las perciba o las fabrique. En el capítulo anterior he mostrado cómo un diferencialismo de expulsión (o, en el peor de los casos, de exterminio) podía derivarse, en los sistemas antropológicos de tipo matriz, de una desigualdad entre hermanos que conduce a percibir a los hombres como diferentes y de una fuerte autoridad parental favorecedora del sueño de unidad. Aplicado al pasado, ese modelo interpretativo permite explicar al mismo tiempo la permanencia histórica de la comunidad judía en Alemania y las repetidas persecuciones que padeció y que desembocaron en el exterminio del periodo 1933-1945. Aplicado al presente, el modelo permite entender por qué la Alemania próspera de los años 1970-1990 vive sin entusiasmo la formación de un nuevo grupo marginal, definido simultáneamente por su religión y por su inserción profesional. La sociedad alemana, a diferencia del mundo anglosajón, cuyo diferencialismo de segregación conduce con facilidad a la formación de guetos, no gusta de las separaciones de grupos, espaciales o simbólicas. Las teorías multiculturalistas anglosajonas que, a partir de mediados de los setenta, adquieren un cariz de auténticos sermones, no encuentran en Alemania un terreno abonado. Cuando un investigador americano como R.C. Rist afirma en 1978 que «el principal reto para la Alemania de hoy es el de construir y asentar sobre sólidos pilares la legitimidad de una sociedad multicultural» y que «aceptar la popularización de la sociedad alemana parece la única solución realista», está infringiendo el código cultural unitarista que opone, de forma radical, el mundo germánico al mundo anglosajón.[43] Si pasamos ahora del plano de las representaciones al de las duras realidades de la geografía urbana, tenemos que constatar que, efectivamente, la Alemania postindustrial no favorece la formación de guetos. Los barrios étnicamente diferenciados son más excepcionales que normales. Kreuzberg, el célebre barrio turco de Berlín, rompe radicalmente con la situación media que puede observarse a largo y a lo ancho de la República Federal. Esa es la conclusión a la que llega un detallado análisis estadístico realizado sobre las ciudades de Duisburg y Düsseldorf, en el Ruhr. Sus autores, sin negar la existencia de fenómenos de concentración relativa de poblaciones extran-

170

jeras, turcas en particular, en los barrios pobres, lógica consecuencia de su mayoritaria pertenencia a la clase obrera, concluyen, no sin cierto asombro, que el nivel de segregación espacial de los grupos inmigrados es muy débil. Y dan varias posibles explicaciones, entre las que se encuentran la rigidez del mercado inmobiliario y la débil tendencia de las poblaciones alemanas a huir de los barrios en los que comienzan a instalarse trabajadores turcos con sus familias.[44] Generalizando más, ese análisis sugiere que la mentalidad alemana media no concibe la idea de una sociedad espacial y étnicamente segmentada. Un estudio un poco más reciente del caso de Hamburgo también llega a la conclusión de que los indicadores de segregación espacial observables en Alemania son débiles comparados con los que caracterizan a Estados Unidos o incluso a Gran Bretaña.[45]

La política alemana de gestión de la inmigración, presa entre la percepción de las diferencias y el sueño de unidad, está condenada a dudar entre la opción de unión y la de separación. En el terreno de la educación, los hijos de los extranjeros son integrados en el sistema escolar normal, aunque conservan la posibilidad de seguir clases preparatorias bilingües en las que se combina la enseñanza en alemán con la enseñanza en sus lenguas maternas.

Por otra parte, hay que decir que los Länder, que son autónomos en el campo de la educación, tienen políticas distintas. En un extremo del abanico se encuentra Baviera que, con el 28% de alumnos extranjeros en las clases bilingües, el 70% de los cuales está orientado por el poco prestigioso camino de las *Hauptschule*, parece favorecer la separación. En el extremo opuesto se encuentra Berlín que, con tan sólo un 3% de alumnos extranjeros en las clases bilingües, de los que apenas el 25% se orienta hacia la *Hauptschule*, parece optar por la unión.[46] Esa oposición puede interpretarse en términos de polaridad política izquierda/derecha, puesto que Baviera es, con mucho, el Länder alemán más conservador. Pero también es posible ver en ella un resurgimiento de la dualidad religiosa de Alemania, si se tiene en cuenta que Baviera es mayoritariamente católica, mientras que Berlín está situado en el corazón protestante del país. La vacilación de las poblaciones alemanas entre percepción de la diferencia y necesidad de unidad es una estructura permanente, común al conjunto de las regiones. No obstante, los católicos siempre parecen aceptar mejor la diferencia práctica, mientras que los protestantes dan la impresión de tener una mayor necesidad de unidad. Desde finales del siglo XIX, las tentativas de homogeneización siempre parten del norte y del este, en especial de Prusia. Inmediatamente después de la fundación del segundo Reich, el *Kulturkampf* bismarckiano ataca sin éxito la diferencia católica, ya sea bávara o renana. Entre 1871 y 1914, las poblaciones polacas y católicas de Prusia tienen que soportar una política orientada a establecer la unidad del país, que pasa progresivamente de la asimilación forzosa a la expulsión. En 1872 y 1873, se impone el alemán como lengua obligatoria en las escuelas elementales de la alta Silesia y de Prusia Occidental. En 1885 se producen las primeras expulsiones masivas.[47] Inmediatamente después, la intolerancia de las regiones protestantes de Alemania se manifiesta ante la diversidad por una adhesión masiva a las tesis nacionalsocialistas, como atestiguan los elevados porcentajes de voto que el partido nazi acapara en esas regiones.[48] Ya en el siglo XVI, el protestantismo fomentaba la solidificación de Estados territoriales, separados unos de otros en el propio interior de Alemania, cada uno de los cuales, no obstante, da muestras de una gran preocupación por la homogeneización del cuerpo social. Mucho antes de la democratización del siglo XX, el protestantismo supone un paso hacia la unidad de la sociedad territorial, paso dado especialmente a través de la masiva alfabetización de la población, aunque también a través de la plasmación externa de la diferencia.[49] El catolicismo sitúa su principio de unidad y de homogeneidad fuera de Alemania, en Roma o en el cielo, y esa plasmación externa permite aceptar mejor la diversidad terrestre concreta.

El aumento de la ansiedad, 1985-1993

Hacia 1985, comienza a alcanzar la edad adulta una generación de turcos educados en Alemania, germanófonos, cuya diferencia objetiva con la población receptora es menor que la que presentan sus padres. En un contexto diferencialista, esa atenuación de la diferencia no conduce a un descenso sino, al contrario, a un aumento del nivel de ansiedad de la sociedad receptora. Así, los años 1985-1993 representan una fase de crecimiento de la ansiedad, cuyo desarrollo autónomo se ve, no obstante, perturbado por el hundimiento del comunismo.

A partir de 1990, la dinámica de la unidad alemana desdobla el problema de la homogeneidad social. Al problema de la coexistencia de turcos y alemanes indígenas propio de la República Federal, viene a añadirse el de la oposición entre alemanes de cultura capitalista y alemanes de cultura comunista, los últimos de los cuales se subdividen a su vez en antiguos ciudadanos de la RDA y *Aussiedler*, alemanes étnicos repatriados de Polonia, de Rumania o de la ex Unión Soviética. Por si eso fuera poco, entre 1989 y 1992, se dispara el número de solicitudes de asilo político, cuyo número pasa de 121.000 en 1989 a 483.000 en 1992.[50]

El aumento de la heterogeneidad objetiva, en una sociedad matriz obsesionada a un mismo tiempo por la diferencia y por la necesidad de homogeneidad, agrava las tensiones específicas derivadas de la llegada a la edad adulta de los hijos de los inmigrantes. En cualquier caso, podemos afirmar que el problema de la segunda generación turca

se hubiese planteado si no se hubiesen presentado los problemas derivados de la reunificación. Varios indicadores, al describir la evolución demográfica de los inmigrantes o el aumento de la violencia de
extrema derecha, ponen de relieve que el punto de inflexión se sitúa
más bien hacia 1985 y 1986 que hacia 1990. Y en ese momento empieza a plantearse el problema de los efectos del código de nacionalidad alemán, que define como extranjeros a los individuos nacidos en
Alemania de padres extranjeros. Entonces es cuando empieza a perfilarse la imagen de una Alemania de nuevo heterogénea.

El 1 de enero de 1991, tras varios años de discusión, entra en vigor
una nueva ley que regula la residencia de extranjeros. Esa ley no
revoca el derecho de sangre, pero introduce un procedimiento de naturalización facilitado *(erleichterte Einbürgerung)*. En ella son de particular importancia las disposiciones que conciernen a los jóvenes. So-
licitándola entre los dieciséis y los veintitrés años, todo extranjero tiene
derecho a la naturalización si cumple tres condiciones: residir en la
República Federal desde hace ocho años, haber frecuentado un establecimiento escolar durante seis, cuatro de los cuales por lo menos en
un establecimiento de enseñanza general, y no tener antecedentes pe-
nales. Debe renunciar a su anterior nacionalidad, salvo que el país de
origen ponga trabas. Por otro lado, los gastos de naturalización son
reducidos a cien marcos.[51] Si se aplica en proporción suficiente, ese
procedimiento acabará por alejar a Alemania de su tradicional derecho
de sangre, se tome en su acepción literal o metafórica. Sin introducir
explícitamente un derecho de suelo en el texto, la nueva ley supone
una socialización por la escuela y no sólo por la familia, alejándose
así de un presupuesto cultural fundamental. Nacer en territorio de la
República Federal no siempre da derechos particulares. Sigue vigente
la idea de una asimilación total, y necesariamente difícil, a la cultura
alemana, y se mantiene la exigencia de homogeneidad que el rechazo
de la doble nacionalidad pone de manifiesto.

Aún no sabemos si ese procedimiento será masivamente aceptado
y aplicado por los turcos de la segunda generación. Sería ingenuo creer
que una modificación practicada en el plano jurídico iba a bastar para
destruir o tan siquiera resquebrajar un sistema antropológico que nace
de las estructuras familiares y está enraizado en el inconsciente de los
individuos. El derecho de sangre, como hemos visto, no es sino un
derivado jurídico de los valores fundamentales de la familia matriz. Su
abolición no comporta necesariamente la de los valores de autoridad
y de desigualdad, ni la percepción *a priori* de diferencias culturales.
El ejemplo de los negros americanos demuestra hasta qué punto una
estructura antropológica y mental inconsciente puede resistir a las
transformaciones conscientes decididas por la voluntad política. El diferencialismo, fenómeno mental total, va mucho más allá de las de-
finiciones jurídicas y legales.

En el preciso momento en que la ley abre la posibilidad de un acercamiento, comienza un ciclo de violencias étnicas. En 1990 tuvieron lugar 270 «actos de violencia racista y xenófoba», 1483 en el año 1991 y 2010 al año siguiente. Esos incidentes se producen tanto en la Alemania del Este como en la del Oeste. La reconstrucción de la era poscomunista no es el único factor de ansiedad, ni siquiera el principal. Si el índice de violencia por habitante es más alto en el Este, y especialmente en Brandemburgo y Mecklemburgo-Pomerania, el número absoluto de incidentes es mayor en el Oeste, en Renania del Norte.[52] Más que una oposición entre capitalismo y comunismo, lo que parece dibujarse sobre el mapa de la violencia es una influencia religiosa, particularmente en los *Länder* que conservan un fondo rural, como Schleswig-Holstein, protestante, donde la tasa de violencia es muy elevada, y Baviera, católica, donde es muy baja. Una vez más, la exigencia de homogeneidad social muestra mayor vigor en las zonas protestantes y, una vez más, la tradición católica parece tolerar mejor la diferencia. Baviera, cuyas medidas de separación le han dado la reputación de dura con los extranjeros, acepta finalmente mejor la presencia de inmigrantes en su territorio, porque el ideal de una homogeneidad alemana es en ella mucho menor. La regla que mejor resume el espíritu del diferencialismo bávaro es la que exige un buen dominio del dialecto local a los extranjeros que quieren naturalizarse.[53]

La violencia contra los turcos es frecuente en el oeste de la República Federal. El 23 de diciembre de 1992, tres personas asesinadas en Mölln; el 29 de mayo de 1993, cinco asesinatos en Solingen. Las víctimas son mujeres y niñas, quemadas vivas en su casa. Es evidente que a partir de cifras tan pequeñas no podemos extraer normas estadísticas, pero no deja de llamar la atención la elección de las primeras víctimas. Se trata de mujeres que llevan mucho tiempo viviendo en Alemania. Los asesinos son individuos jóvenes de sexo masculino, tanto en Mölln, como en Solingen y en los demás lugares. El 70% de los autores de atentados tienen una edad que oscila entre los dieciséis y los veintiún años.[54] El análisis de los matrimonios mixtos germanoturcos ha puesto de manifiesto una asimetría fundamental y la existencia de un tabú específico en lo referente al matrimonio entre una mujer turca y un hombre alemán, prescripción reveladora de un aspecto prioritario del diferencialismo. Los asesinatos de mujeres turcas son una especie de escenificación del tabú que recae sobre las mujeres del grupo designado como diferente. Aunque patológicos y estadísticamente irrelevantes, concuerdan con la lógica profunda del sistema antropológico. Una patología universalista hubiese desembocado en violaciones, comportamiento característico, por ejemplo, de los conquistadores españoles, portadores de un sistema ideológico igualitario.

El retorno de los alemanes étnicos

El concepto alemán de la nacionalidad garantiza a las personas de etnia alemana dispersas por Europa oriental una especie de derecho al retorno que les asegura el acceso a la ciudadanía de la República Federal. La fecha en que sus antepasados abandonaron Alemania no tiene importancia: en el caso de algunos alemanes de Rusia hay que remontarse al siglo XVIII y en el de algunos alemanes de Polonia a la Edad Media. Como la autenticidad germánica viene dada simplemente por la genealogía, sin exigencia lingüística o cultural ninguna, puede hablarse de un derecho de sangre literal y no metafórico. Eso explica, por ejemplo, que en 1992 hubiese en Pforzheim, en el Baden-Wurtemberg, diez mil «repatriados» procedentes de Rusia y de Kazajstán, en donde los había exiliado Stalin. Esos repatriados son considerados alemanes, a pesar de que hablan ruso entre sí.

El movimiento de regreso de los alemanes étnicos, fenómeno asociado al hundimiento del comunismo soviético, culmina en 1989 y 1990, con la admisión en Alemania de 377.000 y 397.000 *Aussiedler* respectivamente. En total, entre 1986 y 1992, han sido aceptados 1.550.000, de los cuales 657.000 llegan de Polonia, 651.000 de la ex Unión Soviética, 222.883 de Rumania, 7700 de Checoslovaquia y 5600 de Hungría.[55] Esos repatriados constituyen un conjunto histórica y culturalmente heterogéneo. Los alemanes de Polonia proceden casi en su totalidad de Silesia, región contigua a Alemania y que estuvo integrada durante siglos en la esfera política y cultural germana, primero como Imperio austriaco y luego como reino de Prusia. Su proximidad geográfica y su condición de germanófonos hacen que considerarlos alemanes no plantee excesivos problemas de interpretación, tanto más cuanto que su experiencia del socialismo polaco los acerca a los alemanes de la ex RDA, de quienes los diferencia, no obstante, su tradición religiosa católica. Por el contrario, la aceptación de los alemanes de Rusia en la RFA apura al máximo los límites de la germanidad.

La selección de una diferencia

Por múltiples razones, los años comprendidos entre 1990 y 1993 representan un viraje en la historia de Alemania. La llegada de la inmigración turca a la madurez, la reunificación, el regreso de los alemanes étnicos, el movimiento hacia el oeste de los ciudadanos de la ex RDA y el aumento del número de solicitudes de asilo han contribuido a que el sentimiento de ansiedad crezca. La combinación de los valores de autoridad y de desigualdad, característicos del sistema antropológico alemán, conduce a una tensión entre exigencia de homogeneidad y obsesión por la diferencia. La multiplicación de las diferencias ha producido agitación, reacciones violentas y una proliferación de grupos de extrema derecha capaces de redescubrir y reactivar viejas teorías y viejos textos tan abundantes en el pasado ideológico de Alemania. Muchas interpretaciones recientes meten en un mismo saco los fenómenos de hostilidad frente a los diferentes grupos que son percibidos como «extranjeros» —turcos, *Aussiedler* y solicitantes de asilo de diversas procedencias— como testimonios de una misma heterofobia. No existe ejemplo que muestre mejor la insuficiencia de un análisis que se contenta con oponer, de manera abstracta, tolerancia e intolerancia, no violencia y violencia. Insultar a los alemanes étnicos y quemar mujeres turcas no es lo mismo. Hay que subrayar que, más allá de la diferencia de niveles de intensidad, esos dos tipos de hostilidad proceden de dos concepciones distintas de la diferencia. Segregar a los turcos germanófonos es afirmar la perpetuación de una idea genealógica de la nación, rechazar a los *Aussiedler* es negar esa misma idea genealógica de la nación. El primer caso es un acto de adhesión a la noción de derecho de sangre; el segundo, de rechazo.

Es demasiado pronto para poder decirlo, pero ya se percibe que los niveles de violencia no son comparables. Ningún *Aussiedler* ha sido asesinado y puede preverse que disminuirán las hostilidades entre esos repatriados y la población receptora alemana. Aun siendo de lengua rusa, los alemanes étnicos no parecen mucho más diferentes que los ex yugoslavos que, como hemos visto, son absorbidos por la población alemana de manera lenta y silenciosa. La historia de Alemania en los años 1933-1945 demuestra, efectivamente, que puede darse una hostilidad polivalente, que jerarquice los grupos religiosos, étnicos o nacionales, aunque los odie a todos. El nazismo había establecido una escala continua de la inferioridad de los pueblos, que iba de los judíos a los franceses, pasando por los eslavos. Pero la actual Alemania no es un país histérico y no la imaginamos volviendo, al cabo de medio siglo, a un odio total del mundo. Su diferencialismo, como el americano, es capaz de seleccionar entre las diferencias y los grupos, y puede perfectamente escoger una diferencia principal para olvidar las otras. La existencia de un grupo paria negro en Estados Unidos ha permitido la asimilación de diversos tipos de europeos y, finalmente, la de los asiáticos. La solidificación del grupo turco en Alemania podría facilitar la progresiva dispersión de los *Aussiedler* en la sociedad del Oeste, y hacer que la oposición entre alemanes del Oeste y ciudadanos de la ex República Democrática Alemana disminuya simbólicamente. La designación de un chivo expiatorio es un paso hacia la homogeneidad. Incluso podríamos preguntarnos si la intensificación del sentimiento antiturco durante el periodo de unificación no tiene un carácter funcional.

9

Francia:
el hombre universal
en su territorio

Pasar al análisis del caso francés equivale a abordar el estudio de un sistema antropológico de preponderancia universalista, el más perfecto, al parecer, puesto que dio nacimiento al concepto de hombre universal. No obstante, el examen de los tipos familiares tradicionales revela que en Francia existen dos sistemas de valores fundamentales, cuyo enfrentamiento define un sistema antropológico complejo que funciona de manera muy diferente al de los sistemas homogéneos americano, inglés o alemán.

El análisis de las relaciones entre los hermanos, tal y como las definen las costumbres relativas a la herencia, permite oponer una Francia central igualitaria, cuyo corazón es la Cuenca de París y a la que hay que añadir la franja mediterránea y, curiosamente, el Trégorrois, al oeste del departamento de Côtes-d'Armor, a una Francia periférica inigualitaria, cuyo territorio principal cubre la zona no marítima de la antigua Occitania y la mayor parte de la región Ródano-Alpes, incluyendo algunos bastiones en el oeste, en el extremo norte y en el este. Bretaña, Anjou, Vendée, el país de Caux, Ponthieu (la región marítima de Picardía), ciertas zonas de Artois y de Flandes, Alsacia y las montañas del Franco Condado dibujan una corona no igualitaria en torno a la igualitaria Cuenca de París. El examen de los pocos datos históricos de los que disponemos hace pensar que la distribución de esos tipos familiares no es totalmente estable: una extensa región situada entre el Loira y Burdeos, con centro en Poitou, parece haber basculado, entre los siglos XVI y XVIII, de la desigualdad a la igualdad, al mismo tiempo que pasaba, precozmente, de la lengua de oc a la lengua de oíl.[1] Ese deslizamiento pone de manifiesto la tendencia expansionista del espacio igualitario. La distribución de los tipos familiares en Francia, que comprende una amplia zona igualitaria compacta formando un solo bloque (con las únicas excepciones de la franja mediterránea y del Trégorrois), y múltiples pequeños espacios inigualitarios que rodean ese espacio central, sugiere un modelo de difusión centrífuga, una progresión de la concepción igualitaria que probablemente está asociada a la expansión de la lengua de oíl y del Estado monárquico. El principio lingüístico clásico del conservadurismo de las zonas periféricas permite explicar en términos de difusión el reparto territorial descrito.[2] Sin embargo, no es lícito asociar de una manera mecánica la expansión de la lengua francesa con el avance del igualitarismo. En Anjou, en Bretaña, en Vendée y en Saboya, el paso a la lengua francesa se produjo antes, pero no trajo consigo mimetismo alguno respecto al igualitarismo central. La importancia de esos cambios no debe hacernos olvidar la estabilidad de la estructura del conjunto. Desde la Edad Media, Francia está partida en el plano familiar y antropológico, dividida entre un centro igualitario dominante y una periferia inigualitaria dominada. Los cambios observados muestran tan sólo el carácter inestable de la frontera que separa ambos espacios que, combinados, forman el sistema antropológico francés.

El tipo familiar dominante en la zona central es la familia nuclear igualitaria, liberal en lo que concierne a las relaciones entre padres e hijos. Es un tipo de familia frecuente en el mundo latino, que encontramos en España, desde Castilla hasta Andalucía, en el norte y en el sur de Italia y en el centro de Portugal. En la época preindustrial, a todo lo largo de la franja noroeste del Macizo Central, entre el norte del departamento de las Landas y el oeste de Saône-et-Loire, así como en la fachada mediterránea, pueden detectarse tipos familiares comunitarios, igualitarios pero autoritarios, que asocian estrechamente padres e hijos casados y que tienen una estructura parecida a la estructura de la familia rusa tradicional. En el Trégorrois, domina una original y misteriosa variante de ese sistema comunitario, que se diferencia del tipo normal en que no es patrilineal: una mujer casada puede cohabitar con su hermano casado.[3] Es un matiz matrilineal que no ha impedido a este modelo de familia comunitaria favorecer, entre 1946 y 1981, un notable porcentaje de votos comunistas en zona rural, tanto en el oeste de Côtes-d'Armor como en la franja noroeste del Macizo Central.

En la Francia periférica, ya sea en Occitania o en Saboya, en la baja Bretaña o en Alsacia, el tipo dominante es la familia matriz, autoritaria e inigualitaria, similar en sus rasgos esenciales a las variantes alemana o japonesa. En las zonas no marítimas del oeste, en la Bretaña gala y en Anjou, se detecta un tipo nuclear absoluto cercano al modelo inglés.[4]

En general, podemos describir el sistema antropológico francés como un modelo que combina y opone dos tipos básicos: la familia nuclear igualitaria y la familia matriz. Así pues, dos pares de valores fundamentales, libertad/igualdad y autoridad/desigualdad, se reparten el territorio galo. Los tipos familiares menores —comunitario y nuclear absoluto—, respectivamente portadores de las parejas de valores autoridad/igualdad y libertad/desigualdad, parecen tanto más secundarios cuanto que su disposición en el espacio, por ser intermedia, sugiere que no son sino el resultado del choque de los dos tipos básicos, nu-

Centro y periferia

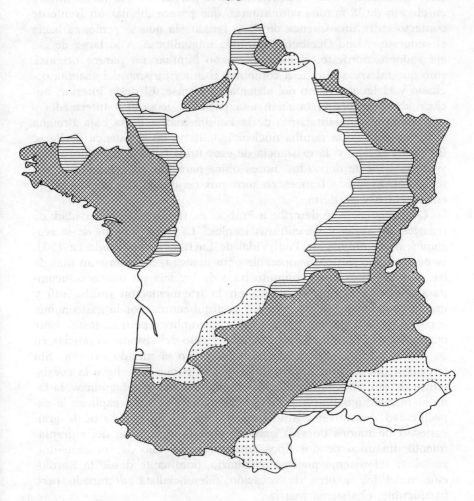

- [ ] Herencia igualitaria + práctica religiosa débil
- ☰ Herencia igualitaria + práctica religiosa media o fuerte
- [:::] Herencia inigualitaria + práctica religiosa débil
- ☒ Herencia inigualitaria + práctica religiosa media o fuerte

clear igualitario y matriz. El fenómeno se perfila con particular nitidez en el caso de la familia comunitaria, que parece dibujar un frente de contacto entre una Cuenca de París igualitaria que se prolonga hacia el sudoeste, y una Occitania profunda inigualitaria. A lo largo de ese eje sudoeste/nordeste, el comunitarismo familiar no parece original, sino que tal vez se limite a combinar el autoritarismo del sistema occitano y el igualitarismo del sistema parisiense. El oeste interior, nuclear absoluto, ocupa también una posición geográfica intermedia y superpone el inigualitarismo de la familia matriz de la baja Bretaña al liberalismo de la familia nuclear igualitaria de la Cuenca de París. En pocas palabras: la existencia de esos tipos familiares, minoritarios y probablemente derivados, no es óbice para que describamos el sistema antropológico francés en términos de dualidad y de oposición entre centro y periferia.

Con frecuencia se describe a Francia en términos de diversidad: de paisajes, de razas y de culturas locales.[5] La obra *Tableau de la géographie de la France*, de Paul Vidal de La Blache, publicada en 1903, es en ese aspecto una insuperable obra maestra. Se enumeran más de trescientos países cuyo conjunto hace de Francia un mosaico incomparable. Esa descripción basada en la fragmentación resulta útil y exacta cuando uno se interesa por la arquitectura, por la gastronomía o por algunos aspectos de los usos y costumbres, pero es insuficiente cuando se quiere entender el funcionamiento del sistema «Francia» en su relación con la diferencia humana y con el mundo exterior. Sin embargo, una representación dualista que ponga de relieve la coexistencia de dos tipos antropológicos fundamentales y antagónicos, la familia nuclear igualitaria y la familia matriz, permite explicar la especificidad del universalismo francés, que no ha nacido de la gran variedad de modos de vida existentes en Francia, sino del enfrentamiento dinámico de dos tipos antropológicos, uno de vocación universalista, el sistema nuclear igualitario, dominante desde la Revolución de 1789, y otro de vocación diferencialista, dominado pero irreductible: el sistema matriz.

De la familia nuclear igualitaria al universalismo

En el núcleo del sistema francés, el principio de igualdad de los hijos impone al inconsciente el *a priori* metafísico de la equivalencia de los hombres, los pueblos, las razas y los sexos. Y en ese contexto antropológico, liberal e igualitario, se desarrolla, en la época de la Revolución, el concepto de hombre universal. Cada grupo o nación es entonces percibido como una representación metafórica de la familia típica de la Cuenca de París: un conjunto de individuos iguales. En el plano interior, la Revolución elimina los órdenes del Antiguo Régimen, nobleza y clero, cuya existencia reposa sobre la noción opuesta, la de que los hombres son diferentes por naturaleza y están divididos en castas. En el plano exterior, la Revolución aplica el mismo individualismo igualitario. Los pueblos de provincias que rodean la Cuenca de París —occitanos, bretones, vascos, flamencos o alsacianos— pueden ser reconocidos como franceses de pleno derecho. Ese sencillo concepto permite decretar la homogeneidad del territorio, cuya manifestación en el plano administrativo es la división igualitaria en departamentos. Las minorías lingüísticas, religiosas y culturales son declaradas inexistentes: puesto que los hombres son iguales en todas partes, cualquier individuo que viva en Francia debe ser considerado francés. Más allá de las fronteras nacionales, el enfoque conceptual es el mismo: se define a los pueblos como iguales al de la Gran Nación, únicamente separados por matices de lengua o de costumbres que la historia ha producido y que son accidentales y superficiales.

Para el análisis histórico, la idea del hombre universal, tal y como es definida a finales del siglo XVIII, es un *a priori* metafísico: no es resultado de un examen empírico de las similitudes humanas, ni de la observación práctica de procesos de fusión y de asimilación que hayan borrado diferencias objetivas de costumbres entre clases sociales o entre grupos étnicos. En tanto que resultado de valores familiares y de la formación del inconsciente durante la infancia es, en cierto modo, independiente de la realidad social o cultural. La Cuenca de París, que lleva e impone ese sueño a toda Francia, es el asentamiento de una civilización homogénea en lo religioso, lo familiar, lo agrícola y lo arquitectónico. Hablando en general, es la Francia de la familia nuclear igualitaria, del monocultivo cerealista y de las casas de fachada blanca y tejado de pizarra. La que, entre mediados del siglo XII y mediados del XIII, construye catedrales góticas que se elevan hacia el cielo en el polígono Laon-Reims-Bourges-Poitiers-Le Mans-Amiens, pero que en el siglo XVIII, tal vez decepcionada en su búsqueda de un Dios inaccesible, inicia el proceso de descristianización de Europa. Ese mundo móvil pero homogéneo en sus creencias y sus costumbres es el que, súbitamente, decreta la universalidad del hombre. En el plano de la apariencia física, los franceses del norte, sin ser particularmente rubios ni morenos, también constituyen un tipo relativamente homogéneo. La apariencia física de sus gentes no es ni más ni menos variada que la de la gente de Alemania o de Gran Bretaña.[6] La propia ciudad de París, donde triunfa el proceso revolucionario, no alberga una particular diversidad, puesto que en aquella época su población proviene fundamentalmente de la Cuenca de París.[7] El contacto real con los grupos humanos no nucleares igualitarios de la periferia de Francia es mínimo por entonces. Lo que la Revolución expresa es, sin duda, un *a priori* metafísico desconectado de cualquier percepción de la diferencia humana objetiva.

En vísperas de 1789, fuera de la Cuenca de París, no hay ninguna unidad física, de costumbres o lingüística. La lógica igualitaria va en contra de la evidente diversidad de Francia tomada en su conjunto: la Revolución proyecta sobre una Francia heterogénea la certidumbre metafísica *a priori* de la universalidad del hombre. Su proyecto de homogeneización, a través de la racionalización administrativa y de la extensión del uso de la lengua francesa a los humildes, es un sueño grandioso, que no llegará a ser plena realidad hasta los umbrales de la guerra de 1914, como ha recordado Eugen Weber en *La Fin des terroirs*.[8] Como buen universitario americano, ese autor parece absolutamente pasmado ante la diversidad cultural objetiva del territorio francés.

Dentro mismo del espacio central igualitario, a pesar de ser homogéneo en el plano antropológico, la noción de hombre universal parece una apuesta desconcertante. Es cierto que, como ya subrayó Taine,[9] en 1789 la diferencia práctica entre nobles y burgueses, definida en términos de riqueza o de cultura, había perdido prácticamente toda su substancia. Pero tanto en el centro como en la periferia, el tercer estado, llamado a convertirse él solo en la Nación, está formado por una aplastante mayoría de campesinos, cuyo estilo de vida sigue siendo muy primitivo y cuya apariencia física los convierte en seres diferentes. La descripción que La Bruyère hace de ellos en 1688 conserva plena validez en el momento de estallar la Revolución.

«Se ven algunos animales huraños, machos y hembras, diseminados por el campo, negros tirando a amoratados, quemados por el sol, apegados a una tierra que hurgan y remueven con irreductible cazurrería; tienen una especie de voz articulada y, cuando se yerguen sobre los pies, dejan ver un rostro humano, porque, en efecto, se trata de hombres. Por la noche se refugian en cubiles, y allí se alimentan con pan negro, agua y raíces; descargan a los demás del trabajo de sembrar, arar y cosechar para vivir, mereciendo así no carecer del pan que han sembrado.»[10]

En 1789, la mayoría de los campesinos de la Cuenca de París habla francés y hasta sabe leer, pero sigue perteneciendo a un tipo social y físico claramente diferenciado. Su mala alimentación les hace ser de menor talla que los miembros de las clases dominantes. Su «diferencia» objetiva no impide que los burgueses que conducen la revolución los consideren, *a priori*, unos representantes más del hombre universal, aunque haya que esperar hasta 1793 y la Constitución del año I para que sea adoptado, en una sociedad espantosamente inigualitaria por sus niveles de riqueza y por sus estilos de vida, el principio de una única ciudadanía generalizada que traerá consigo el sufragio universal.

Fuera de Francia, el concepto de hombre universal choca con la diversidad de sistemas antropológicos e ideológicos europeos. Lo menos que puede decirse es que los pueblos del continente no se suman inmediatamente al proyecto francés. Sin tardar, ejércitos austriacos y prusianos, con fuerte financiación inglesa, atacan al país del hombre universal. Como se ve, la contradicción entre el sueño de unidad y la realidad internacional es total: ejércitos y pueblos hostiles o indiferentes a los ideales de libertad e igualdad, participan en un intento de aplastar a la nación universal.

¿Cómo resolver el conflicto entre sueño ideológico y realidad política? La solución generalmente adoptada por los ideólogos de la Revolución, por sus *sans-culottes* y por sus soldados, consiste en disociar a los pueblos de sus tiranos, y en declarar a estos últimos únicos responsables del conflicto armado. La victoria permitirá ilustrar a los pueblos. Pero esa salida es imposible cuando el grupo hostil es un grupo reconocido como libre y dotado de instituciones representativas, caso del pueblo inglés, que los filósofos han elogiado a todo lo largo del siglo XVIII. Sophie Wahnich ha demostrado que la lógica universal conduce entonces a declarar no humano al grupo diferente. El 7 pradial del año II, la Convención decreta que «no volverán a hacerse prisioneros ingleses ni hannoverianos». Decreto sanguinario que no será aplicado para gran descontento de Robespierre que, en su discurso del 8 termidor, no olvida este importante tema:

«Os advierto que vuestro decreto contra los ingleses ha sido permanentemente violado, que el inglés, tan maltratado en nuestros discursos, no lo era tanto en las fronteras, y que vuestro decreto contra ellos no se aplicaba».[11]

La compleja actitud que consiste en decretar no humano al grupo diferente por sus creencias y costumbres, pero haciendo excepción con los individuos concretos de ese grupo, es típica del universalismo francés. Más adelante tendré ocasión de demostrar que esa actitud sigue siendo hoy en día característica de los franceses en sus relaciones con los inmigrantes de origen magrebí.

La lógica *a priori* del hombre universal conducirá a declarar no humanos otros grupos étnicos y nacionales, amenazantes y tristemente refractarios al dogma francés de la universalidad del hombre. Los alemanes son percibidos, desde la guerra de 1870, como unos seres antropológicamente diferentes. La invasión traumatiza no sólo porque implica la humillación de Francia, sino también porque impone la presencia masiva y real de hombres diferentes, portadores de una cultura específica: aquellos prusianos extrañamente disciplinados, los «soldados autómatas» que evoca Maupassant en los cuentos y novelas cortas que dedicó a la ocupación del norte de Francia en 1870 y 1871. Durante la guerra de 1914-1918, el pueblo alemán, cuyo comportamiento colectivo parece volver a amenazar la existencia del hombre universal francés, es, tras el pueblo inglés, definido como no humano, tanto por la propaganda más burda como por la más elaborada literatura sociológica. Ese es el sentido profundo del ensayo de Emile Durkheim *La Mentalité allemande et la Guerre*, cuya conclusión aleja gradualmente a Alemania de la humanidad común: considerada al principio como neurótica, acaba por ser declarada monstruosa.

«Nos encontramos, pues, ante un caso claro de patología social. Historiadores y sociólogos estudiarán más adelante las causas: hoy nos basta con constatar su existencia. Esa constatación sólo puede confirmar a Francia y sus aliados en su legítima confianza, porque no hay mayor fuerza que la de tener a la naturaleza de su lado: no se la violenta impunemente. Es cierto que hay grandes neurosis en el curso de las cuales las fuerzas del enfermo parecen como sobreexcitadas y su capacidad de trabajo y de producción aumentada; el sujeto hace cosas de las que sería incapaz en su estado normal. El mismo no ve límite a su actividad. Pero esa hiperactividad siempre es pasajera y se consume por su propia exageración. La naturaleza no tarda en pasar factura. Alemania nos ofrece un espectáculo parecido. Esa tensión enfermiza de la voluntad que se esfuerza por escapar a la acción de las fuerzas naturales, le ha permitido grandes logros: así es como ha conseguido poner en pie la monstruosa máquina de guerra que ha lanzado sobre el mundo con la intención de someterlo. Pero no puede someterse al mundo. Cuando la voluntad se niega a reconocer los límites de la medida a la que nada humano puede escapar, es inevitable que acabe dejándose arrastrar a excesos que la agotan y que, un día u otro, acabe topando con fuerzas superiores que la quiebren. Efectivamente, el impulso del monstruo ya se ha detenido...»[12]

No dramaticemos. El universalismo francés sólo se ve constreñido a declarar al Otro no humano cuando se siente amenazado por un grupo coherente y conquistador. Ante pueblos pequeños y dominados, muestra su rostro amable. Y no sólo porque un pueblo pequeño y dominado pueda ser asimilado y destruido. La estructura antropológica de Francia revela, de forma bastante paradójica, que el universalismo francés ha dejado subsistir en la práctica importantes diferencias culturales, incluso fundamentales, en su espacio de dominio político.

Heterogeneidad: la subcultura católica

En la periferia del sistema nacional francés predomina un modelo antropológico cuyos valores de autoridad y de desigualdad son los opuestos a los del centro. En la época revolucionaria, la mayor parte de esa periferia sigue siendo visceralmente monárquica. En esas regiones de familia matriz, la creencia en la diferencia humana induce a aceptar las distinciones sociales, a la proliferación de nobles bajo el Antiguo Régimen y, en un contexto industrial o postindustrial, a la deferencia de los humildes con las elites. Durante los dos siglos que siguen a la Revolución, las provincias de la periferia definen y mantienen viva una auténtica contracultura, en particular allí donde los tipos familiares no igualitarios, matriz o nuclear absoluto, han permitido que sobreviviese, hasta 1965, un catolicismo activo: en el oeste, en el extremo norte, en el este, en la región Ródano-Alpes, en las tierras altas del Macizo Central y de los Pirineos, en el País Vasco, el individualismo igualitario de la Cuenca de París no consigue romper las tradiciones de sumisión religiosa y de deferencia social. En el plano político, esas regiones son, durante todo el periodo, bastiones de una derecha conservadora que no acepta la República hasta 1890, cuando lo ordena el Papa.

Más allá de sus manifestaciones ideológicas y políticas, la subcultura católica se manifiesta en costumbres específicas. Favorece un matrimonio muy tardío, pero se resiste al control de la natalidad. Hacia el año 1900, la constelación de provincias católicas constituye una zona de gran fecundidad, opuesta a la baja fecundidad de la parte descristianizada y laica de Francia. La persistencia de esos comportamientos sexuales y de las estructuras psicológicas correspondientes hace que la Francia jacobina, propagandista del hombre universal, sea, paradójicamente, una de las naciones de Europa con mayor diversidad interna. Haldane, genetista y diferencialista inglés de extrema izquierda que ya citamos en el capítulo segundo, se asombra de ello en su ensayo sobre la desigualdad del hombre:

«Una civilización joven tiende a tolerar peor la diversidad que una civilización vieja. Una violenta transformación política y social que logra imponerse, conduce a menudo a que se generalice la admiración por un tipo particular de hombre. El fascista italiano toma como modelo un tipo de hombre fuerte, pero en absoluto silencioso. El norteamericano, empujado por una ola de enorme prosperidad, idealiza a los capitalistas y a los inventores que han organizado esa prosperidad. En ciertas comunidades estables domina una actitud más tolerante. Bajo la Tercera República francesa, es probable que se promocione una variedad de tipos humanos mucho mayor que la que pueda promocionar ninguna otra sociedad. Tomemos a siete seres humanos que han alcanzado la celebridad en ella: Pasteur, Renan, Anatole France, el mariscal Foch, santa Teresa del Niño Jesús, Sarah Bernhardt y Suzanne Lenglen. No creo que ningún otro Estado pueda producir un grupo tan profundamente representativo de los diferentes aspectos de la naturaleza humana. En Inglaterra, por ejemplo, ciertas obras de Anatole France habrían sido prohibidas por indecentes, pero santa Teresa hubiese tenido muchas dificultades para vivir santamente y hubiese topado con obstáculos casi insuperables para realizar los milagros certificados tras su muerte.

»No hace falta decir que Francia, a pesar de esa inmensa variedad de tipos humanos, posee una cultura tan característica y un grado de unidad nacional tan elevado en tiempo de crisis como cualquier otro Estado».[13]

Al oponer de manera más particular a Anatole France y a santa Teresa, Haldane subraya cuál es el antagonismo fundamental sobre el que reposa esa diversidad de tipos humanos que tanto le agrada: Anatole France expresa a la perfección el temperamento individualista y laico, en su forma más civilizada, mientras que santa Teresa es la digna representante del temperamento católico, en su expresión más mística. Dos subculturas, una central y otra periférica, constituyen los terrenos antropológicos necesarios para propiciar la aparición de esas personalidades opuestas. La descripción que el británico Haldane hace de Inglaterra y de Estados Unidos, como países menos variados que Francia en el terreno de las personalidades, introduce un fundamental debate sobre la naturaleza profunda del diferencialismo anglosajón y del universalismo francés.

Homogeneidad anglosajona y diversidad francesa

El análisis detallado del diferencialismo americano de los años 1965-1994 que hemos hecho en el capítulo quinto, pone de manifiesto que existe una contradicción entre realidad y representación: el multiculturalismo aparece como la ideología de un sistema antropológico homogéneo. Se superpone la diversidad a un sistema objetivamente uniforme. El examen de la realidad antropológica constituida por las estructuras familiares y religiosas demuestra que todos los grupos inmigrados a Estados Unidos a lo largo de los tres últimos siglos han acabado por aceptar una norma común que tiene dos dimensiones principales: un sistema familiar nuclear absoluto y una religión individualista que, superando la diversidad de grupos y sectas, afirma la existencia de un Dios poco preciso y esencialmente tolerante, puesto que su principal función parece ser la de bendecir la búsqueda individual del éxito y la felicidad. En el nivel antropológico sólo existe una diferencia perceptible, la diferencia negra. Pero se trata de una diferencia que no se apoya en un sistema. La familia negra, más que ser específica, está descompuesta. La ideología diferencialista negra, por su parte, es más una caricatura de la ideología americana media que una creencia autónoma.

La universalista Francia ofrece la imagen opuesta de una homogeneidad imaginada que enmascara una real diversidad objetiva. En Francia, la estructura familiar puede ser tanto liberal igualitaria como autoritaria no igualitaria. Se puede creer en Dios o no. En realidad, hablar de diversidad es quedarse cortos, puesto que los sistemas familiares y religiosos que coexisten son portadores de valores antagónicos. Tanto en Francia como en Estados Unidos, la contradicción entre realidad antropológica y representación ideológica no es un azar, sino que es producto de la lógica profunda e inconsciente de los mecanismos que conducen, bien al universalismo, bien al diferencialismo. Una vez más, debemos traer a colación la noción de certidumbre metafísica *a priori*, y oponerla a la noción de percepción empírica.

En un sistema antropológico diferencialista predomina la certidumbre *a priori* de una humanidad múltiple, fragmentada, constituida por individuos y grupos que son diferentes en su esencia. Como es lógico, tal concepción previa produce actitudes e ideologías que ponen el acento sobre la diversidad. Pero creer en la diferencia no quiere decir forzosamente estar contentos con ella. La hipótesis de una humanidad sin esencia común implica que todo el mundo está aislado: en el más profundo nivel psíquico, el diferencialismo es generador de angustia y, probablemente, de un auténtico miedo a la diferencia. Convencidos de estar solos y mal definidos, todos se esfuerzan por parecerse lo más posible a los demás. No existe otra explicación para la extraordinaria homogeneidad objetiva de los sistemas antropológicos diferencialistas, ya sean de tipo segregacionista, como es el caso en el mundo anglosajón, o de tipo unitarista, como es el caso en el mundo germánico. Su obsesión por las diferencias entre pueblos, razas, provincias y religiones, no impide a Alemania mantener una asombrosa uniformidad de estructuras familiares, puesto que la familia matriz domina de un extremo al otro de su territorio. Por su parte, América, que tanta ostentación hace de su multiculturalismo, presenta un tipo de vida espantosamente homogéneo, ya se trate de costumbres familiares, estilos arquitectónicos o hábitos alimenticios. Cualquier diferencia concreta parece engendrar un reflejo de temor y debe ser rigurosamente catalogada para poder ser aceptada. Sólo la hipótesis de una heterofobia fundamental de las sociedades diferencialistas permite explicar tanto la histeria americana ante un puñado de simpatizantes comunistas en la época del maccartismo, como la necesidad americana de categorizar a los homosexuales para aceptarlos y el rechazo típicamente americano del cine extranjero, del que debe hacerse una versión especial respetando las normas locales para poder ser presentado a una población a la que la menor diferencia objetiva inquieta. Cualquier diferencia es una amenaza en un mundo en donde la gente se siente muy frágil porque, en el nivel inconsciente, no está segura de ser igual que los demás.

Inglaterra acepta mejor algunas diferencias concretas: la existencia de los galeses y de los escoceses y, sobre todo, la de clases sociales claramente tipificadas. Pero el individualismo absoluto inglés también genera homogeneidad. Exceptuando los sistemas matrices de Gales y de la mitad occidental de Escocia, toda Gran Bretaña es, en el plano antropológico, nuclear absoluta. No hay ni un solo sistema igualitario. Por otra parte, la historia de sus costumbres revela una gran homogeneidad, en especial por lo que respecta a sus comportamientos demográficos.[14] A partir de 1880, ingleses, galeses y escoceses aceptan de común acuerdo el control de la natalidad, sin que aparezca el tipo de diferencias locales que hacen de Francia un auténtico *patchwork* durante la transición demográfica. Los extrarradios ingleses, en los que se extienden hasta el infinito las casitas unifamiliares exactamente iguales unas a otras, expresan a su manera la necesidad de uniformidad que se deriva del individualismo absoluto.

El hábitat unifamiliar del extrarradio parisiense, situado en el corazón del sistema antropológico igualitario, ofrece la imagen opuesta: una babel estética, un mundo urbano absolutamente heterogéneo en el que cada uno intenta desesperadamente no parecerse a su vecino. En el sistema igualitario reina la certidumbre metafísica *a priori* de la equivalencia de los hombres, la hipótesis inamovible de una esencia común y universal. Cada uno es semejante a todos los demás, hipótesis que puede acabar por engendrar una inquietud simétrica, aunque menos intensa, respecto a la que aqueja a los países diferencialistas. En un sistema no igualitario, todo el mundo tiene miedo a quedarse aislado por ser diferente a los demás; en un sistema igualitario, todo el mundo tiene miedo a no existir por estar disuelto en una masa indiferenciada. De ahí que, en Francia, el individuo busque incansablemente rasgos distintivos que puedan individualizarle. Como consecuencia tenemos que admitir, contradiciendo así el conjunto de la producción ideológica multiculturalista, que el universalismo de tipo francés, de substrato antropológico individualista igualitario, es mucho más capaz de aceptar las diferencias de costumbres que Inglaterra o Estados Unidos. La lógica del universalismo individualista permite comprender la muy real diversidad de Francia, ya se trate de costumbres regionales o individuales: *la certidumbre a priori de una esencia común permite aceptar mil diferencias percibidas como secundarias.* El tipo de hábitat, la manera de alimentarse o de hacer el amor, el color de la piel o la fe religiosa se quedan en pequeñas diferencias, que son la sal de la existencia pero que no afectan para nada a la fe fundamental en la universalidad del hombre. Se trata de diferencias que podrán ser aceptadas sin exigir una categorización, una esencialización. El hecho de ser católico practicante, judío, negro, homosexual, comunista o aficionado a los caracoles no impide que se sea en primer lugar y ante todo un hombre. Hasta las mujeres son hombres (universales) en un sistema antropológico que siempre distingue lo secundario de lo esencial. En efecto, el sistema de herencia de la Cuenca de París define a la mujer como igual a su hermano, y el absoluto equilibrio de las parentelas paterna y materna, como igual a su marido.[15] En un contexto anglosajón, la palabra «diferencia» se refiere a una esencia; en un contexto francés, lo más frecuente es que aluda a una característica percibida como secundaria de forma consciente, subconsciente o inconsciente. Un breve texto de Maupassant pone de relieve el malentendido franco-inglés a propósito de la noción de diferencia. En un libro de recuerdos que data de 1888 y que evoca sus paseos junto al mar, en la costa de Provenza, Maupassant transcribe una conversación que ha oído en un café de Saint-Tropez.

«En ese momento los representantes de comercio hablaban de la emancipación de las mujeres, de sus derechos y del nuevo papel que querían desempeñar en la sociedad. Unos aprobaban, otros se enfadaban; el regordete no paraba de bromear, hasta que la comida y la discusión terminaron por la siguiente anécdota que no carece de gracia:
»"Ultimamente", decía, "había habido un gran congreso en Inglaterra en el que se había tratado esa cuestión. Cuando un orador acababa de desarrollar numerosos argumentos en favor de las mujeres y terminaba por las siguientes palabras: 'En resumen, señores, la diferencia que distingue a hombres y mujeres es muy pequeña'. Una voz fuerte, entusiasta, convencida, se elevó de entre la multitud y gritó: '¡Viva la pequeña diferencia!'."»[16]

Esa voz entusiasta es, claro está, simbólicamente, la de Francia, dispuesta a aceptar la emancipación de las mujeres pero sin esencializarlas como una categoría separada del resto de la humanidad. Este chiste debe tomarse, a pesar de su liviandad, como profético. La literatura sociológica anglosajona se asombra hoy de la manera como se ha llevado a cabo la emancipación de las mujeres en la Francia de los años 1970-1990. Gisela Kaplan, en un estudio comparativo que cubre el conjunto de Europa occidental, hace hincapié en el contraste existente, en el caso de Francia, entre la rapidez de la emancipación objetiva —medida por diversos indicadores referidos al trabajo, a la vida familiar o a la sexualidad— y la fragilidad de la ideología feminista.[17] La mujer, representación accidental del hombre universal, no necesita que se la defienda como categoría para liberarse, para que se reconozca su derecho al trabajo o al placer. En el mundo anglosajón la mujer necesita ser esencializada. Y como siempre, en ese mundo, la fe en la existencia de una diferencia de esencia es generadora de ansiedad, de desconfianza. La evolución de las relaciones entre los sexos en Estados Unidos, en donde ciertas formas de seducción se llaman a partir de ahora acoso sexual, es un puro producto de la lógica diferencialista, particularmente revelador de la tendencia a la heterofobia. Por el contrario, la concepción francesa de la relación entre los sexos deriva de la creencia *a priori* en su igualdad, ciertamente difícil de llevar a la práctica antes de la invención de los modernos medios de contracepción. Antes de la píldora y del diafragma, era difícil vivir de manera equivalente un acto sexual como consecuencia del cual la mujer podía quedar embarazada, y en el que el hombre sólo arriesgaba lo que su conciencia le impusiese en términos de reparación. Pero, en el momento en que se abre la posibilidad técnica de llevar a la práctica la igualdad entre los sexos, la sociedad francesa la hace suya. Queda la pequeña diferencia que tanto entusiasmaba a Maupassant.

Así pues, los debates entre franceses y anglosajones en torno al tema de la diferencia son imposibles de entender sin separar dos conceptos distintos de diferencia: la *gran diferencia* de los anglosajones, que parte de una esencia separada, y la *pequeña diferencia* de los franceses, que se refiere a una característica secundaria y no discute en lo más mínimo el axioma de la esencia humana universal.

La familia matriz y el diferencialismo francés

El sistema de valores igualitario típico de Francia central transfiere su orientación universalista al conjunto del país. Su preponderancia no es sólo consecuencia del peso, geográfico o demográfico, del valor de igualdad, ni siquiera de su posición central, compacta y estratégica, que le obliga a hacer frente al valor de desigualdad que ocupa un territorio fragmentado y periférico. La primacía de lo universal es también efecto de la intrínseca superioridad de la civilización igualitaria que, al asegurar a todos los individuos su condición de hombres iguales a los demás, los acoge y les hace sentirse seguros. Debemos reconocer que en Francia es más fácil convertirse en parisiense y francés que en bretón, auvernés, vasco o alsaciano.

De todas formas, sigue siendo cierto que, en la zona de Francia ocupada por estructuras familiares de tipo matriz, domina otra concepción del hombre, de los pueblos o de la nación que, por su lógica interna, no está lejos de las concepciones alemana y japonesa del grupo nacional. En esa zona, igual que en Alemania o que en Japón, los valores de autoridad y de desigualdad de la familia matriz se contradicen: el principio de desigualdad de los hermanos conduce a una percepción *a priori* de los hombres y de los pueblos como diferentes en su esencia, mientras que la componente autoritaria del sistema alimenta el sueño de una integración vertical.[18] Para ese unitarismo, la cohesión del grupo deriva de un ideal de sumisión, mientras que para el universalismo, es resultado de la igualdad de sus miembros. La tensión entre los dos valores «matrices» puede observarse en las provincias francesas en donde el sistema antropológico dominante es autoritario e inigualitario. En ellas podemos hallar las obsesiones diferencialistas típicas, que se manifiestan en el apego a las particularidades locales y en la capacidad de sentirse bretón, saboyano, auvernés, vasco, bearnés o alsaciano, de acuerdo con un derecho de sangre simbólico y no escrito. Pero en esas mismas provincias también puede encontrarse un sentimiento unitarista centrado en Francia o en la Iglesia católica, a veces en ambas al mismo tiempo, en una construcción que ve a Francia como la hija primogénita de la Iglesia.

El sentimiento unitario de las provincias cuyo temperamento fundamental puede calificarse de diferencialista matriz es paradójico, puesto que se centra en una entidad colectiva heterogénea cuyo corazón, igualitario, pertenece a otro sistema antropológico. A pesar de todo, se trata de un sentimiento fuerte que data de hace mucho tiempo. Sin duda, lo esencial no es la fidelidad a la nación de las provincias más periféricas, como la Bretaña tradicional, el País Vasco o Alsacia, de la que tanto se habla y que tanto llama la atención dado el carácter no latino de las lenguas locales. La adhesión principal, de la que dependen la masa y la forma fundamental de Francia, es la de Occitania, que no tiene mucho más en común con la Francia de oíl que el origen latino de su lengua. Durante la Edad Media, se diferencia de ella por su civilización: por la estructura familiar y por el temperamento religioso, por sus dialectos y por el aspecto de sus iglesias, de estilo románico en el sur y gótico o, mejor dicho, «francés» en el norte. La sangrienta cruzada albigense, llevada a cabo entre 1208 y 1229 por nobles del norte contra la herejía cátara del sur, marca un giro decisivo que conduce a describir el espacio francés fundamental como el resultado de un proceso de anexión política y de normalización cultural. Pero en el siglo XV, el final de la guerra de los Cien Años demuestra que la adhesión de Occitania al conjunto nacional es ya voluntaria. En 1429, lo esencial de la Cuenca de París está ocupado por los ingleses. Las tres cuartas partes del territorio del reino independiente de Bourges, desde el que se organiza la reconquista de la Francia del norte, son tierra occitana, fiel al rey Carlos VII.[19] Entre la cruzada de los albigenses y la guerra de los Cien Años, el «Midi» francés ha aceptado integrarse al reino y, desde entonces, no ha habido ningún intento serio de secesión.

En el siglo XVI, la crisis protestante, que como la herejía cátara se reparte de manera desigual por las diversas regiones del reino, permite paradójicamente verificar que la fidelidad meridional es sólida y general. En Francia, la Reforma protestante fue un fenómeno típicamente occitano, con sus zonas de fuerza en los valles del Garona y del Ródano, siguiendo un arco que va de La Rochelle a Ginebra. Aunque es cierto que el enfrentamiento entre la liga católica de la Cuenca de París y los calvinistas del Midi engendró varias décadas de anarquía, también lo es que no supuso ninguna revisión del principio de unidad nacional. Católicos y protestantes se disputan el control de un bien definido como común, aunque los primeros busquen el apoyo de España y los segundos el de Inglaterra. La fuerza de la adhesión protestante a la monarquía francesa es en cierta forma superior a la de los católicos, que son capaces de asesinar reyes.

Hay que subrayar un fenómeno crucial: el calvinismo meridional que, como buen movimiento protestante, exige que los textos sagrados se traduzcan a la lengua vulgar, escoge el francés para facilitar a las masas el acceso directo a Dios. Por si fuera poco, *La Institución de la religión cristiana*, de Calvino, es uno de los textos fundadores del francés moderno. A corto plazo, la reforma desgarra el territorio porque pone de manifiesto el hecho de que en Occitania existe un temperamento religioso específico. La familia matriz, con sus padres autoritarios y sus reglas de sucesión no igualitarias, alimenta allí la imagen de un Dios todopoderoso que decide la predestinación, muy desigual, de los hombres «a la muerte y a la vida». A largo plazo, la Reforma contribuye de manera decisiva a la unificación lingüística del reino. Los dos viejos episodios aludidos, la guerra de los Cien Años y la crisis protestante, son reveladores de la adhesión de las elites meridionales a la idea de una nación que engloba a las dos Francias, la de oíl y la de oc, antes incluso de que se haya realizado la unidad lingüística. Es imposible entender esa adhesión sin partir de la hipótesis de que existe un verdadero unitarismo meridional, periférico, derivado de la dimensión vertical del sistema matriz.

La unidad nacional no vuelve a ser amenazada con posterioridad, a pesar de las divergencias ideológicas que persisten entre las regiones, consecuencia inevitable de la diversidad antropológica. De todas formas, la crisis fundamental es la Revolución, puesto que vuelve a poner de relieve la existencia de dos Francias opuestas por su temperamento: una, central, igualitaria, descristianizada, republicana, orleanista, bonapartista, anarquista, radical, comunista o gaullista. La otra, periférica, preocupada por la jerarquía, católica, monárquica, fiel a la derecha en sus variantes extremistas, moderadas o demócrata-cristianas. Ese catolicismo tardío y disciplinado reposa, como el protestantismo, en los valores autoritarios e inigualitarios de la familia matriz, y ha dejado de ser como el del siglo XVI, central e individualista igualitario, fácilmente regicida.

Aunque, ya en 1793, el enfrentamiento ideológico revolucionario desemboca en la crisis federalista y produce graves sublevaciones provinciales, en Vendée, en Lyon y en otras grandes ciudades, no provoca sin embargo una escisión duradera del territorio nacional. Una brutal llamada al orden permite al centro revolucionario poder contar con la contribución de las provincias periféricas, excepción hecha de Vendée, en el conflicto que enfrenta a Francia con Europa. En general, podemos decir que el sentimiento nacional, apoyado en la componente unitaria de la periferia, es más fuerte que el desacuerdo ideológico.

La fidelidad a la Nación que caracteriza a las provincias de familia matriz no implica, no obstante, que acepten la visión igualitaria, universalista y no étnica que caracteriza a la Francia de la Cuenca de París. En la práctica, en la periferia francesa, la familia matriz es garante de la existencia de una concepción inigualitaria, etnocéntrica, de la nación, bastante similar a las concepciones alemana o japonesa. El sistema antropológico autoritario e inigualitario alimenta la idea de una Francia única, diferente de las demás naciones. Así pues, junto al universalismo francés existe un etnocentrismo francés, una concepción diferente del grupo nacional, cuyas manifestaciones y expresiones son rastreables a partir del siglo XVI, pero cuya formalización más clara fue dada por Maurras y por la Action Française.

Maurras y el etnocentrismo francés

Para Maurras y para la Action Française, Francia está sola frente a un mundo diferente. Para esa tendencia ideológica, el hecho de que se califique a la civilización francesa de universal no es más que un artificio retórico, una concesión al temperamento nacional mayoritario. El pueblo francés no es ya la expresión primera del hombre universal, sino un tipo específico que está obligado a defender su esencia contra las agresiones del mundo exterior, contra el extranjero que contamina y que en el suelo francés se encuentra encarnado en cuatro tipos: el judío, el meteco, el masón y el protestante.

«Este país no es un solar abandonado. No somos bohemios que han nacido casualmente al borde de un camino. Las razas cuya sangre corre por nuestras venas han hecho suyo este suelo a lo largo de veinte siglos.»[20]

Maurras no se atreve a hacer de los franceses una única raza porque, ya en su época, la idea de una diversidad étnica original es un lugar común cultural muy arraigado en Francia, y porque los franceses del periodo comprendido entre 1900 y 1940 identifican la idea racial con las ideologías que dominan en Alemania, enemiga secular de la nación francesa.[21] Según Maurras, la nación no es más que una representación metafórica de la familia. Pero, ¿de qué familia? Matriz, claro está: autoritaria, inigualitaria y fuertemente integrada. El individuo pertenece a su pueblo y no es un ciudadano voluntariamente integrado a ese pueblo.

«La nación es el círculo comunitario más extenso, sólido y completo que puede existir (en lo temporal). Rompedlo y habréis dejado desnudo al individuo. Habrá perdido todas sus defensas, todos sus apoyos, todas sus ayudas. Libre de su nación, no lo estará de la penuria, ni de la explotación, ni de la muerte violenta. Concluimos, de acuerdo con la verdad natural, que todo lo que es, todo lo que tiene, todo lo que ama está condicionado por la existencia de la nación: por poco que quiera protegerse, tendrá que defender su nación por encima de todo.»[22]

En la ideología de la Action Française, el diferencialismo funciona en varios niveles: la nación en su conjunto se opone al Extranjero, a Alemania o a los judíos, pero cada provincia guarda su especificidad. Maurras, que después de todo procede del autonomismo provenzal, ensalza ciertas diferencias internas y se presenta como un encendido partidario de la descentralización, remedio necesario al centralismo igualitario de tradición jacobina.

La geografía de la Action Française se inscribe, *grosso modo*, en la del catolicismo y, en consecuencia, en la de la familia matriz. En efecto, es de tipo periférico y encuentra sus zonas de preponderancia en regiones de tradición no igualitaria.[23] Pero no podemos identificar la ideología de Maurras con el catolicismo, puesto que este último no diviniza la nación. La adhesión a Action Française parece característica de individuos y de grupos procedentes del catolicismo, pero cuya fe católica flaquea haciéndoles sentir la necesidad de reemplazar la ciudad celeste por una nación. A pesar de tratarse de una región inclinada a la izquierda, en el valle del Garona, entre Tolosa y Burdeos, zona en la que la práctica religiosa, sin ser insignificante, está lejos de ser mayoritaria, existe la Action Française: entre los pequeñoburgueses y los estudiantes, a veces incluso entre los campesinos, como es el caso en Lot-et-Garonne, cuyo campesinado suministraba el 80% de los miembros del movimiento a mediados de los años veinte.[24] Volvemos a topar aquí con una vieja geografía, un sudoeste de la familia matriz que muestra una receptividad particular ante los temas diferencialistas. El análisis del fenómeno cagot en Bearn ya ha evidenciado una especial sensibilidad del Sud-Ouest ante el tema de la diferencia humana.[25] La región de Lyon, fronteriza con el catolicismo de Saboya y del Macizo Central, también aparece como un foco particularmente activo, tanto entre los estudiantes y los pequeñoburgueses, como entre las capas populares.[26]

El hecho de compartir una misma hostilidad frente a la República alimenta una larga complicidad entre la Iglesia católica y el nacionalismo etnocéntrico; pero la condena de la Action Française por el Papa en 1926 indica con bastante claridad que creer en Dios y creer en la Francia de Maurras no es lo mismo. La Iglesia enmarca y modera el diferencialismo de la familia matriz. A todo lo largo del siglo XIX, la Iglesia apuesta por el sentimiento particularista local frente a la universalidad republicana, utilizando frecuentemente las lenguas locales, vasca o bretona, en sus sermones. Pero también afirma la unidad del género humano, organizada como está a través de una jerarquía que llega hasta Roma. El uso litúrgico del latín permite combinar sumisión y unidad: esa lengua es la misma para todos aunque sólo una elite la comprenda. Cuando se apoya en la familia matriz, el catolicismo, al igual que el nacionalismo etnocéntrico, vacila entre diferenciación horizontal e integración vertical, entre la afirmación del particularismo y la aspiración a la unidad. Pero, tanto en Francia como en Alemania, el catolicismo tardío frena la expresión del nacionalismo etnocéntrico porque se focaliza en niveles de integración y de diferenciación diferentes al de la nación.

Alemania, América y los otros

La hipótesis antropológica que asocia ideologías y tipos familiares, permite entender la ambivalencia fundamental de la Action Française frente a Alemania y explicar por qué, tras cuarenta años de denunciar el peligro alemán, muchos cuadros e intelectuales de aquel movimiento terminaron practicando, entre 1940 y 1944, una sumisión abyecta al ocupante nazi. La base antropológica fundamental de la ideología de la Action Française es la familia matriz, autoritaria e inigualitaria, que es periférica en Francia pero mayoritaria en Alemania. La homogeneidad familiar de Alemania permitió, entre 1870 y 1933, el triunfo en ese país de las formas más extremas del nacionalismo etnocéntrico que jamás se hayan producido en la historia de la humanidad. El fracaso de la doctrina de Maurras es debido al hecho de que en Francia el sistema matriz está en situación de dominado. Pero basta con despojarla de su envoltura racionalista y clásica para comprobar que el concepto nacional hacia el que tiende la Action Française —autoritario, inigualitario, antisemita y antimeteco— se parece mucho a la nación única y totalitaria que acaba por hacerse realidad en Alemania. Su etnocentrismo francés se vuelve en principio contra Alemania, pero sueña con una Francia parecida a Alemania. Se trata de una vieja tendencia; ya en 1913, dejaba entrever, en *Kiel et Tánger:*

«Ciertamente ya no estamos en los tiempos en que la ciencia y la crítica se ponían de acuerdo para humillarnos ante la raza y la inteligencia de los germanos. Se acepta que no son superiores a nosotros en el plano humano. Se concede que no tienen derecho alguno a considerarse nuestros amos. Pero si los superiores resultados que no cesan de obtener en nuestras propias barbas no son producto de su particular substancia, misteriosa e incomunicable, deben de ser producto del orden, de la disciplina y de la organización: hermosas cosas que nos son bien conocidas, porque los alemanes, cuando menos, las han copiado y tomado de nosotros».[27]

El drama de esta extrema derecha nacionalista es que en el fondo está convencida de la superioridad intrínseca del adversario nacional, que expresa mejor que su propio país los valores de jerarquía y de disciplina.

La existencia de dos substratos antropológicos en Francia permite explicar algunas de las incoherencias que caracterizan la manera francesa de percibir el mundo exterior. La relación con Alemania pone de relieve una primera contradicción. Los valores de la Francia central, liberales e igualitarios, se oponen punto por punto a los valores que dominan el territorio alemán. Están reunidos todos los elementos de un antagonismo de civilizaciones. Pero en la periferia subsiste un sistema familiar idéntico al de Alemania, y que alimenta simultáneamente un nacionalismo francés de tipo etnocéntrico, con frecuencia antigermánico, y una actitud de comprensión, de respeto y a veces de admiración por los valores alemanes. El análisis antropológico permite comprender por qué Francia es capaz de ser simultáneamente germanófoba, de dos maneras diferentes, y germanófila.

Esas diferencias de actitud aún marcan al electorado y pueden ser captadas directamente por los sondeos de opinión, en una fase pacificada de la historia de las sociedades europeas. Hacia 1983, simpatizantes del RPR y de la UDF están bastante conformes —un 59 y un 56% respectivamente— en considerar que Alemania es, de entre todas las grandes naciones, la mejor amiga de Francia.[28] Pero difieren en su percepción de Alemania como sociedad deseable. A la pregunta: «Si tuviera que abandonar Francia, ¿en qué país le gustaría vivir?», el 12% de los electores del RPR escogen Alemania, mientras lo hace un 25% de los de la UDF. La UDF, con sus bastiones originales en la periferia católica y disciplinada, está culturalmente más cerca de Alemania. El RPR, con su base inicial en una Cuenca de París de temperamento anarquista, resiste mejor a la fascinación de Alemania. El contraste entre las dos grandes formaciones de derecha en su actitud frente a Alemania no debe hacernos olvidar lo esencial: una general preferencia por Estados Unidos, escogidos por el 39% de los simpatizantes del RPR y por el 35% de los simpatizantes de la UDF. Nos encontramos, en cambio, con la sorpresa de descubrir un electorado gaullista más favorable a Estados Unidos que el electorado moderado, a pesar de las tomas de posición antiamericanas de De Gaulle y del atlantismo de la derecha clásica. ¿Se sentiría mejor en Estados Unidos el individualista igualitario de la Cuenca de París que el deferente elector de la periferia católica?

La perspectiva antropológica también puede ayudar a explicar la persistente incomprensión entre Francia y el mundo anglosajón. Ninguno de los dos sistemas antropológicos que dominan el espacio francés combina, como la familia nuclear absoluta inglesa o americana, los valores de libertad y de no igualdad. La mentalidad matriz aprueba la indiferencia a la igualdad, pero reprocha a los anglo-americanos su libertad. El sentimiento antiamericano, tan francés, es esencialmente doble: unos critican a América en nombre de la igualdad y subrayan las diferencias de riqueza o la situación de los negros. Otros se exasperan ante la anarquía americana, en nombre del ideal de orden. Cuando mira hacia el mundo exterior, Francia padece un estrabismo divergente.

Desdoblamiento colonial

Francia también revela su irreductible dualidad antropológica cuando se proyecta al exterior para establecer colonias de población. Engendra sociedades diferentes según la población fundadora sea mayoritariamente portadora del temperamento central, individualista igualitario, o del temperamento periférico, autoritario e inigualitario.

La sociedad que se desarrolla en el Canadá francés a partir del siglo XVII fue fundada por gente que provenía del Oeste, a veces bretones, pero sobre todo normandos y poitevinos, que salieron de Francia en una época en la que sus regiones de origen aún no habían sido alcanzadas por la ola de igualitarismo que venía del corazón de la Cuenca de París: en consecuencia, la sociedad rural de Quebec será de tipo matriz, a pesar de la imposición teórica, por parte del poder real, de la «Costumbre de París», igualitaria en lo que concierne a las reglas de herencia. Los campesinos de Quebec prefieren practicar la regla del heredero único, y de un único hijo casado cohabitando con los padres, hijo que no tiene por qué ser forzosamente el mayor, sino que a menudo es el más joven o hasta el mediano.[29] El sistema canadiense no se distingue de sus homólogos de la periferia de Francia más que por cierta propensión a la endogamia local, puesto que el índice de matrimonios entre primos (de segundo o tercer grado, más que primos hermanos) alcanza a veces un porcentaje que oscila entre el 15 y el 30% de los enlaces.[30] Los valores jerárquicos de la familia matriz permiten el desarrollo y la estabilización de una Iglesia católica poderosa. Tras la conquista británica del Canadá francés, el catolicismo, cuyos sacerdotes constituyeron a partir de entonces las únicas elites locales, encarna la idea del «ser francés» contra el protestantismo de los anglófonos. Los valores etnocéntricos de los que es portadora la familia matriz del Quebec son funcionales en la defensa de la identidad nacional y lingüística francesa. La no igualdad de los hermanos se proyecta en la no igualdad de los pueblos: legitima la especificidad del francófono, hombre diferente. Pero resulta un tanto paradójico comprobar que la protección de la identidad francesa en América reposa en un sistema antropológico que es minoritario en Francia y que invierte los valores igualitarios dominantes en la sociedad de origen. Anclado en sus estructuras familiares jerarquizantes y en su catolicismo autoritario, Quebec se protege contra el mundo anglófono, como las sociedades matrices y católicas de la periferia francesa se protegen contra los valores igualitarios de la Francia central.

La colonia de Argelia, que se establece paulatinamente a partir de 1830, acoge sobre todo a poblaciones de temperamento individualista igualitario, ya procedan de la región mediterránea de Francia, de España o de Italia.[31] En el estado actual de la investigación, la perpetuación de los sistemas antropológicos de origen en Argelia sólo puede verificarse a través de monografías muy precisas. Pero no hay ninguna duda sobre el temperamento de los europeos de Argelia: laico y republicano, con tendencias anarquizantes, prolongación en la orilla sur del Mediterráneo del estilo marsellés o parisiense. La rápida evolución agraria hacia la concentración de las explotaciones hace pensar que se han aplicado de forma sistemática las reglas del reparto igualitario y, como consecuencia, que los colonos siguen el principio de igualdad de los hijos.[32] En el capítulo dedicado al destino de los inmigrantes de origen magrebí en Francia, tendré ocasión de demostrar cómo el universalismo del sistema antropológico francés en Argelia ha contribuido, de forma extraña pero lógica, a envenenar las relaciones entre colonizadores y colonizados.

Regiones y personalidades sintéticas

La coexistencia en el espacio francés de dos sistemas de valores absolutamente opuestos crea una permanente tensión estructural, que confiere a la civilización francesa buena parte de su especificidad. Ser francés es vivir en una nación en la que unos conciben a los hombres como iguales y libres, y otros creen en la necesidad de la autoridad y la desigualdad. El enfrentamiento probablemente milenario de los valores de anarquía y de jerarquía ha terminado por generar en Francia, más allá de dos pares de creencias fundamentales, una buena dosis de escepticismo, de pragmatismo y a veces de cinismo. Mil diferencias culturales secundarias pueden ser tratadas como tales, e ignoradas. La diversidad de paisajes y de quesos no parece, en efecto, esencial en un país que piensa a la vez «sí y no» sobre el problema fundamental de la libertad humana, ambivalencia que también alcanza a la cuestión de la igualdad. Ahí radica, probablemente, todo lo que hay de auténticamente, de objetivamente universal en la civilización francesa.

Francia, llevada por su subsistema antropológico central y dominante, afirma, sin duda, la libertad y la igualdad de todos los hombres de la tierra. Al mismo tiempo es extraordinariamente variada y parece haber seducido a bretones, vascos, occitanos y alsacianos, asociándolos a todos, sobre una base igualitaria, en la construcción de la nación. Pero tal vez a causa de su dualidad fundamental, que engendra un estado de excitación permanente, Francia supera en auténtica universalidad a otros sistemas nacionales, más simples, derivados de un substrato antropológico homogéneo. Ser francés es vivir en un sistema cultural sin certidumbre, puesto que siempre está debatiendo sus propios principios fundadores. Estados Unidos, Inglaterra y Alemania se contentan con vivir y aplicar valores inconscientes simples.

Sobre el terreno, la frontera interna entre los dos subsistemas franceses, individualista igualitario y diferencialista jerarquizante, es movediza y borrosa. Algunas provincias han pasado de un campo al otro a lo largo de la historia reciente o lejana. Algunas regiones presentan los rasgos combinados de sistemas intermedios, tomando ciertos valores de un sistema central liberal e igualitario, y otros del sistema periférico autoritario e inigualitario. En el sudoeste, a lo largo del valle del Garona, domina la familia matriz, productora de muchas de las ideologías diferencialistas, tanto en el siglo xvi como en el xx; pero las oleadas individualistas igualitarias que llegan del norte han generado, sobre todo, un tipo intermedio que combina de forma sutil valores de autoridad y de libertad, catolicismo y laicidad, cuya expresión ideológica dominante fue, durante la Tercera República, un radicalismo fundado en una matización de la tradición socialdemócrata de tipo SFIO. Al este, en Lorena, el Franco Condado y algunas zonas de Borgoña, podemos observar una superposición inversa: sobre un terreno familiar nuclear igualitario, ha sobrevivido un catolicismo activo que ha engendrado una tradición de republicanismo cristiano, de catolicismo liberal. Esas tradiciones ideológicas sintéticas del este y del sudoeste tal vez representen la vertiente más civilizada y conmovedora de Francia. Son regiones que han logrado vivir en su seno la tensión interna que caracteriza a Francia en su conjunto. En esas regiones nacieron y se educaron pensadores moderados como Montesquieu, en el sudoeste, o el abate Grégoire, en el nordeste. Podemos, en este caso, asociar un pensamiento matizado a una sociedad local matizada, portadora de las mismas contradicciones y compromisos. Pero, sin duda, podemos generalizar y considerar que la ambivalencia fundamental del sistema antropológico francés es patrimonio de una buena parte de las elites francesas, sean o no parisienses. A excepción de las zonas de frontera interna, las sociedades locales son homogéneas y garantizan la permanencia de los valores contradictorios de igualdad o de desigualdad, de libertad o de autoridad. Pero los individuos que esas sociedades locales producen, no cesan de pasar de un sistema al otro, fenómeno que caracteriza en alto grado a las elites parisienses, más móviles por definición y procedentes del conjunto del territorio. No existe técnica alguna que permita probar esa tesis, pero tengo la impresión de que los miembros de las elites francesas a menudo son portadores a título individual de la ambivalencia del sistema, capaces de pensar en ciertos momentos como demócratas y en otros como aristócratas, oscilando continuamente entre la arrogancia social y la facilidad de contacto. En Chateaubriand, noble bretón, emigrado y enrolado en los ejércitos contrarrevolucionarios, legitimista, liberal en ciertos aspectos, aunque con una personalidad que no sugiere moderación, podemos observar una tendencia casi consciente hacia la inclinación democrática en las costumbres. Su regreso a París le inspira el siguiente párrafo, que resulta característico:

«En lo más profundo de mi corazón, siempre alimentaba la añoranza y el recuerdo de Inglaterra; había vivido tanto tiempo en ese país que había hecho mías sus costumbres: no podía acostumbrarme a la suciedad de nuestras casas, de nuestras escaleras, de nuestras mesas, a nuestro desaliño personal, a nuestro ruido, a nuestra familiaridad, a la indiscreción de nuestra charla: yo era inglés en los modales, en el gusto y, hasta cierto punto, en el pensamiento (...). Pero poco a poco fui apreciando la familiaridad que nos distingue, ese intercambio encantador, fácil, rápido, de las inteligencias, esa ausencia de altanería y de prejuicios, ese no fijarse en la fortuna ni en los nombres, esa natural nivelación de todos los rangos, esa igualdad de los espíritus que hace de la sociedad francesa algo incomparable y que disculpa nuestros defectos: después de vivir unos meses entre nosotros, uno siente que no se puede vivir fuera de París».[33]

En Tocqueville, otro aristócrata del oeste, podemos encontrar frases llenas de ternura y de añoranza respecto a la familia democrática, cuya atmósfera sería, según él, más libre y afectuosa que la de la familia noble, construida en torno a valores de autoridad y de primogenitura.

«La dulzura de esas costumbres democráticas es tan grande que los mismos partidarios de la aristocracia se dejan cautivar por ella y que, tras haberla disfrutado por un tiempo, no sienten ningunas ganas de volver a las formas respetuosas y frías de la familia aristocrática.»[34]

La conversión de los aristócratas a las costumbres democráticas parece dar como resultado individuos altamente civilizados. Desgraciadamente no son los únicos seres sintéticos posibles. Los pequeñoburgueses de extrema derecha producidos por las regiones de familia matriz del «Midi» también pueden ser deformados por el ambiente libertario del medio parisiense. Charles Maurras y Léon Daudet, teóricos y panfletarios del orden, estatal o familiar, llevan vidas de parisienses clásicos, es decir, poco sometidas a las reglas morales de un medio disciplinado y homogéneo. Eso explica, sin duda, su irresponsabilidad política y organizativa, evidente en cada una de las etapas clave de la historia de la Action Française. Durante la noche que siguió a los tumultos decisivos del 6 de febrero de 1934, Maurras trabaja sin descanso en un poema provenzal para la mujer de Daudet. La descripción que Eugen Weber ha hecho de semejante despreocupación podría abrir una antología consagrada al anarquismo de derechas, temperamento ideológico que resulta de una sociedad francesa en la que algunos de sus segmentos antropológicos favorecen la aparición de comportamientos autoritarios, mientras que otros favorecen su disolución en un ambiente anárquico.[35]

El Estado como forma sintética

El Estado francés, primero capeto y más tarde jacobino, cuya burocracia y cuyas reglas uniformizadoras han acabado por abarcar todo el territorio actual del país, es el resultado de la expansión de una potencia conquistadora cuya base inicial se encuentra en las zonas densamente pobladas del corazón de la Cuenca de París. Pero en su forma acabada, el Estado francés debe ser considerado como una forma sintética que une un conjunto paradójico pero coherente de valores extraídos de los dos subsistemas antropológicos que se reparten el territorio nacional.

El ideal de un Estado que reina sobre una sociedad formada por átomos equivalentes deriva del individualismo igualitario del sistema central. La igualdad de los hermanos se proyecta en igualdad de los ciudadanos, en igualdad de los departamentos, de los cantones o de las comunas. La racionalidad de la administración es, en este punto, opuesta a la irracionalidad de las tradiciones burocráticas británica o alemana que, ancladas en estructuras antropológicas no simetrizadas, tienen mayores dificultades para concebir el principio de la división homogénea del territorio nacional en segmentos equivalentes. Hacia 1914, los mapas administrativos del Reino Unido y de Alemania aún yuxtaponían territorios desiguales por su tamaño y por sus funciones, restos de una heterogeneidad de tipo feudal. Si damos crédito a las impresiones de los altos funcionarios europeos que tratan con los poderes regionales de las diversas nacionalidades, tendremos que aceptar que, a las puertas del año 2000, tampoco es seguro que las administraciones británica y alemana hayan abandonado su tendencia a reproducir espacios no simetrizados.

El individualismo igualitario manifiesta una fuerte propensión a engendrar formas administrativas simetrizadas, pero no parece capaz

201

de garantizar la aparición y perpetuación de burocracias ordenadas y poderosas. La ausencia de un fuerte principio de autoridad parece ser una deficiencia funcional de primera magnitud para la construcción de un Estado centralizado. Abandonados a sí mismos, los valores de libertad y de igualdad conducen a la visión teórica de un universo racional y homogéneo, pero también llevan, en la práctica, a la anarquía de una sociedad segmentada hasta el infinito en átomos individuales que no reconocen ningún superior jerárquico. La España central del siglo XIX ofrece el ejemplo de una sociedad perfectamente capaz de concebir un territorio dividido de forma igualitaria en provincias, pero incapaz de producir una burocracia lo suficientemente fuerte como para dominar la anarquía de los temperamentos castellano y andaluz. El Estado francés, al contrario, no sólo es racional, sino que también es fuerte, porque se encarna en una burocracia eficaz que acepta, tanto en su funcionamiento interno como en sus relaciones con los ciudadanos, el principio de autoridad. El Estado jacobino clásico es igualitario, pero también es un sistema de dominio. Se trata de un Estado que extrae su aptitud para el funcionamiento jerárquico de los valores de autoridad y de desigualdad que articulan la familia matriz. Muy concretamente, recluta una gran mayoría de sus funcionarios en las sociedades matrices de la periferia.

Así pues, la mezcla de las tradiciones individual igualitaria y matriz produce una cultura burocrática francesa específica, un Estado que la historia de Occidente reconoce como original. El ideal de un estado exterior y superior a la sociedad no es en Francia un simple mito funcional como lo es en Inglaterra, en Alemania o en Rusia, países antropológicamente homogéneos en los que el Estado refleja con bastante fidelidad, por sus hábitos, los valores de la sociedad de la que nace. En el caso de Francia, el Estado, que nace de la fusión de dos culturas antagónicas, se convierte en una cultura en sí mismo, y se eleva realmente por encima de la sociedad. Para evitar cualquier grandilocuencia de tipo hegeliano, tal vez fuese mejor decir que se eleva por encima de las sociedades locales, controlándolas y corrigiéndolas de manera diferente según su fondo antropológico sea del tipo individualista igualitario o matriz. En las regiones de temperamento individualista igualitario, en Île-de-France, en Picardía o en Provenza, el Estado jacobino introduce orden en una sociedad acechada por la anarquía. En el sudoeste, en Alsacia o en Bretaña, impone el principio de igualdad y libera a los individuos de sociedades locales fuertemente integradoras.

El fondo común mínimo:
exogamia y bilateralidad del sistema de parentesco

Hemos visto que el sistema antropológico francés permite que en su territorio sobreviva una diversidad real de costumbres. La existencia de valores antagónicos justifica, hasta cierto punto, la tendencia de Francia a lo universal. No obstante, el análisis antropológico nos lleva, en último término, a considerar ese universal como parcial, puesto que no integra más que ciertas dimensiones de la existencia humana. Más allá de sus diferencias y de su antagonismo, los tipos familiares nuclear igualitario y matriz presentan rasgos comunes que los oponen globalmente a otros sistemas antropológicos existentes en el planeta.

Su primer rasgo común es la exogamia que, por otra parte, caracteriza a todos los sistemas familiares de la Europa campesina y preindustrial. En Francia la gente no se casa dentro del grupo familiar. La proporción de matrimonios entre primos hermanos, buen indicador estadístico de la orientación exógama o endógama del sistema de parentesco, siempre es débil en Europa, casi siempre inferior al 1,5% del total de los enlaces.[36] El tabú, desde el punto de vista religioso, es absolutamente explícito, puesto que desde el siglo VI, los concilios católicos legislan con regularidad sobre los grados de consanguinidad que impiden el matrimonio. Inversamente, el mundo musulmán se caracteriza por un elevado porcentaje de matrimonios entre primos, con preferencia por la alianza entre los hijos de dos hermanos, pero aceptando todos los tipos de matrimonio entre parientes. En el sur de la India, donde los índices alcanzan valores aún más elevados que en el mundo musulmán, sólo se valoran y aceptan los matrimonios entre hijos de un hermano y una hermana (primos cruzados); las uniones entre hijos de dos hermanos o de dos hermanas (primos paralelos) están prohibidas. Así pues, algunas oposiciones religiosas conllevan una oposición entre sistemas de parentesco, exógamos o endógamos. Podemos anotar algunas importantes excepciones: los cristianos del Líbano, a pesar de mantener un imperativo exógamo, toleran una frecuencia relativamente alta de matrimonios entre primos, comportamiento que revela la influencia del mundo musulmán en el que se mueven.[37] Las minorías cristianas de Andhra Pradesh, resultado de la conversión de grupos de intocables, mantienen, en conformidad con el mundo del sur de la India, una altísima frecuencia de matrimonios entre primos cruzados.[38] El norte de la India, hinduista al igual que el sur, se caracteriza sin embargo por una exogamia radical. Por lo tanto, no hay que considerar la coincidencia entre sistema religioso y sistema de parentesco como algo absoluto. Además, el sentido de la relación entre familia y religión no está claro, puesto que no puede afirmarse que sea la fe religiosa la que determina el modelo de matrimonio. La familia romana era exógama mucho antes de la llegada del cristianismo, como probablemente también ocurrió con los demás sistemas europeos de parentesco, germánicos o eslavos: a veces se tiene la impresión de que el cristianismo triunfó allí donde el sistema de parentesco era exógamo y el islam, por el contrario, allí donde era endógamo.[39] En el Egipto y el

Irán de la Antigüedad, dos civilizaciones que constituyen una parte importante de la conquista musulmana, el matrimonio entre hermanos y hermanas era tolerado o fomentado; de modo que el modelo de matrimonio arábigo-musulmán, que prohíbe esas uniones extremas, aparece allí como una regulación comedida del tabú del incesto.

La exogamia, que es anterior al cristianismo, le sobrevive. La descristianización de la Francia central, que dura desde el siglo XVIII, no ha traído consigo un aumento del número de matrimonios entre primos, a pesar de que el código civil ha ido liquidando de forma progresiva la mayor parte de las prohibiciones de matrimonios consanguíneos que aparecen en el derecho canónico. En el mundo protestante calvinista, la restauración oficial de la definición bíblica del incesto, poco extensiva, puesto que tolera el matrimonio entre primos, tampoco ha desembocado en un aumento del nivel de endogamia familiar. En el mundo europeo, una estructura inconsciente mucho más sólida que la religión, perpetúa de generación en generación la prescripción de la exogamia.

El segundo rasgo común a los sistemas antropológicos franceses tradicionales es un status elevado de la mujer, si lo comparamos con lo que puede verse en el resto del planeta. Según la terminología antropológica convencional, los sistemas familiares franceses son bilaterales, puesto que reposan sobre un principio de igualdad de las parentelas paterna y materna. Si nos situamos en el plano de las creencias biológicas primitivas, encontramos en las poblaciones tradicionales una adhesión a la idea de igual participación del padre y de la madre en la concepción del hijo. La definición de la bilateralidad en términos de sistemas de herencia desemboca en el mismo resultado, pero permite matizar y designar al Norte nuclear igualitario como zona de bilateralidad absoluta y a la Occitania matriz como zona de bilateralidad relativa. En general, la familia matriz da al primogénito varón lo esencial de la sucesión, lo que implica un sesgo patrilineal. Pero cuando la familia, preocupada por la continuidad del linaje, no dispone de ningún heredero varón, lo que en las condiciones demográficas del Antiguo Régimen ocurría entre el 25 y el 30% de las veces, no duda en transmitir los bienes a través de la hija, integrando así un yerno que viene del exterior del grupo. Por otra parte, la familia matriz define una especie de bilateralidad negativa, puesto que excluye a los menores de sexo masculino tanto como a las hijas. Esa es la estructura general de la familia matriz occitana y de sus equivalentes alemana y japonesa. En los Pirineos Occidentales, incluyendo buena parte del grupo vasco-bearnés, así como en la Bretaña no gala, se puede observar, en época preindustrial, una familia matriz estrictamente bilateral que transmite al primogénito, varón o hembra, el conjunto de la sucesión, fórmula que también puede encontrarse en ciertos pueblos del norte de Japón.

La bilateralidad absoluta de la familia nuclear igualitaria y la bilateralidad relativa de la familia matriz se oponen a la patrilinealidad de los sistemas que dominan la mayor parte del Antiguo Mundo, desde Rusia hasta la India del norte, desde China hasta el mundo árabe. Una organización patrilineal define al hombre como central en el sistema de parentesco, único capaz de transmitir bienes o de definir solidaridades biológicas, psicológicas y sociales, a pesar de que algunos sistemas patrilineales dejan en la práctica un lugar importante a la mujer, por ejemplo en Rusia y en las bolsas patrilineales de la franja noroeste del Macizo Central francés.

Juntas, la exogamia y la bilateralidad del sistema de parentesco constituyen una especie de *fondo común mínimo* capaz de definir los límites antropológicos prácticos del universalismo francés. Cualquier sistema antropológico inmigrado con un status de la mujer bajo y una componente endógama, que a menudo es percibida de forma indirecta a través de una actitud de cierre del grupo, será, consciente o inconscientemente, categorizada como no aceptable.

El diferencialismo al servicio de lo universal

«Los hombres nacen libres e iguales en derechos.» En 1789, después de haber formulado ese admirable principio, Francia demuestra que es capaz de alimentar, en su propio suelo, la opción ideológica opuesta, es decir la de una humanidad segmentada y diferenciada. La hipótesis antropológica permite entender la persistente ambivalencia del sistema francés en relación con lo universal.

La orientación universalista de las costumbres y de la cultura francesa está determinada por el tipo central igualitario. La idea de la diferenciación humana es alimentada por el tipo no igualitario, que hace del predominio del concepto universalista una lucha permanente. En consecuencia, la historia de Francia se compone no sólo de la emancipación de los judíos, sino también del asunto Dreyfus; no sólo de la declaración, en 1889, de un derecho de suelo que reconoce a los hijos de los inmigrantes la nacionalidad francesa, sino también, en nuestros días, de una ideología giscardiana que propugna establecer un derecho de sangre de corte alemán. A largo plazo, el enfrentamiento siempre acaba demostrando ser desigual, puesto que el individualismo igualitario termina indefectiblemente por vencer al autoritarismo jerarquizante. Pero nunca se trata de una victoria fácil y siempre vuelve a ser puesta en entredicho por problemáticas nuevas, ya se trate de la construcción de Europa o de la inmigración del siglo xx. El libro de Patrick Weil, *La France et ses étrangers*, en el que estudia la política francesa de inmigración desde 1938, pone suficientemente de relieve hasta qué punto la consolidación del consenso republicano de preponderancia universalista es resultado del enfrentamiento entre dos temperamentos opuestos.[40] El análisis antropológico nos conduce a una interpretación de ese enfrentamiento ideológico en términos de valores tradicionales, que tienen su origen en los sistemas familiares regionales.

El sistema periférico, inigualitario y diferencialista, aparece así, en un primer análisis, como una amenaza permanente para los ideales igualitarios y universalistas del centro. Ya tendré ocasión de demostrar hasta qué punto la ola diferencialista de los años 1965-1985 ha amenazado, y tal vez siga amenazando, el ideal de hombre universal. La periferia reproduce la idea de desigualdad pero, seducida y domesticada, puede contribuir a la expresión y a la defensa del universalismo francés. En primer lugar, porque el temperamento diferencialista periférico obliga, con su sola presencia, a alcanzar un nivel excepcional de formulación de la opción universalista, que se presenta simultáneamente como una orientación inconsciente en el centro del territorio y como expresión de una voluntad consciente a escala de toda la nación. Francia es, de forma explícita, el país del hombre universal porque tiene que luchar, dentro de sus propias fronteras, contra la tentación del hombre particularista. No es difícil encontrar países, como España o Italia, mejor dominados que Francia por sistemas antropológicos igualitarios y, a veces, mejores practicantes del universalismo que Francia, pero mucho menos capaces de elaborar una ideología universalista consciente. Italia nunca ha desarrollado, como lo ha hecho Francia, una corriente antisemita fuerte; España ha generado, a escala planetaria, asombrosos fenómenos de fusión étnica; pero la que ha inventado la noción de hombre universal ha sido Francia.

La existencia de un etnocentrismo francés permite también, y tal vez sobre todo, remediar una de las deficiencias fundamentales de la ideología universalista. Es evidente que la lógica pura del individualismo igualitario puede provocar conflictos con las culturas portadoras de otros valores, especialmente si éstos son inigualitarios. Pero no conduce a la definición de la nación como una entidad particular. La generalización del principio de simetría conduce a declarar que todos los pueblos son equivalentes y, en consecuencia, determina necesariamente un bajo nivel de autodefinición del grupo. Las provincias dominadas por el tipo antropológico igualitario como Turena, Borgoña o Berry se caracterizan por una débil conciencia de sí mismas, en contraste con la fuerte conciencia de sí típica de Saboya, de Auvernia o del País Vasco. Una Francia reducida a la Cuenca de París se caracterizaría por una débil autodefinición. Por el contrario, las provincias periféricas de familia matriz, a través de su sentimiento nacional francés, de tipo unitarista y diferencialista, alimentan una conciencia particularizadora que hace el papel de capa protectora de la entidad nacional en su conjunto. En otras palabras: *Francia es universalista porque sus provincias centrales son igualitarias, pero sobrevive como entidad específica porque sus provincias periféricas la distinguen del resto del mundo, en especial de Europa.*

La Europa del norte, anglosajona o germánica, protestante en su mayoría, económica y culturalmente dominante, no es de temperamento universalista. De ahí que desde 1789, Francia haya tenido que defenderse de las concepciones inglesa y alemana de la diferencia humana para sobrevivir como entidad universalista. La moderna inmigración reactiva esa problemática porque pone de manifiesto el contraste que existe entre la separación inglesa de los inmigrantes de color, la percepción alemana de una diferencia dolorosa y la concepción francesa de una integración de tipo individualista. A partir de ahí es evidente que la supervivencia del modelo francés, si es posible, significará el triunfo, simultáneo, del universalismo y del particularismo francés, como ha expresado con toda claridad Marceau Long, presidente del Consejo Superior para la integración:

«(...) el Consejo Superior ha definido la integración no como un camino intermedio entre la asimilación y la simple inserción, sino como un proceso específico: ha preconizado que Francia mantenga una lógica de la igualdad de las personas que está inscrita en su historia, en sus principios, en su particular espíritu y que, según nos parece, va más lejos en el desarrollo de los derechos de la persona que el simple reconocimiento de los derechos de las comunidades minoritarias, cuyo valor y cuya necesidad en otras regiones de Europa no subestimamos».[41]

En pocas palabras, los franceses deben hacer realidad en su territorio la universalidad del hombre, porque son diferentes de los demás pueblos. No hay mejor manera de poner el etnocentrismo al servicio de lo universal.

10
La emancipación de los judíos

Cuando, en 1791, la Asamblea Constituyente vota la emancipación de los judíos, no hay judíos en la parte central e igualitaria de Francia, excepción hecha de unos pocos individuos que viven en París. Las comunidades que existen en Burdeos, Bayona, el Condado Venesino, Metz, Lorena y Alsacia, son periféricas y están localizadas en regiones de familia matriz o situadas en sus márgenes. En Lorena y sobre todo en Alsacia, en donde residen más de la mitad de los 40.000 judíos emancipados por la Revolución, subsiste un antisemitismo de corte muy tradicional. La Francia central, que decreta la libertad y la igualdad de los judíos, no los conoce. En términos caricaturescos podríamos decir que la Revolución quiere transformar en ciudadanos normales, aptos para todas las funciones económicas y sociales, a unos hombres que no existen. Como escribe Léon Poliakov:

«(...) por lo que respecta a los judíos, no había ningún interés organizado, de envergadura, en juego, dados su pequeño número, su heterogeneidad y su dispersión. En esas condiciones, la emancipación puede decretarse en virtud de consideraciones puramente ideológicas, en nombre de la afirmación de un principio y, en cierto sentido, eso es lo que le confiere su grandeza».[1]

Eso es también lo que llevó a Max Nordau a decir, en el primer congreso sionista mundial, que los revolucionarios franceses habían emancipado a los judíos «en virtud de un apego puramente caballeresco a los principios».[2]

La ignorancia de los emancipadores es asombrosa. En cada una de las etapas del proceso de liberación, positivas o negativas, los actores principales necesitan informarse sobre las costumbres de las comunidades judías. Es algo evidente ya en 1788, cuando Malesherbes se plantea una posible redefinición de la condición de los judíos, y lo sigue siendo en 1806, cuando Napoleón convoca una asamblea de notables para organizar y restringir las libertades concedidas: en cada ocasión, los representantes de las comunidades reciben cuestionarios —sobre el matrimonio, sobre los oficios o sobre el papel de los rabinos— que demuestran, aparte de una evidente ignorancia sobre lo que es el judaísmo tradicional, una auténtica deficiencia de estereotipos sobre los judíos.[3] Esa deficiencia es, como hemos visto, consustancial al universalismo francés, derivado de un *a priori* metafísico, individualista igualitario, y no impide la existencia de un proceso de emancipación original, que dura cerca de dos siglos.

La sutileza práctica de la emancipación a la francesa contrasta con la simplicidad teórica de la ideología universalista. Pero no podemos entender lo que ha ocurrido en Francia sin compararlo con las experiencias paralelas alemana, inglesa y americana. El análisis comparativo conduce, en primer lugar, a recordar que la entrada de los judíos en la sociedad occidental fue aceptada por Francia y, con otras modalidades, por Inglaterra y Estados Unidos, pero que fue rechazada por Alemania. En segundo lugar, ese análisis permite escapar a la visión demasiado simplista que opone un universalismo nivelador francés a un multiculturalismo anglosajón tolerante. La emancipación de los judíos, cuando es aceptada, siempre acaba por desembocar, a más o menos largo plazo, en la asimilación y en una fusión con la población mayoritaria a través del matrimonio, ya sea en Inglaterra, en Estados Unidos o en Francia. En este aspecto, como veremos, lo único que difiere son los ritmos. Pero el análisis antropológico, que centra su atención en el núcleo familiar y religioso del sistema cultural judío, lleva a la sorprendente conclusión de que la emancipación a la francesa es un proceso menos alienante que la emancipación a la anglosajona. En efecto, la sociedad receptora francesa permite que subsistan más valores judíos reales. Ese enfoque implica, claro está, que analicemos el sistema judío tradicional antes de pasar a estudiar su destino en los diversos países occidentales.

El sistema judío tradicional: familia y religión

En el análisis del judaísmo tradicional, resulta bastante difícil separar la familia de la religión, totalmente imbricadas la una en la otra, apoyándose y protegiéndose mutuamente. La familia matriz judía garantiza la transmisión de una intensa fe monoteísta, puesto que la figura del padre promueve la reproducción de la creencia en un Dios todopoderoso. Los textos sagrados de la religión garantizan, a su vez, la estabilidad del modelo familiar: La Biblia escenifica una tradición matriz, con sus obsesiones genealógicas, sus reglas de herencia y sus modelos de comportamiento. Los valores diferencialistas de los que es portadora la familia matriz, con sus hermanos desiguales, legitiman, cuando son trasladados al plano ideológico, la creencia en un pueblo especial, elegido. La latente preferencia por el menor, por el débil, tan patente en la historia de Israel, es concordante con la situación de pueblo dominado y perseguido que ha sido la del pueblo judío durante la mayor parte de su historia.[4] El sistema de parentesco judío combina rasgos patrilineales —en la transmisión de la herencia y en la residencia después del matrimonio— y rasgos matrilineales —en la transmisión del status religioso o en la actitud general con las mujeres—. Así pues, debe definirse como «bilateral con inflexión patrilineal», como, por otra parte, la mayoría de los sistemas matrices.

El hecho de que en la Biblia exista un tipo ideal de familia judía no debe hacernos olvidar la diversidad de sus formas. Mucho antes de la época de la emancipación, cada comunidad de la diáspora ya está influida, en mayor o menor medida, por su entorno no judío. El mundo árabe, por ejemplo, acentúa la inflexión patrilineal del sistema familiar. Algunos judíos kurdos de Irán describen a su familia como típicamente constituida por un padre y sus hijos casados, poco diferente del modelo persa dominante, simetrizado e igualitario. La práctica de dejar la casa al hijo mayor mantiene, no obstante, un algo de primogenitura, rasgo que diferencia a la familia matriz de la familia comunitaria.[5] Entre los judíos del norte de Africa francés, puede percibirse la influencia de la familia comunitaria árabe, muy próxima a la familia iraní en sus estructuras fundamentales. Alguna monografía antropológica americana detecta, en la familia judía de la ciudad de Batna, en la Argelia de la época colonial, un ideal de comunidad de hermanos muy parecido al de la familia árabe.[6] A su vez, otro análisis, consagrado a los esfuerzos educativos de los judíos argelinos, evoca la concentración de recursos familiares en el primogénito.[7] Una vez más, la marca de la primogenitura es patente. En Europa, el medio alemán, más radicalmente matriz que la cultura judía tradicional, pesa en sentido contrario, es decir, que refuerza la primogenitura bíblica, moderada en sí misma, puesto que se conforma con dar el doble al hermano mayor sin desheredar a los demás. Bajo el Antiguo Régimen, muchas ciudades alemanas, preocupadas por frenar el crecimiento demográfico de los guetos, autorizan el matrimonio dentro del gueto del mayor y prohíben el de los otros hijos. La medida es menos específicamente antijudía de lo que parece, ya que el control del matrimonio de los individuos por parte de la comunidad local forma parte de la tradición alemana en general.[8] Aquí, la analogía estructural entre familia matriz alemana y familia matriz judía crea una imbricación lógica inextricable.[9] Si consideramos en su conjunto a Europa central y oriental, podemos observar matices regionales. En Polonia, el sistema familiar nuclear de las poblaciones cristianas, estrictamente bilateral, corrige el sistema familiar judío en sentido favorable a las mujeres, atenuando su inflexión patrilineal.[10] En Alemania, el sistema matriz se contenta con confirmar, por un sesgo análogo al del sistema judío tradicional, la inflexión patrilineal.

En Europa, la familia judía nunca alcanza la rigidez de los modelos matrices que caracterizan a las poblaciones campesinas y cristianas. Al no existir enraizamiento en el suelo, el problema de la transmisión indivisa de la granja y su tierra no se plantea. Para unas poblaciones que se dedican al comercio de bienes o de dinero, no tiene ningún sentido aplicar un inigualitarismo estricto. De ese desapego por la tierra deriva cierta flexibilidad en las relaciones familiares judías, que no tienen el carácter brutal de las provocadas por la escasez de recursos de un medio rural y cristiano. En la Europa del Antiguo Régimen, la escasez de tierra obliga a menudo a los campesinos a casarse muy tarde y muchos individuos hasta se ven forzados al celibato. La desigualdad económica se ve así acompañada por una desigualdad sexual. Por el contrario, en el medio judío, el matrimonio, cuando la ley lo permite, tiende a ser precoz y universal. Parece que la edad considerada como ideal era la de dieciocho años para los varones y catorce para las mujeres.[11] Un matrimonio tan temprano implica con frecuencia un periodo de cohabitación con los padres. Sin embargo, al contrario de lo que sucede normalmente en el medio cristiano alemán, la solidaridad económica entre generaciones no trae consigo la cohabitación definitiva. La joven pareja puede emanciparse más tarde y formar su propio hogar. Una vez más, hay que hablar de matices regionales, puesto que ese tipo ideal se realiza de una manera mucho más perfecta en el espacio polaco que en el espacio alemán en donde, como hemos visto, intervienen bastante pronto medidas de control directo sobre el modo de vida judío.

Sean las que sean las variantes, su modelo de matrimonio hace que el sistema familiar judío en su conjunto se defina como autoritario. El matrimonio es acordado por los padres sin que, en la mayoría de los casos, los interesados se conozcan. Las memorias de Gluckel Hameln, negociante y madre de familia, educada cerca de Hamburgo y poco más o menos contemporánea de Luis XIV, nos ilustran de manera espectacular a propósito del carácter central de la negociación matrimonial en la vida judía tradicional.[12] Los acuerdos matrimoniales enumerados por ese documento permiten, en este caso concreto, hacerse una idea del status de la mujer. El relativo equilibrio de las dotes masculinas y femeninas revelan un sistema de parentesco bilateral; el claro predominio del matrimonio patrilocal, según el cual la nueva pareja se establece preferentemente en la ciudad del marido, implica un fuerte sesgo patrilineal. El conjunto hace pensar en un status de la mujer no muy diferente del de las alemanas cristianas de la época. Esa concordancia en el status de la mujer en el medio judío y en el medio englobante no es un fenómeno general. En el mundo árabe tradicional, especialmente en Argelia, las comunidades judías se distinguían de la cultura englobante por un status de la mujer muy superior, aunque seguía siendo muy inferior al de las mujeres de la Europa campesina tradicional.[13] En vísperas de la colonización francesa, los judíos del

212

Magreb aún toleraban la poligamia, si bien sometida a numerosas restricciones y rara vez practicada.[14] Por su parte, los judíos del norte de Europa ya habían abandonado la poligamia en el siglo XI, elección constitutiva de la identidad asquenazí.[15] La actitud frente a la escolarización de las hijas suministra un indicador bastante fiel del grado de feminismo de cada grupo etno-religioso de la Argelia colonial: en 1880, en la enseñanza primaria, por cada 100 chicos escolarizados hay 106 chicas entre los «franceses», 99 entre los «extranjeros» (mayoritariamente españoles), 63 entre los «israelitas» y 14 entre los «musulmanes».[16] La situación intermedia del status de la mujer en el medio judío es muy clara.

El matrimonio acordado puede conducir a uniones consanguíneas, generalmente entre primos en todos los grados, pero también entre tío y sobrina. Los pocos datos estadísticos disponibles relativos a las comunidades francesas de los siglos XVIII y XIX, muestran que se recurría a esa posibilidad, pero sin que los índices de frecuencia alcanzasen los niveles del tipo árabe o de la India del sur. En su estudio sobre los judíos de Lunéville, Françoise Job indica una frecuencia aproximada del 10% de matrimonios consanguíneos, sin que sea posible determinar el grado exacto de parentesco. La autora anota que la mayor parte de esos matrimonios asocia a individuos de ciudades diferentes, con lo que revelan una endogamia familiar preferencial, puesto que no son una consecuencia mecánica de una situación de aislamiento comunitario.[17] Volvemos a encontrar endogamia familiar en Burdeos, en la misma época y con el mismo índice de aproximadamente un 10%, en el que se incluyen todos los grados de parentesco.[18] El matrimonio preferencial en el interior de la familia no es más que uno de los niveles de endogamia de la cultura judía, siendo el más importante la endogamia teórica del pueblo judío en su conjunto. A veces se detectan niveles intermedios. Grupos de judíos separados por la historia pueden rechazar los matrimonios entre judíos. En Francia, en vísperas de la Revolución, las comunidades de Burdeos y de Bayona rechazan en principio las alianzas con los judíos del Este, a los que consideran poco evolucionados.[19] No obstante, al contrario de lo que pueda parecer, la endogamia familiar no implica un diferencialismo reforzado con todas sus consecuencias. Ciertamente, en la práctica facilita que el grupo etno-religioso se cierre, pero también implica una concepción no dramatizada de la diferencia entre los hermanos, entre los hombres y entre los pueblos. El matrimonio entre primos, es decir entre hijos o nietos de dos hermanos, es exponente de la permanencia del afecto que liga a esos hermanos a pesar de la regla de desigualdad. La concepción judía de la relación de hermandad, asimétrica, favorece una concepción a priori de los grupos humanos como no iguales, pero su carácter afectuoso favorece una visión dulcificada de las relaciones entre grupos. En este punto el modelo opuesto sería Alemania, en donde la combinación de la desigualdad de los hermanos con la exogamia, es decir, la prohibición de que sus hijos se casen entre sí, conduce a una relación de hostilidad que potencia un diferencialismo particularmente duro. Japón se halla en esto más cerca de la tradición judía puesto que tolera muy bien el matrimonio entre primos, práctica que sólo ha desaparecido con la urbanización del siglo xx.[20] El sistema vasco, que respeta las prohibiciones cristianas sobre el matrimonio entre primos, debe clasificarse junto al modelo alemán, con los diferencialismos matrices acentuados por la exogamia.[21]

Opción de separación, opción de asimilación

La estructura familiar judía tradicional, matriz y endógama, obsesionada por la continuidad genealógica, parece hecha para garantizar la perpetuación del grupo. Pero el diferencialismo judío no es un diferencialismo sin objeto, es decir sin más finalidad que la glorificación de su etnocentrismo, como ocurre con el diferencialismo vasco. El particularismo judío es el soporte de la primera religión monoteísta. Estamos ante un grupo humano que, [para defender su fe y su cultura religiosa,] acepta la situación de minoría y deja que la Europa cristiana le encierre en guetos. Hay un elemento central en la cultura judía que permite entender al mismo tiempo su negativa a convertirse, que dura hasta mediado el siglo xviii, y el posterior consentimiento a asimilarse en toda la Europa occidental. El judaísmo se distingue netamente del cristianismo medieval por su respeto al libro y al conocimiento, por su voluntad de hacer participar de ese conocimiento al conjunto del pueblo elegido.

«Todo israelita tiene el deber de estudiar la Ley, sea pobre o rico, tenga el cuerpo intacto o disminuido por las enfermedades, esté en la flor de la edad o privado de fuerza por la vejez.

»Aunque esté en la peor de las miserias y viva de la caridad o mendigando de puerta en puerta, aunque esté casado y tenga muchos hijos, está obligado a reservar, tanto de día como de noche, tiempo para el estudio de la Ley.»[22]

A decir verdad, ese precepto conlleva un fuerte sesgo patrilineal, puesto que dispensa a las mujeres. Pero las obligaciones del padre, en plena concordancia con la lógica de una familia matriz que se perpetúa para transmitir, conciernen a las dos generaciones que le siguen: «La obligación de enseñar la Ley a su hijo concierne también al hijo de ese hijo».

La lectura de la Torah es un elemento central de la *Bar-mitzvah*, rito por el que todos los niños de trece años deben pasar. Con ello, el judaísmo expresa, mucho antes que el protestantismo, la idea de que todos los hombres deben saber leer. El hecho de que las comunidades judías valoren al letrado o al sabio, prolonga la exigencia de alfabetización con un deseo de penetrar el sentido de las cosas, el misterio del mundo. Los elementos arcaicos de judaísmo, y en particular su empeño en el meticuloso cumplimiento de las obligaciones alimenticias o vestimentarias que se han convertido en elementos protectores de la identidad religiosa, no deben hacernos olvidar que para esa religión era imposible percibir el cristianismo medieval como «moderno» o «evolucionado». La insistencia cristiana en los misterios de la fe, en particular en el de la Santísima Trinidad, puede interpretarse legítimamente como una regresión de la idea de monoteísmo y, a veces, como una dimisión de la inteligencia humana. Las comunidades judías de la Europa medieval se caracterizan por tener unos índices de alfabetización superiores a los del medio cristiano que las rodea. Ese nivel cultural relativamente elevado permite explicar que los judíos se especializasen en oficios que exigen un mínimo de instrucción en escritura y cálculo. En consecuencia, la obsesión por la educación es una de las fuerzas del judaísmo tradicional. Pero esa fuerza se convierte en debilidad cuando, tras la Reforma protestante, Europa occidental despega culturalmente. En los siglos XVII y XVIII, la alfabetización masiva acaba alcanzando a todas las poblaciones rurales comprendidas entre el Oder y el Loira. A partir del siglo XVII, las ciudades de Alemania, Holanda, Inglaterra, Francia y el norte de Italia ven crecer una revolución científica que, basada en un salto cualitativo de la expresión matemática, descubre algunas de las leyes físicas fundamentales que organizan el universo. En el siglo XVIII, la ideología de la Ilustración, al afirmar la idea de un progreso necesario a la humanidad, convierte el despegue en un proceso consciente. Europa occidental se erige en expresión de la modernidad. Y entonces, paulatinamente, cesa la resistencia de las comunidades judías a asimilarse. El judaísmo respeta demasiado la inteligencia como para no querer integrarse en una Europa que avanza hacia el conocimiento. Por el contrario, en los lugares en donde la sociedad no se occidentaliza con la suficiente rapidez, y en los que persiste el avance cultural de las comunidades judías, éstas se niegan a asimilarse al medio que las rodea, incluso en el caso de que la sociedad englobante no sea particularmente antisemita.

En Bulgaria, por ejemplo, los judíos son emancipados en 1879, y desde ese momento disfrutan de absoluta igualdad civil y política. El comportamiento de los búlgaros ortodoxos durante la segunda guerra mundial es uno de los más respetables: aunque, bajo la presión de sus aliados alemanes, aceptan decretar medidas que discriminan a los judíos, se niegan a entregarlos en el momento del Holocausto y no ceden más que en lo relativo a los judíos no búlgaros de los territorios recientemente anexionados de Macedonia y de Tracia. Esa actitud de la población, vigorosamente expresada por la Iglesia ortodoxa, explica que el índice de supervivencia de los judíos búlgaros —78%— sea excepcional en Europa oriental.[23] Así pues, parecen cumplirse las condiciones para una asimilación pacífica. Pero, en Bulgaria, el índice de alfabetización de la comunidad judía sefardí continúa siendo, a principios del siglo XX, muy superior al del medio cristiano que la rodea: el 73% de los judíos sabe leer y escribir en 1910, frente a tan sólo el 48% de la población ortodoxa. Optan por no asimilarse.[24] La ideología sionista va ganando fuerza hasta desembocar, inmediatamente después de la segunda guerra mundial en una emigración masiva de la comunidad hacia Israel.[25] En el norte de Africa se produce el mismo proceso de no asimilación a la cultura local, puesto que a las comunidades judías no les seduce en absoluto, en el siglo XX, la cultura árabe que las rodea ni el nacimiento de los nacionalismos argelino, tunecino o marroquí. La independencia del Magreb conduce a la emigración, hacia Francia en el caso de la mayor parte de los judíos argelinos y de las elites judías marroquíes o tunecinas, y hacia Israel en el de la mayoría de los judíos marroquíes o tunecinos. Una vez más, una simple comparación de los índices de alfabetización es suficiente para explicar la negativa a dejarse asimilar por la sociedad englobante. Entre 1872 y 1889, el índice de alfabetización de los hombres judíos de la ciudad de Batna es del orden del 75%, en una época en la que el de los musulmanes es probablemente inferior al 10%.[26] Cuando una ventaja cultural importante las separa del medio que las rodea, las comunidades judías parecen invulnerables a la asimilación. Cuando se encuentran en el centro del desarrollo occidental, no pueden resistir a la presión modernizadora. No hay mucha diferencia en ese aspecto entre las comunidades alemana, inglesa o francesa, todas las cuales han aceptado o buscado la asimilación. La diversidad de formas que esa asimilación ha adoptado es resultado de dinámicas externas a la cultura judía: de las concepciones previas alemana, anglosajona o francesa en lo que a la universalidad del hombre se refiere.

El contraejemplo gitano

El caso de los gitanos, nómadas en Europa desde el siglo XIV, víctimas como los judíos del intento de exterminación nazi, nos proporciona un contraejemplo que permite verificar la importancia del factor «alfabetización» en la resistencia o la no resistencia a la asimilación. Los gitanos, cercanos a los judíos por ciertos aspectos antropológicos, han resistido un poco más de tiempo a la asimilación, lo que no quiere decir eternamente, puesto que en Francia se observa una ruptura de su endogamia étnica a partir de los años cuarenta.[27] En cualquier caso, el pueblo gitano habrá cedido más tarde que el judío a la seducción de la modernidad occidental. Ahora bien, en el fondo antropológico gitano, esencialmente diferencialista, es identificable un elemento de resistencia a la modernidad que no tiene equivalente en el judaísmo tradicional. En el plano familiar, el paralelismo de las culturas judía y gitana es llamativo. La familia gitana también representa una variedad elástica de la estructura matriz: combina una fuerte solidaridad entre generaciones, con una primogenitura atenuada y un sistema de matrimonio pactado y precoz.[28] La nueva pareja se instala preferentemente en el campamento del marido, y el matrimonio entre primos es frecuente. En teoría, por influencia de la sociedad cristiana englobante, sólo se buscan las alianzas entre primos no hermanos, lo que definiría al modelo como menos endógamo que su equivalente judío. No obstante, uno de los escasos estudios genealógicos y estadísticos realizados sobre este tema, en un medio canadiense, revela un índice de matrimonio entre primos hermanos del 16%, y entre todos los tipos de primos, del 50%, lo que demuestra la existencia de una práctica endógama fortísima.[29] Esa estructura familiar de linaje, desprovista de valores igualitarios y favorable al repliegue del grupo sobre sí mismo, está perfectamente adaptada a un ideal de continuidad. En ese punto no hay diferencia alguna con el judaísmo. Pero, a diferencia de la judía, salvo su apego al nomadismo y a un ideal de habilidad para sobrevivir trampeando, que, en conjunto, conducen a la especialización en pequeños oficios inestables, la cultura gitana no es portadora de ningún mensaje particular ni de ninguna creencia religiosa original. La subsistencia de ciertas huellas de un antiguo substrato religioso no impide a los gitanos adherirse, en el plano formal, a las religiones dominantes del lugar en el que se encuentran. Esa oposición religiosa entre gitanos y judíos conduce a la diferencia esencial: no bastaría con decir que la cultura gitana, a diferencia de la judía, no valora el escrito y el conocimiento porque pueda detectarse en ella el rasgo opuesto, es decir la valoración del analfabetismo como protector de la cohesión del grupo. Repudiar la escritura contribuye al rechazo del mundo exterior. La cultura gitana es, pues, algo así como la imagen en negativo de la cultura judía: parecidos en el plano familiar, los dos grupos divergen radicalmente en su actitud ante el libro, ya sea religioso o profano. Esa oposición permite entender por qué el despegue occidental ha representado un desafío ineludible para el judaísmo, pero no para el modo de vida gitano. En realidad, la revolución científica y la ideología de la Ilustración, no han amenazado a la cultura gitana, indiferente al conocimiento abstracto. Será necesaria la aceleración del progreso tecnológico del siglo XX para borrar la diferencia gitana. El automóvil, al dar a todos una gran movilidad geográfica, retira de golpe toda su especificidad a la cultura del nomadismo, no dejándole ninguna posibilidad de sobrevivir. Pero en el caso de la cultura judía, anclada en un ideal de conocimiento, la ideología de la Ilustración y la realidad del despegue cultural europeo son suficientes para que cese la resistencia a la asimilación.

Alemania: asimilación sin emancipación

La primera y trágica paradoja de la asimilación de los judíos de Europa es que comienza a producirse en una sociedad diferencialista que no acepta en modo alguno su emancipación, es decir el acceso a todas las funciones sociales y económicas de un grupo humano que hasta ese momento sólo se ha dedicado a actividades comerciales y financieras. La cuestión de la adhesión de los judíos a la modernidad de la Ilustración se planteó por primera vez en Alemania, donde, en el siglo XVIII, residía la comunidad más importante de Occidente. Allí es donde el judaísmo sufre de manera más directa la presión del despegue cultural europeo. El primero que se esfuerza en conciliar fidelidad al judaísmo y adhesión a la modernidad es Moisés Mendelssohn, en Berlín. En la misma ciudad, muchos otros judíos abandonan la religión de sus padres para convertirse al cristianismo. En el último tercio del siglo XVIII, en la capital de Prusia, se produce una auténtica epidemia de conversiones que continúa a lo largo del siglo XIX porque la sociedad alemana no acepta la emancipación.[30] Las conversiones del padre de Marx en 1817, o de Heine en 1825, forman parte de la corriente de renuncias de judíos que ya no creen con la suficiente fuerza en el sentido particular de la religión judía como para seguir soportando la marginación que les acarrea. En expresión de Heine, con ello compran «un billete que da derecho a entrar en la civilización europea». Las medidas de emancipación directa o indirectamente inspiradas por la Revolución francesa pronto conducen a una reacción antisemita, ya se trate de la emancipación, provisional, de los judíos de Renania, como consecuencia de la aplicación del Código Civil napoleónico, o de la emancipación, parcial, de los judíos del reino de Prusia en 1812. En agosto de 1819, en Würzburg, comienza un verdadero pogromo que se extenderá por toda Alemania.[31] Por el momento sólo es cuestión de destruir tiendas y sinagogas, pero ya se percibe que la sociedad alemana no acepta el principio de la emancipación de los judíos. La oleada de violencia no alcanza a Prusia propiamente dicha, pero en la misma época se desarrolla allí un antisemitismo aristocrático, en un reino en donde la emancipación, que es uno de los elementos de las reformas de Stein y Hardenberg, excluía a los judíos del servicio al Estado.[32] Semejante reserva, en el contexto prusiano, donde se deificaba al Estado, equivalía a decretar una emancipación muy parcial. En 1830, 1834, 1844 y 1848 tienen lugar en Alemania otras algaradas antijudías. Pero no necesitamos salir de Francia para encontrar, en el espacio cultural germánico, reacciones contrarias al proceso de emancipación. En 1789, 1830 y 1848, Alsacia es escenario de tumultos antisemitas, al ritmo de las crisis revolucionarias que el centro del sistema nacional francés impulsa. Esa provincia, que en la época era casi completamente germanófona, no acepta mejor que el resto del espacio cultural alemán la emancipación de los judíos tal y como París la concibe y la impone. Que los alsacianos se acostumbren a la idea del hombre universal, algo que en su caso coincide con su adhesión a la nación francesa, será el resultado de un lento proceso más que el de una iluminación. De todas formas, no es Alsacia la única provincia periférica de familia matriz que debe abandonar, bajo la influencia del centro, sus costumbres diferencialistas. Un siglo antes, Béarn, en el extremo sudoeste, había tenido que renunciar a la existencia de sus cagots.

A pesar de todo, la inicial proximidad de estructuras familiares y religiosas facilita el proceso de asimilación de los judíos a la civilización alemana. Pocas cosas separan a la familia matriz judía de la familia matriz alemana. Las concepciones inigualitarias y autoritarias concuerdan; el status de la mujer es el mismo en los dos sistemas parentales, ambos bilaterales y con la misma inflexión patrilineal. Las únicas diferencias importantes conciernen al matrimonio, endógamo y precoz en el caso de los judíos, exógamo y tardío en el de los alemanes. No obstante, en el siglo XVIII se produce un ajuste en la edad del matrimonio. Los pocos datos de los que disponemos hacen pensar que, sin ser tan tardía como la de las poblaciones rurales, la edad de matrimonio de los judíos en medio alemán ya no es tan temprana.[33] En el plano religioso, la Reforma protestante ha acercado de manera considerable cristianismo y judaísmo, reafirmando un monoteísmo más estricto y promocionando la lectura de la Biblia. De todas formas, sólo ha triunfado en aproximadamente la mitad del espacio germánico. La inicial proximidad de las estructuras familiares judía y alemana tal vez explique la intensidad de la simbiosis judeo-alemana, que condujo a la formación, en el conjunto del espacio germánico, de una comunidad judía particularmente brillante en el terreno intelectual. La interacción de dos tradiciones familiares fuertes y próximas produce una verdadera explosión cultural. La tríada Marx-Freud-Einstein es suficiente símbolo de esa simbiosis, sobre la que Léon Poliakov especula extensamente en su *Historia del antisemitismo*, preguntándose sobre la posibilidad de un lazo oculto que uniese las culturas judía y alemana. Ese lazo oculto podría ser la analogía de estructuras familiares.[34] El endurecimiento autoritario que implica el paso del sistema familiar judío al sistema familiar alemán explica la extensión de los fenómenos neuróticos durante el periodo de asimilación.

Hacia finales del siglo, los judíos del mundo germánico se sienten totalmente asimilados en una sociedad que, no obstante, no acaba de considerarlos como ciudadanos normales, a pesar de una doble emancipación oficial: en 1867 en el caso de Austria y en 1871 en el caso del nuevo Imperio alemán. En todo ello hay algo que recuerda, en el plano lógico, a la emancipación de los negros en Estados Unidos. El universalismo consciente de la legislación choca con el diferencialismo persistente de las estructuras mentales inconscientes. Esa situación infernal conduce rápidamente a la aparición de una psicopatología específica, el «odio del sí judío» (jüdischer Selbsthass), concepto definido por Theodor Lessing.[35] La aceptación de los valores de la sociedad dominante antisemita lleva a algunos de los individuos que abandonan el judaísmo a detestar su cultura de origen. La cantidad de judíos alemanes que mantienen actitudes críticas para con el judaísmo y lo judío es enorme. Marx, en tono colérico, y Heine, en tono irónico, son ejemplos tempranos de esa actitud, aunque conservan un fuerte potencial defensivo, puesto que no ahorran rotundas críticas a Alemania en su conjunto.

Pero, al término del proceso de conversión a la civilización alemana, la asimilación de los judíos austriacos provoca, en la segunda mitad del siglo XIX, una auténtica explosión de odio del sí judío que llega al paroxismo en el caso de Otto Weininger, nacido en 1880, convertido al protestantismo durante el verano de 1902, autor en 1903 de un gran éxito editorial antisemita y antifeminista, y que se suicidó en octubre del mismo año a la edad de veintitrés años.[36] Weininger representa un caso límite, pero la Viena finisecular y de comienzos del siglo XX está llena de judíos que detestan el judaísmo. Viktor Adler, organizador de la socialdemocracia austriaca, nacido en 1852, recibe en 1878 el bautismo protestante junto a sus padres y no para de despreciar el judaísmo mientras espera que el socialismo acelere la desaparición de su cultura. Karl Kraus, escritor satírico que se convirtió al catolicismo en 1911 y permaneció en la Iglesia hasta 1923, sería otro ejemplo típico.[37]

El concepto del odio del sí judío no debe escapar al análisis antropológico comparativo. No se trata de un fenómeno característico del conjunto de los judíos asimilados, sino tan sólo de aquellos cuya asimilación se produce en una sociedad diferencialista antisemita. En ese contexto, el odio del sí judío representa un conformismo perfecto: el sujeto asimilado expresa los valores de la sociedad dominante, antisemita, que habla por su boca y manifiesta así su poder absoluto. Nada parecido se produce en el mundo anglosajón o en Francia, donde el poder absoluto de la sociedad receptora se manifiesta de una forma mucho más sutil.

El mundo anglosajón: asimilación y falsa conciencia positiva

Hablando en general, Inglaterra y Estados Unidos ofrecen un ejemplo de asimilación judía lograda, es decir, a la vez deseada por el grupo minoritario y aceptada por la sociedad receptora. De todas maneras, el medio anglosajón impone ciertas condiciones y ciertos límites, que determinan la forma específica y a veces paradójica, del proceso de asimilación. Si pensamos en términos de destino general de las comunidades judías, la variante anglosajona de asimilación judía es una de las más importantes puesto que cuenta, hacia 1990, con 5,7 millones de judíos norteamericanos y 320.000 judíos británicos, frente a los 3,7 millones de ciudadanos de Israel.[38] Los pogromos rusos de los años 1880-1910, que dan la señal de salida a una masiva emigración hacia el oeste, llevan a una gran mayoría de judíos hacia Estados Unidos, que por entonces era la tierra prometida para los europeos de todos los países y de todas las confesiones. Para los judíos de los Países Bálticos y de Bielorrusia, que constituyen una de las primeras oleadas, Inglaterra, como consecuencia de su supremacía marítima, se encuentra en el camino hacia Estados Unidos, y en ella se detiene una parte de los emigrantes. Esa es la razón de que el crecimiento de la comunidad judía británica sea, entre 1791 y 1906, mucho más rápida que la de su homóloga francesa. Los judíos rusos y bálticos se instalan con facilidad en Gran Bretaña, puesto que el reino ha evolucionado rápidamente, a partir de mediados del siglo XIX, hacia una emancipación total de los judíos, aunque en medio de cierta confusión, consecuencia de la tradición inglesa de no racionalización administrativa. Se considera que 1858 es el año clave del cambio, porque fue en esa fecha cuando se autorizó a los judíos a ocupar escaños como diputados en la Cámara de los Comunes. Pero las universidades de Oxford y Cambridge, centro neurálgico del sistema cultural británico, no se abrieron totalmente a los judíos hasta 1871.[39]

Así pues, el número de judíos presentes en territorio británico pasa de 60.000 hacia 1881, a 300.000 en 1914, fecha en la que los judíos franceses no llegan a los 100.000. La importancia de Inglaterra en la historia contemporánea de los judíos no es meramente «cuantitativa». En efecto, Gran Bretaña fue el primer Estado de Europa en ser dirigido, primero en 1867 y 1868 y luego entre 1874 y 1880, por un primer ministro de origen judío, Benjamin Disraeli, magnífico líder del Partido Conservador que es, junto a William Gladstone, jefe de los liberales, una de las dos grandes figuras de la política británica de la época victoriana. Una carrera como la de Disraeli no puede ser considerada como un simple accidente y clasificada como una excentricidad más de los ingleses, como tampoco puede considerarse casual la declaración Balfour, de noviembre de 1917, primera victoria importante del sionismo político, que afirma que «el gobierno de Su Majestad ve con buenos ojos que se establezca en Palestina un Hogar nacional para el pueblo judío (...) quedando claramente entendido que no se hará nada que vaya en detrimento de los derechos civiles y religiosos de las comunidades no judías en Palestina, ni de los derechos y status político que los judíos pudiesen disfrutar en cualquier otro país».

La entrada de los judíos de Gran Bretaña en su sociedad receptora es en conjunto un éxito —que resulta poco espectacular debido a que ocurre de manera feliz— cuyas etapas pueden rastrearse entre 1870 y 1990. Desde 1870 hasta 1914, los niños se integran progresivamente en el sistema escolar, lo que implica, en un contexto inglés y en un nivel social de clases media o alta, la adaptación a unas costumbres familiares que tienden a separar muy pronto a padres e hijos. Se trata, pues, de una adaptación que supone el abandono del rasgo central de la cultura judía: la solidaridad entre generaciones. Algunos simples parámetros demográficos ponen de relieve que la asimilación de las costumbres de la población receptora se produjo con relativa rapidez. En 1929, la edad media de los hombres judíos en el momento de contraer matrimonio es de 29,2 años, contra 29,1 años para el conjunto de la población de Inglaterra y del País de Gales. Para las mujeres judías, la edad media de matrimonio es, por entonces, de 25,8, contra 26,6 para el medio receptor.[40] El índice de matrimonios mixtos con la población cristiana continúa siendo bajo hasta después de la segunda guerra mundial, para elevarse después hasta alcanzar el 25% hacia 1980.[41] El número de matrimonios celebrados religiosamente desciende de 3768 en 1947 a 2000 en 1958, y hasta 1100 en 1988. En esta última fecha, las dos terceras partes de los matrimonios se celebran fuera de la sinagoga.[42]

Hasta más o menos 1900, no se observa ninguna manifestación de antisemitismo cuantificable y, entre 1880 y 1914, aparece un patriotismo británico en medio judío que no tiene por qué envidiar, en cuanto a intensidad se refiere, a sus equivalentes alemán o francés. Desde ese punto de vista, no hay diferencia alguna: todas las comunidades judías de Occidente aceptan asimilarse a unas sociedades que perciben como triunfadoras. Si nos atenemos a esos hechos, obtendremos una imagen idílica y podremos buscar en la noción de tolerancia inglesa la causa que hace posible una historia apacible que contrasta, punto por punto, con la de Alemania. El hecho de que en Inglaterra y en Escocia predomine una tradición religiosa calvinista, muy apegada a la lectura de la Biblia, y que favorece la autoidentificación de los creyentes con el pueblo de Israel, podría contribuir a explicar la facilidad con la que la sociedad receptora acepta la asimilación de los judíos. No obstante, hay que matizar los hechos y, sobre todo, interpretarlos. A partir de 1900, la población inglesa mayoritaria da algunas muestras de nerviosismo. La *Aliens Act* de 1905 conduce progresivamente a que hacia 1914 haya cesado casi por completo la inmigración judía. Seguidamente, durante la primera guerra mundial, se siente un claro aumento de la intolerancia. En junio de

1917 se producen las algaradas de Leeds, que duran dos días y que están dirigidas contra una de las más importantes comunidades judías de provincias. La Revolución bolchevique de octubre provoca el peor de los accesos de antisemitismo de la historia de Inglaterra, porque la población del reino quiere ver en la toma de poder por parte de los comunistas el resultado de un complot judío. Esa fiebre disminuye a partir de 1921. Pero, entre 1905 y 1920, Inglaterra ha demostrado que, aunque es cierto que puede aceptar la asimilación de los judíos, también lo es que lo hace dentro de ciertos límites y con una condición.

El hecho de que se prohíba la inmigración en una época en la que es mayoritariamente judía marca un límite cuantitativo. La insistencia en clasificar a los judíos como diferentes, en el mismo momento en que están abandonando sus costumbres y sus creencias específicas, revela la condición fundamental que plantea el diferencialismo inglés cuando se enfrenta a la asimilación de una población inmigrada. La Declaración Balfour, que se produce inmediatamente después de los altercados antijudíos de Leeds, expresa simultáneamente las exigencias inglesas de límite cuantitativo y de reafirmación de la diferencia judía. La declaración sugiere que más allá de un número determinado, más vale que los judíos vayan a Palestina en lugar de Inglaterra, y que los de Inglaterra deben redefinirse como judíos para ser plenamente aceptados. Y en general lo hacen así: a pesar de la oposición de una minoría perteneciente a las capas más altas de la sociedad, a partir del año 1917, la mayoría de los judíos británicos manifiesta una convicción sionista que les lleva a felicitarse por el proyecto de reconstrucción de un Estado judío en Palestina, en el preciso momento en que están adaptando meticulosamente su estilo de vida al de los ingleses. Claude G. Montefiore y Edwin Montagu, que se oponen a la idea de reconstituir una nación judía específica, quedan en minoría en las instituciones representativas de la comunidad. Los efectivos de la federación sionista inglesa pasan de 4000 en 1917 a más de 30.000 en 1921. En 1919, cuando en el Reino Unido hay unos 300.000 judíos, 77.000 de ellos firman una solicitud para que se aplique la Declaración Balfour.[43] En la práctica, esa opción ideológica no afecta al destino de los judíos británicos, cuya asimilación se confirma en los años que siguen, aunque sea necesario esperar hasta después de la segunda guerra mundial para que el matrimonio mixto se generalice.

La opción sionista de los judíos británicos, muy teórica, no puede considerarse como resultado de la libre elección de su destino por parte de los inmigrantes y de sus hijos. Su adhesión al ideal de un Israel reconstituido no resulta de una dinámica propia, independiente de la sociedad huésped, como ocurre con los judíos búlgaros que emigran en masa después de la segunda guerra mundial. Lo que expresan los judíos británicos al aceptar la Declaración Balfour y el sionismo es su conversión a las creencias mayoritarias en Inglaterra. El diferencialismo que expresan no es ya el del judaísmo tradicional sino el de una Inglaterra que cree *a priori* en la existencia de una irreductible diversidad de la especie humana, incluso cuando demuestra ser perfectamente capaz de asimilar en la práctica a los individuos (blancos) que se adapten a su sistema de costumbres. La *afirmación del ser judío* que caracteriza a la asimilación en contexto anglosajón es el lógico equivalente del *odio al propio ser judío* que caracteriza a la asimilación en contexto germánico, aunque sus consecuencias psíquicas e históricas sean diametralmente opuestas. A diferencia de Alemania, que rechaza la asimilación, Inglaterra la acepta pero exige una afirmación final del ser judío: el grupo acogido debe confirmar su existencia en el momento mismo en que se apresta a desaparecer. En el fondo, al diferencialismo le escandaliza la asimilación porque es una demostración empírica de que no hay diferencia. En consecuencia, en contexto anglosajón, el grupo absorbido debe reafirmar su diferencia para tranquilizar a la sociedad receptora. La conversión de los judíos al diferencialismo inglés hace que esa condición sea fácil de cumplir. Dos ejemplos apoyan esa interpretación: uno marca el principio de la asimilación judía al medio anglosajón; y el otro, su punto de llegada.

Alcanzado este estadio, no debemos ya considerar el caso Disraeli como expresión de la originalidad inglesa, sino como prefiguración de lo que se avecinaba: Disraeli prefigura un arquetipo. ¿Quién es y qué hace Disraeli? Esencialmente es un judío asimilado a quien su padre ha bautizado y que, como muy bien advierte Hannah Arendt, lo ignora todo respecto a las costumbres y a la religión judías.[44] Lo único que tiene de judío es el aspecto físico porque, comparado con los ingleses, es muy moreno de piel y de pelo. En el plano ideológico, participa plenamente del ideal aristocrático de su tiempo, con su desprecio por la igualdad, su gusto por lo irracional y su romanticismo de la tierra y de la sangre. Es un conformista absoluto, excepcionalmente indicado para dirigir el Partido Conservador británico. Pero, al mismo tiempo, Disraeli reivindica sus orígenes judíos, insistiendo, en sus novelas y fuera de ellas, en la superioridad intrínseca del pueblo judío, en la enfermiza palidez de los ingleses de origen, haciendo un auténtico alarde de autoglorificación, capaz de poner celoso al más radical de los actuales multiculturalistas americanos y que no deja de recordar al *Black is beautiful* de los militantes negros.[45] Isaiah Berlin se asombra del éxito político y social de Disraeli, de que la aristocracia inglesa acepte un líder que no deja de afirmar que Inglaterra, con su religión y sus costumbres, se lo debe todo a los judíos. Sólo se trata de una paradoja. Es difícil herir en su amor propio a la Inglaterra victoriana que, triunfante, está lo suficientemente segura de sí misma como para poder aceptar las fantasías de Disraeli sin inmutarse. Tanto más cuanto que esas fantasías sólo son aparentes y cumplen un papel esencial. Al definirse como judío a pesar de estar bautizado, Disraeli justifica el *a priori* diferencialista de los ingleses y, con ello, los tranquiliza. Una reivindicación universalista que hubiera insistido en la no diferencia entre judíos y cristianos, habría contradicho el sistema cultural dominante y producido el efecto contrario. Disraeli es el primer caso, espectacular, de aplicación de una ley sociológica: en un medio diferencialista anglosajón, la asimilación debe ir acompañada por la afirmación de sí. A escala mucho mayor, la asimilación de la comunidad judía norteamericana sigue el mismo modelo.

A partir de mediados de los sesenta, con una manifiesta aceleración en el momento de la guerra de los seis días, en 1967, los judíos americanos salen de su silencio ideológico para manifestar ostentosamente su adhesión a una variedad de sionismo muy parecida a la de los judíos británicos. La fidelidad al Estado de Israel se convierte en el principal componente de la identidad de los judíos americanos, en el mismo momento en que dejan de ser judíos en su religión o en su vida familiar, en el preciso instante en el que empiezan a asimilarse totalmente, a través del matrimonio mixto, a la sociedad que les engloba.[46] La endogamia judía había resistido bastante bien en Estados Unidos hasta 1965 más o menos, fecha en la que tan sólo el 11% de los individuos judíos se había casado con alguien que no perteneciese a su religión. Pero el índice de exogamia sube al 31% para los individuos casados entre 1965 y 1974, al 51% entre 1975 y 1984 y al 57% entre 1985 y 1990.[47] A la vista de esas cifras, parece imposible negar que exista una relación funcional entre asimilación y afirmación de sí, cuya lógica no es interna a la comunidad judía sino impuesta por la sociedad receptora. La afirmación de sí judía en el mundo anglosajón no es universal, como tampoco lo es el odio del sí judío característico del mundo germánico. En ambos casos, no obstante, el poder de la sociedad receptora se pone de manifiesto en su capacidad de deformar la conciencia del grupo asimilado, de imponer a los individuos que lo constituyen una imagen de sí mismos fabricada por la cultura dominante. Para describir este fenómeno, podemos hablar de falsa conciencia, falsa conciencia negativa en el caso alemán, positiva en el anglosajón. Esos mecanismos mentales caracterizan los procesos de asimilación que se producen en un medio dominante diferencialista. En un medio universalista, la lógica es otra, particularmente compleja en Francia, donde la heterogeneidad del sistema antropológico engendra interacciones entre valores dominantes universalistas y valores secundarios diferencialistas.

Universalismo francés y diferencialismo judío

La distancia antropológica entre judíos y franceses es mucho más

225

importante que la que separa a judíos y alemanes, o incluso a judíos e ingleses. En el caso de la interacción judeo-alemana, se ha puesto de manifiesto la existencia de un temible paralelismo de las estructuras familiares de tipo matriz que ha llevado a que la asimilación produzca sucesivamente una simbiosis intelectual y un rechazo, primero por expulsión, y después por exterminio. En Inglaterra, donde el individualismo de la familia nuclear absoluta contradice la solidaridad entre generaciones de la familia judía, podemos observar no obstante cierta coincidencia en la indiferencia ante la igualdad de los hermanos, que permite que el grupo en trance de asimilación se deslice insensiblemente del diferencialismo judío al diferencialismo anglosajón. Pero la estructura matriz endógama de los judíos es un perfecto negativo de la estructura nuclear igualitaria exógama de la Cuenca de París, a pesar de que los dos sistemas parentales correspondientes pueden definirse como bilaterales. La oposición antropológica vuelve a aparecer en el plano ideológico: el universalismo francés, igualitario y universal, parece tener que chocar con las creencias judías fundamentales, ya conciernan a la organización interna de la sociedad o a su relación con el mundo exterior. La idea de un pueblo elegido, tan fuertemente asociada a la familia matriz, presente en el protestantismo alemán e inglés, esencial en el judaísmo, concuerda difícilmente con la idea revolucionaria de un hombre universal y unos pueblos iguales. Por lo que concierne a la concepción judía de la vida social, hay que decir que al enfatizar el valor de solidaridad, se opone con claridad al individualismo de la Revolución. Además, no es en absoluto favorable a la igualdad: la organización tradicional de las comunidades judías está jerarquizada con un claro predominio de las elites financieras, comerciantes e intelectuales. Así, en vísperas de la Revolución, cuando la comunidad de Metz vota para elegir un rabino u otros dirigentes, lo hace dividida en cuatro clases: los «pobres», que no tienen derecho de sufragio, los «mediocres», los «medios» y los «ricos». Cada clase activa dispone de treinta delegados, lo que evidentemente prima a los ricos, que son mucho menos numerosos que los medios, e incluso a los medios, mucho menos numerosos que los mediocres o que los pobres.[48] Ese voto por clases recuerda mucho el sistema electoral prusiano de finales del siglo XIX, y hasta podría verse en la práctica de los judíos de Metz una copia de la sociedad de órdenes alemana, si no fuese porque su organización jerarquizada es también característica de las comunidades judías del Condado Venesino y del sudoeste.[49] La verdad es que la familia matriz, ya sea judía, alemana u occitana, promueve en todas partes una fragmentación en grupos fuertemente integrados y desiguales, y que las sociedades de órdenes que la Revolución francesa se propone destruir florecen en su territorio. La distribución de las comunidades judías en territorio francés es periférica, como lo es la de las culturas minoritarias diferencialistas, de forma que es difícil no establecer una relación entre su supervivencia y los valores de las sociedades receptoras locales. Bajo el Antiguo Régimen, la familia matriz judía ha persistido cuando se encontraba en un medio matriz. En Europa occidental, el diferencialismo judío ha sobrevivido allí donde el sistema antropológico de la población cristiana era de tipo diferencialista. Tanto en la periferia francesa como en el conjunto del espacio alemán, la relación simbiótica no puede considerarse efecto de un mero azar.

La Revolución francesa tienen su origen en otro lugar y expresa valores opuestos, individualistas y universalistas, producidos por un sistema familiar y antropológico nuclear igualitario. La emancipación de 1791, que implica la disolución de la comunidad judía tradicional y su adhesión primordial a la Gran Nación antes que al pueblo de la diáspora, se propone a unos grupos humanos que jamás han pensado en semejante ruptura. Los únicos que fueron influidos en el siglo XVIII por la ideología de la Ilustración, eran los «portugueses» de Burdeos y de Bayona. Los judíos de Metz, sin duda han oído hablar vagamente de la exigencia de asimilación que se manifiesta en la parte central del espacio alemán. Pero la mayor parte de los judíos loreneses o alsacianos siguen siendo tradicionalistas, en la intersección de dos periferias, tan lejos de Berlín como de París. De una forma u otra son germanófonos, puesto que hablan el alemán propiamente dicho, el dialecto local o el yiddish. Los únicos completamente francófonos son los judíos de Burdeos, puesto que los del Condado Venesino están divididos entre la comprensión del francés y el uso cotidiano del provenzal. Se cumplen, en apariencia, todas las condiciones requeridas para que la emancipación de los judíos en Francia resulte una empresa dolorosa y arriesgada, que exija muchos y muy difíciles ajustes. A pesar de todo, tras algunas vacilaciones, la emancipación es aceptada y se convierte, entre 1791 y 1894, fecha en que se inicia el asunto Dreyfus, en un modelo para Europa.

Migración e inmigración:
la llegada de los judíos a tierra individualista igualitaria

Un elemento esencial del proceso de asimilación de los judíos de Francia es el movimiento hacia París que, desde el punto de vista del sistema antropológico central, se presenta como un auténtico fenómeno de inmigración. En 1808, en París sólo hay 2733 judíos, pero en 1866 ya son 20.615. En el mismo periodo y en el conjunto de Francia, su número pasa de 46.663 a 89.047.[50] El peso relativo de los judíos de París pasa del 6% al 23% del total. En 1897, en una Francia que ha perdido Alsacia y Lorena, un censo consistorial evalúa el número de judíos en 71.239, el 63% de los cuales está en la región de París.[51] La continuación del fenómeno migratorio, la pérdida de los tres departamentos del este y la instalación en París de la mayor parte de los 5000 judíos alsacianos o loreneses que abandonan su provincia por fidelidad a Francia confirman el nuevo papel de la capital. Al desplazarse hacia la capital, los judíos del este abandonan el medio matriz de la periferia para descubrir el espacio individualista e igualitario central.

A menudo se presenta la adaptación de esos inmigrados como un éxito, puesto que desemboca, en el plano económico, en su integración masiva a las clases medias francesas. Sin embargo, cuesta más tiempo del que en general se imagina, a pesar de que el fuerte potencial educativo de la familia judía, liberado por la emancipación, puede expresarse plenamente durante el siglo XIX, en el contexto de una cultura occidental ascendente. Las comunidades emancipadas, en su conjunto, eran miserables y, hasta el final del Segundo Imperio, la proporción de indigentes en la población judía se sitúa entre el 10 y el 20%, superior, tanto en París como en Alsacia, a la media francesa de la época.[52] Esos éxitos y esas dificultades de transición tendrían sus equivalentes entre los judíos alemanes y austriacos de la misma época, o entre los judíos ingleses y americanos de finales del siglo XIX.

El asunto Dreyfus se produce al final de esa primera fase de la emancipación, puesto que sus episodios se escalonan entre 1894 y 1906, con un evidente clímax de histeria entre 1897 y 1899. En general, ese asunto es presentado como el final del periodo feliz de la historia de los judíos franceses, ya que los acontecimientos posteriores hablan de una decadencia del optimismo decimonónico que desembocará en la extinción del concepto francés de la emancipación en el naufragio de Vichy de los años 1940-1944. A pesar de todo, si nos atenemos al análisis del fenómeno migratorio, debemos constatar que el asunto Dreyfus marca el comienzo de una fase de aceleración de la inmigración judía en Francia. En vísperas de la guerra de 1914, empiezan a instalarse en Francia judíos de Europa del Este, ruso-polacos, cuya lengua habitual es, una vez más, el yiddish. El ritmo de las llegadas se acelera a partir de mediados de los años veinte, arrojando un saldo total de unos 175.000 a 200.000 individuos instalados en Francia entre 1906 y 1939.[53] Desde el punto de vista francés, esos nuevos inmigrantes no son sino parte de un conjunto que incluye también italianos, españoles y polacos católicos, cuyo asentamiento en Francia está justificado por la bajísima fecundidad francesa a todo lo largo del siglo XIX. Pero lo que determina específicamente la migración de los judíos del Este hacia Francia es el cierre de las sociedades receptoras que entonces eran tradicionales: Gran Bretaña, a partir de la *Aliens Act* de 1905, deja de aceptar judíos rusos, Estados Unidos establece entre 1921 y 1929 un sistema de cuotas que busca detener la inmigración de europeos del este y del sur, en la práctica italianos y judíos. En ese momento, el aumento del antisemitismo en Europa oriental y más tarde central, hace que Francia se convierta, por primera vez en su historia, en un auténtico territorio de asilo. Entre 1933 y 1939, varias decenas de miles de judíos alemanes entran en Francia huyendo del nazismo, muchos de los cuales se quedan en ella, al alcance del ejército alemán, porque América se niega a recibirlos.[54] En 1939, hay unos 350.000 judíos en Francia, de los que las dos terceras partes son inmigrantes de fecha reciente, o hijos suyos.[55] El papel de la región de París se ve reforzado una vez más, puesto que el 75% de los recién llegados se instala en ella.[56] El proceso de asimilación debe volver a empezar con la nueva población que, no obstante, difiere bastante poco, desde el punto de vista antropológico y cultural, de las poblaciones judías originales del este francés, puesto que todas proceden del mismo ámbito asquenazí. La invasión alemana de 1940 interrumpe el proceso normal de adaptación y trae consigo la deportación de 75.000 judíos, de los cuales unos son franceses asimilados desde hace mucho y otros extranjeros o naturalizados en fecha reciente: el delirio nazi se niega a distinguir entre grupos que se consideran diferentes, pero que el antisemitismo unifica en su persecución. Tan sólo 2500 de esos deportados vuelven de los campos de concentración. A diferencia de lo que ocurre en el resto de Europa, la ocupación nazi no produce una disminución duradera de la población judía en Francia. A partir de los primeros años cincuenta, se inicia una inmigración procedente del norte de Africa que se acelera con la descolonización. La mayoría de los judíos de Argelia, ciudadanos franceses desde el Decreto Crémieux de 1870, se instalan en Francia en 1962, con los otros *pieds-noirs*, así como cierto número de judíos tunecinos y marroquíes. En esas fechas se hace difícil evaluar con precisión las dimensiones de la población judía en la medida en que el proceso de mezcla a través del matrimonio con la población receptora, mucho más tardío en Francia de lo que se cree, está ya avanzado y hace problemática la definición del judío. Esa es la causa de que las cifras oscilen entre 500.000 y 600.000 hacia 1970-1980, si nos atenemos a las estimaciones verosímiles.[57] Pero, una vez más, la población judía francesa ha cambiado de mayoría cultural, puesto que a partir de ese momento, el grupo más importante es el de los sefardíes del norte de Africa. La región de París sigue siendo una zona preferente de asentamiento pero, en el caso de los judíos del norte de Africa, hay que añadir la costa mediterránea. Un lento movimiento de dispersión por el territorio francés de los grupos de antiguo asentamiento acentúa la disminución del peso relativo de la capital. Hacia 1970, en la región parisiense sólo vive el 50% de los judíos de Francia.[58] No obstante, la nueva importancia de la región mediterránea, de tradición igualitaria como la Cuenca de París, hace que podamos seguir considerando el conjunto del movimiento de las poblaciones judías en el espacio francés como un proceso de instalación en terreno antropológico universalista.

La aceleración de la asimilación en el siglo XX

La comparación en una fecha determinada de los tres grupos sucesivamente instalados en el espacio central —1.º, judíos presentes en Francia en el momento de la Revolución; 2.º, judíos de Europa oriental que llegan entre 1900 y 1940; 3.º, judíos del norte de Africa que se instalan entre 1945 y 1962— conduce a menudo a errores de interpretación sobre los ritmos de asimilación. Resulta demasiado fácil oponer, hacia 1930, el primer grupo, muy francés tras dos siglos de pertenecer a la sociedad global, al grupo 2.º, recién llegado de Polonia o de Rusia y evidentemente portador de más rasgos residuales. Un estudio histórico como el de Paula Hyman sobre la evolución de la comunidad judía de Francia entre 1906 y 1939 subraya así la distancia que separa a los judíos emancipados en 1791 de los recientes inmigrantes polacos, insistiendo hasta la saciedad en la tendencia al «pluralismo cultural» de los segundos, que se manifiesta en su adhesión a la ideología sionista de entreguerras.[59] Hacia 1810, tan sólo veinte años después de la Revolución, los judíos alsacianos, también asquenazíes y también separados de la sociedad francesa por su lengua, habrían manifestado, según Hyman, una fuerte especificidad cultural, aunque en su caso se tratase de un fuerte conservadurismo religioso en lugar del sionismo. También resulta fácil señalar, hacia 1970, la existencia de contrastes entre el grupo 2.º, ruso-polaco, cuyos hijos han sido en su totalidad socializados en Francia, y el grupo 3.º, sefardí, que lleva en Francia un decenio escaso. Con cuarenta años de separación, el error de perspectiva es el mismo, puesto que tan sólo se estudia un corto periodo de veinte años de la adaptación a la sociedad francesa de los judíos del norte de Africa asentados entre 1945 y 1962. Los elogiables estudios de Claude Tapia sobre los judíos sefardíes muestran que, en Créteuil, está en marcha un proceso de reconstitución comunitaria, que no obstante no puede considerarse más que como un fenómeno transitorio, a la vista de algunos indicadores de las tendencias a largo plazo.[60] Efectivamente, si comparamos las historias de los tres grupos a partir del mejor indicador del que disponemos, el índice de matrimonios mixtos con la población receptora, debemos admitir que la asimilación de los grupos 2.º y 3.º, asquenazíes de entreguerras y sefardíes de la descolonización, es de hecho más rápida que la del grupo I, constituido por las diversas comunidades emancipadas en 1791. En efecto, uno de los fenómenos paradójicos de la primera emancipación es que, en un primer momento, sólo condujo a una asimilación parcial, lingüística y económica, sin que se observe una ruptura de la endogamia de grupo. Todas las cifras de las que disponemos muestran que en vísperas de la guerra de 1914, los matrimonios mixtos

230

son escasísimos entre los judíos franceses, a pesar de que en la época, los primeros sionistas les consideran como asimilados irrecuperables.[61] Así pues, en un primer momento, la emancipación no ha borrado la conciencia de grupo. *La asimilación final no tiene lugar hasta después del asunto Dreyfus*, tras un periodo de latencia que ha durado ciento veinticinco años. La aceptación del matrimonio mixto por parte de las poblaciones judías inmigradas en el siglo XX es mucho más rápida. Eso es lo que ponen de manifiesto los índices calculados por Doris Bensimon y Sergio Della Pergola en su encuesta *La Population juive de France*, realizada entre 1966 y 1978, que concierne fundamentalmente a la región de París y cuya metodología no permite más que una estimación *a minima* de la frecuencia del matrimonio mixto.[62] En un país como Francia, en donde las personas de origen judío pueden definirse como tales si lo desean o negar esa identidad si no les gusta, cualquier encuesta a base de sondeo está abocada a sobrestimar la parte menos asimilada del grupo y, en consecuencia, a infravalorar el índice de matrimonios mixtos que se habría obtenido si la encuesta hubiese partido de una definición puramente genealógica.[63] De todas formas, estas reservas no hacen sino reforzar la contundencia de los resultados obtenidos: efectivamente, el índice de matrimonios mixtos es ya elevado en el núcleo central autoidentificado como judío. La proporción de cabezas de familia casados fuera de la religión judía es del 19,7% tomando todas las generaciones y todas las categorías en conjunto. Los datos obtenidos ponen de relieve que la práctica del matrimonio mixto es sobre todo característica de los hombres, y que las mujeres son más lentas en entrar en el sistema exógamo de la sociedad receptora. Ese fenómeno revela que hay cierta preeminencia de la componente patrilineal de la cultura judía tradicional, definida en particular por el sistema de herencia, sobre la componente matrilineal expresada por la regla de transmisión del status religioso.

El índice de matrimonios mixtos es del 24,6% para los hombres nacidos en Francia, del 16,5% para los nacidos en Europa oriental, del 13,8% para los nacidos en Argelia y del 5,4% para los nacidos en Túnez o en Marruecos.[64] Así pues, la mayor diferencia no se da entre asquenazíes y sefardíes, sino entre los judíos argelinos y los judíos marroquíes o tunecinos. La mayor distancia se produce en el interior del grupo sefardí. Esta distribución prueba que lo que determina el nivel de asimilación no es el contenido inicial de la cultura judía inmigrada, sino la duración del contacto con la cultura francesa. La cultura sefardí, en efecto, es relativamente homogénea, siempre influida por el medio árabe en que se mueve: presenta una desviación patrilineal mucho más fuerte que la cultura judía asquenazí. Desde ese punto de vista, los judíos argelinos, marroquíes y tunecinos constituyen una entidad única, opuesta a la formada por loreneses, alsacianos y polacos. Pero en los departamentos argelinos, donde los judíos

231

son ciudadanos franceses desde el Decreto Crémieux, y donde desde 1945 son con frecuencia funcionarios públicos, la cultura francesa es omnipresente, mientras que tan sólo es marginal en los protectorados marroquí y tunecino.

El análisis de los matrimonios según su fecha evidencia un fenómeno de aceleración en el periodo reciente. Entre los hombres nacidos en Francia, la tasa de exogamia religiosa pasa del 7,2% para los matrimonios celebrados antes de 1936, al 17,4% para los celebrados entre 1936 y 1945; al 20,9% para los celebrados entre 1946 y 1956; al 19,6% para los celebrados entre 1956 y 1965; y al 40,7% para los celebrados entre 1966 y 1975. Entre los judíos nacidos en el norte de Africa, las cifras correspondientes a esos mismos periodos son: 3,7%, 1,9%, 5,8%, 21,0% y 25,1%. Aunque las tabulaciones no permiten separar a argelinos, marroquíes y tunecinos, las cifras demuestran claramente, según sus autores, que la práctica del matrimonio mixto ya había comenzado en Argelia entre 1945 y 1962.[65]

Resulta relativamente fácil comparar los ritmos de asimilación de los grupos 1.º y 2.º, judíos de 1791 y asquenazíes inmigrados en los años 1900-1940. La cultura inicial es la misma y en ambos casos podemos establecer un punto cero del proceso de emancipación. La conclusión resulta evidente: el grupo 2.º lleva a cabo en dos generaciones lo que el grupo 1.º tardó seis generaciones en aceptar. Comparar esos ritmos de asimilación con los de los sefardíes —marroquíes, tunecinos o argelinos— es más complicado. En primer lugar porque la cultura sefardí difiere de la cultura asquenazí en algunos puntos importantes y está, por sus propias características, más alejada de la cultura francesa: globalmente es de tipo matriz y lleva la marca del antifeminismo de la cultura árabe. Otro efecto de su pertenencia al espacio musulmán es que el índice de alfabetización de los sefardíes es más bajo que el de los asquenazíes. Finalmente, y lo más importante, el contacto con la cultura francesa precede en su caso a su emigración a Francia. En Argelia, el contacto comienza con la conquista de 1830 y se acelera a partir del Decreto Crémieux. Sin embargo, si fijamos 1870 como fecha de la emancipación, equivalente africano del 1791 francés, observaremos que en Argelia los matrimonios mixtos no se producen en número significativo hasta después de la segunda guerra mundial, es decir al cabo de setenta y cinco años de ciudadanía, mientras que en Francia, entre 1791 y los matrimonios mixtos posteriores a la primera guerra mundial, han pasado ciento veinticinco años. En otras palabras, la asimilación de los judíos del norte de Africa, a pesar de su mayor distancia antropológica con respecto a la cultura francesa, es más rápida que la de los judíos de la Revolución. También en este caso podemos detectar un fenómeno de aceleración.

A pesar de todas las recientes especulaciones sobre una reafirmación de la identidad en los años 1965-1990, los datos objetivos de largo plazo, en lo que respecta al matrimonio, hablan de una aceleración del proceso de asimilación de los grupos judíos inmigrados en el siglo XX, si los comparamos con la comunidad original, es decir básicamente con los judíos del Este que «entran» en la sociedad francesa a partir de 1791. En este punto, el examen del indicador último que es la tasa de matrimonio mixto permite escapar a la ilusión creada por la persistencia de numerosos rasgos residuales en el periodo que sigue a la inmigración. La aceleración no revela diferentes actitudes entre categorías de judíos, sino un aumento del potencial asimilador de la propia sociedad receptora. Ese aumento de fuerza es característico de todas las sociedades postindustriales y concierne a todos los grupos minoritarios. La ruptura de la endogamia gitana a partir del año 1940, ya se ha mencionado en este capítulo. En Estados Unidos se ha producido una aceleración del mismo tipo en todos los grupos inmigrados a partir de los años cincuenta. La aceleración del proceso de asimilación aparece aquí tan sólo como una componente de un fenómeno más general: la aceleración de la historia en las sociedades postindustriales. No obstante, el carácter lineal, o incluso exponencial, del proceso de asimilación tal y como puede verse a través de los matrimonios mixtos, contrasta con la historia dura y a veces dramática de los judíos de Francia que, a diferencia de los judíos norteamericanos o ingleses, se han enfrentado al antisemitismo moderno en sus formas más salvajes.

Una asimilación menos alienante

La comparación de las trayectorias de asimilación seguidas por los judíos de Europa oriental en Francia y en Estados Unidos permite medir el potencial asimilador de cada una de las dos sociedades receptoras, en unas condiciones de experiencia aceptables. Vengan de Rusia o de Polonia, los judíos que llegan a Estados Unidos entre 1880 y 1925 y a Francia entre 1905 y 1940, provienen de una misma cultura asquenazí, hablan yiddish y tienen un alto grado de autonomía en relación con los medios ruso y polaco. Los datos estadísticos sobre los matrimonios mixtos de estos inmigrantes y de sus descendientes revelan que existe una substancial diferencia de ritmo en la evolución de los porcentajes entre los Estados Unidos y Francia (representada por la región de París).

Para llevar a cabo esa comparación, debemos tener en cuenta que los judíos de origen ruso-polaco constituyen la inmensa mayoría de los judíos norteamericanos y la mayoría relativa del grupo de los «judíos nacidos en Francia y casados entre 1966 y 1975». Podemos suponer que por esas fechas, en Francia, las presencias adicionales y simultáneas, en esa categoría estadística, de judíos más asimilados procedentes de la antigua comunidad y de judíos menos asimilados de origen sefardí se compensan, y que los hijos de judíos de Europa oriental definen la tendencia dominante del conjunto. En Estados Unidos, el 31% de los judíos casados entre 1965 y 1974 escoge una pareja exterior a su grupo etno-religioso. En Francia, el 42% de los judíos nacidos en territorio francés y casados entre 1966 y 1975 hace una opción exógama.[66] En este punto, no debemos olvidar que, teniendo en cuenta la técnica de encuesta, el porcentaje francés es, más aún que el porcentaje norteamericano, un valor mínimo. Así pues, el índice francés de exogamia es cuando menos un tercio superior al índice norteamericano, y eso a pesar de que la inmigración de judíos de Europa oriental sea mucho más reciente en Francia, puesto que en este país es característica del periodo de entreguerras, mientras que en Estados Unidos alcanza su punto máximo antes de la primera guerra mundial. La magnitud de la diferencia pone de manifiesto una mayor apertura de la sociedad francesa.

No obstante, la gran capacidad de asimilación del sistema antropológico francés no es resultado de una especial fuerza de destrucción de las culturas inmigradas. Lo cierto es exactamente lo contrario: *el intercambio matrimonial es más rápido en Francia porque el sistema antropológico francés es menos exigente que el sistema norteamericano en cuanto a una reducción de las diferencias de costumbres antes de la fusión.*

Como hemos visto, el modelo de asimilación norteamericano obliga a los grupos inmigrados a acomodar estrictamente su modelo de vida, familiar o religioso, al de la población receptora. El paso a un sistema familiar y religioso de tipo individualista no igualitario es una condición fundamental para ser aceptados por la sociedad norteamericana, diferencialista en el plano ideológico y fuertemente heterófoba en lo que concierne a las costumbres objetivas. El conformismo cultural encuentra su apoteosis en la autoafirmación de la identidad que acompaña a la dispersión del grupo a través del matrimonio, en una sociedad cuya principal característica es la homogeneidad. El proceso de adaptación a las costumbres mayoritarias dura necesariamente algún tiempo y se produce a lo largo de varias generaciones. Si consideramos los años comprendidos entre 1900 y 1910 como los años centrales del proceso de inmigración de los judíos americanos, el crecimiento del índice de matrimonios mixtos a partir de 1965 indica que habrán sido necesarias dos o tres generaciones para que el grupo alcance el suficiente nivel de conformidad para ser absorbido por la sociedad norteamericana. Sin duda, lo que exige una larga fase de adaptación antes del matrimonio mixto es la reabsorción de las diferencias.

La actitud de la sociedad francesa es totalmente diferente. Al contrario de la sociedad norteamericana, su ideología dominante afirma la homogeneidad cultural del país, a pesar de la heterogeneidad objetiva de su constitución antropológica. En la práctica, el hombre universal de la teoría se adorna con numerosos y variados atributos. En el territorio francés coexisten varios subsistemas antropológicos, de los que los dos más importantes, familia matriz y familia nuclear igualitaria, están organizados en parejas de valores antagónicos. En el plano religioso se observa otra coexistencia que coincide en gran medida con la de los tipos familiares: hasta aproximadamente 1965, el catolicismo es insignificante en las tres quintas partes del territorio y dominante en las otras dos. A diferencia de Estados Unidos, país de un multiculturalismo fantasmal, Francia es objetivamente multicultural y está acostumbrada a vivir su diversidad antropológica, aunque, eso sí, a condición de que no supere los límites de un fondo común mínimo, esencialmente definido por un status de la mujer relativamente elevado y por la exigencia de exogamia.

Los judíos de tradición asquenazí se integran en esa diversidad aceptada. Su sistema matriz es de tipo bilateral con inflexión patrilineal: sólo difiere de los sistemas matrices de la periferia francesa por una ligera propensión al matrimonio endógamo entre primos. La sociedad receptora francesa, particularmente en su componente central de la Cuenca de París, nuclear igualitaria, puede aplicar a los inmigrantes judíos su tratamiento de la diversidad de nivel 1, no conflictivo, que también le permite gestionar las diferencias, bretona, vasca y alsaciana, así como la propia de Rouergue. La diferencia judía, en cuanto el grupo renuncia a su organización comunitaria separada, es clasificada como una pequeña diferencia que no amenaza en lo más mínimo la concepción *a priori* de un hombre universal. El indiferentismo ideológico —los judíos no existen— tiene su prolongación en el nivel antropológico en una percepción subconsciente de tipo: «Y además, no son más extranjeros que los bretones».

Esa actitud crea las condiciones de una situación poco alienante para el grupo inmigrado. Una diferencia secundaria no tiene por qué ser reabsorbida. Si los bretones y los habitantes de Rouergue tienen derecho a preferir, a diferencia de la gente de la Cuenca de París, una vida familiar densa, que implica un elevado nivel de solidaridad entre generaciones, entre hermanos y hermanas, entre primos, y a perpetuar tanto tiempo como quieran y puedan esa forma de vida en su tierra, o incluso en la región de París, ¿por qué la sociedad francesa iba a exigir un mayor conformismo a los judíos? Es cierto que en el caso de los sefardíes, cuyo sistema familiar tiene un mayor sesgo patrilineal, la sociedad francesa impone una corrección del status de la mujer, en sentido positivo. Pero no es imposible sostener que al favorecer el equilibrio de las parentelas materna y paterna, facilite una recuperación de la tendencia central del judaísmo, del bíblico, que no es antifeminista como la cultura árabe. Por el contrario, el carácter extensivo de la familia judía del norte de Africa no es considerado como no francés. En el caso de los sefardíes, la persistencia de solidaridades familiares que rebasan el marco de la pareja y sus hijos, es un fenómeno bien percibido y bien estudiado, con sus fiestas y sus ritos.[67] Sin embargo, los especialistas en el tema tienen tendencia a no percatarse de que algunas de las características de las reuniones y de las solidaridades que describen tienen rigurosos equivalentes en ciertas subculturas francesas periféricas. La supervivencia de la familia matriz en medio urbano siempre produce ese tipo de configuraciones. La ausencia de cocina *kasher* en un medio católico o laico no implica una menor ritualización de la comida, puesto que la civilización francesa ha convertido la gastronomía en un elemento de su sistema religioso implícito.

Al contrario de lo que sucede en Estados Unidos, en Francia la destrucción de la familia judía no es un requisito previo para la asimilación. Es cierto que el paso del tiempo trae consigo inevitablemente la atenuación de la importancia del linaje, así como el aumento de individualismo dentro de la propia familia, el abandono del matrimonio pactado y, en particular, de la endogamia familiar. Pero el reencuentro matrimonial entre judíos y no judíos puede intervenir *antes* de que se hayan reabsorbido todas las especificidades antropológicas. La cultura familiar judía se integra en la constelación de las culturas matrices periféricas. Llegado a este punto, uno no puede por menos de especular sobre la existencia de afinidades electivas que den como resultado, en la zona de interacción que es la región de París, intercambios matrimoniales más intensos entre familias procedentes de las diversas culturas matrices periféricas: entre judíos y bretones o entre judíos y auverneses, etcétera. No existe encuesta alguna que nos permita despejar esa incógnita, pero mi impresión personal es que la respuesta final sería negativa: el espacio parisiense, lugar de encuentro de todas las culturas periféricas, dentro de un universo de dominante individualista igualitaria, crea una real libertad de los individuos frente a las imposiciones de la antropología. Cada cual puede apoyarse en la oposición de sistemas y escapar así de ellos. Ciertos matrimonios exógamos producen combinaciones concordantes entre rasgos familiares judíos y bretones, por ejemplo; otros, sin duda, generan situaciones de asimetría en los que un cónyuge procedente de un grupo atomizado no se aporta más que a sí mismo mientras que el otro viene apoyado en la presencia de una afectuosa e invasiva familia judía. La técnica del universalismo pragmático es tratar esas diferencias como pequeños matices que no impiden considerar a los individuos como pertenecientes a una misma especie humana y, por tanto, como legítimos sujetos de matrimonio.

Tanto como la diversidad familiar objetiva de Francia, la concepción francesa de la religión contribuye a una asimilación poco alienante de las poblaciones judías. Desde mediados del siglo XVIII, Francia se distingue de los países de dominante protestante —de Alemania, de Inglaterra o de Estados Unidos—, por un reflujo precoz de sus creencias religiosas, cuando menos en su parte central e igualitaria. Instalarse en el París del siglo XIX es entrar en un mundo que ya no cree en absoluto en Dios y que es totalmente diferente, en ese punto, de Berlín, Viena o Londres, capitales de unas naciones en las que la práctica religiosa sigue siendo fuerte. Los judíos que viven en la sociedad francesa central no están, pues, confrontados a la presión de un universo cristiano dominador y triunfalista. En ese contexto, la asimilación no constituye una renuncia total: no significa que tras dos mil años de resistencia la fe judía ceda ante la fe cristiana. La sociedad francesa que emancipa a los judíos se concibe a sí misma como un mundo en movimiento que escapa de la opresión de siglos pasados y, en particular, de las creencias religiosas que considera superadas. A diferencia de la Alemania de la segunda mitad del siglo XVIII, la sociedad francesa posrevolucionaria no exige la conversión de los judíos a una religión cristiana que ella misma está abandonando. Esa es la razón por la que, a todo lo largo del siglo XIX, el número de conversiones al catolicismo de los judíos franceses es insignificante, inferior al 1% en total.[68] La sociedad francesa, a diferencia de Estados Unidos, tampoco exige una redefinición de la religión judía para hacerla compatible con sus propias tradiciones. El judaísmo francés no tiene en su seno ningún movimiento serio de reforma supuestamente dirigido a modernizar la religión, puesto que, al contrario del judaísmo norteamericano, el francés no tiene la obligación implícita de transformar el Dios severo y celoso del Antiguo Testamento en una imagen más del Dios complaciente y amigo, sentimental y lacrimógeno, que preside los destinos de Norteamérica. Evidentemente, la sociedad francesa actúa sobre la religión judía, y en sentido negativo, pero sin hipocresía. La Francia central es no creyente en su abrumadora mayoría y su influencia produce un retroceso de la fe religiosa judía paralelo al retroceso de la fe cristiana. Los judíos emancipados se limitan a acompañar a los católicos emancipados en su viaje hacia el escepticismo. Puede considerarse que hacia 1870 la mutación está consumada puesto que, según los cálculos de Michael Marrus, las sinagogas de la región de París no tienen capacidad más que para una octava parte de los judíos que viven en ella.[69] La ausencia de práctica religiosa entre los judíos de París no es comparable con la de los parisienses de origen cristiano. Pero, en este punto, lo único que diferencia a la asimilación a la francesa de las asimilaciones a la alemana o a la anglosajona es una mayor rapidez en el retroceso de la fe, puesto que, aunque con ritmos diferentes, todos los grupos de la diáspora que llegan al siglo XX tienen un nivel de práctica muy bajo. La particularidad de la vía francesa consiste en que no implica ninguna contorsión mental de transición, como la conversión formal al cristianismo o la transformación del judaísmo en una secta cristiana tardía de tradición arminiana.

Así pues, la emancipación de los judíos de Francia desemboca, desde mediados del siglo XIX, en una situación paradójica. Los judíos pierden su fe y, de forma mucho más evidente que en otros lugares, su organización comunitaria. Si nos atenemos a la envoltura exterior del judaísmo, a la ideología diferencialista que define al grupo, la asimilación a la francesa es sin duda una de las más radicales. Si nos fijamos en los valores profundos del judaísmo —cuya permanencia estaba garantizada por el grupo—, en esa mezcla compleja que asocia creencia religiosa monoteísta, amor a la familia y fe en la educación, es posible defender que la asimilación de tipo francés permite preservar, mejor que la de tipo norteamericano, ciertos aspectos esenciales de la cultura judía. La creencia religiosa se ha perdido en todas partes y, en ese sentido, la desaparición de la fe judía no es más que un aspecto particular del desencanto del mundo, que concierne tanto a los cristianos de Occidente como a los budistas japoneses y que comienza a alcanzar al hinduismo y al islam. Pero Francia permite, mejor que Estados Unidos, que se preserven la concepción judía de la vida familiar y unas sólidas tradiciones educativas. El fraccionamiento hiperindividualista del tejido familiar no es en Francia una condición previa para entrar en la sociedad global, como ocurre en Estados Unidos. En París, a pesar del predominio del sistema familiar individualista e igualitario, el hecho de que sigan existiendo familias judías extensas que asocian, a escala del barrio o del distrito, parejas emparentadas dispuestas a ayudarse entre sí, no se interpreta como síntoma de débil integración en lo francés. Seguramente, la persistencia de una estructura familiar que asocia con fuerza las diferentes generaciones entre sí permitirá que sobreviva por lo menos una parte de las tradiciones educativas judías, como la obligación de ambos progenitores (y no sólo de la madre, como ocurre en Norteamérica) de participar lo mejor que puedan en la educación de sus hijos. En cambio, el hecho de que los judíos norteamericanos adopten el modelo nuclear absoluto anglosajón implica, a la larga, la desaparición del potencial de transmisión cultural específica de la familia judía. Los judíos de Francia, a quienes el matrimonio mixto absorbe antes, están menos amenazados por un proceso semejante de erradicación. En términos de vida privada, les resulta más fácil permanecer fieles, al menos en parte, a cierta tradición judía.

Ser judío y francés en pleno siglo XIX

Ya desde mediados del siglo XIX, el proceso de asimilación no produce en Francia la desaparición de la identidad judía, sino una mutación del todo original. Como consecuencia de no haber vivido su transformación como una imposición demasiado fuerte, los judíos franceses conservan el sentimiento de ser judíos sin que esa autoidentificación corresponda a las autoidentificaciones, positivas o negativas, que se producen en otras partes tras la asimilación. Se trata de una autoidentificación que no es comparable al odio de sí mismos que corroe a los individuos en el mundo germánico ni a la obligatoria afirmación de sí característica de los países anglosajones. Francia seduce mucho más que constriñe a los judíos, porque el mundo que los rodea (la Cuenca de París), que se niega a aceptar la existencia de un pueblo separado y que se obstina en no ver en el origen judío más que una «pequeña diferencia» y no una diferencia esencial, los define *a priori* como franceses. Ya a mediados del siglo XIX emerge en París un nuevo sentimiento de orgullo judío, fenómeno que ha analizado muy bien el historiador israelita Michael Graetz.[70] Es un orgullo que se expresa con total independencia de la creencia religiosa tradicional y que nace simplemente de la felicidad objetiva que, en ese momento, produce ser judío en Francia. Liberados del gueto y definidos por la Revolución como encarnaciones accidentales del hombre universal, los judíos de Francia se perciben a sí mismos como hombres, como franceses y como judíos al mismo tiempo. El baño cultural francés anula toda posible contradicción entre esas identidades: en París, un francés no se define a sí mismo más que como una encarnación accidental (es verdad que la más perfecta) del hombre universal. La componente judía de la identidad no complica el modelo más que lo que puedan hacerlo las componentes alsaciana o saboyana de algunos inmigrantes de provincias. La lógica de la universalidad y de la pequeña diferencia permite explicar que se funde en París, en 1860, la primera organización judía mundial, la Alianza Israelita Universal, cuya doctrina combina el orgullo judío y la adhesión a los principios de 1789, de manera que forman un todo indisociable. La Alianza, como asociación de mutua ayuda y de intervención cultural, pronto se manifiesta partidaria de una vigorosa acción entre los judíos del mundo musulmán, a quienes quiere sacar del letargo intelectual. Funda escuelas —en Turquía, en Irak, en Palestina, en el Magreb— que propagan a un mismo tiempo los derechos del hombre, la emancipación judía y la lengua francesa.[71] Ese episodio expansionista, casi imperialista, de la historia del judaísmo francés no encaja bien con los discursos multiculturalistas americanos, empeñados en oponer la desaparición de la identidad judía en Francia a su expansión en Estados Unidos. Los historiadores israelitas son en general más lúcidos sobre ese particular, porque saben por experiencia que si bien es cierto que la acción educativa de la Alianza Israelita Universal acabó por atraer a Francia a buena parte de los judíos del norte de Africa, también y sobre todo lo es que preparó el terreno para el desarrollo del sionismo, contribuyendo a desarraigar comunidades judías de países como Bulgaria, Irak o Marruecos.

La adhesión de los judíos de Francia a la ideología de la Revolución francesa es un fenómeno paradójico, puesto que significa que individuos salidos de una cultura diferencialista acepten una fe de tipo universalista. Pero no es la única adhesión de ese tipo en la Francia posrevolucionaria. Los protestantes, mayoritariamente calvinistas y como tales apegados a la idea de predestinación, creen en la desigualdad de los hombres ante la salvación. Y tampoco ellos están lejos de considerarse como un pueblo elegido, pero, a pesar de todo, apoyan en masa la Revolución, tanto en La Rochelle como en Montauban o en Nîmes. El recuerdo de las persecuciones católicas explica, en su caso, que un grupo portador del sistema matriz y de cultura diferencialista acepte una ideología universalista. Pero, más allá de las alianzas tácticas, la adhesión de grupos minoritarios diferencialistas al ideal de hombre universal pone de manifiesto el potencial seductor de una cultura igualitaria que propone a las poblaciones periféricas y dominadas considerarlas simplemente como formadas por hombres iguales a los demás. Tanto entre los judíos como entre los protestantes, los bretones o los alsacianos, el ideal revolucionario alcanza, con esa proposición, el corazón del hombre: es una proposición que calma la angustia de la diferencia y de la soledad. La capacidad de la Revolución francesa para seducir a los pueblos y a los grupos periféricos de la geografía francesa tal vez sea la demostración de que, más allá de todas las diferencias de costumbres, de todas las premisas diferencialistas heredadas del pasado y de las determinaciones familiares, cada hombre aspira ante todo a ser reconocido como hombre por los hombres que le rodean.

No obstante, el diferencialismo judío no desaparece sino que, al igual que el diferencialismo de las provincias periféricas que definen la componente etnocéntrica del nacionalismo francés, se pone al servicio del universalismo del sistema central y contribuye, junto a los temperamentos diferencialistas bretón, vasco, auvernés y alsaciano, a atenuar la debilidad intrínseca del universalismo francés que, incapaz de concebir en el plano teórico la diferencia, tiene dificultades para definir una especificidad francesa. Las provincias de familia matriz proporcionan su urdimbre particularista al país del hombre universal. Los judíos son elementos excepcionales a este respecto, porque aportan a Francia el sentimiento israelita de elección divina. Esa lógica optimista, que en la segunda mitad del siglo XIX funcionaba en toda su pureza, fue quebrantada de manera terrible por la posterior historia de Francia.

El asunto Dreyfus y Vichy: indiferentismo contra antisemitismo

Dos episodios de la historia contemporánea de Francia, el asunto

240

Dreyfus y el régimen de Vichy, han llevado a que la emancipación de los judíos de Francia sea presentada como un fracaso. Una escuela norteamericana, de la que forman parte historiadores como Robert Paxton, Michael Marrus y Paula Hyman, ha reconstruido, por así decir, la historia de los judíos de Francia en torno a esos dos episodios, cada uno de los cuales pondría de manifiesto el surgimiento de un poderoso antisemitismo específicamente francés. Ese antisemitismo se convierte en una prueba del fracaso del universalismo revolucionario, es decir, de un ideal de emancipación individualista igualitaria. Francia, confrontada a la realidad de judíos libres e iguales que van de éxito en éxito en el plano económico y social, habría renunciado a sus propios principios.

Peor aún, habría quedado demostrada la imposibilidad práctica de un ideal individualista igualitario que tuviese en cuenta las especificidades étnicas. En este punto, la descripción norteamericana de la historia contemporánea de Francia se adhiere a la glorificación de la concepción «pluralista», típica de Norteamérica, de la integración de los judíos o de los otros grupos etno-religiosos. Esa actitud es particularmente explícita en el caso de Marrus, que insiste en la renuncia de los judíos franceses a cualquier estructura comunitaria activa y en su voluntad, incluso en los difíciles momentos del asunto Dreyfus, de confiar en la Francia republicana más que en ellos mismos. La crítica de la emancipación a la francesa no es en este caso otra cosa que una simple componente de la ideología multiculturalista. Incluso si reúne materiales útiles (como ocurre casi siempre, empirismo anglosajón obliga), esa escuela norteamericana no es producto de una simple voluntad de observación de la realidad histórica, sino que revela una ansiedad fundamental de los americanos en lo que se refiere a su propio multiculturalismo. La incertidumbre de los intelectuales del otro lado del Atlántico se ve potenciada por el contacto con el modelo francés que sigue siendo, en este final del segundo milenio, el único rival auténtico del modelo norteamericano.

Otros historiadores norteamericanos, como William B. Cohen, intentarán demostrar que, al contrario de lo que pretende una leyenda optimista, los franceses creen en la desigualdad de las razas y en la inferioridad de la raza negra en particular.[72] Reconozcamos a esta escuela el mérito de atraer la atención sobre la persistente importancia teórica del modelo francés, de la que muchos franceses no son conscientes hoy en día. Trataremos la cuestión de las actitudes con los negros en el capítulo duodécimo. Pero, por de pronto, el análisis antropológico del antisemitismo francés ya nos permite mostrar hasta qué punto la problemática norteamericana olvida lo esencial. En efecto, esa problemática postula una homogeneidad de la sociedad francesa parecida a la de la sociedad norteamericana. Ahora bien, como hemos visto, la antropología de las estructuras familiares y religiosas define dos Francias: una dominante, central, universalista, individualista e igualitaria, portadora de la idea de emancipación, y una Francia periférica dominada, autoritaria y no igualitaria, obstinada en su idea de que los judíos son diferentes. La interacción de esas dos Francias permite explicar tanto las contradicciones del asunto Dreyfus como las del episodio de Vichy.

En su fase de paroxismo, entre octubre de 1897 y septiembre de 1899, el asunto Dreyfus define una geografía del diferencialismo francés. Todos los testimonios y documentos concuerdan para demostrar que el catolicismo periférico constituye por entonces el principal apoyo del antisemitismo. El análisis de los periódicos revela la existencia de una prensa católica de provincias absolutamente desbocada que ha preparado literalmente el terreno para el escándalo Dreyfus.[73] Entre 1890 y 1893, el diario *La Croix* llevó a cabo una campaña de educación antisemita, en la que se autoproclamaba el «*diario más antijudío de Francia*». La Iglesia encuentra sus más estables puntos de apoyo en las regiones de familia matriz: con su rechazo a aceptar a los judíos como hombres de pleno derecho, no hace más que transcribir, en un lenguaje que ya no es muy cristiano, el prejuicio de ese substrato antropológico diferencialista. La implantación de la Liga Antisemita, que alcanza su apogeo en 1898 y 1899, también revela una distribución periférica que desborda ligeramente las zonas de máxima fuerza del catolicismo. Aparte de los bastiones de fuerte práctica religiosa de la periferia de Francia, situados en el este, en el oeste, en el extremo norte o en las tierras altas del Macizo Central, toda Occitania está influida y a veces envía diputados oficialmente antisemitas, procedentes de Burdeos, de las Landas, de Gers, de Lozère, de Gard, de Vaucluse o de Drôme.[74] La Cuenca de París, país de la igualdad, no es una zona fuerte. La Liga Antisemita tiene secciones en París, pero no debe olvidarse que en esa época la capital de Francia está en pleno crecimiento rápido y que en ella se concentran, por primera vez en su historia, inmigrantes procedentes de las provincias más periféricas. En el censo de 1891, el departamento del Sena cuenta con 3.140.000 habitantes, de los cuales el 53% ha nacido fuera del departamento. Cuando comienza la campaña antisemita encabezada por los católicos, el 19% de los habitantes del departamento del Sena ha nacido en una región dominada por los valores de la familia matriz. Localmente muy minoritarios y en vías de aculturación y adhesión a los valores del mundo igualitario que les rodea, los provincianos de tradición matriz, católicos o no, constituyen una masa de 585.000 personas.[75] Aunque dominada, la cultura matriz está representada en la capital.

El antisemitismo francés de finales del siglo XIX ilustra casi a la perfección el principio de autonomía de la ideología, su carácter de construcción mental *a priori*, puesto que prácticamente no hay judíos en la mayor parte de las regiones concernidas por la fiebre diferencialista. Antisemitismo y presencia judía sólo coinciden en el Este y, hasta cierto punto, en Burdeos. Pero entre el 60 y el 65% de los judíos está por entonces en París y viven en una región en la que el catolicismo activo es insignificante.

No obstante, es imposible explicar la fuerza del antidreyfusismo basándose tan sólo en el impulso antisemita del catolicismo periférico. El análisis de la prensa parisiense y provincial llevado a cabo por Janine Ponty evidencia el aplastante dominio, en todo momento y *en todas las regiones*, de la oposición a que se revisase el juicio que condenó al capitán Dreyfus. Revisionistas y partidarios de Dreyfus tan sólo son, por lo que a la prensa se refiere, una minoría activa. El contenido de los artículos pone de manifiesto que existen dos componentes distintas en el antidreyfusismo, una absolutamente antisemita y la otra no antisemita sino hostil a Dreyfus por devoción al ejército. Para la componente nacionalista y militarista, no puede ni pensarse en poner en tela de juicio el valor del veredicto pronunciado por el alto mando contra un oficial. Janine Ponty clasifica las actitudes de los periódicos en febrero de 1898 en cuatro categorías: antidreyfus antisemita (A1), antidreyfus nacionalista xenófoba pero no antisemita (A2), antidreyfus conformista media, cuyo nacionalismo y respeto del ejército no conducen a la violencia (A3) y antidreyfus socialista (A4). Si medimos el peso relativo de las componentes ideológicas del antidreyfusismo por la tirada de los periódicos, obtenemos un 17% de antisemitismo (A1), un 30% de nacionalismo xenófobo (A2), un 45% de nacionalismo conformista (A3) y un 4% de antidreyfusismo de izquierdas (A4). El eje central del asunto Dreyfus es el nacionalismo militarista (A2+A3) y no el antisemitismo, aunque éste sea una componente importante, estable, tanto más virulenta cuanto que expresa la ideología de una componente minoritaria y periférica que se esfuerza por influir en la tradición central, aprovechando el brote militarista característico de la ideología republicana de la época. El examen de los años que siguen a la «Incorporación» de los católicos a la República en 1890 pone al descubierto una auténtica tentativa de subversión llevada a cabo por la cultura inigualitaria y autoritaria de la periferia, que busca hacerse con el control de Francia sin oponerse frontalmente a la tradición laica e igualitaria, pero señalando chivos expiatorios, judíos o alemanes y, si es posible, judíos y alemanes. Tras haber sido marginado por la Revolución y haberse atrincherado en una estrategia provincial defensiva a todo lo largo del siglo XIX, el catolicismo, hacia 1890, se siente con la suficiente fuerza como para pasar a la ofensiva. En el plano demográfico, sus provincias parecen querer ahogar con su fecundidad el corazón maltusiano del sistema nacional. Su «Incorporación» no conduce, pues, a una pacificación. Conduce a los republicanos a decidir la separación de la Iglesia y el Estado. Ese acto, tan simbólico como práctico, muestra que los republicanos han acabado por tomar conciencia de que existe una tentativa de asalto, desde dentro, a las instituciones. Este análisis, imprescindible para la buena comprensión del asunto Dreyfus en las ambigüedades de sus inicios y en la claridad de su desenlace, pone de relieve la interacción de los dos sistemas antropológicos que constituyen el espacio francés y muestra que si la aparente adhesión de la periferia a los valores republicanos resuelve una tensión, también puede abrir una crisis. Se trata de un modelo lógico e histórico de aplicación más general. Durante los años comprendidos entre 1965 y 1990, la aparente incorporación de las provincias católicas a las doctrinas de la izquierda también desemboca en una tentativa de subversión de los valores individualistas igualitarios centrales, fenómeno que analizaremos en el capítulo decimotercero.

Queda por explicar la debilidad del apoyo a Dreyfus que subraya Janine Ponty. En septiembre de 1899, cuando el capitán es indultado por el presidente de la República, los periódicos partidarios de Dreyfus y de la revisión del juicio no totalizan más que un 42% de la tirada total. La ofensiva antisemita, minoritaria, no suscita una fuerte reacción específicamente dirigida a proteger a los judíos. Los republicanos se movilizan tarde y, cuando lo hacen, es menos para salvar a Dreyfus que para hacer frente a lo que perciben como un complot contra el régimen. Al ser dominante en Francia la fidelidad a la República, que está anclada en los valores del individualismo igualitario, los católicos antisemitas son en aquel momento fácilmente vencidos y el asunto se termina con la separación de la Iglesia y el Estado en 1905. Pero, simplificando, podemos decir que no ha habido ningún «filosemitismo» republicano que haya plantado cara al antisemitismo católico. Es una asimetría normal: el sistema antropológico central no sugiere al inconsciente que los judíos son más bien buenos que malos, sino que no existen como categoría separada. De manera que el individualismo igualitario no puede suscitar una corriente filosemita, análoga a la que puede observarse en los países de tradición nuclear absoluta y de religión calvinista como Inglaterra, Estados Unidos y Holanda, en donde la inserción de los judíos se realiza en un contexto cultural que combina las caras positiva y negativa de un mismo diferencialismo: un ligero antisemitismo y un filosemitismo que lo equilibra.

La Francia de la Tercera República presencia el enfrentamiento, en un combate extraño por asimétrico, entre un antisemitismo virulento, anclado en un sistema antropológico periférico de tipo diferencialista, y una relativa indiferencia ante la cuestión judía, anclada en un sistema antropológico central de tipo universalista. El filosemitismo de un Péguy es, en la época, una excentricidad. El antisemitismo, a pesar de ser minoritario, goza de una cierta ventaja inicial en la ofensiva, ya que se presenta como un fenómeno consciente, pero pronto se diluye en el indiferentismo mayoritario, subconsciente o incluso consciente. El fracaso final del complot contra Dreyfus se debe a que intenta convencer de la culpabilidad de un militar judío a la Francia central, que sin duda es, en esa época, militarista hasta la neurosis, pero que no cree que exista una esencia judía específica.

Quedaría por evaluar la densidad del sentimiento antisemita minoritario, mucho más virulento que todo lo que podemos observar en el mundo anglosajón de la misma época, pero claramente menos intenso que el antisemitismo alemán. Algunos simples datos revelan que a pesar de la violencia de la que hace gala, la creencia de los antisemitas franceses en la diferencia judía es superficial y nunca llega a la deshumanización total. Poco después del asunto Dreyfus, la primera guerra mundial da a los judíos la oportunidad de hacer una auténtica exhibición de patriotismo, tanto en Francia como en Alemania o en Inglaterra. No obstante, mientras en Francia funciona bien la sagrada unión y desemboca en el abandono de los ataques antisemitas por parte de Barrès, Maurras y el conjunto de las corrientes de extrema derecha, en Alemania las cosas no ocurren así y la urgencia nacional no impide que las poblaciones de base cristiana sospechen que los judíos no cumplen con sus deberes de soldados y que no están en las trincheras como los auténticos alemanes. Ya desde el verano de 1916, el Ministerio del Ejército alemán se ve invadido por denuncias contra judíos «enchufados».[76] Incluso cuando la amenazan conjuntamente las fuerzas francesas, inglesas y rusas, Alemania no consigue olvidar al judío, hombre diferente que constituye una amenaza interior a la homogeneidad del cuerpo social. Por el contrario, Francia, que pocos años antes se ha visto agitada de manera tan espectacular por el asunto Dreyfus, demuestra ahora que está dispuesta a hacer la guerra y a asumir su militarismo hasta las últimas consecuencias, pero no logra sin embargo mantener mucho tiempo su interés por los judíos. Los propios antisemitas franceses habían puesto de manifiesto la superficialidad de su obsesión: al contrario de lo que era la regla en Alemania, las grandes figuras del antisemitismo francés como Drumont o Morès aceptaban batirse en duelo con los judíos que vilipendiaban, lo que prueba que en el fondo les reconocían la calidad de hombres semejantes a ellos,[77] porque no hay nada más simétrico e igualitario que un duelo. En este caso, el antisemitismo francés, sin saberlo, está contaminado por el sistema central de costumbres. Su pasión diferencialista cede.

Cuarenta años después del asunto Dreyfus, el episodio de Vichy vuelve a poner de manifiesto el enfrentamiento asimétrico de una tradición antisemita minoritaria y de una cultura central indiferente a la cuestión judía. Naturalmente, la ocupación de una parte y más tarde de la totalidad del territorio francés por el ejército alemán modifica la relación de fuerzas entre las dos componentes antropológicas del sistema Francia en un sentido favorable al diferencialismo. Y lo hace con tanta mayor rapidez y claridad cuanto que, desde 1940, la Wehrmacht controla el norte de Francia, es decir la mayoría de las regiones de tradición igualitaria, portadoras originarias de los ideales de la Revolución. El régimen de Vichy se implanta en región de familia matriz, puesto que la costa mediterránea y el borde noroeste del Macizo Central son las principales excepciones igualitarias de un territorio globalmente dominado por tradiciones de autoridad y de desigualdad. El territorio de Pétain coincide con bastante exactitud con el de las zonas de tradición monárquica.

El régimen del mariscal Pétain, clerical, familiarista y moralizante, parece poner en práctica los sueños más retrógrados de una derecha católica que, durante cuatro decenios, ha recibido la influencia de la resentida retórica de la Action Française. Patxon, al estudiar el régimen de Vichy, ha demostrado con claridad la existencia de un antisemitismo francés autónomo, independiente del alemán y capaz de precederlo. Las primeras medidas contra los judíos dictadas por el gobierno de Pétain no esperan a las directivas alemanas. Siguen su propia lógica, la de un antisemitismo que, abandonado a sí mismo, hubiese conducido a la segregación de los judíos franceses y a la expulsión de los judíos extranjeros o recién naturalizados, pero no a una tentativa de exterminación de ambas categorías. La acción antisemita autónoma y específicamente francesa del régimen de Vichy encuentra su fuerza motriz, al igual que el asunto Dreyfus, en el sistema antropológico matriz, minoritario en el conjunto de Francia, pero mayoritario en zona libre.

El destino de los judíos presentes en Francia en 1940 vuelve a permitirnos subrayar los dos puntos débiles del antisemitismo francés. En primer lugar, la existencia de una población mayoritariamente indiferente a la cuestión judía en la Cuenca de París y en la franja mediterránea; en segundo lugar, la escasa profundidad psíquica y social de la ideología antisemita en la zona diferencialista del territorio. Porque el historiador no debe limitarse a dar cuenta de la acción antisemita de Vichy, sino que debe también explicar por qué, a pesar de monstruosos episodios como la gran redada del Vel d'Hiv, los judíos de Francia han tenido un índice de supervivencia a la «solución final» de cerca del 75%, uno de los más elevados de Europa. De entre las naciones de Europa que tenían más de 10.000 judíos en su territorio, las únicas en mejorar ese índice son Bulgaria e Italia, con el 80 y el 78% respectivamente. La realidad histórica francesa presenta un aspecto aún más favorable si se tiene en cuenta el hecho de que Bulgaria fue aliada de Alemania durante la totalidad de la guerra y, por ese motivo, no ocupada, y que Italia, al principio aliada, no fue ocupada más que en sus dos terceras partes, a partir de 1943. Si añadimos que Francia era el único país ocupado cuya población judía era en sus dos tercios de reciente inmigración, particularmente vulnerables a causa de su escaso dominio de la lengua del país, el dato aumenta su carácter excepcional. Para analizar el funcionamiento mental de las poblaciones francesas, debemos dominar la náusea que suscitan los enfermizos textos de Drieu la Rochelle o de Brasillach, las actuaciones de la Milicia y de algunas administraciones controladas por el régimen de Vichy, y dar prioridad al índice de supervivencia. Su valor metodológico es mayor que el de un sondeo de opinión, porque añade, a través de sus efectos, millones de comportamientos individuales.

Asher Cohen, en *Persécutions et Sauvetages: Juifs et Français sous l'Occupation et sous Vichy*, ha demostrado admirablemente que lo único que puede explicar un índice de supervivencia del 75% es la insensibilidad de la mayoría de la población francesa ante la retórica antisemita, combinada con una multitud de acciones individuales de salvamento que implicaban la acción de franceses no judíos.[78] Su análisis detallado también permite medir el escaso calado social del sentimiento antisemita en regiones de familia matriz. En 1940, el odio al judío es un sentimiento específicamente burgués o, más exactamente, típico de las clases medias de la periferia diferencialista, normalmente católicas. Numerosas anécdotas demuestran que, a partir de junio de 1940, cuando los judíos se refugian en masa en la zona libre, la gente de los pueblos y de las ciudades pequeñas, haya o no en ellas una fuerte práctica religiosa, no tienen representación *a priori* respecto a los judíos. En ese aspecto, la propaganda de Action Française no ha surtido efecto entre las clases populares.[79] Por el contrario, los médicos, muy numerosos en el Midi francés, en donde la familia matriz hace que la profesión pase de padres a hijos, son particularmente antisemitas y grandes productores, durante la guerra, de cartas de denuncia contra sus colegas judíos.[80] Por otra parte, Asher Cohen anota que, un escalón más abajo en la jerarquía de las profesiones de la sanidad, los dentistas adoptan la actitud opuesta, una fuerte propensión a proteger a sus colegas judíos amenazados. Una vez más, hay que constatar la existencia de un antisemitismo francés autónomo y su escaso calado social. Por otra parte, basta con un mínimo de sentido común para comprender por qué las regiones de la periferia diferencialista, capas privilegiadas católicas aparte, no han creído en la diferencia judía. En primer lugar, porque el antisemitismo de las clases superiores no era para las capas populares más que una abstracción hasta el momento del éxodo hacia el Midi de los judíos del este o de la región de París: el antisemitismo puede funcionar en ausencia de judíos pero, en ese caso, exige «educación» ideológica que no ha llegado en Francia más que a las «elites». En segundo lugar, porque, entre 1870 y 1945, el papel del «hombre diferente» del etnocentrismo francés lo representa el alemán, de forma que la mitología del *boche* deja poco espacio para el desarrollo de la del *youpin*.

El índice de supervivencia de los judíos en territorio francés es un fenómeno conocido desde hace mucho tiempo, y que Léon Poliakof

La Shoah

	Población judía estimada en vísperas de la «solución final»	Porcentaje de asesinados
Polonia	3.300.000	90 %
Países Bálticos	253.000	90 %
Bohemia-Moravia	90.000	89 %
Eslovaquia	90.000	83 %
Grecia	70.000	77 %
Países Bajos	140.000	75 %
Hungría	650.000	70 %
Bielorrusia	375.000	65 %
Ucrania	1.500.000	60 %
Bélgica	65.000	60 %
Yugoslavia	43.000	60 %
Rumania	600.000	50 %
Francia	350.000	26 %
Bulgaria	64.000	22 %
Italia	40.000	20 %

Fuente: L.S. Dawidowicz, *The War against the Jews 1933-1945*, Harmondsworth, Penguin Books, 1987, pág. 480.

ya señaló en su historia del antisemitismo.[81] Que ese hecho sea conocido no ha evitado que florezca, en la Francia de los años setenta y ochenta, una literatura de autoflagelación nacional, empeñada en demostrar la quiebra del universalismo francés durante la segunda guerra mundial. Señalar culpas y debilidades es un ejercicio legítimo y necesario, pero que, en el caso que nos ocupa, debería haber conducido a dos conclusiones elementales. La primera es que los franceses del periodo 1940-1944, abrumados por la derrota sin precedentes en la historia militar de su país que acababan de sufrir, no fueron seres perfectos, masivamente capaces de asumir el supremo sacrificio en defensa e ilustración de sus valores fundamentales. La segunda, que la presencia de 260.000 judíos supervivientes en territorio francés en 1945 demostraba la persistencia de una especificidad francesa, de una incapacidad de orden antropológico para creer en el «hombre diferente».

Así pues, hay que describir y explicar la componente antisemita del sistema ideológico francés, activa bajo el régimen de Vichy y durante el asunto Dreyfus, pero sin sobrevalorar su potencial dañino. El asunto Dreyfus demuestra la impotencia de los católicos antisemitas en Francia, puesto que su principal resultado fue la separación de la Iglesia y el Estado, auténtico punto de arranque de un nuevo ímpetu de la marcha hacia el laicismo iniciado en 1789. El análisis del régimen de Vichy desvela la escasa influencia de la ideología antisemita fuera de las clases medias de ciertas regiones. Por ello, es históricamente absurdo buscar el origen de los dramas del siglo xx en la dinámica propia de la sociedad francesa. Se necesita una considerable dosis de ceguera para no ver que el crecimiento del poder de Alemania, su inmersión en la ideología nazi y el hundimiento militar de Francia en el año 1940 constituyeron, desde ese punto de vista, etapas importantísimas. Durante ese oscuro periodo de la historia europea, el problema estratégico de los judíos de Francia habrá sido la proximidad geográfica de Alemania y no la acción específica de los franceses.

La Argelia colonial: un antisemitismo igualitario e individualista

Hasta aquí no he hecho referencia al importante antisemitismo de la Argelia colonial, aunque sus manifestaciones coinciden bastante bien en el tiempo con las del antisemitismo metropolitano.[82] En el punto culminante del asunto Dreyfus, en mayo de 1898, Argelia envía cuatro diputados «antijudíos» al parlamento de París. El régimen de Vichy anula el Decreto Crémieux, con lo que desnaturaliza a los judíos del norte de Africa sin que los franceses de origen europeo se escandalizasen por ello. En la Argelia colonial existía un poderoso antisemitismo, influido en su desarrollo y su cronología por el antisemitismo católico de la metrópoli, pero cuya lógica era tan opuesta que merece un tratamiento especial. Su análisis nos vuelve a colocar ante la cara oscura del universalismo de tipo individualista igualitario: el universalismo francés reacciona con violencia cuando se le confronta con un grupo cuya visible diferencia parece colocarlo, en el plano antropológico, fuera del fondo común mínimo, bilateral y exógamo, en un contexto demográfico y cultural que parece excluir la posibilidad de una rápida asimilación.

Los europeos de Argelia eran, en su conjunto, portadores de un sistema antropológico cercano al de la zona central de Francia: nuclear igualitario, de temperamento laico y republicano, con inclinación anarquizante. Esa orientación general se debe menos a la inmigración precoz de los deportados parisienses de 1848 o 1851 que a la importancia de los departamentos de la franja mediterránea de Francia en la población inicial de Argelia. La presencia de inmigrantes italianos y españoles, rápidamente asimilados a la población europea, no había modificado esa orientación antropológica e ideológica, porque la mayor parte también venía de regiones dominadas por estructuras familiares nucleares igualitarias.[83]

249

En el último cuarto del siglo XIX, los judíos del norte de Africa, naturalizados franceses de forma colectiva por el Decreto Crémieux de 1871, están aún muy deficientemente adaptados y son portadores de una cultura familiar que los europeos distinguen mal de la de los musulmanes patrilineales y endógamos. Su comportamiento aparente —vestimentario, verbal o político— sigue siendo muy exótico. Un parámetro demográfico simple como es el índice de natalidad evidencia un fuerte contraste entre europeos y judíos en la Argelia de finales del siglo XIX. En 1898, el número de nacimientos por cada mil habitantes es, siguiendo la terminología étnica de la literatura administrativa de la época, de 30 entre los europeos, de 38 entre los musulmanes y de 47 entre los israelitas.[84] La elevadísima natalidad de los judíos del norte de Africa es resultado de mejoras sanitarias que aparecen antes de que empiece a desarrollarse el control de la natalidad. Más tarde, el índice de natalidad de las poblaciones musulmanas aumentará de la misma forma, hasta alcanzar el 48 ‰ en 1960.

La persistencia en la mayor parte de las ciudades de barrios judíos separados acentúa la percepción del hecho judío como comunitario e impide una correcta evaluación del potencial de asimilación a largo plazo. En 1880, por ejemplo, el registro civil censa 387 matrimonios entre judíos y judías, pero tan sólo tres matrimonios entre judíos y cristianas, y tres matrimonios entre cristianos y judías, es decir, un ínfimo índice de matrimonios mixtos: 0,75%.[85] El comportamiento electoral de la población judía sugiere una incompatibilidad de costumbres. Los jefes de comunidad negocian en bloque los sufragios israelitas y falsean con una apacible regularidad el enfrentamiento entre oportunistas y radicales.

Ese comunitarismo político pone en guardia al temperamento republicano, que se encuentra aquí ante una diferencia que no considera secundaria sino esencial. La actitud básica frente a los musulmanes es la misma, pero éstos, salvo unos pocos naturalizados, no son definidos por las instituciones como ciudadanos y electores. Cuando la diferencia de costumbres aparente se presenta como importante y no reductible, la creencia en el hombre universal conduce a una redefinición del grupo diferente como no humano. De ahí que aparezca en Argelia un antisemitismo republicano, que con facilidad tiene un comportamiento crapuloso. Tras los ingleses del año II y los alemanes de los años 1870-1918, los judíos del norte de Africa chocan con la cara oscura del universalismo francés.

El antisemitismo de los europeos del norte de Africa se nutre de imágenes y de eslóganes concebidos por el antisemitismo católico de la Francia metropolitana. Hasta importa hombres de la metrópolis, puesto que Drumont, autor de *La France juive*, es elegido diputado por Argel. Pero el examen detallado de los enfrentamientos entre judíos y europeos de Argelia, que con frecuencia son violentos y a veces sangrientos, revela una persistente especificidad. El antisemitismo derivado de una lógica individualista igualitaria continúa distinguiéndose del antisemitismo diferencialista, incluso cuando desencadena pogromos. En Argelia, y en especial en la región de Orán, el conflicto entre judíos y «cristianos anticlericales», adquiere un aspecto asombrosamente simetrizado, igualitario. A las agresiones verbales de los «franceses» o de los «españoles», los judíos responden sin la menor humildad, estaca en mano, con agresiones verbales y físicas. La estructura general del enfrentamiento es la de un duelo. También es muy notable la inflexibilidad de los representantes de la comunidad judía, que no cejan en su exigencia de que la administración aplique la ley.[86] Todo ocurre como si la cultura individualista igualitaria, a pesar de ser incapaz de aceptar la organización comunitaria de los judíos y su aparente apego a un sistema antropológico específico, animase una relación de igualdad en el enfrentamiento. Incluso cuando es agresivo, el individualismo igualitario no consigue grabar en el inconsciente del adversario la noción de su inferioridad. No puede evitar tratarlo de igual a igual, estimulando así su confianza en él y su capacidad de resistencia. Esa es probablemente una de las razones por las que el universalismo francés, cuando tiene el dominio político pero no el demográfico ni el cultural, desencadena tan a menudo formidables revueltas. Rechaza al otro sin llegar a hacerle sentirse inferior. Como resultado de ello, Francia tendrá que padecer, en Haití, en Vietnam y en Argelia, durísimas guerras de independencia. El ejemplo de los judíos del norte de Africa es también prueba de que un conflicto antropológico puede no ser más que aparente y de que una diferencia que en un momento dado se percibe como irreductible, en realidad puede estar sobrevalorada. Una vez más, la evolución del índice de natalidad resulta ser un buen indicador de distancia entre grupos étnicos y religiosos: a principios del siglo XX, el índice de natalidad de los judíos argelinos cae al 30 ‰ materializando el acercamiento cultural con la población de origen europeo.[87] La extensión del matrimonio mixto, que comienza en Argelia nada más acabar la segunda guerra mundial, demuestra que se trataba de un conflicto transitorio.

El sentido de una historia

Hacia 1990, los judíos franceses constituyen, después de los norteamericanos y los rusos, pero antes que los ingleses, el tercer grupo de la diáspora en importancia numérica, y el primero en diversidad de orígenes, puesto que es el único que reúne asquenazíes y sefardíes de manera equilibrada. La Revolución francesa había emancipado a unos judíos inexistentes, concretamente ausentes de su territorio central, la zona igualitaria de la Cuenca de París. Tras dos atormentados siglos, la emancipación aparece en Francia como un proceso real y no como una simple afirmación teórica. Los datos históricos hacen pensar que el paso a la práctica no ha sido efecto del azar, ni de una voluntad inicial de las comunidades judías, puesto que la emancipación de 1791 es concedida a los judíos del Este, que no la habían pedido. Su éxito no impide que los judíos que huyen del Imperio ruso a partir de los años ochenta del pasado siglo prefieran, cuando es posible, Estados Unidos o incluso Inglaterra al país del hombre universal. Por lo que se refiere a los judíos argelinos, que hacia 1871 son muy tradicionalistas, puede sostenerse razonablemente que Francia ha ido a su encuentro, naturalizándolos en bloque, tras el fracaso de una oferta de naturalización individual.

Sin buscar en el desarrollo de los acontecimientos la mano de una divinidad histórica consciente y antropomorfa, debemos admitir que todo ha ocurrido como si Francia hubiese necesitado de los judíos para verificar su fe en el hombre universal. En la Francia de 1789, como en el conjunto de la Europa de tradición cristiana, los judíos no representan una diferencia cualquiera. Son *la diferencia*. Y ésta debe ser superada para que siga viviendo el ideal revolucionario. Los titubeos de la Asamblea Nacional francesa, tan visibles en los debates de 1789 a 1791, no deben, pues, llamarnos a engaño. La emancipación no fue un acto accidental. Una vez vencida la oposición de los diputados del Este, encabezados por Reubell, la redefinición del judío como ser humano normal se propaga como un artículo de fe fundamental. El entusiasmo con que los ejércitos de Napoleón derriban las puertas de los guetos italianos muestra con claridad la importancia del asunto para la Revolución. Que no se hubiese llevado a cabo la emancipación de los judíos habría representado un fracaso fundamental, final, para la metafísica revolucionaria. De la misma manera que el fracaso de la asimilación de los magrebíes y de los negros en la Francia del siglo XX marcaría el final del sistema cultural francés.

11

La desintegración
del sistema antropológico magrebí

Si aplicamos a Francia las categorías mentales típicas de países diferencialistas como Inglaterra y Alemania, es decir, sin diluir a los hijos de los inmigrantes en la población francesa general, el grupo estadístico constituido por los «magrebíes» es, en 1990, la población de origen musulmán más numerosa de Europa. En Gran Bretaña, los «grupos étnicos» paquistaníes o procedentes de Bangladesh, definidos por una curiosa mezcla de conceptos raciales y culturales, suman en conjunto unos 515.000 miembros. En Alemania, los turcos, tenidos por ajenos a la identidad alemana y que además siguen siendo ciudadanos de su país de origen, son 1,6 millones. En Francia, una clasificación «de tendencia étnica» de tipo británico o una categorización derivada del derecho de sangre, de tipo alemán, llevaría a definir a un grupo de 2,5 millones de magrebíes.[1] En consecuencia, Francia es el país de Europa donde se plantea de manera más amplia el problema del destino de las poblaciones de origen musulmán.

Aunque ya se inició en el periodo de entreguerras, el asentamiento en Francia de trabajadores procedentes del norte de Africa es fundamentalmente un fenómeno de los años 1945-1990, con desfases importantes entre la inmigración argelina por una parte y las inmigraciones marroquí y tunecina por otra. El crecimiento del grupo argelino comienza nada más terminar la segunda guerra mundial y cubre el conjunto de los años 1946-1982, extendiéndose a lo largo de dos generaciones. Los argelinos censados en Francia, definidos aquí en términos de nacionalidad, son ya más de 200.000 en 1954, 350.000 en 1962 y 800.000 en 1982. La llegada de los marroquíes es un fenómeno mucho más tardío, puesto que el crecimiento decisivo de ese grupo no comienza hasta después del censo de 1968, para llegar a 260.000 individuos en 1975 y a 570.000 en 1990. La inmigración tunecina, menos numerosa, se acelera también en los años 1968-1982, pero disminuye su ritmo tras el censo de 1982, a pesar de lo cual el grupo acaba por alcanzar el umbral de los 200.000 individuos en 1990. Las tres nacionalidades siguen, cada una a su propio ritmo, el ciclo habitual que conduce desde una inmigración de trabajadores masculinos hasta la aparición de una población completa, por el reagrupamiento de las familias y por el nacimiento de hijos en el territorio de la sociedad receptora.

A periodos diferentes de inmigración corresponden repartos geográficos específicos en el espacio francés. Todos los grupos se asientan, sobre todo, en la mitad este del país, a lo largo del eje Marsella-Lyon-París. Pero la distribución de los argelinos y de los tunecinos está más concentrada en algunas grandes regiones urbanizadas: en 1990, en Île-de-France, Ródano-Alpes y Provenza-Alpes-Costa Azul, se reagrupa el 44% de los marroquíes, el 66% de los argelinos y el 80% de los tunecinos. Los marroquíes, que son los últimos en llegar, se muestran más provincianos y están paradójicamente más dispersos que los argelinos. En 1990, el número absoluto de individuos de nacionalidades argelina (614.207) y marroquí (572.652) es comparable. No obstante, en esa fecha, siete departamentos, todos ellos situados en el extremo oeste, contaban con menos de un 0,2% de marroquíes. Pero los veintiséis departamentos que cubren todo el oeste y parte del Macizo Central contaban con menos de un 0,2% de argelinos. Aparte de esos matices, que son consecuencia de la historia de las migraciones, los tres grupos tienen en común una inserción fundamentalmente obrera en la sociedad francesa, como resultado casi mecánico de su bajo nivel de cualificación, fácil de comprender a la vista del bajo índice de alfabetización, inferior al de los países de origen. Los inmigrantes argelinos, marroquíes y tunecinos provienen de estratos socioculturales bajos en sus respectivas sociedades. La inmigración magrebí en Francia es diferente, en ese particular, de la inmigración turca en Alemania, totalmente alfabetizada, porque proviene del estrato más avanzado del mundo obrero y campesino de la sociedad de origen.[2]

Según el censo de 1990, el porcentaje de hogares franceses «obreros» es del 32,4 mientras que entre los tunecinos es del 68,7, entre los argelinos del 71,9 y entre los marroquíes del 78,2. Sólo los tunecinos, que vienen de la más alfabetizada de las sociedades del Magreb, superan el 30% de no obreros. La asimilación de los judíos, más que alfabetizados, concernió sobre todo a las clases medias francesas. La asimilación de las poblaciones magrebíes es principalmente cosa del mundo obrero. Las clases medias son, en este caso, espectadoras de una historia que ellas no escriben. En el cambio de siglo, el asunto Dreyfus apasionó a burgueses e intelectuales, pero dejó absolutamente indiferente al proletariado. Desde 1984, la cuestión de la inmigración angustia al mundo obrero pero sólo interesa de manera episódica e indirecta, por sus efectos políticos, a las elites burguesas poco afectadas por los problemas de los barrios periféricos.

La inserción socioprofesional asigna a los magrebíes un lugar específico en la sociedad francesa, pero no los distingue mucho de los demás grupos que han llegado a Francia después de la segunda guerra

Los extranjeros en Francia

Año	Argelinos	Marroquíes	Tunecinos	Turcos	Portugueses
1946	22.114	16.458	1916	—	22.261
1954	211 675	10.734	4800	—	20.085
1962	350.484	33.320	26.569	—	50.010
1968	473.812	84.236	61.028	7628	296.448
1975	710.690	260.025	139.735	50.860	758.925
1982	805.116	441.308	190.800	122.260	767.304
1990	614.207	572.652	206.336	197.712	649.714

mundial: el 77,9% de los hogares portugueses y el 82,8% de los turcos es obrero. Unicamente un grupo heterogéneo constituido por vietnamitas, camboyanos y laosianos contiene un fuerte elemento inicial no proletario, aunque sigue teniendo un 63,7% de hogares obreros. Aparte de las categorías socioeconómicas, algunas variables antropológicas simples dan al conjunto de los inmigrados formado por los tres grupos magrebíes su especificidad y cierta unidad, que no excluye importantes matices.

El sistema familiar magrebí

Los tres países del Magreb forman parte del mundo árabe y, a primera vista, su sistema familiar parece una variante del sistema *arábigo-musulmán*, característico de todos los países árabes y de cierto número de países musulmanes arabizados en el plano familiar como Irán, Paquistán, Bangladesh, Azerbaiyán o Tayikistán. No puede calificarse ese sistema simplemente de musulmán, porque muchos países del Africa negra o de Asia oriental, islamizados en el plano de las creencias religiosas, no están en absoluto arabizados en lo que a estructuras familiares se refiere. El sistema familiar de Senegal o de Malí, de Indonesia o de Malasia, no puede describirse simplemente como comunitario, patrilineal y endógamo. Sin embargo, esas características habituales del sistema familiar árabe se dan, en diverso grado, en los tipos campesinos tradicionales tunecino, argelino y marroquí. La familia ideal asocia en el mismo grupo comunitario a un padre y a sus hijos casados. El sistema es patrilineal porque privilegia la filiación masculina. Las reglas coránicas de herencia, que deberían garantizar a las hijas una parte igual a la mitad de la de sus hermanos, no se aplican en el medio rural. El Magreb no es en esto muy diferente del conjunto del mundo familiar arábigo-musulmán, porque tampoco en

255

Irán o en Paquistán se respeta la protección de la herencia de las mujeres decretada por Mahoma.[3] La endogamia, más fuerte en el mundo árabe que en las comunidades judías tradicionales, se formaliza en una preferencia por el matrimonio entre primos, particularmente en el matrimonio entre los hijos de dos hermanos. En ausencia de prima paralela paterna de edad adecuada, cualquier prima es aceptable. El enlace entre primos paralelos paternos contribuye a la definición de una psicología patrilineal que perpetúa, a través del matrimonio de sus hijos, la alianza que asocia a los hermanos en el seno de la gran familia y refuerza un ideal de simetría y de igualdad entre los hijos. El lazo afectivo central de esa configuración familiar no es, como en un sistema comunitario exógamo —ruso, chino o vietnamita—, el lazo padre-hijo, sino el lazo entre hermanos. El sistema familiar árabe, antiindividualista, no es «autoritario», a la manera de los tipos comunitarios exógamos. Ciertamente, el padre de la comunidad endógama es muy respetado, pero no controla la mecánica del sistema: la regla del matrimonio da derecho sobre su hija a su sobrino. El tío, si quiere recuperar el derecho de casar a su hija como mejor le parezca, debe compensar materialmente al sobrino. En un sentido muy general, el sistema es autoritario, puesto que existe una regla impuesta a todos que excluye la libre elección de cónyuge, pero nadie es realmente depositario de la autoridad. Más que de un sistema dirigido por una generación dominante, se trata de un sistema autorregulado, como en el caso de los modelos familiares matriz y comunitario exógamo.

El principio patrilineal, común a los sistemas comunitarios endógamo y exógamo, conduce en ambos casos a un status de la mujer relativamente bajo. Pero la endogamia, aunque mejora la situación de la mujer, conduce a su radical enclaustramiento.

En un sistema *patrilineal exógamo*, el grupo familiar comunitario debe adquirir mujeres y desembarazarse de sus hijas. Una niña sabe, desde muy temprana edad, que un día será expulsada, vía matrimonio, de su familia natal y transferida a otro grupo patrilineal, extraño, desconocido, amenazante. Si la pareja tiene demasiadas hijas, existe la tentación de desembarazarse de algunas de ellas por el infanticidio, práctica común en los sistemas chino e indio del norte. Si la mujer llega al matrimonio, como esposa será perseguida por su suegra de forma casi ritual. Pero si engendra un heredero macho para su marido, su situación en la nueva familia estará definitivamente asegurada. Cuando llegue a ser suegra, podrá expresar esa conquista haciendo la vida imposible a su nuera. En los últimos años de una vida que con frecuencia ha sido muy difícil, la anciana del sistema comunitario exógamo es a menudo un poder temible, cuyo arquetipo en ese particular es la anciana china. Paradójicamente, el hecho de ser arrancada del medio de su infancia hace que la mujer del universo mental patrilineal exógamo acceda a una forma de conciencia de sí misma y de su in-

Los magrebíes en 1990

En porcentaje de la población total

■ + del 4%	▤ del 2 al 3%
▥ del 3 al 4%	⸭ del 1 al 2%

Los argelinos en 1990

En porcentaje de la población total

■ + del 2%	⸭ del 0,6 al 1%
▥ del 1,3 al 2%	☐ del 0,2 al 0,6%
▤ del 1 al 1,3%	⊡ – del 0,2%

Los marroquíes en 1990

En porcentaje de la población total

■ + del 2%	⸭ del 0,6 al 1%
▥ del 1,3 al 2%	☐ del 0,2 al 0,6%
▤ del 1 al 1,3%	⊡ – del 0,2%

Los tunecinos en 1990

En porcentaje de la población total

■ + del 0,8%	▤ del 0,4 al 0,6%
▥ del 0,6 al 0,8%	⸭ del 0,2 al 0,4%

dividualidad. Por el contrario, en ese tipo de sistema, el hombre, atado a su padre y a sus hermanos, no adquiere una conciencia tan clara: permanece mucho más tiempo que la mujer anclado en su medio natal. El sistema de valores afirma la superioridad masculina como principio, pero los hombres de la patrilinealidad siguen siendo niños durante mucho tiempo.

En un sistema *patrilineal endógamo*, la mujer no es expulsada de su grupo natal, de manera que cuando se casa no tiene que afrontar un doloroso proceso de adaptación a una nueva familia. Las entrevistas realizadas en el mundo árabe revelan que las mujeres, madres o hijas, perciben el matrimonio entre primos como un corrector de la patrilinealidad, como un suavizante. Para la joven esposa, ser escogida por su primo significa que va a trasladarse a casa de su tío y su tía, y en el mundo árabe, como fuera de él, la relación natural entre tíos y sobrinos se caracteriza, en general, por una relativa afabilidad, ya que combina la separación de generaciones con la ausencia de relación de autoridad. En un sistema endógamo, el estrés del matrimonio desaparece. La niña no es percibida como alguien que debe ser expulsado del grupo, y no está amenazada por el infanticidio, práctica absolutamente ignorada en el mundo árabe musulmán. En cambio, al estar protegida, la mujer se mantiene durante toda su vida en una situación de menor. No llega, como hace la mujer del sistema comunitario endógamo a fuerza de sufrimiento, a tomar conciencia de su individualidad. Las mujeres del mundo árabe musulmán, menos amenazadas físicamente, están sin embargo estrictamente encerradas. Son vigiladas y controladas por una familia cuya preocupación es no ceder sus mujeres a los otros grupos patrilineales. El velo, en la ciudad más que en el campo, y una organización centrípeta de la casa, en todas partes, son los símbolos de ese encierro de la mujer en su grupo patrilineal natal.

Sin embargo, el sistema comunitario, patrilineal y endógamo imperante en el conjunto del Magreb no es el más perfecto ni el más acabado del mundo árabe musulmán. La arabización y la islamización son resultado de un proceso de conquista militar y de difusión cultural: es normal que en la periferia de una vasta civilización aparezcan imperfecciones, formas antropológicas residuales, heredadas de sistemas anteriores. En el Magreb, a veces, la mutación patrilineal y endógama es incompleta, porque se trata de la periferia occidental del mundo arábigo-musulmán. El status de la mujer no siempre es allí tan bajo como en el corazón del mundo islámico. El Magreb, como Turquía e Irán, y al contrario de otros países árabes, ignora la escisión de las mujeres.[4] Por otro lado, los índices de endogamia, aunque substanciales, no son tan altos como en Egipto, en Irak o en Siria.[5]

De manera general, *dentro del Magreb, tanto en el plano lingüístico como en el familiar, los restos de un substrato anterior a la arabización*

258

van cobrando importancia a medida que se avanza de este a oeste en la zona.[6] En el plano lingüístico, la arabización de Túnez es un proceso acabado que —si dejamos aparte la isla de Djerba— define un país homogéneo, sin huella alguna del fondo bereber anterior a la conquista. En el plano familiar, los datos son un tanto contradictorios, porque, a pesar de la avanzada legislación tunecina en lo que concierne a la mujer, y a pesar de un índice de actividad laboral femenina elevado, las monografías locales disponibles revelan que en el medio rural perdura una organización familiar árabe absolutamente clásica, inequívocamente patrilineal.[7] En especial, el nivel de endogamia en Túnez es elevado: 36% de matrimonios entre primos cercanos frente al 29% de Argelia y al 25% de Marruecos, en la segunda mitad de los ochenta.[8]

Un poco más al oeste, en ciertas regiones montañosas de Argelia, subsisten grupos bereberes, los más importantes de los cuales son los cabiles, situados al este de Argel: en su caso no ha habido arabización lingüística, pero en el plano familiar ha sido casi completa. La familia cabil pertenece al tipo patrilineal endógamo y no se distingue de la familia árabe del llano más que por una mayor propensión a engendrar superestructuras de clan: el principio patrilineal ya no sólo está al servicio de la organización del grupo, sino que se extiende para definir a una entidad política más vasta, capaz de estructurar pueblos o tribus.[9] Una encuesta comparativa sobre el matrimonio revela que, globalmente, tanto en las poblaciones de lengua cabil como en las de lengua árabe, el principio patrilineal no organiza la endogamia. La parentela patrilineal gana por muy poco a la parentela matrilineal en la elección de cónyuges: 14,8% de matrimonios dentro de la parentela paterna frente a 11,9% dentro de la materna, entre los arabófonos; 13,3% frente a 11,5 entre los cabiles.[10] Las opciones patrilineales y matrilineales están más o menos equilibradas. De hecho, sólo el grupo chaui, de lengua bereber, tiene una preferencia absoluta por las opciones patrilaterales, que representan el 32,3%, frente al 7,9% de opciones matrilaterales, y un nivel de endogamia particularmente elevado. El caso de este grupo, de lengua bereber, pero más árabe que los árabes de Argelia en el plano familiar, muestra hasta qué punto es importante diferenciar entre los aspectos lingüísticos y familiares de la arabización. También puede encontrarse el caso inverso de un grupo arabófono que presenta, en el plano familiar, una franca inflexión matrilineal de la endogamia. En Metija, en el Uarsenis, al oeste de Argel, el sistema es patrilineal, endógamo, pero es mucho más frecuente el matrimonio con la prima cruzada materna (diecisiete casos) que con la prima paralela paterna (nueve casos). La hija del hermano de la madre es preferida a la hija del hermano del padre. El lazo con los parientes maternos se expresa también en tres casos de matrimonio con la prima paralela materna.[11] Sólo se trata de una desviación secundaria que no afecta a la arquitectura patrilineal del grupo doméstico. Los datos globales sobre el país verifican la hipótesis de una estructura patrilineal y endógama que se debilita a medida que nos desplazamos hacia el oeste. En el este de Argelia, en la región de Constantina, el índice de matrimonios entre primos cercanos es del 36,6%, mientras que en el oeste, en la región de Orán, el mismo índice es del 26,1%.[12] La región de Constantina, fronteriza con Túnez, se acerca muchísimo a su nivel de endogamia.

En Marruecos, es decir, en las estribaciones atlánticas del mundo árabe, el índice global de endogamia, 25%, es aún más bajo que en Argelia, y los hábitos endógamos son menos consistentes que en otras partes: en los tres países del Magreb, la frecuencia del matrimonio entre primos desciende a medida que se asciende en la escala social, pero el descenso es particularmente notable en Marruecos. En Túnez y en Argelia, aproximadamente el 25% de las mujeres casadas con estudios secundarios lo está con un pariente, frente al 15% en Marruecos.[13] Los grupos bereberes de Marruecos no sólo se diferencian por la lengua, sino que en ciertos casos también lo hacen por poseer una organización familiar totalmente atípica, que no ha asimilado los rasgos patrilineales y endógamos del sistema árabe. En el corazón de las montañas del Rif, ciertas tribus han conservado hasta hace muy poco los rasgos de bilateralidad y de exogamia, que se manifiestan en costumbres pintorescas, como la feria del matrimonio que se celebra cada año cerca de Imilshil.[14] Entre los grupos bereberes de Marruecos se dan todos los niveles de arabización pero, en la situación actual de los conocimientos sobre el particular, sería muy difícil hacer un inventario. En el marco de este estudio, nos basta con decir que en el interior del tipo antropológico comunitario endógamo, la variante marroquí, definida como la media de los comportamientos de los grupos, representa un tipo débil. El residuo bilateral de ciertos sistemas de parentesco marroquíes permiten sin duda explicar por qué, a pesar de tener un menor nivel de escolarización, el porcentaje de mujeres que trabajan en actividades profesionales no agrícolas es mayor. Hacia finales de los ochenta, las mujeres representaban el 26% de la mano de obra de los sectores secundario y terciario en Marruecos y tan sólo el 10% en Argelia.[15] El nivel de participación de las mujeres en la actividad económica hace de Argelia un país árabe bastante clásico. Pero Marruecos se desvía notablemente en este punto de la norma patrilineal: su índice de actividad femenina no agrícola se acerca al de Alemania en 1907, que era del 27%, aunque es cierto que eso ocurría en un contexto industrial absolutamente diferente. A pesar de todo, su tasa del 26% está lejos de colocar a Marruecos en el nivel de feminización económica de la Francia de principios de siglo, puesto que en esas fechas las francesas ocupaban el 36% de los empleos secundarios y terciarios.[16] Esos datos económicos no son suficientes para poner el sistema antropológico marroquí fuera del ámbito de la civilización musulmana. Se trata de un sistema que incluye la poligamia, aceptada por el Corán, y que en el Magreb sólo el Código Civil tunecino prohíbe. Todavía en 1980, el 6,6% de los hombres casados era polígamo en Marruecos, mientras en Argelia sólo lo era el 1,8%.[17] De todas formas, la poligamia no es como la patrilinealidad o la endogamia, y su interpretación es delicada cuando se pretende aclarar el status de la mujer.[18] El conjunto de los datos sobre los tipos familiares magrebíes nos lleva a la conclusión de que sólo podemos considerar como poblaciones árabes clásicas en el plano antropológico, que combinan abiertamente patrilinealidad y endogamia, a las poblaciones de Argelia y Túnez, situadas en el este y en el centro del Magreb.

Describir las poblaciones del Magreb como portadoras, en diferentes grados, de un sistema familiar y antropológico de tipo árabe no debe llevarnos a una visión histórica que represente un Magreb estático en todos los aspectos de su existencia. En el norte de Africa, igual que en Europa, la estabilidad del sistema antropológico, conjunto de valores que regulan las relaciones interpersonales, no excluye la existencia de una dimensión histórica de la vida social que integre los diversos elementos de un movimiento generalmente llamado progreso: la urbanización, la industrialización, la alfabetización sobre todo, que se produce en árabe y en francés, puesto que el aprendizaje de la escritura de ambas lenguas se realiza paralelamente en el Magreb, a pesar de lo que podrían hacer creer las retóricas anti o neocolonialistas. Para comprender la amplitud del movimiento cultural que tiene lugar en el Magreb, basta con comparar los índices de alfabetización de viejos y jóvenes a comienzos de los años setenta. En Argelia, por esas fechas, sólo un 18% de los hombres de entre cincuenta y cinco y sesenta y cuatro años sabía leer, mientras que lo hacía ya el 65% de los situados entre quince y veintinueve años. La comparación de los mismos grupos de edad revela una progresión del 18 al 53% en Marruecos y del 20 al 82% en Túnez.[19] No obstante, el carácter arábigo-musulmán del contexto antropológico sigue manifestándose en el retraso de la alfabetización de las mujeres. A principios de los años setenta, el índice de alfabetización de las mujeres de quince a veinticuatro años era de tan sólo del 23% en Marruecos, del 40% en Argelia y del 52% en Túnez.

Una vez más, la posición excéntrica de Marruecos explica su especificidad: menos patrilineal y menos convertido a la endogamia que los otros países del Magreb a causa de su localización en el extremo oeste del mundo árabe, resulta ser también el más atrasado desde el punto de vista del desarrollo, por ser doblemente periférico. No ha podido aprovechar, como Túnez, antiguos lazos con Italia ni la relativa proximidad de grandes centros de desarrollo de la cultura árabe, como

Egipto. Tampoco ha tenido, como Argelia, una temprana e intensa presión de lá cultura francesa.

El hecho de que existan dos componentes diferentes de la estructura social, una antropológica y relativamente estable, la otra histórica y móvil, no excluye que se produzca cierto número de interacciones entre ellas. Durante los años ochenta, en los tres países del Magreb, la alfabetización y la presión cultural francesa han provocado una caída de la fecundidad que, a su vez, ha modificado las estructuras familiares. La reducción del número de hijos actúa automáticamente sobre la estructura de las familias, modificando así el centro neurálgico del sistema antropológico. Pero sería un error pensar que esas modificaciones producen por sí solas la completa destrucción del sistema, definido en términos de valores fundamentales: preeminencia masculina y endogamia. El ejemplo de Túnez, el país más avanzado de los tres que forman el Magreb, es característico desde ese punto de vista: la caída de la natalidad empieza allí ya en los años 1965-1970, puesto que el índice coyuntural pasa de 6,7 en 1965 a 3,4 en 1990. A pesar de todo, el nivel de endogamia permanece estable. Cuando se combinan las dimensiones antropológica e histórica, es decir la organización familiar y el nivel de desarrollo cultural, la comparación de las tres sociedades magrebíes impone una clasificación inhabitual, que conduce a matizar cualquier juicio sobre el grado de distancia con respecto a la civilización occidental.

—Túnez, que es la sociedad más avanzada por su índice de alfabetización y que cuenta aproximadamente con un 45% de francófonos hacia 1980, es también la más abiertamente endógama. *En ella, el status de la mujer es elevado en el contexto de una arquitectura patrilineal prácticamente perfecta del grupo doméstico.* Si se acepta la idea de que una de las funciones de la endogamia es proteger a las mujeres de algunas de las consecuencias de la patrilinealidad, tenemos que considerar la variante tunecina como una interpretación feminista límite del modelo árabe más puro: en efecto, un alto grado de endogamia atenúa la opresión de la mujer que se deriva de un sistema fuertemente patrilineal. Más adelante veremos cómo ese denso sistema endógamo hace que la asimilación de los tunecinos en Francia sea un poco más lenta que la de los marroquíes o la de los argelinos.

—En el otro extremo del espectro, Marruecos, antropológicamente menos árabe, con residuos de bilateralidad y de exogamia, es la sociedad culturalmente más atrasada, con un índice de alfabetización mucho más bajo y con la menor proporción de francófonos del Magreb, tan sólo el 30%.

—Argelia ocupa una posición intermedia en las dos dimensiones, la familiar y la cultural: con respecto a la región, se encuentra medianamente arabizada en el plano antropológico y medianamente desarrollada en el índice de alfabetización. El uso de la lengua francesa, menos relacionado que en otras partes con la alfabetización, como consecuencia de una colonización más directa, está muy extendido: con un 48% de francófonos, Argelia supera en ese punto a Túnez.

Si nos fijamos en la alfabetización, Túnez es el país del Magreb que más cerca está de Europa; si insistimos en el nivel de patrilinealización y de endogamia, el menos alejado es Marruecos. Sin embargo, la historia de la relación franco-magrebí comienza con la variante intermedia por partida doble que constituye Argelia. El contacto entre los sistemas antropológicos francés y magrebí se inicia en Argelia entre 1830 y 1954, y continúa en Francia con la inmigración de los trabajadores y sus familias. Los dos episodios, caracterizados por formas distintas de brutalidad, desembocan en muy diferentes resultados. En la Argelia colonial de los años comprendidos entre 1830 y 1954, la incompatibilidad de los sistemas antropológicos, en una situación de equilibrio político y demográfico, conduce a un cierre recíproco de ambos grupos y a la gestación de una sociedad doble, esquizofrénica. En la Francia de los años 1960-1990, la fuerza demográfica, cultural y técnica de la sociedad receptora conduce a la desintegración del sistema antropológico magrebí a través de un complejo proceso que combina el rechazo del grupo inmigrado con la asimilación de individuos.

Esquizofrenia colonial

Las historias de Argelia escritas después de la independencia no cesan de especular sobre la ceguera de los colonos europeos y sobre la incapacidad de las autoridades francesas metropolitanas para hacer respetar las normas republicanas en materia de igualdad civil y política. Durante toda la historia de la colonia, los europeos, ya sean de origen francés, español o italiano, tienden a confinar a los musulmanes en una especie de no ser social. Los expulsan de las tierras más fértiles y los relegan a una existencia sometida a base de un estatuto jurídico especial para los indígenas. Cada intento de reforma, desde Napoleón III hasta el Frente Popular, se estrella contra la obstinación segregacionista de los colonos. Con sus gentes sencillas de las ciudades, de nivel de vida modesto y que no viven de la explotación de los musulmanes, el mundo de los europeos se convierte en un grupo étnico cerrado sobre sí mismo.

Los comienzos del movimiento independentista argelino, y las reacciones europeas ante los primeros choques, hablan de un encuentro, enconado por el odio, entre dos mundos separados. En esa sociedad esquizofrénica, ninguno de los dos bandos es capaz de concebir algo diferente de la negación o la eliminación del otro. El 8 de mayo de

1945, se producen en Argelia algaradas espontáneas, sin ninguna preparación política: durante tres días, gentes musulmanas saquean, incendian y matan, sometiendo al terror a los 200.000 europeos de Setif, de la región de Constantina y de la Cabilia. La represión es de una brutalidad inimaginable: según las estimaciones más moderadas, el número de víctimas varía entre 1000 y 20.000 musulmanes eliminados, frente a un centenar de europeos masacrados. Ese episodio, que precede en un decenio al inicio de la guerra de independencia propiamente dicha, marca la pauta: terrorismo y tortura harán de la guerra de Argelia una de las abominaciones de la historia de Francia.[20]

El aspecto más extraño de la sociedad colonial argelina, y contra el que chocan regularmente los historiadores demasiado estrictamente políticos, es la orientación fielmente republicana de los europeos de Argelia, que forman una población laica que no opone ninguna objeción teórica al dogma del hombre universal. El concepto de asimilación de las poblaciones colonizadas no les incomoda, a pesar de que su puesta en práctica les parezca impensable. Con frecuencia, los historiadores se ven forzados a interpretar esas actitudes ideológicas de los colonos franceses, republicanos y universalistas, como poses tácticas orientadas a manipular y engañar a las autoridades metropolitanas. El caso de Albert Camus, nacido en Mondovi en 1913, muestra hasta qué punto el mecanismo de disociación mental —la combinación de universalismo teórico y segregación práctica— que afecta a los colonos franceses no se produce sólo entre los grandes propietarios explotadores y las gentes sencillas con escaso nivel de educación. El pensamiento y los textos de Camus asocian de forma característica los dos rasgos básicos de las estructuras mentales europeas de Argelia: una creencia abstracta en lo universal, que lleva al escritor a especular sobre el Hombre, con mayúscula, y una incapacidad para ver, para pensar el hombre diferente concreto, el vecino árabe. En *La peste*, alegoría moral anclada en los recuerdos del nazismo, Camus evoca las diferentes reacciones posibles del hombre frente al totalitarismo. Esa problemática muy general se encarna en una acción totalmente concentrada en el Orán de los años cuarenta. Pero no hay un solo personaje árabe. Es imposible ilustrar mejor la incapacidad de esa reflexión moral para gestionar la diferencia concreta. En palabras de uno de sus personajes, los árabes constituyen en la obra creativa e imaginativa de Albert Camus un «cortejo mudo».[21]

El análisis antropológico permite explicar el comportamiento esquizofrénico de una población que asocia de la manera más extraña un republicanismo absolutamente clásico con un total rechazo práctico de las poblaciones dominadas. El sistema antropológico de los europeos de Argelia es de tipo nuclear igualitario y parece una variante exportada del sistema que predomina en la Cuenca de París, en la franja mediterránea de Francia, en España y en el sur de Italia. Es un sistema que implica una organización bilateral del sistema de parentesco: el status igualitario de la mujer se plasma en la monogamia y en el derecho de las hijas a recibir la misma herencia que los hermanos. El modelo de matrimonio es exógamo y obliga a escoger cónyuge fuera del grupo de primos. El sistema antropológico argelino, en sus componentes árabe y cabil, es el exacto opuesto del sistema igualitario. Comunitario, patrilineal y endógamo, ese sistema implica un encierro de la mujer que es incompatible con las tradiciones francesas, ya sean centrales y nucleares igualitarias o periféricas y matrices. El antiindividualismo del sistema antropológico argelino no hace más que agravar el conflicto. Su preferencia por la endogamia hace imposible *a priori* el intercambio matrimonial entre colonizado y colonizador. Para el sistema antropológico francés, bilateral y exógamo, el modelo patrilineal endógamo se sitúa fuera del mínimo fondo común aceptable.[22] Pero hay que decir que, recíprocamente, el sistema francés de costumbres, con sus mujeres independientes e iguales, representa para los árabes la expresión de la mismísima barbarie.

No obstante, los sistemas francés y argelino, respectivamente nuclear igualitario y comunitario endógamo, tienen un elemento común que, paradójicamente, dramatiza el conflicto. Ambos definen a los hermanos, y por tanto a los hombres, como iguales. *De ese rasgo familiar igualitario se deriva, tanto por el lado francés como por el musulmán, una creencia metafísica a priori en la existencia del hombre universal. Al universalismo de la Revolución francesa corresponde un universalismo no menos firme del islam.*

Por eso, los franceses de Argelia, universalistas, absorben sin esfuerzo a los inmigrantes españoles e italianos, portadores de valores antropológicos parecidos a los suyos, y empiezan a casarse con los judíos en cuanto la europeización de su sistema de costumbres lo permite.[23] Los árabes, como universalistas que son, no se sienten incómodos ante la diferencia cabil, que es más lingüística que familiar, y habrían continuado sin problemas el milenario proceso de arabización de esos beréberes si la ocupación francesa no lo hubiese interrumpido. Por desgracia, el hombre universal de los franceses no es el de los árabes. Ambos grupos étnicos creen en la existencia de *un* hombre ideal, pero en la práctica se encuentran confrontados a un grupo humano cuyo comportamiento familiar y social les parece inaceptable. El hombre universal de los árabes es superior a su hermana, se casa con su prima, y la somete a su autoridad una vez que es su mujer. El hombre universal de los franceses es igual a su hermana, tiene que buscar una mujer fuera de su grupo familiar y, una vez casado, pasa buena parte de su vida negociando con su esposa. El universalismo *a priori* de cada uno de los grupos hace del otro un desmentido en acción y vivo de sus creencias metafísicas.

Imaginemos a los ingleses, en la misma situación, en Paquistán, en Egipto o en cualquier otro lugar, frente a un grupo dominado comunitario, patrilineal y endógamo. Su *a priori* diferencialista les lleva a considerar normales las costumbres diferentes de las poblaciones colonizadas y hasta a encontrarlas tranquilizadoras puesto que refuerzan su creencia en la existencia de hombres con esencias diferentes. Tal situación no suprime la perplejidad y la hostilidad latente de los colonizados musulmanes, adeptos a una fe universalista. Pero el diferencialismo del colonizador atenúa el enfrentamiento entre sistemas de costumbres. Los colonizadores franceses tienen que gestionar a una población argelina diferente, sin poder evitar seguir afirmando la universalidad del hombre. En situación de fuerte diferencia objetiva, su universalismo les conduce a deslegitimar el sistema antropológico del sometido, a declararlo atrasado y hasta no humano. En el contexto argelino, la potencia militar de los franceses y el peso demográfico de los musulmanes se equilibran: el enfrentamiento no puede resolverse por la victoria de uno u otro sistema antropológico. Hacia 1900, los franceses, alfabetizados, representantes de una Europa triunfante, controlan todo el aparato político y administrativo. Pero los musulmanes ya son cuatro millones sobre una población total de 4.700.000 habitantes, incluidos españoles, italianos y judíos naturalizados. Ambas comunidades, colonizadora y musulmana, se encierran en su sistema de costumbres. El matrimonio mixto es frecuente entre franceses y españoles, y entre árabes y cabiles, pero es casi inconcebible entre europeos y musulmanes.

La proporción de hombres europeos que se casan con mujeres musulmanas es muy inferior al 1%, a todo lo largo del periodo de colonización. La proporción de mujeres europeas que se casan con hombres musulmanes es también casi infinitesimal, puesto que aumenta lentamente desde el 0,3% en 1880 hasta el 1% en 1955. Aunque son más difíciles de calcular debido al deficiente registro de matrimonios entre musulmanes, los índices de exogamia de los hombres y de las mujeres musulmanes, serían aún mucho más bajos, puesto que su masa de población es mucho mayor. La frecuencia especialmente baja de los matrimonios exógamos de hombres europeos revela la acción propia de la regulación musulmana del matrimonio, de la prohibición específica del matrimonio entre una mujer musulmana y un hombre cristiano o judío. El islam, por el contrario, autoriza el matrimonio entre un hombre musulmán y una mujer perteneciente a otro de los pueblos del Libro, lo que explica el índice algo más alto de ese tipo de enlaces. Hablando en general, el hecho de que la comunidad musulmana se rija por reglas de endogamia familiar y religiosa hace pensar que básicamente es ella la que rechaza el intercambio matrimonial, y que el grupo europeo se limita a colaborar con sus propios prejuicios a su rechazo. En ningún otro lugar del mundo, grupos humanos de origen francés han impuesto un nivel de segregación matrimonial comparable. La colonización francesa ha dejado mestizos en todas partes, salvo en el mundo arábigo-bereber que, paradójicamente, es uno de los que le resulta menos alejado en lo que al aspecto físico de los individuos se refiere. La proximidad fenotípica de las poblaciones que viven en las orillas norte y sur del Mediterráneo hace que sea aún más extraño el hecho de que no se hayan mezclado en la Argelia colonial. Sería difícil encontrar un ejemplo más claro para ilustrar la existencia de un factor cultural en la segregación, independiente de cualquier parámetro racial.

El nivel de segregación matrimonial que en 1955 aísla a los europeos de los musulmanes en Argelia es comparable al que separa a los negros de los blancos en los Estados Unidos, hacia 1970. Para ser rigurosos, debemos comparar aquí los niveles de exogamia de ambas minorías —europeos en Argelia y negros en Estados Unidos—, cuyos pesos demográficos relativos en sus respectivas sociedades son, por un azar que facilita las cosas, iguales: los negros eran por entonces el 11% de la población de Estados Unidos y los europeos, judíos incluidos, el 11% de la de Argelia. Hacia 1970, en Estados Unidos, el 1,2% de los hombres negros está casado con una mujer blanca y el 0,7% de las mujeres negras lo está con un hombre blanco.[24]

En conclusión, los franceses de Argelia viven una situación de segregación que, desde un punto de vista objetivo, no se distingue mucho de la de sus equivalentes anglosajón o afrikáner: dos poblaciones coexisten sin intercambiar cónyuges. La especificidad de la segregación a la francesa estriba en que carece de representación ideológica, a diferencia de la segregación a la anglosajona o a la neerlandesa, que se apoya en un rico folclore, protestante o biológico, que justifica la separación por la elección calvinista o por la realidad insuperable de las razas. En Argelia, segregación matrimonial e ideología universalista francesa representan dos elementos discordantes. De esa discordancia nace el gran momento de locura nacional que es la guerra de Argelia. Puestos ante la voluntad de independencia de las poblaciones musulmanas, los partidarios de una Argelia francesa engendran la teoría de la integración. Quieren imponer el sueño, grandioso a pesar de ser tradicional, de una Francia uniforme que se extendería desde Dunkerque hasta Tamanrasset, concediendo plena igualdad cívica a los musulmanes, como había hecho con los bretones y los judíos. En un contexto de crisis, los militares y los políticos llegados de la metrópolis podían activar, mejor que los europeos de Argelia, el tradicional rechazo francés a creer en la diferenciación de la humanidad e intentar, en un último esfuerzo, la asimilación de las poblaciones árabes y cabiles de Argelia. Un ideólogo de la integración como Jacques Soustelle, etnólogo, miembro de la Resistencia y partidario de De Gaulle, es desde el primer momento un representante de la componente universalista del sistema cultural francés. Pero la conversión, sin duda tem-

Europeos de Argelia: matrimonios con musulmanes		
Año	Hombres	Mujeres
1880	0,3 %	0,3 %
1937	0,2 %	0,5 %
1955	0,5 %	1,0 %

Fuentes: Gobierno general civil de Argelia, *Etat de l'Algérie*, 1880, pág. 86; Gobierno general de Argelia, *Annuaire statistique de l'Algérie*, para 1937, págs. 121-123; para 1955, pág. 28.

poral y táctica, de numerosos militantes de la extrema derecha maurrasiana a la doctrina de la integración, directamente heredada del jacobinismo revolucionario, ilustra en cualquier caso el poder de expansión de los valores igualitarios en el espacio francés y, paralelamente, la fragilidad de las concepciones diferencialistas, a pesar de la presencia en la periferia francesa de las estructuras antropológicas de tipo matriz que garantizan su pervivencia.[25] Esa creencia *a priori* en la universalidad del hombre, tanto como la voluntad francesa de poder, hace la descolonización difícil y caótica y lleva a la Cuarta República de desastre en desastre. En el fondo, los ingleses descolonizan bien porque creen *a priori* en la diferenciación de la humanidad, en la imposibilidad para árabes, indios, paquistaníes o jamaicanos de llegar a ser ingleses. Su prejuicio diferencialista favorece una actitud realista frente al aumento de las reivindicaciones nacionalistas. Por el contrario, el prejuicio universalista hace difícil la separación política porque abre el camino a una irrealista negación de las diferencias de costumbres objetivas.

En Argelia, la masa del sistema antropológico magrebí, atacada por un universalismo francés más que minoritario, condenaba al fracaso cualquier proyecto de asimilación de las poblaciones árabes y cabiles. Pero la emigración a Francia, entre 1945 y 1990, de trabajadores argelinos primero, y más tarde marroquíes y tunecinos, crea las condiciones para una segunda confrontación, para un nuevo encuentro de los sistemas antropológicos nuclear igualitario y comunitario endógamo. Y los resultados son muy diferentes. La relación de fuerzas está más que invertida, puesto que las poblaciones de origen magrebí nunca han superado, sea cual sea la técnica de estimación, el 4,5% de la población total de Francia, que ahora es la sociedad receptora:

a la fuerza de su tecnología añade la fuerza que le confiere su masa demográfica. En algunos decenios, el sistema antropológico nuclear igualitario desintegra el sistema antropológico magrebí que tan bien había resistido en su territorio de origen.

Exogamia

La encuesta que se realizó en 1992, bajo la dirección de Michèle Tribalat, permite evaluar el nivel de exogamia de los argelinos emigrados a Francia, hombres y mujeres, en función de la edad que tenían en el momento de llegar.[26] El contraste entre el índice musulmán de exogamia en Argelia y el de los emigrantes llegados a Francia hasta 1992 es asombroso. El 20% de los hombres que han entrado en Francia con más de quince años tiene una esposa o una compañera francesa. Ese índice alcanza el 22% en el caso de los que llegaron con menos de quince años. Hablamos de exogamia en sentido estricto, evaluada por índices que sólo tienen en cuenta cónyuges nacidos en Francia de padres también nacidos en Francia. Las esposas nacidas en Francia de padres de origen argelino o magrebí en general, que las categorías mentales inglesa o alemana hubiesen designado como «argelinas» o «magrebíes», no son aquí consideradas como opciones «exógamas». La ruptura de la endogamia femenina argelina no es menos manifiesta, a pesar de ser menos rápida. El 9% de las mujeres argelinas que llegaron a Francia con más de quince años tiene un compañero o un marido nacido en Francia de padres nacidos en Francia. El índice de exogamia alcanza el 20% en el caso de las mujeres que llegaron a Francia antes de los quince años, es decir, total o parcialmente socializadas en ese país. El movimiento de simetrización de las exogamias masculina y femenina es evidente.

Aunque plantea algunos problemas de orden conceptual, el análisis de los nacimientos según la nacionalidad de los padres permite completar esa primera aproximación con una visión estadística más continuada. En el caso de Alemania, las proporciones de hijos de padre turco y madre alemana, y de madre alemana y padre turco, nos remitían de manera muy directa a los niveles de exogamia masculina y femenina: para obtener estadísticamente las proporciones de las parejas mixtas, bastaba con tener en cuenta que la mayor fecundidad de las mujeres turcas casadas con hombres turcos inducía un mayor porcentaje relativo de nacimientos de hijos de parejas endógamas. El derecho de nacionalidad alemán, que no facilita la vida de los jóvenes turcos educados o nacidos en Alemania, hace cómoda la de quienes trabajan con estadísticas, al reducir al mínimo los cambios de estatuto de los inmigrantes o de sus hijos.[27] En Alemania, en la inmensa mayoría de los casos, un inmigrante turco continúa siéndolo toda su vida.

El matrimonio con una alemana no le da acceso a la nacionalidad alemana, sino a un largo proceso de naturalización en el caso de que desee adquirir la nacionalidad de su esposa. Finalmente, los niños nacidos en Alemania de parejas turcas homogéneas son turcos. Esas reglas, que eternizan las identidades etnonacionales originales, confieren un sentido absoluto a las estadísticas sobre los nacimientos según las nacionalidades de los padres en la Alemania de los años 1975-1990. El nacimiento de un niño registrado como hijo de padre turco y de madre alemana corresponde a una unión exógama; y casi todas las uniones exógamas en sentido antropológico producen niños cuyos padres son de nacionalidades diferentes. La concepción francesa de una nacionalidad abierta no ofrece tales comodidades. Desde la reforma de 1973, el matrimonio da, de manera simétrica, derecho a la nacionalidad francesa tanto al marido de una francesa como a la mujer de un francés, aunque su adquisición no es obligatoria y, por tanto, puede no llevarse a cabo o retrasarse. El porcentaje de adquisiciones, para todas las procedencias en conjunto, parece del orden del 65% con fluctuaciones bastante amplias que corresponden a modificaciones secundarias de la ley.[28] No disponemos de cifras detalladas según la nacionalidad de origen, pero las proporciones de franceses por adquisición de nacionalidad medidas en el censo hacen pensar que los índices de los diferentes orígenes no son iguales, siendo por ejemplo más elevados para los portugueses que para los argelinos. El cambio de nacionalidad separa al individuo de su origen étnico y produce una estadística de nacimientos de hijos de parejas mixtas («nacimientos mixtos») que no tiene un sentido absoluto. La adquisición de la nacionalidad francesa por parte de un cónyuge extranjero implica, por ejemplo, que *la estadística registrará al hijo de un argelino que se ha nacionalizado francés tras su matrimonio con una francesa, como nacido de padre y madre franceses*. Esa desviación hace desaparecer a un número determinado de parejas mixtas y conduce a una *subestimación del nivel de exogamia*. Un índice de nacionalización del 50% significa que aproximadamente la mitad de las parejas mixtas desaparece, y con ellas la mitad de los «nacimientos mixtos» correspondientes. Un índice aparente del 20% de nacimientos mixtos implicaría una proporción real del 33%.

La posibilidad de naturalización abre otro campo de incertidumbres. Los hijos de parejas constituidas por un argelino naturalizado antes de su matrimonio y una francesa, también desaparecen, contribuyendo así a la subestimación del número de parejas mixtas. Por el contrario, el hijo de un argelino naturalizado francés y de una argelina que ha conservado su nacionalidad de origen será computado como nacido de un francés y de una argelina, cuando, como es evidente, en términos étnicos ese nacimiento no es de pareja mixta. El hijo de un argelino y una argelina naturalizados será registrado como hijo de padres franceses, cuando en términos étnicos corresponde a un nacimiento no mixto que habría que tener en cuenta para evaluar las proporciones de los nacimientos mixtos y no mixtos.

La progresiva llegada a la edad del matrimonio de jóvenes nacidos en Francia de padres argelinos añade confusión. El derecho de suelo, tal y como está en vigor en los años 1975-1990, concede la nacionalidad francesa, a los dieciocho años, a todos los hijos de extranjeros nacidos en el territorio francés, salvo que renuncien a ella de manera explícita.[29] Por otra parte, los niños nacidos en Francia de padres argelinos nacidos en Argelia antes de 1962 son considerados franceses de nacimiento.[30] El origen nacional de estos «nacidos en Francia» habrá desaparecido en el momento de su matrimonio y será imposible distinguir, a través del nacimiento de sus propios hijos, los que se casan con francesas nacidas de dos progenitores franceses de los que se casan con mujeres argelinas o francesas nacidas de progenitores argelinos. La desaparición estadística de los hijos de extranjeros nacidos en Francia hace imposible, en su caso, cualquier medida de la exogamia.

Hechas esas reservas, no debemos dejarnos abrumar por el número de incertidumbres, sino considerar las cifras con prudencia. Hasta 1980, poco más o menos, las más complejas perturbaciones estadísticas, resultado del creciente número de individuos de origen argelino nacidos en Francia, pueden ser consideradas como un factor secundario. A partir de 1980, las cifras obtenidas deben cotejarse con las obtenidas por la encuesta INED, que distingue con precisión las nacionalidades de los padres de ambos cónyuges. Antes de esa fecha, las incertidumbres favorecen sobre todo una infravaloración del número de parejas mixtas. Lo único que hay que hacer es corregir al alza el ya elevado nivel aparente de exogamia. Después de esa fecha, debemos considerar que la multiplicidad de desviaciones contradictorias implica un alto nivel de anulación recíproca de errores. Las curvas de evolución correspondientes a argelinos, marroquíes, tunecinos, portugueses y turcos (de Francia) ponen de relieve modelos tan contrastados y coherentes que constituyen, por sí mismas, cierta garantía de la fiabilidad de los resultados obtenidos.

Argelinos de Francia y turcos de Alemania

La comparación de las curvas de «nacimientos mixtos» de los argelinos en Francia y de los turcos en Alemania pone de relieve, a pesar de todas las incertidumbres estadísticas, la existencia de dos perfiles absolutamente distintos, tanto para los hombres como para las mujeres.

Exogamia masculina: de los nacimientos de padre turco, la proporción de hijos de madre alemana pasa del 1% al 4,4% entre 1975 y 1990. De los nacimientos de padre argelino, la proporción de los que son de madre francesa pasa del 12,5% al 19,4% en el mismo periodo.

Exogamia femenina: entre los nacimientos de madre turca, la proporción de hijos de padre alemán pasa de 0,5% en 1975 a 1,2% en 1990.[31] En cuanto a los nacimientos de madre argelina, la proporción de hijos cuyo padre no es argelino o cuya madre es soltera pasa de 6,2% en 1975 a 27,5% en 1990.[32]

Si corregimos esas cifras brutas teniendo en cuenta las respectivas fecundidades de los inmigrantes casados de manera endógama y exógama, el resultado de la comparación cambia muy poco, ya que la diferencia de comportamientos de ambos grupos es muy grande. En el caso de Alemania, la corrección que tiene en cuenta la fecundidad produce una estimación al alza de los índices de exogamia (10% para los hombres, 2% para las mujeres en 1990), pero revela el carácter ilusorio del ligero crecimiento observable entre 1975 y 1985. En el caso de Francia, la exogamia también es revisada al alza, puesto que alcanza para 1990 un índice aparente del 30% entre los hombres y del 40% entre las mujeres, pero el perfil de las curvas no se altera y sigue dibujando un aumento con el tiempo.

En el caso de los argelinos de Francia, la estimación de la exogamia a través de los nacimientos de niños que tienen por lo menos un progenitor extranjero nos lleva a descubrir índices elevados, particularmente en lo que concierne a las mujeres. La proporción máxima calculada por Michèle Tribalat, correspondiente a las mujeres argelinas llegadas a Francia antes de cumplir los quince años, es tan sólo de un 20% de esposos franceses. Una igualdad en los indicadores sería absurda porque las poblaciones de referencia, definidas en un caso por el nacimiento de sus hijos en 1990 y por la nacionalidad de los cónyuges, en el otro por la edad en el momento de entrar en Francia del cónyuge argelino y por el lugar de nacimiento de los padres de los cónyuges, no son las mismas.[33] No obstante, la importancia de la desviación puede explicarse: los datos de la encuesta Tribalat conciernen a las mujeres que viven en pareja, con o sin hijos. Por su parte, los nacimientos de madres argelinas computan a los hijos de madres solteras. El análisis de la situación de las mujeres de nacionalidad argelina en el censo de 1990 permite evaluar el peso respectivo de las *madres argelinas casadas con franceses* y de las *madres argelinas aisladas*. Entre las mujeres argelinas de treinta a treinta y cuatro años y con hijos, el 15,7% está casada con un francés y el 14,1% no tiene marido. Entre las de veinticinco a veintinueve años, el 20,8% está casada con un francés y el 14% no tiene marido.[34] Así pues, muchas de las mujeres que tienen hijos de padre no argelino son madres solteras, sin cónyuge francés, y en consecuencia no pueden ser contabilizadas como exponentes del paso a la exogamia en su sentido estricto. Esas madres aisladas, sea el que sea el origen práctico de su situación

Nacimientos mixtos: argelinos y argelinas

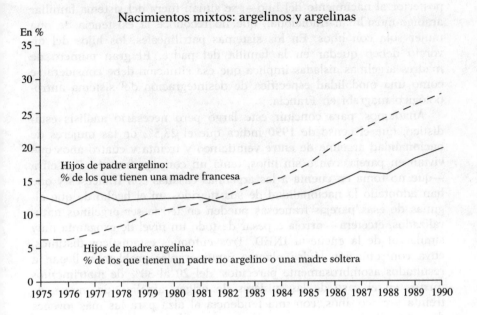

Nacimientos mixtos: marroquíes

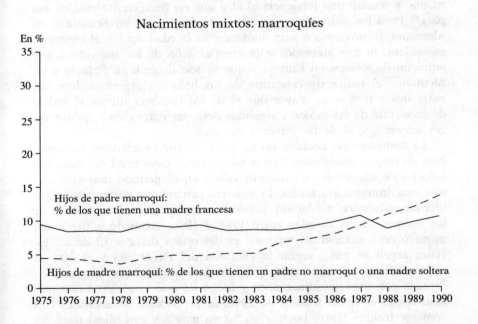

—nacimiento fuera del matrimonio o divorcio de un hombre argelino posterior al nacimiento del hijo—, se sitúan fuera del sistema familiar arábigo-musulmán tradicional, que no reconoce la existencia de una mujer sola con hijos. En los sistemas patrilineales, los hijos del divorcio deben quedar en la familia del padre. El gran número de madres argelinas aisladas implica que esa situación debe considerarse como una modalidad específica de desintegración del sistema antropológico magrebí en Francia.

Añadamos, para concluir este largo pero necesario análisis estadístico, que el censo de 1990 indica que el 23,5% de las mujeres de nacionalidad argelina de entre veinticinco y treinta y cuatro años que vivían en pareja, con o sin hijos, tenía un cónyuge francés. Esa cifra —que no toma en cuenta a las argelinas casadas con franceses y que han adoptado la nacionalidad de sus maridos, ni el hecho de que algunas de esas parejas francesas pueden en teoría ser argelinos naturalizados, etcétera— arroja a pesar de todo un nivel de exogamia muy similar al de la encuesta INED. Tres enfoques estadísticos distintos, cuya confrontación lógica plantea innumerables problemas, llegan a resultados asombrosamente parecidos: del 20 al 30% de matrimonios mixtos en el caso de las mujeres de origen argelino de menos de treinta y cinco años, con una tendencia al alza para las más jóvenes de entre ellas.

Así, todas las estimaciones que conciernen a los argelinos en Francia conducen a índices netamente superiores al de los turcos en Alemania, y revelan una tendencia al alza que no tiene equivalente en ese país.[35] Para los individuos que han entrado jóvenes en Francia o en Alemania, francófonos o germanófonos en la edad adulta, el contraste es radical. Si nos atenemos a la comparación de los individuos que entraron de jóvenes en Europa y que se socializaron en Francia o en Alemania, el índice de exogamia de los hombres argelinos debe ser entre dos y tres veces mayor que el de los hombres turcos; el índice de exogamia de las mujeres argelinas debe ser entre diez y quince veces mayor que el de las mujeres turcas.

La comparación decisiva no es, pues, la que concierne a los hombres de origen musulmán, sino a las mujeres, cuyo nivel de exogamia sólo puede observarse de manera válida en el periodo más reciente, tras una inmigración tardía, lo más frecuentemente como cónyuge o hija de trabajador inmigrado. En Alemania, el índice de exogamia de las jóvenes turcas casadas entre 1985 y 1990, estimado a partir del número de «nacimientos mixtos», es del orden del 2%. El de las jóvenes argelinas pasa, según la encuesta del INED, del 9 al 20% si se consideran sucesivamente, primero las mujeres que entraron en Francia con más de quince años y luego las que lo hicieron con menos. Según el censo francés de 1990, la proporción de argelinas con cónyuge francés (entre las que vivían en pareja y con hijos) pasa del

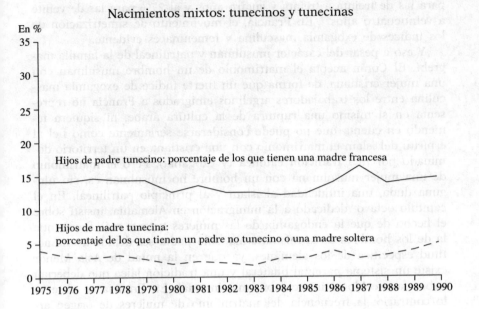

Nacimientos mixtos: tunecinos y tunecinas

En %

Hijos de padre tunecino: porcentaje de los que tienen una madre francesa

Hijos de madre tunecina:
porcentaje de los que tienen un padre no tunecino o una madre soltera

1975 1976 1977 1978 1979 1980 1981 1982 1983 1984 1985 1986 1987 1988 1989 1990

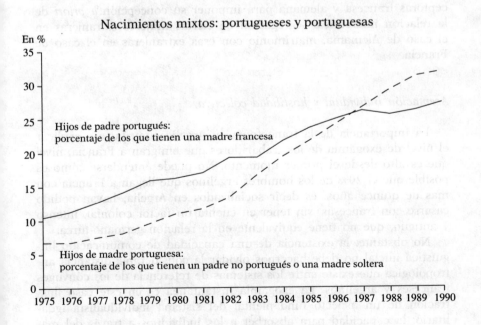

Nacimientos mixtos: portugueses y portuguesas

En %

Hijos de padre portugués:
porcentaje de los que tienen una madre francesa

Hijos de madre portuguesa:
porcentaje de los que tienen un padre no portugués o una madre soltera

1975 1976 1977 1978 1979 1980 1981 1982 1983 1984 1985 1986 1987 1988 1989 1990

6,8% para las mujeres de cuarenta a cuarenta y cuatro años al 18,3% para las de treinta a treinta y cuatro años y al 27% para las de veinte a veinticuatro años.[36] En Francia, el movimiento de simetrización de los índices de exogamia masculina y femenina es evidente.

Y eso a pesar del carácter musulmán y patrilineal de la familia magrebí. El Corán acepta el matrimonio de un hombre musulmán con una mujer cristiana, de forma que un fuerte índice de exogamia masculina entre los trabajadores argelinos emigrados a Francia no representa en sí mismo una ruptura de la cultura árabe, ni siquiera teniendo en cuenta que no puede considerarse seriamente como fiel al espíritu del islam el matrimonio con una cristiana en un territorio dominado por una tradición católica (y exógama). Pero el matrimonio de una mujer musulmana con un hombre no musulmán es, sin ninguna duda, una infidelidad al islam y al principio patrilineal. En el capítulo octavo, dedicado a la inmigración en Alemania, insistí sobre el hecho de que la endogamia de las mujeres turcas, más fuerte que la de los hombres de la misma etnia, sólo podía ser debida a una actitud específica de los alemanes, ya que en la mitad de Asia Menor existe un sistema parental bilateral y una tradición laica que deberían haber favorecido el intercambio matrimonial. En Francia se observa lo contrario: la frecuencia del matrimonio de mujeres de origen argelino con franceses, a pesar del carácter realmente patrilineal del sistema parental argelino, en sus componentes árabe y cabil.

Resulta imposible ilustrar mejor la capacidad de las sociedades receptoras francesa y alemana para imponer su concepción *a priori* de la relación interétnica: segregación de ciertas mujeres extranjeras en el caso de Alemania, matrimonio con esas extranjeras en el caso de Francia.

Aceptación individual y hostilidad colectiva

La importancia de la francofonía en Argelia contribuye a explicar el nivel de exogamia de los trabajadores que emigran a Francia, nivel que es alto desde el primer momento. No puede entenderse cómo es posible que el 20% de los hombres argelinos que llegan a Francia con más de quince años, es decir socializados en Argelia, hayan podido casarse con francesas, sin tener en cuenta un factor colonial, intenso y antiguo, que no tiene equivalente en la relación germano-turca.

No obstante, la existencia de una capacidad de comunicación lingüística inicial no debe hacernos olvidar la considerable distancia antropológica que existe entre los sistemas de referencia de los cónyuges franceses y argelinos. La exogamia instantánea es en este caso ilustración de un aspecto fundamental del sistema individualista igualitario: la capacidad para absorber a los individuos a través del matrimonio, *antes de su total asimilación en el plano cultural o psicológico*. El intercambio matrimonial antes de la asimilación se opone al mecanismo clásico de las sociedades diferencialistas, de tipo americano por ejemplo, que exige una asimilación cultural y mental previa y que en la práctica acaba provocando, a la segunda o tercera generación, el rechazo del grupo inmigrado a fundirse con la población receptora. El universalismo de tipo francés, por su capacidad para ignorar ciertas diferencias de costumbres objetivas, autoriza aventuras individuales que asocian a un cónyuge francés, perteneciente a un sistema parental bilateral y exógamo, con un cónyuge argelino, formado en una estructura patrilineal y endógama. Aquí cobra su sentido más absoluto, antropológico, el individualismo igualitario. En ese nivel de la alianza entre individuos, el sistema francés se nos presenta como más auténticamente individualista que el del mundo anglosajón.

Sería un error deducir de esa constatación una visión idílica que presentase la integración a la francesa como fácil e indolora. Todos los sondeos de opinión concuerdan en señalar una increíble agresividad de la población francesa respecto al grupo magrebí, que debe interpretarse como hostilidad hacia un sistema de costumbres y no hacia una raza definida por criterios biológicos. En noviembre de 1992, el 8% de los franceses sentía antipatía por los españoles y los portugueses, el 12% por los antillanos, el 18% por los asiáticos, el 19% por los judíos, el 21% por los negros de Africa, el 36% por los jóvenes franceses de origen magrebí (los *beurs*), el 38% por los gitanos y el 41% por los magrebíes.[37] Argelinos, tunecinos y marroquíes suscitan tres veces y media más antipatía que los antillanos y dos veces más que los negros de Africa. Los magrebíes son satanizados. El voto por el Front National, que, entre 1984 y 1993, presenta una gran estabilidad geográfica, está ampliamente determinado por un factor «magrebí». En las elecciones legislativas de marzo de 1993, el coeficiente de correlación entre proporción de magrebíes en la población y porcentaje de votos obtenidos por el Front National era de +0,71. La suma de los turcos al grupo magrebí, para formar un grupo musulmán, hace subir la correlación a +0,75. La correlación existente entre voto de extrema derecha y número global de inmigrantes era netamente más débil. No hay relación entre lepenismo y presencia de portugueses.

No obstante, sigue siendo cierto que los magrebíes, designados como objeto de la hostilidad colectiva, se casan frecuentemente con francesas, y que sus hijas pueden casarse con franceses. Se trata de una contradicción aparente totalmente característica del universalismo individualista, hostil al grupo de costumbres diferentes, pero incapaz de percibir al individuo procedente de ese grupo como realmente portador de su cultura de origen desde el momento en que manifiesta su deseo de entrar en la sociedad francesa. El individuo formado por un sistema ideológico y mental individualista igualitario distingue, normalmente de manera inconsciente, el «grupo magrebí» de los «magrebíes concretos» que conoce personalmente. Ese desdoblamiento no es el primero de la historia de Francia. El sentimiento antiinglés de la época revolucionaria está regulado por una lógica análoga. La Convención declara que no se harán prisioneros ingleses, pero las tropas revolucionarias se niegan a aplicar el decreto. El inglés abstracto es satanizado para general satisfacción; el inglés concreto es ante todo un hombre.

Las dos Francias frente a la cultura magrebí

La fuerza electoral de la extrema derecha, fenómeno ideológico, permite medir la hostilidad hacia las poblaciones magrebíes, definidas colectivamente. El análisis geográfico de los resultados del Front National revela efectivamente un factor primordial «musulmán», término que empleamos aquí con el significado simplemente de «magrebí o turco», puesto que la mayoría de los magrebíes no son practicantes. Pero podemos identificar otra variante que actúa sobre los resultados de la extrema derecha. La correlación que asocia, en el nivel departamental, el porcentaje de población musulmana y el porcentaje de votos obtenidos por el Front National permite definir una relación estadística media y «predecir» el número de votos que, en un departamento dado, debería obtener el Front National, según el número de musulmanes censados en 1990. No obstante, en algunas regiones, el voto al Front National es mayor de lo que cabría pensar a la vista de la relación media, y en otras menor. En la región del Ródano, el 5,4% de musulmanes «determina» en la práctica que un 17,5% de los sufragios emitidos sea de extrema derecha, cuando teóricamente debería producir un 18,1%; en Bouches-du-Rhône, un 4,08% de musulmanes «determina» el 21,2% de sufragios de extrema derecha en lugar del 15,4% que era de esperar; en Eure-et-Loir, el 3,3% de musulmanes «determina» un 20,4% de sufragios de extrema derecha en lugar del 13,9% previsible. El mapa global de estas desviaciones (análisis residual) dibuja una distribución geográfica que nos resulta familiar en parte. El centro de la Cuenca de París y la franja mediterránea aparecen como zonas en las que el Front National tiene un exceso de voto: el voto de extrema derecha es allí más numeroso de lo que podría predecirse a partir del número de inmigrantes de origen turco o magrebí. La particular fuerza de la extrema derecha en la región de Marsella es muy evidente desde los años ochenta. La aparición de un segundo polo en la Cuenca de París es más bien característica de comienzos de los noventa.

La interpretación antropológica es evidente: el voto del Front National, el rechazo ideológico del grupo magrebí, es especialmente fuerte en la parte central del sistema nacional francés, en las zonas de individualismo igualitario y de descristianización temprana, en las regiones que hicieron la Revolución francesa. El análisis geográfico interno confirma, por tanto, que la agresividad contra las poblaciones magrebíes es una característica particular de las zonas universalistas de Francia. Pero la fuerza de la hostilidad colectiva no implica, de ninguna manera, un nivel elevado de rechazo de los individuos. El análisis geográfico departamental de la exogamia vuelve aquí a poner de relieve el desdoblamiento que caracteriza a la estructura mental individualista igualitaria, cerrada a los grupos culturales, abierta a los individuos: el numeroso voto de extrema derecha se combina, en zona nuclear igualitaria, con un índice de exogamia de los argelinos algo más elevado que en los bastiones de la subcultura matriz, católica y periférica, que alberga en su seno un número de inmigrantes comparable y en donde los resultados electorales del Front National son peores. En 1990, del lado matriz y católico, el 16,1% de los niños nacidos de padre argelino es de madre francesa en la región Ródano-Alpes, el 16,4% en el Franco Condado y el 12,4% en Alsacia. Del lado igualitario y tempranamente descristianizado, el 19,3% de los niños nacidos de padre argelino es de madre francesa en la región de Île-de-France, el 19,3% en la región Provenza-Alpes-Costa Azul y el 24,3% en el Languedoc-Rosellón. La diferencia no es muy significativa en el plano estadístico pero, a pesar de todo, nos pone una vez más, en un nivel ajustado, ante la paradoja central del problema de la inmigración en Francia: en la medida en que existe una diferencia de apertura matrimonial, podemos decir que define a las zonas de fuerza de extrema derecha como más capaces de aceptar en tanto que individuos a los inmigrantes cuya cultura estigmatizan. En su conjunto, la Francia de los años 1984-1994 encarna esa paradoja en Europa, porque es, de entre los grandes países que reciben inmigración, la única nación que produce un fuerte voto de extrema derecha y también la única en la que se da un alto índice de exogamia de las poblaciones musulmanas inmigrantes. La ligera desviación entre los índices de exogamia que caracterizan a las zonas individualistas igualitarias y a las zonas de tradición matriz en Francia revela, no obstante, una vez más, la fragilidad del diferencialismo periférico, domesticado, suavizado por la cultura central dominante. En sus intercambios matrimoniales, los obreros de la región Ródano-Alpes se diferencian muy poco de los de las regiones parisiense y provenzal. La diversidad de Francia no impide la definición de normas nacionales: en este caso, la preponderancia de un comportamiento matrimonial universalista.

La extrema derecha en marzo de 1993

75 : Paris
92 : Hauts-de-Seine
93 : Seine-Saint-Denis
94 : Val-de-Marne

En porcentaje de sufragios emitidos

- + del 20%
- del 15 al 20%
- del 10 al 15%
- – del 10%

La extrema derecha en zona republicana

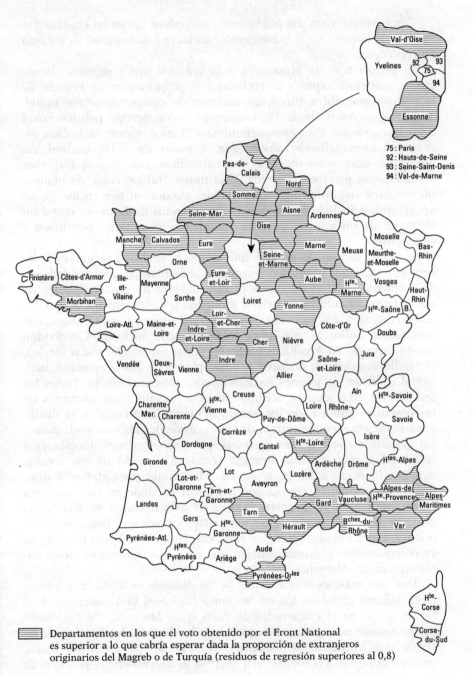

75 : Paris
92 : Hauts-de-Seine
93 : Seine-Saint-Denis
94 : Val-de-Marne

Departamentos en los que el voto obtenido por el Front National es superior a lo que cabría esperar dada la proporción de extranjeros originarios del Magreb o de Turquía (residuos de regresión superiores al 0,8)

Fragmentación de las familias y separación de los destinos

Como hemos visto, las poblaciones magrebíes sufren en Francia dos tipos de presiones, cuya combinación acaba por desintegrar su sistema antropológico.

El primer tipo de presión es a la vez *colectivo y negativo:* la sociedad receptora expresa su rechazo a la perpetuación en Francia de la cultura magrebí a través de millones de comportamientos individuales agresivos y, desde 1984, a través de un partido político hostil a los inmigrantes. Esos comportamientos, juntos, muestran la cara oscura del universalismo francés que, a partir de cierto umbral, no acepta las diferencias objetivas de costumbres. Los obreros franceses y sus esposas perciben el status de la mujer árabe o cabil, de manera muy consciente, como algo inaceptable, aunque su percepción no se apoye en un análisis global que sitúe ese status de la mujer como un elemento de un sistema familiar complejo: comunitario, patrilineal y endógamo.

El segundo tipo de presión que ejerce la sociedad receptora francesa es *individual y positivo,* expresión más bien de generosidad que de cerrazón. Los individuos de origen magrebí no son confinados de por vida en su cultura de origen y pueden ser rápidamente aceptados como cónyuges. Ese es el lado luminoso del universalismo francés. Las estadísticas sobre la exogamia muestran que incluso el individuo adulto formado en Argelia es aceptable como esposo. De todas formas, el medio estratégico, decisivo a largo plazo, de esa aceptación individual es el de los jóvenes nacidos o educados en Francia. Todos los testimonios coinciden en afirmar que los colegios y los institutos de la enseñanza pública son lugares de indiferentismo racial, y se distinguen netamente, en ese punto, de sus equivalentes ingleses o alemanes. En Francia no se ven esas agresiones, físicas o verbales, incesantes y ritualizadas, que en Gran Bretaña rechazan y aíslan de sus condiscípulos «blancos» a los hijos de los inmigrantes paquistaníes y antillanos. Lo normal es que un joven francés no dude en salir con una chica inmigrante si le gusta, porque el origen étnico es fácilmente borrado por «la mutua atracción entre los sexos». Ese comportamiento, expresión antropológica concreta del universalismo francés, no es objetivamente universal, puesto que no tiene equivalente ni en Inglaterra ni en Alemania.

Una vez más, es mejor evitar la candidez y no deducir del indiferencialismo racial de los adolescentes franceses la ausencia de problema social en el extrarradio de París o de Marsella. Un fenómeno típico impone una percepción global de los hechos: las bandas de jóvenes, con frecuencia delincuentes, representan un problema social, pero su composición multiétnica expresa el universalismo práctico de las capas obreras francesas.[38] La manera en que los padres de los medios populares transmiten a sus hijos esos valores universalistas merecería ser estudiada con detalle. Es poco probable que enseñen explícitamente la «igualdad de los inmigrantes». Posiblemente, el valor de igualdad se graba en el espíritu de los adolescentes a través de múltiples aplicaciones: igualdad de los hermanos, igualdad de los niños en la calle, igualdad del patrón y del obrero. La aplicación al campo interétnico o interracial debe ser indirecta: los padres no afirman a sus hijos la universalidad del hombre, galo, árabe o negro, pero no les prohíben jugar con los niños de origen cultural o apariencia física diferentes. Los adultos de los medios populares franceses no inculcan en sus hijos el axioma primitivo que estructura el mundo anglosajón, el de la importancia vital de una piel blanca. Los propios adolescentes completan el rompecabezas. Del valor de igualdad, tal y como es aplicado en la vida familiar y social, y de la ausencia de prohibición de las relaciones personales interétnicas, deducen la igualdad esencial de sus condiscípulos de origen magrebí o negro africano. Cada generación redescubre, por sí misma, a partir de una axiomática individualista igualitaria, transmitida por el sistema familiar y antropológico, el concepto de hombre universal.

El carácter no racial de las relaciones entre adolescentes produce un fuerte efecto de aculturación sobre las familias inmigrantes por parte de la sociedad receptora. Las formas de comportamiento típicas de una sociedad individualista e igualitaria son transmitidas a los hijos de los inmigrantes por sus compañeros, y conducen a un rápido cuestionamiento de los valores tradicionales transmitidos por la estructura familiar original. Ese proceso de aculturación que casi es demasiado brutal, produce una verdadera explosión de la familia magrebí. Por el contrario, en Inglaterra y en Alemania, los sistemas antropológicos inmigrados son aislados por la hostilidad, explícita o latente, de la que son objeto los grupos musulmanes. Esos grupos son mantenidos, en cierto modo «protegidos», por la segregación que gravita sobre los adolescentes. Así pues, en el caso de Francia, el rechazo colectivo de la cultura magrebí no es el factor primordial que conduce a la destrucción del sistema antropológico inmigrado. En Inglaterra y en Alemania, un parecido nivel de agresión sobre el terreno, aunque menos verbal y más físico, lleva a los inmigrantes a replegarse sobre la solidaridad protectora del grupo y a reafirmar su especificidad cultural. En Francia, lo que lleva a la desintegración de la cultura arábigo-musulmana es la apertura de la sociedad a los individuos. Las familias magrebíes son tanto menos capaces de defenderse de la penetración de los valores franceses cuanto que no pueden apoyarse, como sus homólogos judíos o sijs, en valores propios de tipo matriz, inigualitarios y diferencialistas, que marquen la especificidad del grupo. El orgullo étnico amortigua el golpe de la aculturación: permite a los individuos resistir, durante una generación, a la asimilación cultural completa, y fundirse a su ritmo en la ciudadela universalista. Pero el sistema antropológico magrebí es también igualitario y universalista y no tiene ningún argumento sólido que oponer, ni consciente ni inconsciente, al comportamiento universalista de las poblaciones francesas. Los argelinos, en efecto, se caracterizan por una débil conciencia étnica. La hostilidad de los padres magrebíes con respecto a los matrimonios exógamos de sus hijos, totalmente real y derivada de una mentalidad familiar endógama, no encuentra ningún apoyo en el universalismo del islam.

La inmigración y la adquisición de la lengua francesa ponen en contacto dos sistemas mutuamente incompatibles. La distancia antropológica que separa al sistema individualista igualitario del sistema comunitario endógamo es la mayor que puede concebirse a escala planetaria: los padres magrebíes provienen de un sistema, la sociedad francesa espera que sus hijos entren en el otro. A la distancia antropológica se añade el desfase de desarrollo, puesto que la mayoría de los padres argelinos inmigrantes son analfabetos, mientras que sus hijos son aspirados por el sistema escolar de un país en el que la mayoría de los adolescentes alcanzan el nivel de la enseñanza secundaria. La transición es tan brutal que provoca destinos muy diferentes para los jóvenes argelinos, incluso entre hermanos y hermanas. Actitudes de las familias y actitudes personales hacen que la asimilación resulte para ellos una inmensa lotería sociológica. Algunos entran de golpe, totalmente, en el sistema de costumbres de la sociedad receptora; otros pueden quebrarse, víctimas de la desorganización psicológica inducida por el paso de un sistema a su contrario. Esa es, sin duda, la razón por la que las mejores descripciones del destino de los hijos de los inmigrantes magrebíes deben adoptar un enfoque tipológico. Así, Abdelhafid Hammouche describe tres variedades de adaptación de los chicos de origen magrebí en la región de Saint-Étienne. Tres diferentes instancias de socialización dominante —la familia, la escuela y la calle— pueden conducir a tres destinos diferentes: el predominio de la familia favorece la conservación de ciertos comportamientos tradicionales, económicos o antropológicos; la victoria de la escuela implica la asimilación completa de los valores franceses dominantes y el ascenso social; la opción de la calle conduce a un universo poco claro que incluye como potencialidades el paro y la delincuencia.[39]

Los chicos de origen magrebí se enfrentan a particulares dificultades. Educados por padres portadores de una norma patrilineal, que les dicen que ellos lo son todo, tienen que enfrentarse, durante su adolescencia, a una sociedad dominante que reserva tradicionalmente un status elevado a la mujer y que realiza coyunturalmente todas las modernas virtualidades del principio de la igualdad de los sexos inscrito en el fondo antropológico bilateral. La preferencia patrilineal de la familia arábigo-musulmana, más que atenuarse, se agrava en el contexto migratorio: las madres argelinas, poco introducidas en el mercado de trabajo francés, están aisladas y desorientadas por el trasplante y se sienten empujadas por su propia situación a sobreinvertir en el hijo. Con frecuencia producen una versión hipertrofiada del culto arábigo-musulmán al hijo varón, en el extraño contexto de la desintegración de la autoridad paterna. La discordancia entre la cultura de origen y la receptora, y la desintegración de la primera por la segunda, explican bastante bien cierta mediocridad de los resultados escolares que, por otra parte, no debe exagerarse. Pero, en las durísimas condiciones del mercado de trabajo, unas calificaciones escolares mediocres bastan para producir un índice de paro que podemos calificar de inquietante. La desintegración del tejido familiar también explica, directamente y sin que sea en absoluto necesario recurrir al paro como variable intermedia, un índice de delincuencia netamente superior a la media francesa. Sin embargo, en este punto, no hay que olvidar que la contrapartida de esos fracasos es la existencia de un elevado número de adaptaciones perfectamente logradas, con rapidez, sin transición y sin equivalente en Europa.

A pesar de ser menos polarizados y menos dramáticos, los destinos de las hijas de los inmigrantes argelinos no siguen un proceso de integración particularmente armonioso, sino una ruptura, antes incluso de que aparezca una generación nacida en Francia. La situación familiar de las mujeres de nacionalidad argelina con edades comprendidas entre los veinticinco y los veintinueve años en 1990, muchas de las cuales llegaron a Francia siendo muy jóvenes, resume la diversidad de las trayectorias individuales que resultan de la desintegración del sistema antropológico magrebí. La norma tradicional exigiría que a esa edad casi todas las mujeres estuviesen casadas y lo estuviesen con argelinos. Pero sólo el 40% de ellas lo está: el 24,3% se encuentra aún en situación de hija en su familia de origen; el 7,1% es madre aislada; el 12,5% vive sola en un piso, en otra familia o en una institución; el 15,8% vive en pareja con un francés, cifra que no incluye a las mujeres que han adoptado la nacionalidad de su marido.[40]

Globalmente, el 60% de las argelinas de entre veinticinco y veintinueve años ya ha salido del modelo tradicional de referencia. Sin embargo, no podemos hablar de una entrada masiva en el sistema francés de referencia, puesto que tan sólo una minoría está casada con un francés. El elevado número de mujeres que siguen viviendo en situación de hijas, en su familia, sugiere una situación de espera, que sin duda es resultado de la acción de dos fuerzas opuestas: negativa a casarse, siguiendo el deseo de los padres, con un hombre de origen argelino y, al mismo tiempo, rechazo a casarse con un hombre de origen francés, por no hacer sufrir a esos mismos padres. El elevado índice de mujeres aisladas habla muy directamente de una descomposición de los valores magrebíes. Las familias monoparentales argelinas son, con frecuencia, consecuencia del fracaso de los matrimonios arreglados por los padres siguiendo la norma tradicional. En 1990, el 11,9% de las familias argelinas con hijos menores de dieciocho años eran monoparentales, contra el 12,2% de las familias francesas, el 7,5% de las familias marroquíes, el 5,8% de las familias tunecinas, el 3,7% de las familias turcas y el 6,1% de las familias portuguesas. Es inevitable sentirse impresionado por el alineamiento del índice de familias monoparentales de los argelinos de Francia con la media nacional, alineamiento que define a ese grupo inmigrado como el más aculturado de todos.

Desintegración a la francesa, mejor que integración, sería la expresión exacta para describir el proceso de adaptación de las poblaciones llegadas de Argelia. El mecanismo que saca a los hombres y a las mujeres llegados del Magreb de su endogamia étnica pasa por la destrucción de su sistema familiar tradicional, proceso cuyo punto central es la desorganización de la relación padres-hijos. Si nos situamos en el nivel de los sistemas antropológicos en presencia —individualismo igualitario e individualismo comunitarismo endógamo—, debemos hablar de un enfrentamiento y de la destrucción del sistema minoritario por el mayoritario. Por el contrario, en las culturas diferencialistas, en Inglaterra y en Alemania, los sistemas familiares inmigrados, paquistaníes o turcos, quedan enclavados, preservados por la segregación, con alguna flexibilidad en el caso de los paquistaníes, con cierto endurecimiento en el de los turcos. En el caso de los argelinos, la apertura de la sociedad receptora induce un proceso de desintegración.

El islam como factor secundario

Como se ve, es posible analizar las dificultades de adaptación de los inmigrantes de origen argelino sin hacer referencia a la religión que tan a menudo es utilizada para describir a las poblaciones procedentes del norte de Africa. La estructura familiar es, mucho más que el sistema religioso, causa de tensión entre cultura receptora y cultura inmigrada. Sin duda, existen relaciones entre ciertos aspectos de la estructura familiar arábigo-musulmana y el islam: desde ese punto de vista, la endogamia familiar es fundamental, porque implica el cierre del grupo que se refleja en la concepción del *Umma*, la comunidad de creyentes. Si bien es cierto que las comunidades islámicas de Asia oriental o extremo-oriental practican una forma u otra de endogamia, también lo es que están dominadas por estructuras familiares bilaterales (Java y Malasia) o incluso matrilineales (Menangkabau, Sumatra, Mappilla del Kerala, moros tamiles de Sri Lanka) que, en caso de inmigración de las poblaciones correspondientes, se mostrarían asombrosamente compatibles con el sistema parental.

En consecuencia, parece más sencillo utilizar directamente la estructura familiar para definir la diferencia cultural. Después de todo, tanto el catolicismo como el islam son monoteístas, derivados del mismo judaísmo, y presentan un elevado grado de compatibilidad teológica, aunque Jesús y Mahoma propongan a sus fieles modelos de comportamiento diferentes, casto y no violento en el caso del primero, polígamo y guerrero en el del segundo. Superando los miedos que suscita la marejada de un islamismo integrista iraní y argelino, la fijación general en la religión como rasgo esencial del grupo magrebí es sobre todo consecuencia de la falta de familiaridad de los diferentes actores sociales con algunos conceptos antropológicos básicos, que hace imposible un análisis de las tensiones reales entre los sistemas francés y magrebí. Consciente o inconscientemente, el término «musulmán», tal y como es utilizado en Francia, hace referencia a un sistema de costumbres, mucho más que a un contenido teológico.

Por otra parte, tanto en el caso del islam como en el del catolicismo, debemos tener en cuenta que existen dos maneras de pertenecer a ellos, que hay que distinguir la adhesión formal de la práctica real. En Francia, hasta más o menos 1965, era fácil decir cuáles eran las regiones que tenían una práctica religiosa real, en las que la asistencia a misa era fuerte y el papel social de los sacerdotes importante. El catolicismo era una auténtica fe en Vendée, en Rouergue o en Saboya. En otras regiones, tres visitas a la iglesia en el curso de la vida bastaban para ser considerado católico: en el nacimiento, en la boda y en la muerte. En Picardía, en Île-de-France o en Périgord, la pertenencia nominal a la Iglesia sólo significaba una enorme desconfianza frente a los curas. En el caso del islam también puede definirse una práctica y una no práctica, a través de algunos elementos rituales fundamentales: profesión de fe, oración cinco veces por día, ayuno del Ramadán, limosna legal de purificación y peregrinación a La Meca. Un análisis a partir de esos datos ha permitido a Bruno Étienne calcular, para Marsella hacia mediados de los ochenta, un índice de práctica religiosa de los musulmanes (mayoritariamente argelinos) del 5%, muy comparable por su insignificancia con el nivel de asiduidad religiosa de las poblaciones «católicas» de la región.[41] Uno de los paradójicos resultados de la encuesta realizada por Gilles Kepel en *Les banlieues de l'islam* es que muestra, hacia 1985, una particular desislamización de los magrebíes en el conjunto de los grupos de origen musulmán. Para tratar su tema, es decir un islam activo, Kepel ha tenido que seleccionar una muestra de sesenta «musulmanes» totalmente sesgada, puesto que no respeta las proporciones de extranjeros de las diversas nacionalidades presentes en Francia. El censo de 1982 registra, entre los individuos «de origen musulmán», un 85%

de magrebíes, mientras que en la muestra propuesta sólo son el 55%. Los turcos no constituyen más que el 7% de los musulmanes en el censo, pero son el 24% en la muestra. Los africanos negros, que son el 8% en el censo, representan el 21% de la muestra. Ese estudio, de calidad, aunque discutible en sus conclusiones, muestra sobre todo el elevadísimo nivel de práctica religiosa de los turcos, fenómeno sobre el que volveré.

El análisis de Kepel también demuestra la perfecta adhesión a los valores laicos de los hijos de los inmigrantes argelinos que tienen éxito escolar en Francia. En el caso de los argelinos y de los demás magrebíes, el bajo nivel de alfabetización de los inmigrantes, procedentes de las capas culturalmente más atrasadas de su sociedad de origen, ha facilitado el desarraigo religioso y la conversión de sus hijos a los valores de la sociedad receptora. Sus padres, analfabetos en un 80%, estaban en mala posición para poder mantener viva y transmitir una fe anclada, como todos los grandes sistemas religiosos, en el escrito. No todos los indicios de reislamización de los hijos de los inmigrantes citados por Kepel son convincentes.[42] La localización geográfica de ciertos fenómenos de reafirmación religiosa tiene su sentido, a pesar de todo. En su capítulo de conclusiones, titulado «¿Hacia el islam francés?», Kepel sitúa en la región de Lyon los signos más evidentes de un movimiento de reislamización.[43]

Sin ser decisivo, el fenómeno es interesante porque hace evidente, no que exista una dinámica propia del islam, sino, una vez más, la omnipotencia ideológica de la sociedad receptora, tomada aquí en un sentido local más que nacional. La región de Lyon pertenece al sistema antropológico periférico matriz, católico y de temperamento diferencialista. Ya hemos visto cómo el medio diferencialista favorecía la aparición de un islam fundamentalista entre los paquistaníes de Inglaterra y los turcos de Alemania. Localizamos ahora, en el interior del espacio francés, una situación en la que un medio regional diferencialista estimula al islam (aunque de forma mucho menos importante). La diferencia religiosa se presenta localmente como ideal, puesto que el catolicismo era, hasta más o menos 1965, mucho más pujante entre Lyon, Saint-Étienne y Grenoble que en la región de París o de Marsella: allí donde la Iglesia católica es fuerte, el criterio religioso permite marcar eficazmente a los «musulmanes», definir a los inmigrantes como exteriores al grupo autóctono. El retroceso de la práctica religiosa católica y de la fe en Dios no impide en lo más mínimo que se perpetúe la separación, que pasa insensiblemente de ser religiosa a ser étnica. A pesar de todo, no hay que exagerar la intensidad de ese diferencialismo: el porcentaje de matrimonios entre hombres argelinos y mujeres francesas apenas es más bajo en la región Ródano-Alpes que en la costa mediterránea o en la Cuenca de París, y sigue siendo muy superior a los índices de exogamia entre los hombres musulmanes de

Gran Bretaña o de Marsella. La clase obrera de la región Ródano-Alpes, el grupo socioeconómico más concernido por la exogamia magrebí, está sometida a fuertes influencias igualitarias y laicas que vienen de París o de Marsella y es menos portadora que los medios rurales o que las clases medias de los ideales diferencialistas locales.

En general, la debilidad del islam en Francia contrasta con la pujanza del movimiento integrista en Argelia. Esa diferencia de potencial conduce a muchos comentaristas a negar la evidente insignificancia del islam en suelo francés. Sin embargo, ese contraste entre la sociedad de origen, creyente, y la emigración laicizada no es nuevo. Los emigrantes bretones de los años 1880-1965 salían de una sociedad provincial intensamente católica para abandonar en París su práctica religiosa. La tendencia a alinearse con los comportamientos mayoritarios del medio receptor, en este caso no practicante, es irresistible cuando éste no exige de los inmigrantes que encarnen un ideal de diferencia.

El contraejemplo portugués

El examen de la inmigración portuguesa en Francia, portadora de un sistema antropológico distinto del de los argelinos, permite evaluar con mayor precisión lo que, en el proceso de adaptación, es específico de la sociedad receptora francesa y lo que es resultado de las potencialidades propias de cada una de las culturas inmigradas. Desde el punto de vista temporal, la elección de los portugueses como contramodelo está justificada, puesto que su llegada, concentrada entre los años 1962 y 1975, se produjo durante el gran periodo de inmigración argelina, incluso si esta última comienza antes, puesto que ya se había iniciado entre 1946 y 1962.

El sistema antropológico de la parte norte de Portugal, de donde proviene la mayor parte de los emigrantes a Francia, es de tipo matriz, opuesto por sus valores a los tipos observables en el centro y en el sur del país. Allí domina un sistema familiar de heredero único, muy marcado en la costa y que se atenúa a medida que nos adentramos hacia el interior. Esa zona matriz es el extremo occidental de un vasto conjunto que se extiende, sin solución de continuidad, desde los Alpes hasta la costa norte de la Península Ibérica, a través de Occitania, Béarn, Cataluña, País Vasco, Asturias y Galicia. En el caso del Portugal septentrional, los valores de autoridad y de no igualdad anclados en el sistema familiar son reforzados y enmarcados, hasta 1980, por una fuerte impregnación católica, del tipo de la que existía en Alsacia, en Saboya, en Lozère o en Vendée, hasta 1965 más o menos. La sociedad rural del norte de Portugal se parece a las sociedades periféricas del conjunto francés. Matriz y católica, aceptadora del principio de jerarquía, fue la base regional del salazarismo.[44] Esa sociedad se distingue de la mayor parte de las sociedades periféricas de Francia por dos matices. En primer lugar, en el plano familiar, por un matiz matriarcal bastante claro, un papel dominante de las mujeres, característico del conjunto de las culturas regionales portuguesas, incluidas las del centro y las del sur, igualitarias en lo que a relaciones entre hermanos se refiere. Esa situación de las mujeres explica el frecuente recurso a la transmisión matrilineal de los apellidos. El alto índice de nacimientos ilegítimos, revelador de un escaso control de la sexualidad femenina, expresa por otro camino el sesgo matrilineal.[45]

Segundo matiz importante: el antiintelectualismo. La familia portuguesa ha permitido la organización de una sociedad eficaz de pequeños productores agrícolas independientes que valoran el trabajo manual y favorecen la aparición de altas densidades de población. Pero el peso de la Iglesia católica, hostil a la educación popular desde la Reforma protestante, ha congelado el potencial intelectual del sistema antropológico. El retraso cultural se ha agravado a causa de la posición excéntrica de Portugal, situado lejos de los grandes centros de desarrollo europeos. El proceso de alfabetización está por fin terminándose, ya casi en el año 2000, pero esa nación es probablemente la única de Europa occidental cuyos resultados escolares son inferiores a los de algunos países del Tercer Mundo. Con un índice de alfabetización del 71% en 1970, Portugal está detrás de Sri Lanka, Tailandia o Jamaica, cuyos índices alcanzaban, en la misma fecha, el 78, el 79 y el 86% respectivamente.[46]

Los valores fundamentales del Portugal septentrional —jerarquía, aprecio del trabajo manual y desconfianza con respecto a la vida intelectual— explican la mayor parte de las especificidades del proceso de adaptación de los inmigrantes portugueses en Francia. Los portugueses, como los magrebíes, se han integrado en la estructura económica francesa en tanto que clase obrera, pero admiten mejor la legitimidad del principio de jerarquía social. Aceptan su condición obrera y, en conjunto, permanecen ajenos a las organizaciones políticas y sindicales de izquierdas, a diferencia de los españoles y los italianos de las generaciones precedentes, que provenían con frecuencia de culturas locales igualitarias y laicas, como la toscana o la andaluza, y tenían una fuerte inclinación a unirse al Partido Comunista Francés. A partir de 1982, parece que los portugueses prefieren estudios cortos para sus hijos, a quienes introducen lo antes posible en la vida profesional, en un nivel modesto pero seguro. Entre los hijos de dieciocho años presentes en la casa de su madre en 1982, sólo el 14% de los de madres portuguesas seguían escolarizados, frente al 32% de los de argelinas y el 41% de los de «francesas de nacimiento». Por el contrario, el 61% de los hijos de portuguesas así censados ya eran asalariados, frente al 11% de los de argelinas y al 25% de los de francesas de nacimiento. El índice de paro era por entonces del 12% en el grupo

Los portugueses en 1990

75 : Paris
92 : Hauts-de-Seine
93 : Seine-Saint-Denis
94 : Val-de-Marne

En porcentaje de la población total

- ▓ + del 2%
- ▦ del 1,3 al 2%
- ▤ del 1 al 1,3%
- ⦂ del 0,6 al 1%
- ☐ del 0,2 al 0,6%
- ⬤ – del 0,2%

«portugués», del 13% en el grupo «francés» y del 37% en el grupo «argelino». *Así pues, los hijos de portugueses sufren el paro menos que los hijos de franceses de nacimiento,* fenómeno que es aún más claro a los veintiún años, por las mismas fechas: 7% de parados entre los portugueses y 12% entre los franceses.[47] Al parecer, su cultura de origen ha protegido a los portugueses de la segunda generación contra el rechazo al trabajo manual posterior a mayo de 1968, que ha acabado llevando al paro a tantos jóvenes sin formación específica. Por el contrario, esas mismas cifras indican que los hijos de argelinos, que han sufrido una aculturación más brutal, no han podido escapar al sueño colectivo francés de un ascenso generalizado a las clases medias a través de la escolarización, y que actualmente viven, de forma corregida y aumentada, las dificultades específicas de la inserción profesional de muchos jóvenes franceses de origen obrero. La segunda generación portuguesa, fiel al trabajo manual, tiene a un mismo tiempo pocos parados y pocos diplomados de enseñanza superior: en su caso no podemos hablar de una dispersión de destinos. Por el contrario, hay que hablar de la perpetuación de cierta homogeneidad económica y cultural.

El destino de los hijos de los inmigrantes portugueses en Francia es un ejemplo típico de inserción «matriz», en una variante poco intelectual. Como las familias japonesa, coreana, judía o sij, la familia portuguesa arropa bien a sus hijos, facilita su formación profesional y les permite una buena adaptación económica. El antiintelectualismo de la cultura católica del norte de Portugal impide que los niños portugueses sean animados, como ocurre con los de los otros grupos matrices, a hacer muchos estudios que los aúpen a los estratos medios o incluso superiores de la sociedad receptora. La cultura matriz portuguesa se identifica en este punto con su prima irlandesa, también católica y poco interesada en el libre examen. No obstante, esa marca original del catolicismo no implica que la fe y la práctica religiosa sobrevivan: los inmigrantes portugueses en Francia, inmigrantes en una región descristianizada cuando viven en la Cuenca de París, como es el caso del 47% de ellos, o en vías de descristianización si se han asentado en el Norte, en la región Ródano-Alpes o en el Macizo Central, dejan enseguida de ir a misa, como antes ocurrió con los inmigrantes «matrices» bretones o saboyanos. Ciertos aspectos de la cultura católica no sólo son aniquilados, sino que son invertidos. El horror de los cristianos al dinero se transforma, entre los portugueses, en un comportamiento compulsivo de ahorro, fenómeno de conversión frecuentemente observable cuando la duda religiosa hace su aparición, y del que el mundo protestante ha dado tantos ejemplos desde el siglo XVII. Pero otros rasgos de mentalidad específicamente católica sobreviven, el más importante de los cuales es la aceptación de la disciplina personal y social. Los inmigrantes portugueses se distinguen por su bajo índice de delincuencia, a veces inferior al de los franceses, hecho que constituye un caso rarísimo: una población desarraigada que manifiesta menos desconcierto aparente que la población receptora. En principio, un grupo inmigrado, sacudido por la transferencia cultural, *debe* producir desviación social. En 1982, el índice de detención en prisión de los españoles es 1,9 veces el de los franceses, el de los italianos 2,3 veces, el de los marroquíes 3,7 veces y el de los procedentes de otras nacionalidades de Africa 9,1 veces. Por entonces, el índice de detención de los portugueses es tan sólo 0,8 veces el de los franceses.[48]

El modelo portugués de adaptación da muestras de cierto nivel de autonomía, de una dinámica propia de la cultura de origen. Algunos autores han subrayado la cohesión del grupo, cohesión que se manifiesta por una red de asociación y de ayuda mutua que no tiene equivalente entre los argelinos. La asimetría de los comportamientos asociativos ilustra bastante bien el modelo general desarrollado en este libro. La familia matriz portuguesa (del norte), no igualitaria, favorece la percepción *a priori* de la diferencia humana y una fuerte conciencia de sí del grupo. La familia comunitaria endógama argelina, igualitaria y, en consecuencia, de vocación universalista, no produce los valores diferencialistas necesarios para estructurar una comunidad étnica. Por fidelidad a las concepciones patrilineal y endógama, los progenitores árabes o cabiles se esfuerzan, sin mucho éxito, en impedir el matrimonio de sus hijos con jóvenes franceses. Pero luchan en la dispersión, sin la protección de una fe fuerte en la existencia de una especificidad argelina, árabe, cabil o magrebí.

En el caso de los portugueses, existe una noción de grupo solidario cuya conciencia étnica no debe exagerarse. El proceso de asimilación de los portugueses sigue siendo típicamente francés por su rapidez. El grupo no espera, como es de regla en Estados Unidos, a su completa asimilación cultural para pasar a la fase de matrimonio mixto. A partir de 1975, el aumento del número de hijos de parejas mixtas franco-portuguesas es muy regular. Ya desde la primera generación, hombres y mujeres que llegan de Portugal se casan con franceses. En este caso, la proximidad de las lenguas francesa y portuguesa refuerza el principio de omnipotencia de la sociedad receptora. Desde 1978, la proporción de hijos de *padre portugués* y madre francesa supera a la de hijos de padre argelino y madre francesa. La progresión de la exogamia femenina es tan rápida como la de la masculina: el número de hijos de madres portuguesas no casadas con un hombre de su nacionalidad aumenta con regularidad.

No obstante, el mapa de nacimientos mixtos revela que existe una importante zona de escaso matrimonio mixto portugués, la región de París. En 1990, en el conjunto de Francia, el 27,2% de los hijos de padre portugués lo era de madre francesa, frente al 19,4% de los hijos de padre argelino. Pero en Île-de-France, ese índice cae al 18,7% para los portugueses, mientras permanece en un 19,3% para los argelinos «musulmanes», cuyo nivel de exogamia es así ligeramente más alto que el de los portugueses «católicos» en la capital y su cinturón. La explicación, sencilla, debe olvidarse de los orígenes étnicos y religiosos para hacer intervenir un criterio de clase: los portugueses, muy concentrados en el medio obrero, se casan poco con personas de clase media o elevada, sobrerrepresentadas en la región de París. Si es verdad que los burgueses de París votan menos al Front National que los obreros, también lo es que no suelen entregar a sus hijas en matrimonio al hijo del portero o de la señora de la limpieza. De manera que la endogamia puede ser de clase más que étnica. La sociedad francesa, poco proclive a adoptar normas de segregación racial, no se priva en absoluto de respetar ciertas distancias, determinadas por el nivel socioprofesional y escolar de los individuos. La escasa penetración de los hijos de inmigrantes portugueses en las universidades contribuye, pues, a explicar la relativa pequeñez de su índice de exogamia en la región de París. Recíprocamente, el buen comportamiento de la exogamia argelina en Île-de-France, zona de concentración de clases medias con alto nivel escolar, es probablemente consecuencia de la aparición de una elite de origen argelino que no tiene equivalente entre los inmigrantes portugueses.

Marroquíes y tunecinos

En el caso de las poblaciones musulmanas originarias del Magreb y en el de los judíos sefardíes procedentes de la misma región, el nivel de asimilación, medido a través del indicador definitivo que es el índice de exogamia, tiene como principal determinante la duración del contrato con la sociedad francesa. En el caso de los judíos, el hecho de pertenecer a un mismo tipo antropológico «sefardí» no impedía que existiesen importantes diferencias entre argelinos, tunecinos y marroquíes, hasta el punto de que los judíos argelinos estaban más cerca, por su índice de exogamia, de los judíos de Europa oriental que de los judíos marroquíes o tunecinos.[49] El mismo fenómeno se repite para las tres poblaciones magrebíes y musulmanas: por el índice de exogamia, los emigrantes argelinos están más cerca de los portugueses que de los marroquíes o de los tunecinos. En el momento del censo de 1990, entre las mujeres de veinte a veinticuatro años que vivían en pareja, con o sin hijos, tenía una pareja francesa el 37% de las portuguesas, el 32% de las argelinas, el 14% de las marroquíes y el 9% de las tunecinas. Marroquíes y tunecinos son inmigrantes muy recientes y es absolutamente normal encontrar en ambos grupos niveles de exogamia bajos, incluso entre la más joven generación de mujeres adultas. El carácter fundamentalmente «medio» de la variante argelina del sistema antropológico árabe, situada entre los tipos marroquí y tunecino, no basta para explicar tales desviaciones. Por el contrario, la historia del contacto entre sistemas antropológicos da cumplida cuenta de la diferencia que separa a los argelinos, que proceden de una región de colonización directa y cuya llegada a Francia se inicia inmediatamente después de la segunda guerra mundial, de los marroquíes y de los tunecinos, llegados de dos regiones de protectorado tardío y cuyo asentamiento en Francia no comienza hasta los años que van de 1968 a 1975.

Por el contrario, ciertas diferencias de comportamiento entre marroquíes y tunecinos no pueden explicarse por la duración y la intensidad del contacto. Un análisis histórico del fenómeno de asimilación nos llevaría a prever una ventaja de los tunecinos sobre los marroquíes: efectivamente, la francofonía del grupo tunecino está más avanzada en su país de origen. A ese sesgo inicial hay que añadir que los emigrantes tunecinos llegan a Francia un poco antes que los marroquíes. A pesar de todo, tan sólo el 9% de las mujeres tunecinas que viven en pareja tiene un cónyuge francés frente al 14% de las marroquíes. Por otra parte, el rasgo fundamental del sistema parental arábigo-musulmán, la patrilinealidad, que autoriza el matrimonio entre un hombre musulmán y una mujer cristiana pero lo prohíbe entre una mujer musulmana y un hombre cristiano, puede detectarse con claridad en las estadísticas de los nacimientos «mixtos» tunecinos, pero no en las de los nacimientos mixtos marroquíes. *En 1990, el 14,4% de los hijos de padre tunecino lo era de madre francesa, pero tan sólo el 4,6% de los hijos de madre tunecina lo era de padre no tunecino o no declarado.* Las cifras de los inmigrantes marroquíes, por el contrario, ya revelan el movimiento de simetrización del intercambio matrimonial que caracteriza en general al medio francés. *En 1990, el 10,4% de los hijos de padre marroquí lo eran de madre francesa, y ya el 13,3% de los hijos de madre marroquí tenían un padre no marroquí o no declarado.*

El análisis de los sistemas antropológicos originales, es decir, de las variantes tunecina y marroquí del modelo magrebí, permite entrever una explicación a estas diferencias, aunque la estadística francesa, poco preocupada por los orígenes étnicos, no nos permita por el momento llegar a una conclusión definitiva. El sistema antropológico tunecino representa, a pesar de su relativo feminismo, una sólida variante del sistema familiar árabe, patrilineal y endógamo, que mostraba un elevado índice de matrimonio entre primos. La inmigración tunecina en Francia, anclada en un sistema coherente y homogéneo, parece resistir mejor que las demás a la desintegración que les inflige la sociedad receptora. Se podría pensar que el alto nivel de endogamia familiar facilitaría la endogamia nacional del grupo, pero hay

Mujeres jóvenes extranjeras en Francia (con edades entre 20 y 24 años)		
Hijas en una familia (en % del grupo de edad)	Con cónyuge francés (% entre las mujeres que viven en pareja, con o sin hijos)	Número de francesas por adquisición del mismo origen por cada 100 mujeres extranjeras
Portuguesas 42,0	37,3	52
Argelinas 59,5	31,8	40
Marroquíes 49,0	13,9	16
Tunecinas 40,1	9,2	31
Del Africa negra fr. 11,8	20,2	21
Del sudeste asiático 46,0	17,7	81
Turcas 23,0	1,5	5

Fuente: G. Desplanques y M. Isnard, *«La fécondité des étrangères en France diminue»*, en INSEE, *Dounées sociales 1993*, para las dos primeras columnas. Censo de 1990, fascículo *Nationalités. Sondage au quart*, para la tercera columna.

que hacer algunas reservas de orden técnico a esa interpretación. Como consecuencia de un elevado índice de adquisición de la nacionalidad francesa, en el caso tunecino más que en los otros, el número real de parejas mixtas está infravalorado. Tal vez la fuerte propensión de las esposas a adquirir la nacionalidad francesa cuando hacen una elección exógama explique parcialmente ese elevado índice de nacionalización. En el fondo, nos encontramos en el terreno del matrimonio con todas las ambigüedades de la cultura tunecina, a la vez árabe y muy francesa, que se nos presenta como capaz de resistir a la asimilación cuando estudiamos los matrimonios mixtos aparentes, y como particularmente apta para la asimilación cuando nos interesamos por los cambios de nacionalidad.

El sistema antropológico marroquí corresponde, por su parte, a una variante débil del modelo árabe. Los valores residuales bilaterales y exógamos del grupo marroquí son susceptibles de ser reactivados por los valores dominantes bilaterales y exógamos de la sociedad receptora. El menor nivel inicial de francofonía de estos inmigrantes recientes enmascara cierta afinidad antropológica con la cultura occidental, cuyos efectos pueden verse incluso en Marruecos. El control de la fecundidad, fuertemente asociado por naturaleza al status de la mujer,

Indices magrebíes de fecundidad			
	En el Magreb		*En Francia*
	1981	1990	1981	1990
Argelinas	6,4	4,7	4,4	3,5
Marroquíes	5,5	3,9	5,8	3,5
Tunecinas	5,2	3,4	5,1	4,2

Fuente: Y. Courbage, «Demographic transition in the Maghreb peoples of North Africa and among the emigrant community», en P. Ludlow, *Europe ant the Mediterranean*, Londres-Nueva York, Brassey's, 1993.

se extiende allí con más facilidad y mayor rapidez que en Argelia. El más temprano arranque de los programas de fomento del control de la natalidad no es suficiente para explicar una distancia tan grande: 3,9 hijos por mujer en Marruecos en 1990, frente a 4,7 en Argelia. Sobre todo, el cambio demográfico, que no puede producirse sin un reordenamiento de los papeles del hombre y de la mujer, no produce en Marruecos, como en Argelia, un brote de ese integrismo islámico, una de cuyas componentes esenciales es el miedo a la mujer. Menos patrilineal y menos endógamo, Marruecos sufre menos la sacudida de la modernidad. Sus emigrados, al llegar a Francia, sea cual sea su nivel de apego a su país natal, están menos anclados que los argelinos y que los tunecinos en las concepciones patrilineales árabes, de ahí seguramente la más rápida simetrización de su exogamia.

En el caso de marroquíes y tunecinos, el contraste inicial entre sistemas antropológicos permite explicar la diferencia de ritmos de asimilación. Sin embargo, la tal vez superior capacidad de resistencia del sistema tunecino no anuncia en absoluto un encierro en sí mismo, sino que se limita a sugerir una asimilación algo más lenta, siguiendo modalidades específicas, como una mayor propensión a la naturalización. En Francia sólo hay un grupo inmigrante musulmán que parece capaz de resistir mucho tiempo a la asimilación: el de los turcos. No obstante, esa resistencia no extrae su fuerza en la dinámica específica de la cultura inmigrada, sino que es consecuencia de la intervención, en el juego de la asimilación y la segregación, de otra cultura receptora, más bien diferencialista que universalista.

¿Problema turco o cuestión alemana?

Todos los indicadores estadísticos disponibles ponen de manifiesto la situación absolutamente única de los turcos en Francia, un aislamiento comunitario que no puede explicarse por el simple hecho de que su inmigración, iniciada entre 1968 y 1975, sea reciente. Por el número de sus miembros, se trata de uno de los grupos inmigrantes musulmanes menos importantes, pero su papel de estimulante de la hostilidad de la población receptora ya parece desproporcionado. La presencia de un numeroso grupo turco en Dreux ha favorecido que aparezca allí una verdadera base del Front National y que se haya elegido, en las legislativas parciales de 1989, un candidato de extrema derecha a pesar del teórico obstáculo del escrutinio mayoritario. Por su intensa práctica religiosa y por su estricta endogamia comunitaria, la población turca provoca, en el corazón de la Cuenca de París, al universalismo asimilador de la población receptora. Parece desafiar también el principio de la omnipotencia de la sociedad receptora que este libro defiende.

El sistema antropológico turco, a diferencia de sus equivalentes argelino, marroquí o tunecino, no parece quebrado, ni siquiera afectado por el medio francés. Frente al prolongado celibato de las jóvenes argelinas o incluso marroquíes y tunecinas, primer paso hacia la aceptación de las costumbres francesas, el matrimonio de las mujeres turcas en Francia es precoz y controlado por las familias. En 1990, entre las mujeres de veinte a veinticuatro años, cerca del 60% de las argelinas aún se hallaba en la situación de ser hijas en una familia (y por tanto solteras), en iguales condiciones se encontraban el 49% de las marroquíes y el 40% de las tunecinas, pero tan sólo el 23% de las turcas.

La exogamia turca también es insignificante. En 1990, de las mujeres entre veinte y veinticuatro años que vivían en pareja, apenas el 1,5% de las turcas tenía un cónyuge francés. Entre los hijos de padre turco nacidos ese mismo año, sólo el 4,2% lo era de madre francesa. En Alemania, en 1990, el 1,2% de los hijos de madre turca lo era de padre alemán, y el 4,4% de los hijos de padre turco lo era de madre alemana. Los principios discordantes de los sistemas estadísticos francés y alemán no impiden que los turcos establecidos en ambos países mantengan niveles de exogamia asombrosamente parecidos. Si nos atenemos a los datos en bruto, el paralelismo de los comportamientos turcos en Francia y en Alemania hace pensar en la existencia de una norma cultural independiente de las sociedades receptoras y en la existencia de una capacidad autónoma de resistencia a la asimilación. Sería imprudente quedarse en un análisis tan simple. En primer lugar porque el predominio del integrismo islámico no es característico de Turquía, único país musulmán mediterráneo que ha logrado desarro-

Los turcos en 1990

75 : Paris
92 : Hauts-de-Seine
93 : Seine-Saint-Denis
94 : Val-de-Marne

En porcentaje de la población total

- + del 0,8%
- del 0,6 al 0,8%
- del 0,4 al 0,6%
- del 0,2 al 0,4%
- − del 0,2%

llar una fuerte tradición laica. En segundo lugar, porque la misma cultura turca es de tipo universalista y ofrece a sus propias minorías periféricas, kurdos en particular, un modelo de asimilación muy parecido al de los jacobinos franceses. Turquía no tiene temperamento diferencialista.

La distribución geográfica de los inmigrantes turcos en suelo francés revela el origen real del diferencialismo que el grupo manifiesta. Hasta el censo de 1982, la inmensa mayoría de los trabajadores turcos está concentrada en la frontera este del país. Entran en Francia siguiendo un proceso de difusión que se inicia en Alsacia. En el censo de 1990, ese antiguo foco se ha extendido por el conjunto de la región Ródano-Alpes. Se detecta un segundo polo de difusión: el de la región de París, facilitando un lento movimiento hacia el oeste, hasta el departamento del Orne. En 1990, el inicial polo de difusión, pegado a la frontera alemana, contiene el 52% de los turcos de Francia y el polo de difusión secundario, centrado en París, el 31%, mientras que el 17% restante se distribuye por el resto de Francia.

Ese movimiento de difusión a partir del Rin indica que el grupo turco de Francia no proviene, en el plano ideológico y antropológico, de Turquía sino de Alemania, y que es portador inconsciente de los valores diferencialistas del mundo germánico que siguen imponiéndosele en un medio francés. Los individuos que han llegado directamente de Turquía se integran en ese comunitarismo germano-turco, que se ha constituido en matriz inicial a escala europea. Por otra parte, el predominio del asentamiento en regiones periféricas de substrato diferencialista facilita la perpetuación del diferencialismo adquirido en Alemania. La ausencia de previo contacto colonial con la lengua y los valores franceses asimiladores favorece en gran medida la confusión, retrasando la toma de conciencia de que en Francia existen normas culturales distintas de las de Alemania. El hecho de que, a escala europea, existan persistentes relaciones entre turcos contribuye a la persistencia del aislamiento del grupo en Francia. En el libro *Les Banlieues de l'islam*, de Gilles Kepel, en el que los turcos están muy presentes, aparecen en contacto con sus compatriotas de Alemania.[50] El comportamiento separatista de los turcos de Francia sólo invalida la hipótesis de la preponderancia de los valores de la sociedad receptora en el caso de que no queramos reconocer la existencia de la competencia, a escala europea, entre dos sociedades receptoras, Francia y Alemania. La inmigración turca lleva el diferencialismo alemán al interior de las fronteras francesas. Para el historiador que se ocupa de largos periodos, hay algo fascinante en la comprobación de que la distribución en territorio francés de los turcos, única minoría realmente endógama en Francia, recuerda a la de los judíos del reino en vísperas de su emancipación. Si se exceptúan las comunidades de Burdeos, Bayona y Condado Venesino, la inmensa mayoría de los judíos de Francia vivía en el este, en Alsacia o Lorena, igual que los actuales turcos en Alsacia, Lorena, Franco Condado y región Ródano-Alpes. En el caso de los judíos asquenazíes, que hablaban dialectos germánicos —yiddish, alsaciano o lorenés—, la influencia cultural alemana era aún más evidente que la de los actuales turcos. Pero el contacto de unos y de otros con Alemania parece haber estimulado el diferencialismo; en el caso del judaísmo ha favorecido la supervivencia de una tradición diferencialista autónoma; en el de los turcos, ha hecho aparecer una concepción diferencialista nueva y, por lo que parece, exportable. Queda por saber si la llegada de los turcos a la Cuenca de París, de temperamento universalista, a diferencia del este de Francia, desembocará, como ocurrió en el caso de los judíos, en una ruptura del diferencialismo y de la endogamia comunitaria.

12

Francia y los colores

El universalismo francés afirma que el color de la piel no tiene importancia y logró imponer durante la primera mitad del siglo xx la imagen, agradable para algunos e insoportable para otros, de una Francia indiferente a las cuestiones raciales. Así, durante la primera guerra mundial, la República una e indivisible había aterrorizado a Alemania utilizando tropas africanas y poniendo en un mismo plano conceptual —universal y francés— la Martinica y Alsacia-Lorena, la piel oscura y la germanofonía. En 1930, Friedrich Sieburg, ambiguo intelectual alemán, cita, en *Dieu est-il français?*, con más inquietud que malicia, el discurso de un diputado senegalés negro que exhortaba a los franceses a la unión y reafirmaba a la Cámara la esencial condición francesa de Alsacia y Lorena.[1] A su vez, en *Mein Kampf,* Hitler describe en 1924, con términos apocalípticos, la emergencia en el corazón de Europa de una potencia africanizada, Francia. Se trata de un texto que merece ser citado porque demuestra hasta qué punto Francia ha podido ser odiada por causa de su universalismo:

«La misma Francia debe ser incluida entre esos Estados [gigantes]. No sólo por el hecho de que completa su ejército, en proporción siempre creciente, con los recursos de las poblaciones de color de su gigantesco imperio, sino también por el hecho de que su invasión por los negros hace tan rápidos progresos que podemos hablar con propiedad del nacimiento de un Estado africano en suelo europeo (...). Si la evolución de Francia se prolongase durante trescientos años en la línea actual, los últimos restos de sangre franca desaparecerían en el Estado mulato africano-europeo que está constituyéndose: un inmenso territorio de población autónoma que se extiende desde el Rin hasta el Congo, habitado por la raza inferior que se forma lentamente bajo la influencia de un prolongado mestizaje».[2]

Durante los años cincuenta, el estereotipo de una Francia ciega para el color de la piel sigue fascinando, esta vez en sentido positivo, a los intelectuales americanos. Y James Baldwin aprende efectivamente, en el curso de una larga estancia en París, a olvidar el color de la piel. Pero, ¿podemos deducir de la aceptación de unos pocos individuos, intelectuales o diputados, la existencia de una indiferencia auténtica y de fondo ante cualquier noción de raza o de apariencia física? En Francia, en ausencia de problemas concretos, los principios igualitarios de la Revolución triunfan fácilmente. ¿Cómo comparar ese indiferentismo racial en ausencia de razas con la obsesión racial americana, característica de una sociedad que tiene en su interior, al mismo tiempo, reservas indias, una importante población negra procedente de la esclavitud y, desde finales del siglo xix, grupos japoneses y chinos cuantitativamente significativos? Sin embargo, la oposición entre una Francia blanca y una América variopinta no es eterna.

Los movimientos migratorios de los veinticinco últimos años han desembocado en el crecimiento, en la propia Francia, de una población «no blanca» —por emplear una conceptualización de tipo anglosajón— cuya presencia da a la problemática del hombre universal un carácter nuevo y concreto. Entre 1968 y 1990, llegaron a Francia, por inmigración o por nacimiento en el territorio nacional, antillanos, africanos y asiáticos. La estadística francesa no permite clasificar a los individuos en función del color de la piel o de la apariencia física, de manera que para evaluar la importancia de esos grupos «no blancos», tenemos que conformarnos con aproximaciones derivadas de los lugares de nacimiento y de las nacionalidades de origen. Así, los individuos nacidos en los departamentos y territorios de ultramar (DOM-TOM), pero censados en la metrópoli, eran 24.200 en 1954, 91.468 en 1968 y 339.600 en 1990, procedentes en un 90% de Martinica, Guadalupe y Reunión. Si añadimos a esas personas sus hijos nacidos en la Francia continental y que siguen viviendo con sus padres, obtenemos 526.512 «originarios» de los DOM-TOM.[3] También es característico de los años 1968-1990 el desarrollo de un grupo estadístico africano: las personas procedentes de una nacionalidad africana francófona son aproximadamente 28.000 en 1968, pero 212.502 en 1990, incluidos los zaireños y los de Mauricio. Si añadimos los franceses por adquisición de nacionalidad, de origen africano, obtenemos una cifra de 270.377 personas. Si queremos aproximarnos aún más a una definición de tipo americano, por el color negro, con o sin mestizaje, pero limitándonos a los países francófonos, debemos integrar también en la estimación total los 15.780 originarios de Haití, nacionales o naturalizados, es decir, un total general de 286.157 personas.[4]

La inmigración asiática es, en Francia, contemporánea de los movimientos de población antillano y africano. Vietnamitas, camboyanos y laosianos, si nos limitamos a las nacionalidades del antiguo imperio colonial francés, eran 11.368 en el censo de 1968 y 112.915 en el de 1990, porque el momento culminante de esa inmigración se produjo entre 1975 y 1982, como consecuencia de la catastrófica situación política de la península de Indochina durante ese periodo. Si, para 1990, añadimos a los franceses de adopción, la cifra ascenderá a 188.404 personas.

Añadamos unas cuantas decenas de miles de gentes llegadas de Ghana, Nigeria, China, Filipinas, Sri Lanka, sur de la India y Tailandia, además de un número indeterminado de inmigrantes clandestinos y de personas de color nacidas en Francia de nacionalidad francesa. Restemos algunos individuos «blancos» originarios de los departamentos y territorios franceses de ultramar. Globalmente, el número de personas «no blancas», extranjeras o francesas, debe de superar un poco el millón, lo que para una población de 56.650.000 personas representaría un poco menos del 2% del total. Así pues, Francia no se ha convertido, en el curso de los últimos treinta años, en un país «multirracial». Estamos lejos del 19,7% de «no blancos» norteamericanos en la misma fecha, o incluso del 12,1% de norteamericanos negros. A pesar de ello, la concentración en Île-de-France del 47% de los asiáticos, del 59% de los franceses nacidos en los departamentos y territorios de ultramar y del 64% de los africanos confiere a ciertos barrios de París, de Seine-Saint-Denis o de Val d'Oise, la apariencia de un microcosmos planetario. En Île-de-France, la población «no blanca» debe representar actualmente entre el 5 y el 6% del total regional. Esa cifra es suficiente para que la cuestión de la relación de la cultura francesa con las nociones de color y de raza deje de ser un problema intelectual o colonial abstracto y lejano. Después de todo, en Inglaterra, la aparición de una población de color de parecidas dimensiones ha bastado para que el país abandone su universalismo teórico de la inmediata posguerra y vuelva a sus concepciones diferencialistas y raciales originales. En Francia, en la cuna misma de la Revolución de 1789, vive ahora gente de todos los colores y orígenes. Y en particular negros. La incapacidad norteamericana de los años 1950-1990 para asimilar su población negra, para escapar a su visión dualista de la naturaleza humana, para definirse como una nación auténticamente universal, otorga a la problemática de la inmigración negra en Francia un sentido universal. ¿Va a crisparse la población francesa, como le ha ocurrido a la de Inglaterra o a la de Estados Unidos, frente a la diferencia física concreta y va a negarse, en la práctica, a definir como sencillamente humanos a los individuos de color? No debemos infravalorar la importancia de esta experiencia histórica. El fracaso de los Estados Unidos en el campo de las relaciones sociales es, teniendo en cuenta la importancia económica y cultural de esa nación, un fracaso de la humanidad. Francia es de dimensiones modestas, pero un nuevo fracaso, después del de Estados Unidos, tendría consecuencias ideológicas a escala planetaria. La segregación en el país del hombre universal sería interpretada como la prueba de que el problema negro no tiene solución.

Dicho esto, debo precisar inmediatamente que la hipótesis que vaticina una evolución de Francia a la norteamericana, o incluso a la inglesa, para mencionar un caso intermedio, es muy poco verosímil. Los capítulos de este libro dedicados a Estados Unidos y a Inglaterra ya han demostrado que las concepciones raciales típicas del mundo anglosajón no derivan ni de la naturaleza humana en general, ni de atributos propios del grupo negro, sino de una estructura mental particular de las poblaciones anglosajonas, no igualitaria y diferencialista, que no tiene equivalente en Francia. La segregación no es más «natural» que la asimilación. En Estados Unidos, el mantenimiento de la organización racial de la sociedad exige de los individuos constantes esfuerzos para ajustar sus comportamientos. Para evitar el mestizaje, se ven obligados a trasladarse, a cambiar a sus hijos de escuela, a controlar impulsos sexuales interpretados como perversos desde el momento en que no sólo hacen que el individuo se interese por una persona del sexo opuesto, sino también de la raza opuesta. En una palabra, la segregación es agotadora y absorbe mucha energía individual y social. La estructura mental igualitaria de la mayoría de la población francesa excluye *a priori* la posibilidad de que dedique tanta energía a la fabricación de guetos. En Francia es inconcebible una evolución a la inglesa que condujese a la dispersión de los negros en un subproletariado semejante en muchos aspectos a un grupo étnico desfavorecido —lengua diferente, resultados escolares mediocres, etcétera—, simplemente porque no existe un grupo receptor de esas características. El sistema antropológico igualitario define al obrero francés como una variante accidental del hombre universal y exige que hable la lengua de todos y no una jerigonza diferente en el vocabulario y la sintaxis. Por el momento, es imposible decir con absoluta certeza, a partir de la observación directa de los hechos, cuál será el destino en Francia de los inmigrantes de color, porque el proceso de asimilación o de segregación de un grupo inmigrado cualquiera tarda dos o tres generaciones en perfilarse, mientras que la llegada al corazón de Francia de las poblaciones antillana y africana es un fenómeno reciente. Pero los pocos elementos de los que disponemos sugieren que las evoluciones francesa y anglosajona difieren ya notablemente.

Que no exista segregación racial no quiere decir que no existan problemas sociales. Algunos grupos africanos inmigrados, de los que los malíes son el ejemplo más claro y cuantitativamente más importante, se distinguen de la población receptora tanto por el color como por el sistema antropológico. La cultura puede producir dificultades de adaptación a la sociedad postindustrial que no tienen nada que ver con las concepciones, raciales o no raciales, de la sociedad receptora. Cuando se trabaja sobre el destino de las poblaciones negras, el paso de la diferencia física a la diferencia cultural no es un deslizamiento menor. En efecto, el análisis antropológico revela la heterogeneidad cultural de las poblaciones negras establecidas en Francia. Analizar la

Antillanos, asiáticos y africanos en Francia				
	1968	1975	1982	1990
Nacidos en los DOM-TOM	91.468	172.165	282.300	339.600
Camboyanos, laosianos y vietnamitas	11.368	17.505	104.188	112.915
Africanos negros francófonos *	28 000	70.320	127.332	176.745
de los cuales, malíes	6556	12.530	24.268	37.693
senegaleses	5688	14.920	32.336	43.692
de Costa de Marfil	1832	6645	12.564	16.711
cameruneses	2940	8275	15.152	18.037
congoleños	1172	3435	8940	12.755

* No se incluyen los procedentes de Zaire y Mauricio.

diversidad de las estructuras familiares o antropológicas en la inmigración negra es asociar *un* color a *varios* comportamientos y, en consecuencia, salir de la problemática del diferencialismo racial. Obstinarse en no ver más que una inmigración «negra» es, por el contrario, ceder al *a priori* fundamental del diferencialismo racial. La oposición entre las culturas antillana y africana es evidente, pero la diversidad de los grupos africanos no siempre es percibida por los especialistas, que en general se interesan más por la inmigración malí, que plantea problemas, que por la camerunesa, que no plantea ninguno. Sin hacer un análisis detallado de todos los sistemas antropológicos africanos, insistiré al final de este capítulo en la oposición, arquetípica, entre los sistemas antropológicos soninké (Malí, Senegal y Mauritania) y bamileké (Camerún) para explicar la existencia de modelos diferentes de integración de los inmigrantes africanos en la sociedad francesa. El comunitarismo soninké y la familia matriz bamileké producen efectos sociales muy diferentes.

En las Antillas: las ambigüedades de la exogamia racial

En la metrópoli, el contacto entre poblaciones blancas y negras es un fenómeno reciente, que no ha alcanzado importancia cuantitativa hasta hace apenas quince años. Pero en las Antillas, el contacto entre europeos y africanos comienza a finales del siglo XVII y en las peores condiciones, puesto que lo provoca el desarrollo de la economía de las plantaciones y de la esclavitud. Sin embargo, de ese contacto colonial que se extiende a lo largo de tres siglos, podemos extraer algunas enseñanzas fundamentales, particularmente en lo referente a la especificidad de las actitudes francesa e inglesa frente a las cuestiones raciales. La existencia de múltiples microsociedades insulares, de origen francés, inglés, español u holandés, nacidas de un mismo proyecto económico esclavista, hace que las Antillas sean un campo de observación comparativo natural.[5] El sistema de plantación ha producido, en todas partes, la aparición de una sociedad simultáneamente dividida por la organización económica y por la raza, oponiendo esclavos negros a dueños blancos. Pero en esas islas, la diversidad de las actitudes europeas ha definido tipos de relaciones entre negros y blancos muy diferentes. El punto de partida siempre es el mismo: una explotación feroz y sin piedad de la mano de obra africana que provoca tasas de mortalidad elevadísimas. Pero a partir del siglo XVIII, y sin que por ello se suavice la mortífera explotación de los negros, se constata que las relaciones concretas entre dueños y esclavos no son exactamente las mismas en las colonias francesas que en las inglesas. La propensión de los colonos franceses a tener relaciones sexuales con las mujeres negras parece superior a la de sus homólogos ingleses. La diferencia puede medirse: las relaciones sexuales producen hijos mulatos que sus padres y dueños blancos tienen tendencia a liberar. La liberación de esclavos puede tener otras causas, pero el número de «libres de color», que varía de una isla a otra, depende en gran medida de la propensión de cada microsociedad a producir mulatos, lo que permite evaluar, aproximadamente, una· especie de nivel de estanqueidad racial. En 1789, en Jamaica, del lado inglés, hay 18 libertos por cada cien blancos, y en Santo Domingo, del lado francés, 89.[6] En esa época, Santo Domingo es, con mucho, la más importante de las posesiones francesas y, por eso mismo, la más significativa. Pero también hay que señalar cierta heterogeneidad en las tasas de libertos en las Antillas francesas, puesto que la de Martinica, en la misma época, sólo es de 49 % y la de Guadalupe de 22, muy cercana a la tasa de Jamaica. No todas las relaciones sexuales entre negros y blancos son extraconyugales e ilícitas en Santo Domingo. Disponemos de una estimación del número de matrimonios interraciales, en tres parroquias, por periodos decenales, de 1710 a 1790, que se refieren mayoritariamente a blancos pobres: la frecuencia de matrimonios mixtos es, en general, estable, con una media de índices decenales del orden del 16%.[7] Decididamente, la raza blanca no parece muy hermética en esa posesión francesa.

Sin embargo, los franceses de las Antillas nunca han tenido la reputación de indeferentismo racial que tienen los españoles o los portugueses. Ocupan una posición intermedia entre esos católicos, latinos absolutos, y los calvinistas anglo-holandeses: aunque normalmente son capaces de mezclarse, a veces también lo son de replegarse. La isla de San Bartolomé representa, aún hoy en día, el ejemplo tipo de una población francesa de origen que practica, desde el siglo XVIII, una endogamia racial a rajatabla que no tiene nada que envidiar al mundo anglosajón en cuanto al grado de hermetismo.[8] El grupo beké de Martinica, con sus estratos superpuestos, diferenciados por el nivel económico, era hasta hace muy poco otro ejemplo de endogamia, étnica y racial, puesto que los bekés no apreciaban el matrimonio con blancos de la metrópoli.[9] La diversidad de las proporciones de personas de color libres censadas en las diferentes islas francesas a finales del siglo XVIII sugiere, por sí sola, la heterogeneidad de los comportamientos franceses, que se remite a la heterogeneidad antropológica de la propia Francia, capaz de utilizar en sus empresas coloniales las poblaciones universalistas o diferencialistas, separadas o mezcladas. Al contrario de Canadá, proyección colonial de la cultura matriz periférica, o al contrario de Argelia, proyección colonial de la cultura individualista igualitaria, las Antillas mezclan poblaciones francesas procedentes de los dos universos fundamentales que constituyen la metrópoli. El papel de los puertos de Burdeos y de Nantes en el comercio y en la trata, asegura la preponderancia numérica de las poblaciones del oeste, de tradición diferencialista. Pero las demás regiones están ampliamente representadas y la capacidad de expansión del individualismo igualitario garantiza el equilibrio de ambos temperamentos.

A diferencia de lo que puede observarse en Quebec, el catolicismo sobrevive mal en las Antillas, cuya sociedad móvil, inestable y muy deficitaria en mujeres, debe definirse como laica y de débil práctica religiosa, ya desde el siglo XVIII.[10] Seguramente no sería muy difícil asociar los niveles de apertura o de cerrazón racial de los grupos franceses de las Antillas con las relaciones de fuerza locales entre las mentalidades individualista igualitaria y matriz. La gente de San Bartolomé es oriunda de Vendée, grupo regional con poco apego a los principios igualitarios y hostil a la Revolución. Su endogamia racial, en el contexto general del mundo francófono antillano, que no consigue tomarse la pureza racial demasiado en serio, se apoya, como la de los bekés, en la persistencia de un sistema familiar autoritario capaz de someter a los hijos a su disciplina.[11]

No existe una única actitud francesa en las Antillas, sino varias, que fragmentan a las poblaciones y disocian hasta los individuos.[12] Los franceses de las Antillas coloniales son capaces de elaborar un discurso radical de justificación de la esclavitud, asociando la inferioridad cultural y económica de los negros con una especificidad biológica, producto doctrinal cuyo ritmo parece acelerarse en el Santo Domingo del siglo XVIII, eso sí, en paralelo con el aumento del número de mulatos.[13] Los franceses, excepción hecha de algunos grupos específicos, parecen incapaces de vivir en la práctica las teorías de pureza de sangre producidas en el siglo XVIII. Los más ricos no se abstienen de tener relaciones sexuales con sus esclavos y con frecuencia liberan a los niños que nacen de esas licencias. Los blancos más pobres se casan con mujeres de color libres. Las teorías raciales proliferan, pero la segregación funciona mal. Se tiene la impresión de que, en esas Antillas francesas del siglo XVIII, la situación es exactamente la inversa de la que caracteriza hoy a Estados Unidos, en donde triunfa una teoría de la igualdad racial junto a una segregación objetiva cuya inflexión es mínima. La actitud francesa frente al problema racial no siempre es sencilla, pero nunca es la de los americanos. Y tampoco la de los ingleses.

Para los jamaicanos que llegan a Inglaterra entre 1946 y 1962, igual que para los guadalupanos y martiniqueses que se asientan en la Francia metropolitana entre 1968 y 1990, la llegada a Europa representa una segunda confrontación con el prejuicio o con la ausencia de prejuicio racial blanco. Ese nuevo episodio debe ser estudiado empíricamente, con ayuda de datos estadísticos precisos. Pero la observación, en el cuadro colonial antiguo, de actitudes inglesas y francesas distintas, en un mismo contexto económico esclavista, deja prever la existencia de dos modelos distintos de integración de las poblaciones de origen antillano en las sociedades industriales o postindustriales inglesa y francesa.

Una inmigración poco generadora de ansia

Los guadalupanos y los martiniqueses que se asientan en la metrópoli son ciudadanos franceses. Eligen diputados al parlamento desde 1848, puesto que la concesión del sufragio universal coincide en su caso con la abolición definitiva de la esclavitud por la Segunda República. A pesar de todo, sin un previo examen no podemos deducir de la igualdad de los status que no existan problemas: el ejemplo norteamericano muestra con suficiente claridad la impotencia de la ley para abolir las distinciones raciales cuando éstas están enraizadas en las costumbres. No obstante, no hay demasiado que decir sobre las reacciones colectivas de la metrópoli frente a la inmigración de ciudadanos de color, de franceses exóticos que llegan de regiones subtropicales.

En este caso, la flema francesa contrasta curiosamente con la emotividad inglesa en el momento de la llegada de los jamaicanos. Sin duda, la aparición de un número creciente de personas de color en las calles de París ha provocado muchas reacciones individuales estúpidas, pero no parece haber desencadenado una ansiedad colectiva en la población indígena blanca. El asentamiento en Île-de-France de gentes de color no ha provocado algaradas del tipo de las que se produjeron en Inglaterra en 1948, 1949, 1954 y 1958. Sin embargo, los franceses son capaces de auténtica violencia que, a diferencia de los arrebatos ingleses, puede producir muertos. Pero dejan sus desahogos, tanto en la calle como en las respuestas a las encuestas, para los magrebíes blancos. Las víctimas de los incidentes étnicos de 1973 en Grasse y en Marsella son los argelinos.[14] En esa fecha, y después, los negros no parecen ser capaces de centrar la atención de los franceses de la metrópoli. Esa indiferencia de la metrópoli ante la inmigración antillana es tanto más notable cuanto que cronológicamente se inscribe en un periodo económico difícil: guadalupanos y martiniqueses se incorporan a un mercado de trabajo problemático, en el contexto de un inquietante crecimiento del paro. La ansiedad inglesa frente a los jamaicanos había empezado a manifestarse en un periodo de pleno empleo, en el que no había que temer ninguna competencia. Es difícil encontrar un ejemplo más claro del predominio del factor antropológico sobre el factor económico en la determinación de las actitudes raciales o no raciales. El índice de matrimonios mixtos de los guadalupanos y de los martiniqueses con la población metropolitana es elevado. Entre los hombres censados en 1990 en la metrópoli, nacidos en las Antillas y que vivían en pareja, el 36% de los martiniqueses y el 32% de los guadalupanos tenía una esposa o una compañera nacida en la metrópoli. Entre las mujeres censadas en 1990, nacidas en las Antillas y que vivían en pareja, el 23% de las martiniquesas y el 22% de las guadalupanas tenía un marido o un compañero nacido en la metrópoli.[15] De esas cifras no podemos deducir índices de exogamia racial a la norteamericana, porque algunos de los «nacidos en las Antillas» son «blancos», a pesar de que la proporción de individuos clasificables como tales, según una conceptualización de tipo americano, no parece superar el 5 o el 10% en las Antillas francesas. Además, los cónyuges nacidos en la metrópoli pueden en teoría ser «negros», nacidos en la Francia continental de padres antillanos o africanos: el hecho de que la inmigración negra sea muy reciente hace que los potenciales cónyuges negros no puedan ser muy numerosos. Esas reservas nos impiden llegar a cualquier conclusión definitiva sobre el nivel real de exogamia racial. Pero es bastante probable que el índice de intercambios matrimoniales entre antillanos negros y metropolitanos blancos sea bastante elevado. Hacia 1985-1987, el índice de intercambios matrimoniales con «blancos» de los jamaicanos nacidos fuera de Inglaterra era del 18% en el caso de los hombres y del 13% en el de las mujeres, dos proporciones que no son nada despreciables.[16] No tendría nada de extraño descubrir, en el siglo XX como en el siglo XVIII, una propensión aún más acentuada de los franceses a no respetar la ficción de las barreras raciales.

El sistema antropológico antillano

La emigración de los guadalupanos y de los martiniqueses a la metrópoli es un fenómeno reciente, de manera que la comparación con

311

el proceso de integración de los jamaicanos en Inglaterra no puede, por el momento, llevarse a término. Todavía no hay en Francia una segunda generación, nacida en la metrópoli y adulta, cuyo destino podamos comparar con el de sus homólogos británicos. De todas formas, ya es evidente que la llegada a la metrópoli de franceses de piel oscura no ha provocado el tipo de reacciones fóbicas observadas en Inglaterra. Interpretar esa diferencia de comportamiento no es demasiado difícil. Para el sistema cultural dominante en Francia, el de la Cuenca de París, donde se establece la inmensa mayoría de los antillanos, la equivalencia de los hombres es un *a priori* metafísico. *La existencia de hombres de apariencia física diferente no plantea ningún problema particular si su sistema antropológico es compatible con el fondo común mínimo, bilateral y exógamo, que marca para los franceses del centro, los límites prácticos de lo aceptable.* Pues bien, el sistema antropológico antillano presenta un elevado nivel de compatibilidad con el de la Cuenca de París. Francófonos, cristianos de tradición predominantemente laica, alfabetizados casi en un 100%, los antillanos de la metrópoli son, como los jamaicanos de Inglaterra, portadores de un sistema familiar exógamo, *nuclear con inflexión matriarcal.* Ya desde la época de la esclavitud, la frecuencia de los matrimonios entre primos es insignificante.[17] El análisis de los censos martiniqués, guadalupano y jamaicano pone de manifiesto el predominio de las familias nucleares, puesto que entre el 60 y el 70% de los grupos domésticos está constituido únicamente por una pareja, casada o no, y sus hijos. El examen de las historias de vida revela cierta fragilidad conyugal que se manifiesta por uniones en serie y, a veces, por la cohabitación, en los hogares nucleares, de hijos de padres diferentes. En un momento dado, entre el 20 y el 25% de las familias censadas es monoparental, constituida por una mujer aislada y sus hijos. A veces, a esas familias monoparentales se les añade la madre de la mujer. La coexistencia en el hogar de tres generaciones, es decir, la asociación de una mujer, su o sus hijas y sus nietos, sin hombres, ha hecho pensar a algunos autores en una organización matrifocal de la familia antillana. Pero Yves Charbit ha demostrado el carácter muy minoritario de esas organizaciones domésticas complejas.[18]

A pesar de todo, la noción de matriarcado está lejos de ser absurda. La preeminente situación de las mujeres en la organización familiar y social en las Antillas, se manifiesta con frecuencia por una superioridad cultural, por índices de alfabetización superiores a los de los hombres. Ese fenómeno, muy raro en el conjunto del planeta y que no es característico de las sociedades matrilineales de Africa, del sur de la India o de Sumatra, puede por el contrario observarse en varias sociedades marcadas por la esclavitud y el régimen de la plantación, tanto en Jamaica como en Martinica o en Guadalupe. Hoy en día, el fenómeno es residual: en 1982, el 92% de los hombres de más de quince años estaba alfabetizado en Martinica, y el 93,6% de las mujeres.[19] En Guadalupe, un poco más atrasada, las cifras equivalentes son 89,6% y 90,4%. Esa situación privilegiada de las mujeres hace difícil evaluar el nivel real de igualitarismo en las relaciones entre hermanos.

En resumen, la cultura antillana no es bilateral, puesto que el análisis revela un predominio latente de la madre y su ascendencia. Pero, entre 1968 y 1990, ese sistema antropológico se encuentra en la región de París con un modelo familiar nuclear igualitario en plena evolución, que parece ir a su encuentro. En Francia, la emancipación de la mujer, el aumento del número de divorcios y la progresión del número de familias monoparentales acercan curiosamente las costumbres metropolitanas a la tradición antillana, aunque en la metrópoli, en 1990, la proporción de familias monoparentales sólo sea del 12%.[20] En el plano escolar, uno de los fenómenos llamativos de los años 1968-1990, tanto en la región de París como en provincias, es la tendencia de las chicas a obtener mejores resultados que los chicos en los estudios secundarios y a acabar el bachillerato en mayor proporción. Esa evolución manifiesta, al igual que el índice de alfabetización femenina de las Antillas, una inflexión matriarcal del sistema parental.

La compatibilidad de los sistemas francés *nuclear igualitario* y antillano *nuclear con inflexión matriarcal* no excluye que, al principio, existan algunos desfases de comportamiento derivados de la gran diferencia de niveles de desarrollo existente entre las Antillas y la metrópoli. En 1967, cuando empieza a tomar cuerpo el movimiento migratorio antillano, el índice de fecundidad de Martinica es todavía de 5,1 hijos por mujer y el de Guadalupe de 5,3, mientras el de la metrópoli es entonces de 2,7. Pero la adaptación al nivel francés de fecundidad resulta fácil, porque la población de las islas entra en transición demográfica. En 1993, el índice de fecundidad de Martinica no es ya más que de 2,0, y el de Guadalupe de 2,2.

Todas las diferencias de costumbres que caracterizan a las poblaciones inmigradas de las Antillas pueden ser implícitamente catalogadas por el temperamento universalista de la Cuenca de París como pequeñas diferencias. La distancia entre las estructuras familiares antillana y picarda no es mayor que la que separa a los habitantes de Picardía de los de Auvernia. Las poblaciones portadoras de una certidumbre metafísica *a priori* igualitaria no pueden sentirse incómodas mucho tiempo ante la llegada de poblaciones de apariencia física ciertamente diferente, pero no menos comprensibles en su comportamiento. Por el contrario, en Inglaterra la metafísica diferencialista engendra un sentimiento de inseguridad en la población receptora si hombres diferentes en su apariencia física no lo son mucho en su comportamiento. Y es que, por el mero hecho de existir, contradicen un *a priori* del sistema cultural.

Es todavía demasiado pronto para afirmar que la asimilación de los antillanos a la sociedad francesa se realizará sin problemas. La integración económica de los inmigrantes ha sido facilitada por el hecho de que muchos han encontrado trabajo en la función pública, gracias a que el status de ciudadano da a los guadalupanos y a los martiniqueses una importante ventaja sobre las otras categorías de inmigrantes que se instalan en Francia durante el mismo periodo. Esa predilección por el funcionariado no deja de recordar a la gente del sudoeste, gran cantera de empleados de correos y de profesores. Sin duda, los hijos de los inmigrantes antillanos no dispondrán del mismo acceso preferencial a la función pública, en el contexto de un mercado de trabajo que continúa con problemas. Pero, por el momento, hay pocos elementos objetivos que permitan pintar un cuadro negativo y profetizar el desarrollo de una alienación «negra» de tipo anglosajón, que desemboque, como por ejemplo en Inglaterra, en un aumento radical del número de familias monoparentales que pasen del 25 al 45%, o de matrimonios mixtos que impliquen una disolución en el subproletariado más que una asimilación a la sociedad francesa en su conjunto. Una vez más, la situación inglesa y la francesa no son estrictamente comparables, porque existe un considerable desfase cronológico. No es posible definir un comportamiento tipo de la segunda generación antillana en Francia, pero debemos comprobar que hacia 1990 no existe síntoma inquietante perceptible de ningún tipo, ni en el plano de trabajo, ni en el de la vida familiar. El índice de paro de los hombres y de las mujeres nacidos en ultramar y residentes en la metrópoli prácticamente no ha aumentado entre 1982 y 1990, periodo en el que ha pasado del 12,7 al 12,8%, a pesar de la general degradación del empleo que ha perjudicado a la mayoría de los otros grupos, extranjeros o franceses.[21] Si en 1982 los franceses de ultramar asentados en la metrópoli se parecían mucho, por el índice de paro, a los inmigrantes extranjeros, en 1990, y según el mismo criterio, se parecen sobre todo a los franceses. La proporción de familias monoparentales en el grupo de las personas nacidas en los departamentos de ultramar que viven en la metrópoli era, en 1990, del 23%, exactamente igual a la que podía observarse en Guadalupe, en Martinica, o en el estrato socioprofesional receptor metropolitano, puesto que en el medio de los empleados se da una alta frecuencia de madres aisladas.[22]

La inmigración asiática

El asentamiento de trabajadores llegados del sudeste asiático —vietnamitas, camboyanos, laosianos y chinos— y de sus familias, no ha provocado en Francia la tensión que provocó, entre 1850 y 1950, la inmigración china y japonesa en Estados Unidos. Sería inútil buscar en la historia del contacto franco-vietnamita o franco-chino actitudes fóbicas parecidas a las de los americanos, que ponen de manifiesto la satanización de los «hombrecillos de piel amarilla y ojos rasgados».

Satanización temporal: el análisis de los matrimonios mixtos de los años 1950-1990 muestra que las poblaciones blancas de Estados Unidos han acabado por superar su miedo inicial. Los franceses, por su parte, se han contentado con considerar normales a unos individuos de apariencia física un poco diferente, pero portadores, en el momento del primer contacto, de una civilización tan antigua como las del Mediterráneo o del Oriente Medio. En el caso de los negros de Africa, cuyas civilizaciones eran simples y carecían de sistema de escritura, la esencia humana del grupo debía revelarse progresivamente: por la alfabetización en lengua francesa, por el matrimonio y la concepción de hijos mulatos. En el caso de los asiáticos, esa demostración a fuerza de un prolongado contacto era innecesaria, puesto que la humanidad del grupo era, a pesar de la diferencia física, inmediatamente perceptible. Los propios inmigrantes llegados del sudeste asiático admiten que han sido bien recibidos en Francia. Las reacciones francesas ante un libro como *El amante*, de Marguerite Duras, que cuenta la historia de la relación entre una joven europea y un chino en la Indochina colonial, son reveladoras de una actitud positiva general. En este caso, la dimensión racial no hace más que añadir una pequeña diferencia a la pequeña diferencia que ya existe entre hombres y mujeres. La tranquilidad francesa en caso de relaciones sexuales «interraciales» siempre contrasta agradablemente con el serio debate interior y social que inevitablemente provoca en Estados Unidos un encuentro físico entre individuos categorizados como diferentes. En pocas palabras: Francia no tiene una actitud particular respecto a lo que antiguamente se llamaba la «raza amarilla».

La indiferencia ante la noción de raza no implica una actitud absolutamente positiva frente al grupo étnico que, dejando de lado su apariencia física, puede ser caracterizado por ciertos rasgos culturales que son percibidos como problemáticos. Un sondeo de opinión ya citado detecta un índice de antipatía hacia los asiáticos del 18% en noviembre de 1992, muy inferior al 41% de los magrebíes, pero superior al 12% de los antillanos y asombrosamente próximo al 19% de los judíos.[23] La proximidad no es fortuita. Igual que los hijos de familias judías en trance de asimilación, los hijos e hijas de inmigrantes asiáticos se distinguen, tanto en Francia como en Estados Unidos, por una grandísima eficacia adaptativa que combina altas calificaciones escolares con una rápida penetración en las clases medias. El éxito de los hijos de los inmigrantes, tanto en el actual caso de los asiáticos como antes en el de los judíos, no debe hacernos olvidar las dificultades de la primera generación en Francia. El índice de paro de los hombres

315

de nacionalidad vietnamita, camboyana o laosiana era del 21,3% en 1990, muy cercano al de los magrebíes, que por entonces alcanzaba el 22%, y muy superior al de los hombres guadalupanos, del 10,7%, o al de los martiniqueses, del 9,1%. No hay proceso migratorio indoloro, y el de los asiáticos no es una excepción.

Cuando uno examina los resultados escolares de los hijos de los inmigrantes de diferentes nacionalidades en las escuelas, colegios e institutos franceses, se da cuenta de que la variable étnica existe, pero en tono menor, y de que en la mayoría de los casos la categoría socioprofesional de los padres es un determinante mucho más poderoso del nivel de éxito de los hijos. Así, los resultados escolares de los hijos de inmigrantes magrebíes son ligerísimamente inferiores a los de los hijos de obreros franceses, mientras que la distancia realmente significativa es la que separa los resultados de los hijos de obreros franceses de los de hijos de las clases medias francesas. Sólo en el caso de los hijos de inmigrantes del sudeste asiático llega el criterio étnico a borrar el criterio de clase como determinante. Una encuesta realizada en 1977 y 1978, en los institutos de enseñanza media y en los colegios, arrojaba un 59% de alumnos con resultados calificados como «buenos o excelentes» entre los vietnamitas, camboyanos y laosianos, frente a un 28% entre los argelinos, 29% entre los marroquíes, 26% entre los tunecinos, 30% entre los portugueses, 32% entre los franceses de ultramar y 38% entre los africanos. Si en lugar de fijarnos en la nacionalidad nos fijamos en la extracción social, obtendremos un índice de resultados buenos o excelentes del 30% entre los hijos de obreros especializados, 33% entre los de obreros cualificados, 36% entre los de empleados, 44% entre los de cargos intermedios y 59% entre los de cargos superiores.[24] Dado que el índice de éxito escolar de los hijos de cargos superiores extranjeros es muy parecido al de los hijos de los cargos superiores franceses, tenemos que concluir que el índice de éxito escolar de los hijos de los inmigrantes del sudeste asiático, que en su mayoría son hijos de obreros o de empleados, es equivalente al de los hijos de cargos superiores de todas las nacionalidades. Podemos hablar aquí de un predominio del factor étnico sobre el factor de clase, a pesar de que los especialistas consideran que los resultados escolares de los hijos de los inmigrantes asiáticos que llegaron en los años ochenta, peor arropados por familias que con frecuencia han sido desorganizadas por la guerra, están empeorando. Al acabar la enseñanza media y pasar a los estudios superiores, eligen preferentemente una formación científica. Las profesiones que escogen con mayor frecuencia son las de médico, farmacéutico, dentista e informático.[25] La segunda generación accede muy frecuentemente, por tanto, a la clase media.

Ya se trate de excelentes resultados escolares o de integración en la clase media, el conjunto de la trayectoria recuerda a la de los judíos tras la salida del gueto. No obstante, podemos detectar algunas diferencias secundarias con los judíos, la más importante de las cuales es la elección casi exclusiva de profesiones de dominante científica y técnica, que implica cierto grado de rechazo de formaciones intelectuales más «liberales», como las humanidades, el derecho o las ciencias sociales. La tradición educativa confuciana insiste en la memorización y la disciplina mental, y no fomenta el espíritu del libre examen, como hace la tradición judía. Pero tanto en el caso de los asiáticos como en el de los judíos, una estructura familiar fuerte, que hace hincapié en la importancia de la educación, explica la buena adaptación al sistema escolar francés.

La diversidad de nacionalidades asiáticas oculta cierta homogeneidad de sus estructuras familiares. En primer lugar porque la mayoría de los camboyanos y de los laosianos, además de buen número de vietnamitas refugiados en Francia, provienen en realidad de las minorías chinas de esos países y por tanto son, en el plano antropológico, especímenes del modelo chino del sur, como toda la gente de Hong Kong, de Singapur, de Taiwan y de las provincias Guangdong y Fukien en China continental.[26] En segundo lugar, porque los sistemas familiares tradicionales vietnamita y chino del sur están muy próximos entre sí, y son claramente diferentes del sistema dominante en China central. Se trata de una variedad comunitaria que, sin embargo, conserva la huella de una antigua estructura matriz. En un contexto tradicional, el sistema asocia idealmente a un padre y a sus hijos casados. El matrimonio es exógamo: aunque en teoría acepta ciertas uniones consanguíneas, en la práctica se registra un número muy pequeño de matrimonios entre primos. Las reglas de herencia son igualitarias aunque quedan algunos privilegios para el primogénito, particularmente en lo que al culto a los antepasados se refiere. El status de las mujeres en el sur de China y en Vietnam es muy superior al de la China central.[27] En el caso de Vietnam, en particular, la preeminencia del hombre, que es real en un sistema oficialmente patrilineal, no impide ciertas formas de igualitarismo en las relaciones entre los sexos, como la escasa diferencia de edades entre los esposos. Según el censo vietnamita de 1989, la edad media en el momento de la primera unión era de 24,5 años para los varones y de 23,2 para las mujeres, de forma que la diferencia media de edad entre los esposos apenas llegaba a 1,3 años. Ese sistema familiar, que arropa sólidamente a los hijos sin encerrar demasiado a las mujeres, ha permitido a las sociedades locales no inmigradas un apreciable desarrollo cultural. En el Guangdong, en 1987, el 80% de los habitantes sabía leer, frente a una media china del 74%.[28] En Vietnam, la proporción de la población que sabe leer y escribir, según un sistema alfabético más que ideográfico, alcanzaba el 88% en 1989.

El análisis antropológico permite entender las actitudes francesas frente a las poblaciones asiáticas inmigradas, sin que sea necesario echar mano de la noción de raza. En teoría, los sistemas vietnamita y chino del sur, formalmente patrilineales y exógamos, quedan, a causa de la primera de esas características, fuera del fondo común mínimo, bilateral y exógamo, que define la esfera de aceptabilidad implícita en Francia. Pero, en la práctica, la inflexión de esos sistemas en un sentido favorable a las mujeres los hace compatibles con la tradición francesa central, e integrables como portadores tan sólo de pequeñas diferencias. Después de todo, un sistema comunitario, patrilineal y exógamo, era característico de ciertas poblaciones del Lemosín, de la Marche y de Berry, sin que eso haya puesto en peligro la unidad francesa. El modo de vida de las familias asiáticas resulta globalmente normal y aceptable.

Sin embargo, aunque débil, se advierte cierto nivel de hostilidad. El hecho de que en el distrito XIII de París exista un barrio chino parece violar una de las reglas fundamentales del individualismo igualitario francés, que acepta individuos de todos los orígenes y se acomoda con frecuencia a comportamientos familiares que no son forzosamente individualistas, pero que jamás acepta la comunitarización de las poblaciones inmigradas. Es necesario distinguir aquí entre los vietnamitas, algunos de los cuales están asociados a la cultura francesa desde hace mucho tiempo y se dispersan rápidamente en la sociedad receptora a través del matrimonio mixto, y los chinos, cuya resistencia a la asimilación parece más fuerte.[29] El carácter muy reciente de la inmigración china en Francia nos impide considerar definitiva la existencia de un grupo étnico cuya separación, por otra parte, parece muy relativa, puesto que acepta sin ninguna dificultad la escolarización de sus hijos en el sistema público francés. La duración de un proceso de asimilación, o de establecimiento de una barrera de segregación, no se mide en años, sino en generaciones.

En el caso de los chinos de la región de París, presentes desde hace tres lustros, los datos empíricos inmediatos no pueden permitir una predicción razonable. El modelo general desarrollado en este libro propone dos hipótesis fundamentales. La primera es la del predominio de la sociedad receptora en la imposición de una norma de asimilación o de segregación; la segunda hipótesis asigna un papel importante, aunque secundario, al sistema antropológico del que es portador el grupo inmigrado, que define el tipo de adaptación socioeconómica y la duración del proceso de fusión matrimonial. Ese modelo permite, en la situación actual, efectuar algunas predicciones respecto a la trayectoria de los inmigrantes chinos. Francia debería lograr sin demasiadas dificultades imponer sus normas universalistas. Pero puede preverse un proceso de asimilación que durará tres generaciones y que planteará pocos problemas económicos, teniendo en cuenta la eficacia de la estructura familiar originaria.

Algunos rasgos antropológicos son comunes a la mayor parte de los pueblos que viven en el Africa negra. El más evidente es la poligamia, que en ninguna otra parte del mundo se encuentra realizada con tal frecuencia y a tal escala. Si pensamos en términos de grandes zonas culturales, sólo la cristiana Europa es radicalmente monógama, mientras la mayoría de las civilizaciones tradicionales del globo aceptan o toleran el matrimonio plural. No obstante, la posesión de varias esposas o concubinas aparece en ellas como privilegio de una reducida elite, de manera que la proporción de mujeres que viven en unión polígama no supera, en los casos más extremos, el 10% del total. En Africa, la proporción de mujeres casadas que viven en unión polígama varía aún hoy entre el 10 y el 50%. El matrimonio plural es aquí una norma estadísticamente realizada y cuya práctica condiciona todo el sistema demográfico y social. Para que, en un momento dado, el número de mujeres casadas sea suficientemente superior al de los hombres casados, es necesario que exista una diferencia de edad notable, de seis a doce años normalmente, entre los esposos. Ese resultado se obtiene imponiendo a los hombres una edad de matrimonio elevada, comprendida entre los veinticuatro y los treinta años, y a las mujeres una edad de matrimonio media o baja, comprendida entre los quince y los diecinueve años. En un medio rural tradicional, el mecanismo polígamo se inscribe en una arquitectura en general muy comunitarizada y estructurada por un principio unilineal, patrilineal casi siempre, matrilineal en algunas ocasiones. El individuo pertenece al grupo parental de su padre, o al de su madre. Ese grupo es colectivamente propietario de la tierra, que es atribuida a los individuos en función de sus necesidades. Por tanto, podemos describir a la mayor parte de los sistemas familiares africanos como antiindividualistas, colectivistas en el sentido antropológico, no ideológico, del término. En la ciudad, la organización comunitaria se debilita, aunque no desaparece, pero la poligamia se mantiene adaptándose. Ni la urbanización ni la religión cristiana han conseguido romper, por ahora, la tradición del matrimonio plural, como demuestra el hecho de que los pueblos católicos o protestantes que rodean el golfo de Guinea sigan siendo polígamos.

El común rasgo antropológico que es la poligamia no impide que existan importantes diferencias que segmentan Africa con tanta nitidez como las concepciones de autoridad y de igualdad segmentan Europa, por otro lado uniformemente monógama.[30]

El predominio general de la poligamia imposibilita clasificar *a priori* los sistemas antropológicos africanos entre los que conceden a la mujer un status elevado. Es difícil no asociar la imagen de un hombre con varias esposas a la idea de predominio masculino. La poligamia cotidiana, por oposición a la poligamia soñada por ciertos monógamos occidentales, está llena de ambigüedades. Es cierto que autoriza al hombre maduro a tomar una segunda esposa muy joven y a devolver así interés a su vida sexual, pero también le obliga a «heredar» esposas de su padre o de sus hermanos muertos, siguiendo un mecanismo que hace pensar más en una obligación de seguridad social que en un deseo de experimentación sexual. En teoría el hombre es central, en la práctica navega entre esas unidades fundamentales que son los *subgrupos madre-hijos* cuya yuxtaposición constituye la familia polígama. Una organización así implica un elevado grado de autonomía de las esposas, cuyo papel en la producción agrícola y en el intercambio mercantil casi siempre es importante en Africa. Allí no existe en parte alguna el enclaustramiento de las mujeres típico del mundo arábigo-musulmán, ni siquiera en los países y regiones fuertemente islamizados del norte. En el plano psicológico, la poligamia siempre crea en los niños una tensión latente entre la visión lejana del padre todopoderoso y la inmediata realidad de una madre omnipresente. Todos los sistemas parentales africanos, ya estén clasificados como patrilineales o como matrilineales, son, en un nivel psicológico profundo, bilineales, definidos por un enfrentamiento latente entre las filiaciones paterna y materna. Ese enfrentamiento no lleva en todas partes al mismo resultado. En ciertas regiones puede detectarse un claro predominio del principio patrilineal, manifiesto en un status de la mujer bastante bajo. En otras, un status de la mujer mucho más alto indica un equilibrio parental, paterno y materno, y a veces hasta un predominio del principio materno.

La cuestión del status de la mujer impone una visión dicotómica del Africa francófona, campo de análisis al que podemos limitarnos cuando nos interesamos por los comportamientos de los inmigrantes africanos en Francia. La descripción formal en función del carácter patrilineal o matrilineal de la estructura parental no basta para definir dos grupos de países africanos, distintos en su nivel de feminismo implícito, alto o bajo. Porque, aunque todos los sistemas «matrilineales» se sitúan en la zona en la que el status de la mujer es relativamente alto, en Guinea, en Costa de Marfil, en Gabón, en el Congo o en Zaire, los sistemas patrilineales deben clasificarse en dos grupos. Los que están situados en torno al golfo de Guinea son, en la práctica, mucho menos antifeministas que los del noroeste. En Malí, en Senegal y en Mauritania (donde conviven poblaciones «negras» y «moras»), el status de la mujer, considerado en relación con las normas africanas, es bastante bajo. En los países situados en torno al golfo de Guinea, aunque no sean ribereños —Guinea, Costa de Marfil, Togo, Benin, Burkina, Nigeria, Camerún, República Centro-Africana, Gabón, Congo y Zaire—, las mujeres son más independientes, están menos «controladas» por un sistema parental centrado en los varones, incluso cuando el sistema de filiación puede considerarse patrilineal. En cada uno de estos dos grupos hay que distinguir importantes matices, pero la distribución general en dos tipos no ofrece ninguna duda. Malí, Mauritania y Senegal son países muy islamizados, en donde la fuerza del principio patrilineal corre paralela a la penetración del ideal árabe de sumisión de la mujer. Pero la distribución de los sistemas parentales africanos según la fuerza del sistema patrilineal no está definida únicamente por la influencia del islam, a pesar de que los mapas coinciden con bastante exactitud. La pertinencia de la dicotomización que opone un Africa del noroeste, que podemos calificar como *patrilineal*, a un Africa del golfo de Guinea que a partir de ahora designaremos como *bilineal*, puede verificarse a partir de un sencillo dato sobre la inmigración africana en Francia: *la proporción de hijos naturales en relación con la nacionalidad de la madre, que mide bastante bien el grado de control que el grupo masculino ejerce sobre las mujeres.* Esa proporción es muy diferente según la procedencia de un tipo de país o de otro. El índice de hijos naturales de las mauritanas es del 1,9%; el de las malíes, del 3,9% y el de las senegalesas, del 7,7%. Ese sensible indicador permite captar un matiz de comportamiento entre la inmigración malí, casi exclusivamente de etnia soninké, absolutamente patrilineal, y la inmigración senegalesa, compuesta sobre todo por soninkés y «toucouleurs», dos pueblos cercanos en la geografía y en la patrilinealidad, pero también por algunos manjak y wolof, cuya organización parental presenta ciertos rasgos de bilinealidad.[31] Los índices de nacimientos de hijos naturales de mujeres procedentes de países dominados por sistemas antropológicos bilineales son mucho más altos y siempre superiores al 20%. Para las mujeres que llegan de países o de sistemas antropológicos matrilineales esos índices pueden alcanzar valores superiores a la media francesa, que en 1990 era del 30%: el 43% en el caso de las congoleñas y el 61,9% en el de las procedentes de Costa de Marfil. El sistema kongo es matrilineal en lo que concierne a la pertenencia al grupo parental, definido por la madre, pero patrilocal en lo que concierne a la residencia de los cónyuges, puesto que la mujer debe instalarse en el domicilio del marido. En Costa de Marfil, los sistemas akan, que distan mucho de ocupar todo el país, son abiertamente matrilineales, sin corrección patrilocal por el matrimonio: en el sistema tradicional, los cónyuges no tenían residencia común; el marido hacía visitas a su mujer y los hijos corrían al caer la tarde a través del pueblo para llevar a su padre los platos cocinados por la madre.[32] En rigor, en este punto el análisis antropológico debería pasar sistemáticamente de un análisis en términos de nacionalidad a un análisis en términos de etnia de origen, distinguiendo cuidadosamente los grupos infranacionales para establecer la relación entre su tipo de adaptación y su sistema antropológico tradicional. En efecto, los inmigrantes de una nacionalidad dada pocas veces son representativos de una «media nacional». Lo hemos visto en el caso de los soninké, que pueden aparecer indiferentemente con la etiqueta nacional malí o senegalesa. La mayor parte de las inmigraciones procedentes de los países que bordean el golfo de Guinea plantean problemas de ese tipo: muchas de las poblaciones situadas en el norte están influidas por el islam y presentan sesgos patrilineales, pero están poco representadas en la emigración a Francia porque están alejadas de los puertos y de las redes de comunicación con Europa. Los pueblos costeros, más europeizados, a menudo cristianizados, están sobrerrepresentados. Pero la diversidad antropológica también es considerable entre esos mismos pueblos ribereños.

No obstante, me contentaré con distinguir en Francia dos inmigraciones africanas, una «patrilineal» y otra «matrilineal», que no sólo se diferencian por el sistema antropológico de origen, sino también, casi siempre, por el nivel cultural. Malíes y senegaleses son en su inmensa mayoría trabajadores manuales poco cualificados y muy a menudo analfabetos. Los africanos procedentes del golfo de Guinea con frecuencia entran en Francia como estudiantes: aunque se vean obligados a aceptar un trabajo manual para quedarse en Francia, conservan su alto nivel cultural y pueden ser considerados globalmente como alfabetizados. Es posible calcular la proporción aproximada de estudiantes en cada grupo inmigrado:[33] 2% entre los malíes y 6% entre los mauritanos y los senegaleses. Para la mayor parte de las nacionalidades procedentes del golfo de Guinea, la proporción está comprendida entre el 18 y el 30%. Las únicas excepciones son las inmigraciones guineana y zaireña, que están próximas al grupo noroeste, con índices muy bajos de estudiantes, de 6 y 9% respectivamente.

El nivel cultural no deja de estar relacionado con el sistema parental. El bajo status de la mujer que caracteriza a Malí y, en menor medida, a Senegal es, en la propia Africa, un freno al desarrollo: ese bajo status explica que en esos países el índice de alfabetización y el número de estudiantes progresen más despacio. Hacia 1990, el índice de alfabetización de Malí tan sólo era del 19% y el del Senegal del 32%. En los países del Africa bilineal con un status de la mujer más elevado, las madres son más capaces de contribuir a la educación de los hijos, el índice de alfabetización progresa más aprisa y, como consecuencia, también lo hace el número de individuos capaces de realizar estudios superiores. No todos los países que rodean el golfo de Guinea son punteros en el plano cultural, puesto que un país como Togo tan sólo tiene un índice de alfabetización del 42% y Benin del 23%, es decir, no mucho más que Malí. Pero todos los países francófonos con un índice de alfabetización superior al 50% pertenecen al Africa del golfo de Guinea. Hacia 1990, el 54% de los habitantes de Costa de

Nacionalidad	Presentes en Francia en 1990	Número de nacimientos en 1990	Proporción de hijos naturales	Estudiantes en Francia en 1986-1987	Estudiantes/ población (por 100)	Indice global de fecundidad general × 30 (1990)
Costa de Marfil	16.711	958	62 %	3002	18	4,8
Gabón	3013	127	58 %	701	23	3,7
Africa C.	4059	144	51 %	807	20	3,7
Zaire	22.740	1275	49 %	2053	9	6,2
Benin	4304	167	46 %	1286	30	3,5
Camerún	18.037	560	43 %	4735	26	2,6
Congo	12.755	500	43 %	2827	22	3,9
Togo	6009	173	40 %	1415	24	2,8
Burkina	2280	68	28 %	653	29	3,2
Guinea	5853	449	24 %	349	6	8,9
Madagascar	8859	381	24 %	4003	45	2,9
Nigeria	1342	39	23 %	235	18	3,4
Chad	1418	42	10 %	300	21	3,5
Senegal	43.692	2497	8 %	2722	6	6,9
Malí	37.693	2692	4 %	592	2	10,3
Mauritania	6632	428	2 %	414	6	10,7

Marfil, el 57% de los del Congo y el 61% de los de Camerún sabía leer y escribir. Esa es la razón fundamental por la que, hacia 1990, los africanos procedentes de las sociedades bilineales constituían el 54% de los inmigrantes presentes en Francia, pero significaban el 85% de los registrados como estudiantes.

Estabilidad de los sistemas antropológicos patrilineales,
mutación de los sistemas bilineales

Con demasiada frecuencia, la estadística francesa presenta los resultados del censo o del registro civil que deberían permitir analizar el proceso de adaptación familiar y demográfica de los inmigrantes africanos bajo un único epígrafe: «nacionalidades del Africa negra francófona». Sin embargo, el análisis antropológico y cultural demuestra la necesidad de subdividir esa rúbrica en dos grupos cuando menos, «Africa patrilineal» y «Africa bilineal». El índice de fecundidad de las inmigrantes del conjunto del Africa negra francófona era en 1989-1990 de 4,8 hijos por mujer, cifra que hace pensar en un alineamiento con los comportamientos franceses mayoritarios, notable pero no concluido. En efecto, en esas fechas, los índices de fecundidad de los diversos países de origen están comprendidos entre 5,6 y 7,1, y no se atisba en el Africa negra francófona un inicio de transición demográfica capaz de llevar la natalidad a un nivel más bajo, del orden de 2 o 3 hijos por mujer. Unicamente Camerún presenta un modesto 11% de caída de la fecundidad entre 1978 y 1991. Por todo el resto de la región francófona, incluso en los países de alfabetización avanzada, la natalidad no desciende, hasta el punto de que resulta imposible no establecer una relación entre la poligamia y el mantenimiento de un elevado índice de fecundidad. Cada esposa sólo existe plenamente gracias a sus hijos: la competencia entre las mujeres impide que se establezca un proyecto familiar de control de la natalidad. Un índice de 4,8 hijos por mujer en el conjunto de las africanas de Francia representa, pues, en relación con las fecundidades de los países de origen, una caída notable, de entre el 15 y el 30% según los casos. No obstante, la estimación *según la nacionalidad detallada* de los índices de fecundidad general revela que el índice medio de 4,8 no corresponde concretamente a nada: las estimaciones por nacionalidad inmigrada se escalonan desde el 2,6, índice europeo a más no poder, hasta el 10,7, índice récord.[34]

Las inmigrantes originarias del Africa patrilineal se caracterizan por índices altísimos: 10,7 para las mauritanas, 10,3 para las malíes, 6,9 para las senegalesas. Esos índices, aunque en rigor no son comparables, son superiores a los índices sintéticos de fecundidad de los respectivos países de origen: 6,3 en Mauritania, 7,3 en Malí y 6,3 en Senegal. De entre las originarias de los países del Africa bilineal, sólo las guineanas (8,9) y las zaireñas (6,2) muestran unos índices tan elevados que significan en el fondo una transferencia sin modificaciones de los comportamientos originales. Para todos los demás orígenes, Camerún, Togo, Gabón o el Congo, los índices de fecundidad están comprendidos entre 2,6 y 3,9, y sugieren una rápida adaptación a los comportamientos franceses mayoritarios. Finalmente, sólo las mujeres de Costa de Marfil, procedentes de un país en donde las estructuras abiertamente matrilineales están fuertemente representadas, se alinean con el índice medio africano de 4,8. Una variable simple permite explicar, para cada nacionalidad, el índice de fecundidad de las africanas de Francia: el nivel cultural medido a través de la proporción de inmigrantes, hombres o mujeres, con estudios secundarios. El coeficiente de correlación que asocia la «proporción de estudiantes en el grupo» y la «fecundidad» es de -0,8, es decir muy alto. La elevada fecundidad de las guineanas y de las zaireñas se explica así por la baja proporción de estudiantes en esos grupos de inmigrantes, a pesar del carácter «bilineal» de los sistemas antropológicos de origen. Sólo la fecundidad de las mujeres originarias de Costa de Marfil parece discordante, demasiado elevada, teniendo en cuenta la gran proporción de estudiantes en el grupo: aparece aquí un efecto antropológico específico, probablemente ligado a las estructuras matrilineales de las poblaciones de origen akan. Si dejamos a un lado las nacionalidades guineana, zaireña y, por otras razones, la de Costa de Marfil, el análisis de la fecundidad revela la existencia de dos modelos africanos de adaptación a la sociedad francesa, diametralmente opuestos. Las poblaciones muy patrilineales y escasamente alfabetizadas caricaturizan en su comportamiento demográfico el país de origen. Las poblaciones de espíritu bilineal y muy alfabetizadas parecen saltar de golpe a la modernidad occidental. La fecundidad no es más que un indicador, revelador pero parcial. Las pocas monografías de campo de las que disponemos demuestran que la caída o el alza de los índices de fecundidad no es más que un aspecto entre otros del proceso de adaptación o de no adaptación a la sociedad receptora francesa.

En su estudio sobre los inmigrantes senegaleses del Havre, la mayoría de los cuales son «toucouleurs», próximos a los soninké, Albert Nicollet pone de relieve el mantenimiento de una poligamia cercana al 20 o el 25% de los hogares, cuya frecuencia está muy cerca de la propia de la sociedad de origen.[35] La inserción de una familia polígama en un bloque de pisos populares plantea problemas e implica, en sí misma, una desnaturalización de la institución. La manera de ocupar los pisos revela con frecuencia la persistencia de numerosos aspectos del modo de vida tradicional, uno de los cuales, la ausencia de mesa, es un marcador de primer orden del no alineamiento con las costumbres francesas mayoritarias.

Por el contrario, los congoleños del extrarradio de París optan, según el agudo análisis de Guy Boudimbou, por una inmediata adquisición de ese valor fundamental de la sociedad occidental que es la monogamia.[36] Esa opción no implica la desaparición de todos los rasgos de la gran familia africana, puesto que los hogares acogen con frecuencia a hermanos y hermanas, sobrinos y sobrinas. Pero el mobiliario de los pisos es el mismo que el de los hogares franceses de clase popular. La voluntad de asimilación no implica una inmediata conversión al conjunto de las costumbres de la sociedad receptora y, en particular, a los hábitos alimenticios o al bajo nivel de sociabilidad de los franceses. Pero todo ocurre como si el trasplante a Europa liquidase la poligamia, que en las clases medias de Brazaville es capaz de resistir a la educación y a la cristianización.

Como es lógico, tanto el mantenimiento de la poligamia como el paso a la monogamia tienen su reflejo en distintos tipos de relaciones matrimoniales con la sociedad receptora. Los grupos inmigrantes muy patrilineales, que a menudo son analfabetos y permanecen polígamos, tienen un bajo índice de exogamia. Las nacionalidades de espíritu bilineal, que están alfabetizadas y para las cuales el asentamiento en Francia supone la adopción de un régimen matrimonial monógamo, presentan, ya desde la primera generación inmigrada, índices nada despreciables de matrimonio mixto con la población receptora. El análisis por nacionalidades de los matrimonios mixtos para 1990 pone de manifiesto que malíes, senegaleses y mauritanos, que constituyen el 46% de los inmigrantes africanos en Francia, tan sólo aportan el 18% de los cónyuges que forman uniones mixtas. Las nacionalidades bilineales, que representan el 54% de los inmigrantes, participan en el 82% de los matrimonios mixtos. La escasa exogamia malí, mauritana y senegalesa tiene además un fuerte sesgo patrilineal, puesto que el 70% de los matrimonios mixtos asocia a un hombre africano con una mujer francesa. La exogamia de las nacionalidades africanas bilineales es mucho más equilibrada, como demuestra el hecho de que las alianzas entre un hombre francés y una mujer africana constituyen, en su caso, el 46% de las uniones.

A diferencia de lo que ocurre con los matrimonios del año celebrados en Francia, el análisis detallado de los nacimientos permite calcular el índice de exogamia global, con todas las reservas que hemos hecho más arriba.[37] La estadística francesa permite distinguir *según la nacionalidad de la madre*, los nacimientos de padres «malíes», «senegaleses» o de «otras nacionalidades africanas». La clasificación no es aquí un problema, porque separa las dos grandes nacionalidades patrilineales de todas las demás que, excepción hecha de la mauritana, son bilineales.[38] Pues bien, en 1990, el 2,1% de los niños nacidos de padre malí tenían madre francesa, frente al 6,2% de los niños nacidos de padre senegalés y al 16,7% de los nacidos de padre de otra nacionalidad africana. Estos resultados llaman la atención por su absoluta normalidad: para interpretarlos sobra cualquier referencia a la noción de color. Cuando los negros, malíes o, en menor medida, senegaleses, no saben leer y no se han distanciado de los valores fundamentales de un sistema antropológico polígamo, es raro que se casen con francesas. ¿Tiene algo de extraño? Cuando los negros de Costa de Marfil, cameruneses o congoleños (los datos no permiten diferenciarlos), adquieren cierto nivel de estudios y han abandonado los valores polígamos de sus sociedades de origen, se casan con francesas en una proporción normal para inmigrantes de primera generación. Tengamos presente que el índice de nacimientos mixtos de hijos de padres argelinos, cuyo asentamiento en Francia comenzó mucho antes, no era más que del 12,5% en 1975 y sólo alcanzó el 16 o 17% entre 1988 y 1989. El índice de nacimientos mixtos de padre portugués, del 10,5% en 1975 y del 16,3% en 1980, alcanzaba el 27% en 1990. Resumiendo, los africanos procedentes de sociedades bilineales con un índice de alfabetización alto tienen un comportamiento más exógamo que los argelinos y menos exógamo que los portugueses, cuyo sistema antropológico no es muy diferente del de Auvernia. Pero una vez más, en contexto francés, la componente cultural demuestra ser más determinante que la variable racial.

Dos países marcan los límites teóricos de la diversidad africana francófona, tanto en el plano del status de la mujer como en el del dinamismo cultural: Malí, muy atrasado, y Camerún, muy avanzado.[39] Sus emigrantes en Francia reflejan esa diferencia máxima. Frente a los trabajadores manuales malíes están los empleados y cuadros cameruneses, y frente al índice de fecundidad de 10,3 hijos por mujer de las malíes en Francia, está el de 2,6 de las camerunesas. Esos comportamientos son el resultado de dinámicas culturales desiguales, derivadas a su vez de estructuras antropológicas específicas. En el caso de los malíes de Francia, el análisis del sistema antropológico soninké es suficiente para explicar su comportamiento. La inmigración camerunesa en Francia es mucho más heterogénea, puesto que al proceder en su mayoría del sur del país, tiene una fuerte componente de las etnias douala, bassa, ewondo, eton y bamileké. Todas se caracterizan por un status de la mujer relativamente favorable, sobre todo en el caso de los douala, situados en la costa, muy europeizados y con un índice de poligamia muy bajo. Sin embargo, el sistema antropológico que describiré con detalle es el bamileké, aunque esté lejos de ser mayoritario en la inmigración camerunesa en Francia. Por su dinamismo económico y cultural, los bamileké imprimen su peculiar estilo a la sociedad camerunesa.

La familia matriz bamileké

En 1976, los bamileké representaban tan sólo el 17,5% de la población camerunesa, pero el 47% de la de Duala y el 28% de la de Yaundé.[40] Su papel en el comercio y en la actividad empresarial era desproporcionado, puesto que constituían el 58% de los importadores de nacionalidad camerunesa y controlaban el 75% de los hoteles en las dos grandes ciudades del país. Taxistas, mecánicos o comerciantes, los bamileké están sobrerrepresentados en la vida económica del país. En cuanto a la universidad, su nivel de éxito es del mismo orden puesto que, a mediados de los años setenta, en Yaundé, esa etnia proporcionaba el 30% de los estudiantes de letras y el 53% de los de ciencias.[41] Tal hiperactividad responde a la transferencia al medio urbano de un temperamento que ya existía en el mundo rural de las altiplanicies de la provincia del oeste, en donde los bamileké destacaban entre muchas otras etnias africanas por su agricultura intensiva, que producía densidades rurales muy elevadas. El hecho de que en esas altiplanicies existiese un sistema antropológico de tipo matriz, netamente diferenciado de los modelos comunitarios dominantes en Africa, explica en gran parte el dinamismo agrícola o urbano de su población. Los bamileké son polígamos pero, como los naturales de Rouergue, los bávaros y los japoneses, practican la regla del heredero único.[42] El sucesor no es obligatoriamente el primogénito, sino un varón escogido libre y secretamente por el padre, cuyo nombre sólo es revelado tras la muerte del cabeza de familia, por amigos del difunto o por una esposa sin hijos. Con frecuencia, los hijos varones no herederos se ven obligados a emigrar para establecerse en nuevas tierras de colonización o, cada vez más, para instalarse en la ciudad y tentar fortuna. El matrimonio es exógamo y todos los tipos de enlace entre primos están prohibidos. Basada en los principios de autoridad y de igualdad, se trata de una de las más duras variedades posibles del sistema matriz. Su grado de inigualitarismo sexual era excepcional en el contexto rural tradicional. La familia matriz tibetana, de un inigualitarismo moderado, nombra un heredero, único autorizado a casarse, pero concede a los hermanos menores un derecho de acceso sexual a la esposa del primogénito.[43] La antigua familia matriz europea, más severa, autorizaba el matrimonio del sucesor, pero condenaba a muchos segundones al celibato. La familia matriz bamileké, radical, podía provocar simultáneamente, en ciertas familias, la poligamia del sucesor escogido y un prolongado celibato de los demás hijos. No hay inigualitarismo mayor que esta combinación de poligamia y cerogamia. Resulta un sistema dinámico porque genera ansiedad: implica una competencia entre los hermanos y genera el deseo de aventura y de éxito en los hermanos desheredados, mecanismo típico de todos los sistemas matrices, pero dramatizado en este caso, llevado al extremo en múltiples aspectos.

A diferencia de la mayoría de los sistemas africanos, muy comunitarios, la familia bamileké libera a la mayor parte de los individuos, que son segregados mecánicamente de sus linajes originales por la regla de evicción de los hijos no sucesores. A pesar de todo, la cultura bamileké no es individualista. El valor de autoridad se transforma, en el plano ideológico, en un ideal de integración del individuo en el grupo étnico, que se manifiesta concretamente por la existencia de numerosas asociaciones cuyo papel es capital en el proceso migratorio. El valor de desigualdad conduce a concebir a los hermanos, a los hombres y a los pueblos como diferentes por naturaleza: el pueblo bamileké se valora, se define como especial y único. La lógica del diferencialismo autoritario, derivada de los valores de la familia matriz, es operativa tanto entre los bamileké como entre los alemanes, japoneses, vascos, sijs o bearneses. Blancos, amarillos, cobrizos o negros, todos los pueblos matrices, cada uno de los cuales se percibe a sí mismo como único, se parecen en el nivel profundo de la estructura familiar. Los demás grupos étnicos cameruneses, irritados por los éxitos económicos y sociales de ese pueblo, influidos por el antisemitismo cristiano, tienden a identificar a los bamileké como judíos. La identificación no deja de ser pertinente puesto que entre los judíos, cuando salen del gueto, encontramos la misma capacidad de trabajo y de ahorro que deriva de una misma organización familiar de tipo matriz. Sin embargo, los bamileké no son portadores de un mensaje religioso específico. Antes de su conversión al cristianismo, practicaban un culto a los antepasados enraizado muy directamente en la estructura familiar: el hijo designado como sucesor recibía, con la casa, la tierra y las mujeres, las calaveras de su linaje, empezando por la de su padre. Los bamileké, a diferencia de los judíos, no eran una ínfima minoría en su sociedad, sino cerca de la quinta parte de la población. Identificarlos con los pueblos de las montañas francesas —auverneses, saboyanos y habitantes de Rouergue—, con los japoneses o con los escoceses sería más exacto.

La emigración a un país como Francia de una población de tipo bamileké no plantea demasiados problemas. La familia bamileké, modernizada por el abandono de la poligamia, se inscribe dentro de los límites del fondo común mínimo que define la capacidad de aceptación del sistema antropológico francés. El ulterior dinamismo de los bamileké debe analizarse como el de los judíos, los portugueses, los asiáticos o los sijs.

El problema soninké

El sistema antropológico soninké es de tipo comunitario. La gran familia patrilocal es la norma y se apoya en un ideal de indivisión de los bienes. El sistema, no obstante, tolera la fragmentación en caso de desacuerdo entre los hermanos, sin que ese reparto esté presidido por una idea de igualdad clara, a pesar de la adhesión formal a los principios del Corán.[44] La idea de igualdad sólo aparece, consciente y plenamente expresada, en la organización de los derechos y los deberes de las esposas de la familia polígama, en la preparación de las comidas y en el reparto sexual del marido, que debe a cada una un número igual de noches.[45] La precocidad del matrimonio de la mujer pone de manifiesto el bajo nivel de su status. La edad media en la primera unión es para las mujeres del orden de dieciséis años y para los hombres de veinticinco. El segundo matrimonio de un polígamo se produce normalmente diez años más tarde. Con frecuencia, esas diferencias de edad definen una relación entre marido y mujer parecida, desde el punto de vista de la autoridad, a una relación padre-hija. Sin embargo, en el caso de los soninké no podemos hablar, como en el de los árabes o en el de los cabiles, de un encierro de la mujer. Cada esposa debe ocuparse de sus hijos y dispone de un considerable grado de autonomía económica. En lo que concierne al control de la sexualidad femenina, la sociedad soninké sólo parece rígida si la comparamos con los grupos que bordean el golfo de Guinea. A pesar de su práctica de la escisión, parece de un gran laxismo cuando se la compara con el mundo árabe musulmán. Muchas mujeres no llegan vírgenes al matrimonio y el adulterio es frecuente, sin que produzca dramas de tipo mediterráneo.[46] Los soninké, a pesar de estar fuertemente islamizados, no han adoptado la endogamia musulmana. No existe auténtico matrimonio preferencial, a pesar de algunas afirmaciones que se han hecho sobre la preferencia por el matrimonio con la hija del hermano de la madre.[47]

La llegada a Francia de las mujeres, muy reciente en la mayor parte de los casos puesto que el reagrupamiento familiar no comienza hasta 1975, trae consigo la reconstrucción, en ciertos barrios periféricos, de ese sistema familiar con algunas modificaciones. La edad de casarse de las mujeres y el índice de poligamia parecen estables. La fecundidad aparente es más elevada que en Africa, sin duda como consecuencia de un efecto de «desquite» después de una larga separación de los cónyuges, pero posiblemente también a causa de que no todas las mujeres están censadas. Paradójicamente, en un primer momento, el contexto urbano e industrial aumenta el poder del hombre. El es el único en poseer recursos monetarios frente a esposas que ya no tienen, como gracias a la agricultura tenían en Africa, la posibilidad de obtener ingresos propios, y que ya no disponen de su propia red de parentesco. No francófonas, aisladas, las mujeres en Francia están mucho más desarmadas que en Malí o en Senegal. Sin embargo, no es presumible que ese acentuado desequilibrio vaya a perpetuarse: el contexto cultural francés, muy favorable para las mujeres, no puede dejar de activar en las mujeres soninké una inclinación a la independencia que está latente en todo sistema polígamo. A largo plazo, el sistema antropológico soninké parece potencialmente mucho más vulnerable que el de los magrebíes que, no obstante, el medio francés ha desintegrado rápidamente. Así pues, es difícil imaginar que en la segunda generación se reproduzca ningún tipo de mecanismo polígamo en suelo francés.

Esa segunda generación, nacida en Francia, todavía no ha alcanzado la edad adulta pero ya pueden preverse problemas de educación y de adaptación. Parecen jóvenes normalmente escolarizados, pero es evidente que el ambiente de una familia polígama, ya sea estable o esté en vías de desintegración, no es un medio educativo idóneo en el contexto de una sociedad industrial muy competitiva. El ejemplo magrebí puede repetirse aquí: poseer un potencial educativo elevado no es característico de la estructura familiar fuertemente patrilineal que implica un status de la mujer bajo. La desintegración brutal de esa estructura, verosímil a medio plazo, debería provocar problemas de inserción socioprofesional en el caso de los jóvenes procedentes de la inmigración malí y senegalesa. Los actuales datos sobre los resultados escolares de esos jóvenes son contradictorios, como subraya un informe oficial a propósito de la inmigración de origen africano en Francia.[48] Algunos profesores hablan de dificultades específicas, pero el reparto de esos estudiantes por tipo de enseñanza no indica que exista una diferencia de resultados en relación con la media de los demás alumnos extranjeros. En 1977-1978, los resultados de los niños de origen africano eran, tanto en la enseñanza primaria como en la secundaria, superiores a los de la media de los extranjeros, sencillamente porque la proporción de empleados y de cuadros entre sus padres era importante en esa fecha.[49] De hecho, el carácter absolutamente heterogéneo, en el plano cultural, de la inmigración africana en Francia explica la incoherencia de los datos, algunos de los cuales se refieren a comportamientos específicos de hijos de familias malíes o senegalesas, polígamas y analfabetas, mientras que otros conciernen a los hijos de familias camerunesas, congoleñas o de Costa de Marfil, monógamas y alfabetizadas. Una vez más nos encontramos con la necesidad de separar los datos que conciernen a una y otra categoría.

¿Un problema social sin problema racial?

Aún es demasiado pronto para saber si la llegada a Francia de poblaciones no blancas romperá o no, en la práctica, el sueño del hombre universal, en el mismísimo corazón de su territorio. ¿Acabará la Gran Nación por alinearse con el universalismo inacabado de tipo norteamericano, aceptando todas las categorías de hombres salvo una, definida por el color de la piel, negra? No hay aún en Francia una segunda generación totalmente adulta —antillana o africana— cuyo destino revelase, de una vez por todas, la naturaleza profunda de las actitudes francesas respecto a las nociones de color y de raza. En el momento actual, sólo podemos apuntar la debilidad de las reacciones francesas frente a la inmigración antillana o africana y registrar índices de matrimonios mixtos absolutamente normales. La presencia de poblaciones negras no parece estimular en Francia una ansiedad específica, del tipo de la que podemos observar en el mundo anglosajón. La virulencia antimagrebí de la población francesa contrasta con la escasa sensibilidad ante la inmigración de color. La percepción de la diferencia cultural parece seguir siendo superior a la de la diferencia racial. Un eventual aumento del sentimiento de hostilidad hacia las poblaciones de origen malí o senegalés no cambiaría significativamente este análisis. Malíes y senegaleses de origen soninké difieren tanto por la cultura como por la apariencia física. Su sistema antropológico

331

—patrilineal y polígamo— se sitúa, de largo, fuera del fondo común mínimo francés. Pero en el estadio actual, son demasiado pocos en el territorio francés para que podamos medir de forma seria la reacción de la sociedad francesa en su conjunto.

La aparición de bolsas problemáticas, en cierto número de extrarradios, que combinan la presencia de población negra con el subdesarrollo social, no podría por sí sola llevar a Francia a desarrollar actitudes raciales de tipo norteamericano o inglés y a aceptar la formación de guetos. La declaración de un problema negro, al estilo anglosajón, presupone reagrupar, de forma conceptual antes que geográfica, todas las poblaciones negras o mulatas —funcionarios antillanos, empleados cameruneses, barrenderos malíes e hijos mulatos procedentes de esos grupos— en una única categoría. Esa abolición de los grupos culturales reales pasa por un proceso de desindividualización de las percepciones. Para creer en la existencia de los «negros», hay que dejar de ver a los individuos, con sus características: analfabeto, mando intermedio, guapo, feo, simpático, odioso. Tal operación exige la previa existencia de una estructura mental específica. Los norteamericanos, formados por un código antropológico diferencialista, derivado de la ausencia del valor de igualdad en el sistema familiar inglés tradicional, «necesitan» que exista un hombre diferente, el negro. Los franceses, mayoritariamente formados por un código antropológico universalista, «necesitan» ver a los hombres iguales y no diferentes.

El sistema antropológico individualista e igualitario predominante en la Francia central, en donde se encuentra concentrada una gran mayoría de los inmigrantes antillanos y africanos, hace que sea altamente improbable la hipótesis de una reestructuración social al estilo anglosajón, que englobase a todos los grupos e individuos de origen africano en una sola población negra. Este modelo interpretativo no exige pasar por alto eventuales fricciones e incomprensiones durante el periodo de asentamiento de las poblaciones de color, sino que obliga a distinguir sistemáticamente las reacciones individuales agresivas que resultan del miedo a lo desconocido de las reacciones de hostilidad colectiva derivadas de la organización antropológica de la sociedad receptora. La mayor parte de los franceses son capaces de reacciones de repliegue o de agresividad frente a las poblaciones «negras» cuya presencia en Francia era insignificante hasta hace muy poco. La mayoría no están condicionados por estructuras mentales diferencialistas que les lleven a hacer de la apariencia física un rasgo determinante de todas las características profundas del individuo, un rasgo que negaría de hecho al individuo, categorizándolo como esencialmente negro o, simétricamente, blanco.

13
La falsa conciencia

El análisis detallado del proceso de integración de las poblaciones inmigradas en Francia conduce a la conclusión, tal vez sorprendente, de que existe una tendencia a la aceleración de los fenómenos de asimilación.

Cuando las culturas en cuestión presentan cierto nivel de compatibilidad con el sistema antropológico francés, caso de los judíos, los portugueses, los gitanos, los antillanos y los cameruneses, la velocidad de la dispersión en el medio receptor aumenta en relación con lo que podía observarse en grupos comparables, en la primera mitad del siglo xx. Cuando el sistema antropológico del que la población inmigrada es portadora presenta una incompatibilidad de naturaleza con el de la sociedad francesa —como es el caso sobre todo de los magrebíes—, su destrucción también tiene lugar a ritmo acelerado, hasta el punto de que muchos de los problemas psicológicos y sociales engendrados por la emergencia de la segunda generación magrebí deben considerarse resultado de un proceso de asimilación demasiado rápido. Los pocos casos de aparente no asimilación hacen referencia a poblaciones que han llegado a Francia demasiado recientemente como para que podamos extraer conclusión alguna de los datos de que disponemos. En cualquier caso es previsible una entrada sin problemas de los chinos en la sociedad francesa, y la dolorosa destrucción del sistema antropológico soninké está, por así decir, programada. En cuanto al problema turco, más serio, es resultado sobre todo de la exportación al territorio francés del diferencialismo alemán e ilustra un conflicto cultural entre dos sociedades receptoras más que la resistencia a la asimilación de una cultura inmigrada.

Dejando aparte a los turcos ideológicamente germanizados, los mejores indicadores objetivos de asimilación —descenso de los índices de fecundidad y crecimiento de los de exogamia— describen una sociedad francesa dominadora, capaz de imponer sus costumbres a culturas cada vez más variadas y lejanas. La comparación de las integraciones judía y magrebí a la sociedad francesa da una idea de esa aceleración de la historia. La primera comunidad judía, emancipada en 1791, no entró en el sistema matrimonial general hasta 125 o 150 años más tarde, después de la primera guerra mundial; los argelinos, absolutamente endógamos en el marco de la sociedad colonial, producen índices de matrimonio mixto substanciales ya a partir de la primera generación inmigrada, y su sistema antropológico se desintegra en la segunda generación. Por otra parte, esa aceleración del proceso de asimilación alcanza, en el plano lingüístico, a algunos grupos franceses periféricos: los años 1945-1990 ven desaparecer, a un ritmo rápido, las últimas lenguas y dialectos regionales. Los dialectos occitanos se evaporan, el bretón se disuelve, los jóvenes alsacianos, por primera vez en la historia de su provincia, pasan a un uso mayoritario del francés. Este auge de la lengua nacional elimina las lenguas inmigradas con la misma seguridad con que elimina las regionales: una encuesta reciente revela que los jóvenes de la segunda generación, ya sean de origen portugués o argelino, hablan sobre todo francés a sus padres. Sólo el turco parece manifestar cierta capacidad para sobrevivir.[1] La aceleración del conjunto de las evoluciones sociales explica la de los fenómenos de asimilación. Pero debemos mencionar algunos factores decisivos, algunos de los cuales son evidentes mientras que otros son mal percibidos o mal interpretados.

La televisión, a pesar de ser incapaz de producir por sí misma normas de comportamiento, facilita enormemente el contacto entre los inmigrados y las normas de la sociedad receptora francesa. El desarrollo del parvulario, es decir, de una escolarización cada vez más precoz, que alcanza desde 1968 a la mayoría de los niños entre tres y seis años y en 1991 al 99% de ellos, adelanta la intervención de los valores de la sociedad receptora en el ciclo de la vida. Los hijos de los inmigrantes son colocados en situación de acumulación en el mismo momento en que aprenden a hablar. Frente a esa mutación fundamental, los debates sobre el debilitamiento de la escuela como factor de integración tienen algo de irreal. La distancia entre los niveles de desarrollo de los países de emigración del Tercer Mundo y de la sociedad francesa postindustrial se presenta generalmente como un freno a la asimilación. Pero esa distancia implica también, y tal vez sobre todo, que nunca fue Europa tan impresionante para sus poblaciones de inmigrantes. El impacto cultural que sufre hoy un marroquí o un malí al llegar a París es incomparablemente más fuerte que el que podía experimentar, en el periodo de entreguerras, un polaco en el norte de Francia o un italiano en el Midi mediterráneo. El inmenso desfase tecnológico es, en sí mismo, desintegrador de las culturas inmigradas.

Nunca fue tan rápido el proceso de asimilación, ni nunca fue tan fácil la desintegración de las culturas inmigradas. La cohesión de la sociedad francesa no se ha visto en ningún momento amenazada por la constitución de comunidades cerradas que perpetúen su cultura de origen, ni siquiera deformada como es el caso de los paquistaníes en Inglaterra o de los turcos en Alemania. Las comunidades francesas no han dejado entrever, en ningún momento, una *negrofobia* al estilo anglosajón, susceptible de encerrar a los negros en un gueto como en Estados Unidos, o de relegarlos a un subproletariado culturalmente diferente como en Inglaterra. Los extrarradios franceses ciertamente son escenario de una dolorosa transformación cultural para algunas poblaciones inmigradas. Pero los problemas sociales de los cinturones de las grandes ciudades son consecuencia de la desestructuración y no de la emergencia o de la estabilización de sistemas de valores nuevos, capaces de anclar en una diferencia irreductible a grupos enclavados y separados. La segregación no está al orden del día.

A pesar de todo, Francia parece dudar cada vez más de su capacidad para asimilar nuevos extranjeros, llegados del Tercer Mundo y de civilizaciones no cristianas. Desde 1984, el Front National, esencialmente contemplado como enemigo de los inmigrantes, envenena la vida política francesa recogiendo, según el tipo de elección y de coyuntura, entre el 9 y el 15% de los sufragios emitidos. Los hombres políticos clásicos hablan de invasión, de delincuencia, de trabajo clandestino, de poligamia, de suburbios gueto, de islam fundamentalista. Unos tras otros, parecen admitir que asimilar a la cultura francesa las poblaciones llegadas del Tercer Mundo es un objetivo demasiado ambicioso. Con ello no hacen sino alinearse con los sondeos de opinión que revelan la pérdida de confianza del conjunto de los franceses en la capacidad de asimilación de su propia sociedad. En 1985, el 50% de los franceses pensaba que la mayoría de los inmigrantes afincados en Francia podría ser integrada en la sociedad francesa tras un periodo de tiempo que facilitara la resolución de los problemas existentes, frente a un 42% que mantenía la posición contraria. En junio de 1990, las proporciones se habían invertido de forma que un 43% seguía pensando que la integración era posible, y un 49% encontraba a los inmigrantes demasiado diferentes.[2] La hipótesis de una fragmentación de la sociedad francesa en grupos étnicos, diferentes en sus costumbres y por su religión se ha extendido tanto a la derecha como a la izquierda del espectro político. Esa autointoxicación de una sociedad que ni siquiera es capaz de ver su propia potencia desemboca en la reforma del código de la nacionalidad del 22 de julio de 1993 que, sin suprimir el principio del derecho de suelo, deroga la atribución automática a los dieciocho años de la nacionalidad francesa a los hijos de los inmigrantes nacidos en Francia, y exige que manifiesten personalmente, entre los dieciséis y los veintiún años, el deseo de ser franceses. Esa ley deriva de la creencia irracional en que las culturas inmigradas se perpetuarán, a nivel de la segunda generación, en los extrarradios franceses. ¿Cómo conciliar la descripción objetiva de las evoluciones sociales, que revela una aceleración del proceso de desintegración de las culturas inmigradas en los extrarradios y de asimilación de los individuos que proceden de ellas, con esa percepción pesimista del proceso por parte de los franceses, hombres políticos u obreros de los suburbios?

Señalemos en primer lugar que semejante manifestación de falsa conciencia respecto a un problema social fundamental no es nueva en la historia de las ciencias sociales. El mejor ejemplo de percepción inversa de la evolución histórica es sin duda, para un demógrafo, la gran controversia que tuvo lugar en el siglo XVIII a propósito del movimiento de la población. En el momento mismo en el que la población francesa volvía a crecer, tras un estancamiento secular, se extendió la opinión de que estaba disminuyendo: Montesquieu, Mirabeau, Quesnay y el conjunto de los fisiócratas participaron de esa visión delirante de la realidad demográfica que, en cualquier caso, ha acabado por desembocar en una renovación de los estudios cuantitativos y en la constatación de que se relanzó el crecimiento demográfico francés.[3] La creencia de los filósofos derivaba de un presupuesto ideológico: la certidumbre de que el despotismo sólo podía engendrar una disminución de la riqueza y del número de hombres. Pero también era necesaria la penuria técnica, la carencia de un instrumento de medida derivado del estado civil, para que se dejase campo libre a la imaginación ideológica.

Esas dos dimensiones del error vuelven a darse cita en la percepción de los fenómenos de la inmigración. En el plano técnico, los instrumentos de medida no estaban a punto cuando dio comienzo la extensión planetaria de los campos migratorios. La reflexión sociológica o antropológica francesa sobre los procesos de asimilación es tradicionalmente pobre: un sistema cultural que rechaza a priori que existan diferencias importantes entre los hombres, no puede destacar en hacer el inventario de esas diferencias, ni en el análisis de las compatibilidades antropológicas y de los conflictos de valores. ¡Hombre universal obliga! El recurso a las interpretaciones disponibles en el mercado conducía en línea recta a la importación de teorías anglosajonas prefabricadas que tenían poco que ver con lo que estaba ocurriendo en Francia.

La importación del diferencialismo anglosajón

Hacia 1980, la reflexión sobre la asimilación y la segregación aún era anglosajona en un 90%, como podemos comprobar con una simple ojeada a la bibliografía de las obras francesas sobre el tema. Ahora bien, la literatura sociológica norteamericana y británica deriva naturalmente sus esquemas interpretativos del análisis de los procesos migratorios, étnicos y raciales en Estados Unidos, en Gran Bretaña, en Canadá o en Australia. Extrae sus modelos de la realidad objetiva constituida por un conjunto de sociedades de temperamento diferencialista, capaces de asimilar con facilidad protestantes blancos de cualquier nacionalidad, católicos y judíos tras superar pequeños titubeos y asiáticos tras grandes dudas, pero incapaces de saltar al universal absoluto y de abolir la diferencia negra.

En los capítulos segundo a quinto de este libro, he intentado demostrar cómo la incapacidad de la Norteamérica democrática para superar su desdoblamiento blanco/negro había conducido a la aparición de una ideología diferencialista agresiva, que hace hincapié en el carácter insuperable de los grupos étnicos, en el mismo momento en el que la mayor parte de ellos estaba desapareciendo a ritmo acelerado. ¡Francia no tiene el monopolio de la falsa conciencia antropológica! Estados Unidos es una potencia económica, militar y cultural dominante, considerada hasta hace muy poco como el paradigma de la modernidad. Para muchos, el destino de Norteamérica prefiguraba el de la humanidad. Si la sociedad norteamericana seguía siendo una sociedad organizada racialmente, que lucubra sobre su naturaleza «multicultural», ¿cómo imaginar otro destino para Francia? En este punto, el universalismo francés se muestra capaz de producir efectos perversos, porque puede engendrar un paralogismo que deduzca de la universalidad del hombre la universalidad de una concepción racial de la vida social, según la fórmula siguiente:

1.º El hombre es universal, luego los franceses no son diferentes de los norteamericanos;

2.º Los norteamericanos creen en la diferencia humana;

3.º Luego los franceses creen en la diferencia humana.

En resumen, la creencia en la universalidad del hombre conduce a la creencia en la diferenciación de la humanidad. Ese paralogismo es posible por la ausencia de un contenido específico de la diferencia humana.

El ejemplo americano ha gravitado con fuerza sobre el autoanálisis de la sociedad francesa y lo ha conducido a aplicar un modelo interpretativo a una realidad antropológica a la que no se adecuaba en absoluto. Así ha llevado a muchos sociólogos e ideólogos franceses a creer, independientemente de cualquier percepción concreta, en la necesidad histórica del desarrollo de una sociedad multicultural en Francia. A pesar de todo, no debe sobrevalorarse el papel de Norteamérica en la difusión en Francia de la creencia en la irreductibilidad de las diferencias. Si bien es cierto que la influencia intelectual de Estados Unidos ha paralizado la reflexión sociológica, también lo es que no ha podido provocar el desarrollo, entre 1965 y 1985, en el país del hombre universal, de la temática puramente ideológica del derecho a la diferencia. El florecimiento de ese neodiferencialismo encuentra su determinante fundamental en la propia Francia, en una recuperación de la actividad cultural de las sociedades matrices, autoritarias y no igualitarias, que ocupan la periferia del espacio francés. Algunos factores educativos y religiosos simples permiten explicar ese aumento de potencia.

Las reencarnaciones de la temática maurrasiana

La razón de que en la Francia de los años 1980-1993 se haya extendido la creencia en la perpetuación de las culturas inmigradas hay que buscarla en el desarrollo autónomo de una ideología diferencialista. Entre 1965 y 1993, la noción de hombre universal es sistemáticamente contestada, con independencia de cualquier referencia a la inmigración. La percepción de las diferencias entre tipos de hombres gana terreno en todas direcciones. El derecho a la diferencia debe proteger a los vascos, bretones, alsacianos, portugueses, antillanos y magrebíes de una asimilación que ha pasado a ser considerada como perversa en sí misma. La defensa de las regiones y la protección cultural de los inmigrados derivan de una misma lógica a priori. Los hombres son diferentes y están anclados en culturas de larga tradición en el pasado. La idea revolucionaria de que los hombres son libres de sus culturas e iguales ante el porvenir parece estar pasando de moda, aunque muchos de los adeptos al nuevo culto a la diferencia no sean conscientes de la contradicción lógica que existe entre los principios de 1789 y la voluntad de mantener a los individuos en los grupos étnicos o raciales en los que han nacido.

La ola de diferencialismo alcanza tanto a la derecha como a la izquierda. A la derecha, encuentra su principal soporte en la UDF, en donde se expresa normalmente de forma moderada a través de la reivindicación de descentralización: la equivalencia jacobina de los departamentos debe dejar paso a la diversidad de las regiones. Pero las formulaciones pueden ser más vehementes. En años recientes como 1993 y 1994, hemos podido ver cómo François Bayrou, ministro de Educación Nacional, invertía un considerable esfuerzo en la promoción de la lengua occitana y cómo alababa en múltiples ocasiones la democracia y la cultura bearnesas. El carácter surrealista de ese proyecto, en el momento de la competencia económica china o japonesa, pone de manifiesto su naturaleza de construcción mental a priori, a pesar de que la elección de Béarn como objeto de focalización diferencialista sea una de las mejores posibles. Ese pequeño país de familia matriz consiguió fabricar y perpetuar desde el siglo XIV hasta comienzos del XVIII, a partir de la nada, un pueblo paria portador de diferencia, los cagots, descendientes reales o míticos de leprosos. Efectivamente, el modelo bearnés es rico en enseñanzas para una sociedad que se hace preguntas sobre los riesgos de segregación racial en sus extrarradios o en sus escuelas.

La misma lógica *a priori* había determinado las actitudes hostiles a la asimilación de los inmigrantes magrebíes, *incluso antes de que fuesen perceptibles sus comportamientos respecto a la adaptación o los de sus hijos, por entonces de corta edad.* Paul Dijoud, secretario de Estado para los trabajadores inmigrados desde julio de 1974 hasta principios de 1977, quería favorecer la práctica del islam por los magrebíes, dentro de una óptica de protección de la identidad cultural. Animó a las empresas, a través del CNPF, a habilitar lugares de culto y de oración y a respetar las grandes fiestas musulmanas.[4] Pero el más decidido ideólogo de la separación es incontestablemente Valéry Giscard d'Estaing, cuyo artículo del 21 de septiembre de 1991, «Immigration ou invasion», publicado en *Le Figaro-Magazine*, contiene una de las más brutales formulaciones del diferencialismo de derecha que se hayan hecho desde el final de la segunda guerra mundial. En ese artículo, el ex presidente francés desarrolla el tema de una «invasión» de origen africano y presenta la integración de los franceses musulmanes como un «fracaso estrepitoso»:

«Para los demás, es decir para los extranjeros con la documentación en regla, la cuestión de la integración no se plantea, porque deben poder conservar su cultura y sus propios valores, de la misma manera que los franceses expatriados no desean, como es natural, que les impongan la integración».

Para formalizar la separación de los extranjeros y de los franceses, Valéry Giscard d'Estaing propone una técnica jurídica simple:

«... volver a la concepción tradicional de la adquisición de la nacionalidad francesa: la del derecho de sangre. (...) Se nace francés cuando se nace de un padre o de una madre franceses. Esa es ahora la concepción de todos los grandes países europeos. El hecho de haber nacido en Alemania no confiere a un hijo de extranjeros derecho alguno a la nacionalidad alemana».

Encontrar en la derecha manifestaciones actualizadas del diferencialismo maurrasiano no tiene nada de sorprendente. Entre la derecha francesa de tradición católica, el arraigo del individuo en su región y la inasimilabilidad del extranjero son tópicos culturales. Por otra parte, este episodio, como muchos otros anteriores, nos permite medir la escasa fuerza del diferencialismo agresivo en los medios populares de Francia. En los meses siguientes a la publicación del artículo, entre septiembre y diciembre de 1991, el índice de popularidad del ex presidente francés desciende del 39 al 32% y el porcentaje de franceses que no confían en él aumenta del 49 al 56%.[5] La posición dominante de la cultura universalista central obliga al diferencialismo, si quiere seducir, a enmascararse y a adornarse con buenas intenciones.

La entrada en la izquierda de la temática maurrasiana, sutil pero masiva entre 1965 y 1980, permite la difusión de un diferencialismo bienintencionado y seductor. Descentralización, respeto de las culturas y de las lenguas regionales, derecho a la diferencia se convierten en elementos clave de la doctrina del nuevo Partido Socialista Francés, en ascenso entre 1967 y 1981, casi dominante en el plano político entre 1981 y 1993, si consideramos el gobierno de derechas de los años 1986-1988 como un episodio menor. Representantes electos, militantes socialistas y trabajadores sociales expanden durante los años setenta y ochenta el tema del derecho a la diferencia, a una escala que obliga a considerar el fenómeno en su dimensión sociológica. ¿Cómo ha podido una izquierda de tradición centralista, jacobina y asimilacionista pasarse así al diferencialismo? Un estudio de su implantación geográfica y antropológica, en diferentes momentos, permite explicar que la principal fuerza de izquierda adopte una doctrina antiuniversalista.

La evolución política de la Francia de los años 1965-1985 se caracteriza, en general, por un hundimiento de los partidos centristas, ya sean de derechas o de izquierdas, gaullistas o comunistas. A partir de 1974, la derecha clásica, anclada en sus bastiones periféricos del oeste, del este del Macizo Central, de los Alpes y de los Pirineos Occidentales, quiebra la preponderancia del partido gaullista, cuyo feudo tradicional es la Cuenca de París: Valéry Giscard d'Estaing vence a Jacques Chaban-Delmas en las presidenciales. En 1981, el Partido Socialista acaba con la preponderancia del Partido Comunista en la izquierda: por segunda vez en siete años, un partido periférico derrota a una fuerza centralista. Los dos legítimos herederos del jacobinismo revolucionario pierden el control del sistema nacional francés. El análisis antropológico de las implantaciones electorales revela que la derecha clásica y el socialismo encuentran su asentamiento original en regiones de familia matriz: asociada al catolicismo en el caso de la derecha, secularizada por el protestantismo en el caso de la SFIO del sudoeste.[6] La derecha católica convierte explícitamente el principio de jerarquía en un fundamento doctrinal y da forma ideológica consciente a los valores de autoridad y de no igualdad que estructuran la familia y las sociedades matrices de la periferia de Francia. El socialismo reformista es menos explícito en su relación con el ideal de jerarquía. Rechaza una jerarquía concreta, la del burgués y de la Iglesia, pero sin renunciar por ello al principio mismo. Los socialistas del sudoeste no comulgan con el ideal de una sociedad sin clases, diferenciándose así de la tradición revolucionaria de la Cuenca de París que, primero *sans-culotte* y luego anarquista, antes de haber sido comunista, niega en el fondo la legitimidad de cualquier superioridad social. Desde la guerra hasta aproximadamente 1965, la derecha clásica y la SFIO están ideológicamente dominadas, incluso cuando formalmente se encuentran al mando de la Cuarta República. Los primeros ministros procedentes de esas dos fuerzas se ocupan de los asuntos corrientes, mientras que el principal enfrentamiento simbólico tiene lugar entre gaullistas y comunistas. En ningún momento se contestan los valores centralistas jacobinos.

A partir de mediados de los años sesenta, los grandes temas de la descentralización y de la regionalización, del derecho a la diferencia, de la conservación de los dialectos y lenguas regionales, comienzan su irresistible ascenso, determinado por un aumento de la potencia cultural de las sociedades periféricas, cuyo nivel cultural se eleva con mayor rapidez que el de la Cuenca de París. La proporción de individuos que acaban los estudios secundarios y obtienen el bachillerato aumenta con mayor rapidez en Bretaña, en el valle del Garona, en la región Ródano-Alpes o en Alsacia que en Turena, Picardía y Champaña.[7] Esa dinámica cultural no rompe, en el plano antropológico, el equilibrio de larga duración entre sistema igualitario central y sistemas matrices periféricos. No obstante, provoca una hiperactividad ideológica en las regiones matrices que entran en ebullición. Sea causa o efecto del despegue cultural, la práctica religiosa de las provincias que permanecieron fieles al catolicismo hasta más o menos 1965 se hunde: la desaparición de la antigua referencia religiosa conduce a la periferia del sistema nacional francés a una intensa experimentación ideológica, de derechas o de izquierdas, pero que casi siempre, entre 1965 y 1981, conduce de derecha a izquierda. En 1964, la CFTC abandona toda referencia confesional y se convierte en la CFDT: su implantación geográfica, que en gran medida coincide con las zonas de fuerte práctica religiosa, no cambia mucho. Los dirigentes y los militantes de la CFDT son la cantera del PSU y luego del nuevo Partido Socialista. Esta segunda izquierda, producto de una crisis religiosa, parece drogada por la necesidad de llenar un vacío metafísico: gran productora de nuevas ideas, acaba por dominar el nuevo Partido Socialista. Entre 1967 y 1978, el decisivo crecimiento electoral del Partido Socialista se efectúa en las zonas de fuerte tradición católica. Pero, una vez más, la recusación de una determinada jerarquía, la de los curas y los notables, no significa la recusación del propio principio de jerarquía. Los valores de autoridad y de desigualdad siguen estructurando el pensamiento de los dirigentes del nuevo socialismo. Tras un breve periodo de arqueosocialismo de inspiración marxista, la hegemonía de la «segunda izquierda» lleva a la práctica y a la teoría socialista de los años que van de 1983 a 1993: descentralización, relegitimación de la empresa y aceptación de la diferencia social, pero con preocupación por los humildes que deben ser tratados por el RMI. El rasgo común de todas esas actitudes es la aceptación de una sociedad heterogénea, la renuncia al principio de igualdad.

En la periferia francesa, el paso a la izquierda suaviza sin duda la percepción de las jerarquías socioprofesionales. *Pero el rechazo del catolicismo endurece la expresión de los valores fundamentales de la familia matriz en lo relativo a la concepción de las relaciones interétnicas.* La Iglesia romana, muy anclada a partir de la Revolución francesa en las regiones de familia matriz —Bretaña, País Vasco, Galicia, Bavaria, Irlanda o Quebec— y en consecuencia fijada en un sistema antropológico inigualitario y diferencialista, seguía siendo a pesar de todo heredera de un sueño de unidad del género humano, que se apoya en el principio vertical que todo sistema matriz contiene. Así pues, el catolicismo ejercía una influencia moderadora sobre la expresión del principio de desigualdad a través del diferencialismo. A lo largo y ancho de Europa, la Iglesia encuadraba diferencialismos estables pero moderados: protegía a los vascos contra el centralismo castellano, a los bretones y a los alsacianos contra la uniformidad republicana, a los irlandeses contra la dominación inglesa, a los bávaros contra la imposición prusiana, a los flamencos contra la lengua francesa e —imparcial— a los quebequeses contra la lengua inglesa. Federaba esos microdiferencialismos pero preservando al mismo tiempo el ideal de una unidad del género humano que trasciende el grupo étnico o la nación. Esa acción moderadora se hizo particularmente visible cuando la Iglesia tuvo que afrontar un macrodiferencialismo como el de Action Française, condenada en 1926 por el Papa. El uso litúrgico del latín simbolizaba no sólo la superioridad del sacerdote sobre el seglar, sino también la unión de los pueblos bajo la autoridad del Papa. La desintegración de la fe católica, que en esas regiones comienza hacia 1965, rompe el ligamen vertical y libera la expresión de los diferencialismos. En Flandes, en el País Vasco español, en Quebec, en Irlanda del Norte, la disminución de la práctica religiosa conduce a la emergencia de nacionalismos etnocéntricos intensos, con frecuencia violentos, que creen en la existencia de pueblos-linaje anclados en el pasado. Como la noción alemana de *Volk*, esos tipos ideológicos están determinados por las concepciones genealógicas e inigualitarias de la familia matriz. Esos diferencialismos, al ser portados por pueblos dominados y amenazados en su existencia, no tienen los medios materiales y demográficos para desembocar en la concepción alemana de un derecho de sangre muy restrictivo. Para perdurar, para subsistir, los vascos están dispuestos a asimilar a todos los inmigrantes españoles llegados del sur si aceptan identificarse con el ser vasco. Los quebequeses, por su parte, siguen influidos por el universalismo francés y están más preocupados por proteger su lengua que la pureza de su sangre. Así se muestran bastante predispuestos a asimilar a los francófonos de cualquier origen, normandos, haitianos o judíos de Africa del Norte. Francia no ha escapado a la fiebre diferencialista que el retroceso de la Iglesia ha provocado en el conjunto del mundo occidental. La caída del principio vertical incluido en el catolicismo conduce a la expansión del «derecho a la diferencia». Como ha subrayado Pierre-André Taguieff, a partir de los años sesenta, el elogio de la diferencia se integra en el discurso antirracista mayoritario.[8] La diferencia aparece como algo positivo, como algo que enriquece. Pero el análisis más elemental revela que el ideal de un hombre encerrado en una cultura es contradictorio con el del hombre universal. Si ese hombre reproduce su cultura a través de sus hijos, el culto a la diferencia conduce a una concepción genealógica, y por tanto racial, de la cultura y de su transmisión. En el plano lógico, el amor por un extranjero esencializado está muy cerca, aunque sea de signo opuesto, del odio al extranjero no menos esencializado de la tradición maurrasiana. Teniendo en cuenta la amplitud del cambio cultural que representa el paso de derecha a izquierda de buena parte de las masas y de los dirigentes católicos entre 1965 y 1981, parece razonable considerar el desarrollo del derecho a la diferencia como una reencarnación de izquierdas de la temática inigualitaria y antiuniversalista de la familia matriz, precedentemente expresada en Francia por la retórica maurrasiana, hostil a los alemanes, a los metecos y a los judíos. La inversión en sentido positivo —del odio al amor— es notable. No obstante, la profundidad de un afecto hacia seres percibidos como diferentes por esencia está mal definida. En este estadio es necesario, tanto en el caso del diferencialismo francés como en el del diferencialismo norteamericano, ir más allá de las doctrinas conscientes y bucear en el campo de las representaciones inconscientes. El análisis del multiculturalismo anglosajón ha puesto de manifiesto que la valoración del otro como diferente siempre esconde cierta forma de desconfianza y que es, sobre todo, una manera de mantenerlo a distancia. El elogio de la diferencia no es, sin duda, otra cosa que una contorsión de la conciencia para domesticar una fobia inconsciente.

La difusión del «derecho a la diferencia» no nace, pues, del contacto con las culturas inmigradas, sino de una mutación autónoma de la ideología de las regiones donde la familia matriz es dominante. Ese paso a la izquierda del diferencialismo de las poblaciones en ruptura con el catolicismo concierne indiferentemente a zonas de fuerte y de débil inmigración, a la región Ródano-Alpes donde los magrebíes son numerosos y a otras, como Bretaña, Vendée y el País Vasco, donde el extranjero es con más frecuencia un turista de París que un inmigrante argelino o malí.

El derecho a la diferencia como factor de anomia

La ofensiva diferencialista no deja de tener efectos sobre la manera como Francia gestiona sus problemas de inmigración, pero demuestra no ser lo bastante fuerte como para hacer mella en el sistema antropológico central, individualista e igualitario. Los medios populares de la Cuenca de París y de la franja mediterránea se niegan a aceptar el ideal de una humanidad fragmentada en grupos étnicos o raciales y persisten, a su manera, en su creencia en el hombre universal. El carácter multiétnico y multirracial de las pandillas de adolescentes de los extrarradios expresa a las claras la solidez de esa creencia, como también hacen los notables índices de exogamia de los inmigrantes de primera generación. A decir verdad, la ola diferencialista ni siquiera es lo bastante fuerte como para modificar de manera substancial el comportamiento de los medios populares de tradición matriz ganados por el sistema universalista central: los obreros de la región de Lyon apenas son menos favorables al matrimonio mixto que los de Île-de-France o los de la franja mediterránea. En septiembre de 1989, el asunto del velo islámico revela que, para los franceses, una hija de inmigrante, independientemente de su origen racial, étnico o religioso, debe ser una francesa que acepta los dos valores fundamentales del sistema antropológico francés, la exogamia y la igualdad de los sexos. Desde ese punto de vista, el velo islámico es un objeto de focalización negativa ideal, puesto que expresa de manera simbólica, tapando a las mujeres, los valores adversos de endogamia y de desigualdad de los sexos.

Lo que la oleada diferencialista sí ha conseguido es apagar la expresión por parte de las elites francesas de la ideología universalista que hubiese permitido describir, encuadrar y facilitar el proceso de asimilación en curso. La desaparición de la teoría jacobina convierte la asimilación de los inmigrantes y la destrucción de sus sistemas antropológicos en un proceso «salvaje». Desde 1789 hasta 1960, la ideología jacobina había establecido unas reglas del juego para las poblaciones que entraban en el sistema francés, que expresaban con claridad los derechos y los deberes consecuencia de una asimilación de tipo individualista igualitario y presentaban la adhesión a la cultura francesa como deseable y necesaria. Esa ideología, generosa y explícitamente represiva a un mismo tiempo, no se privaba de ridiculizar los arcaísmos bretones o de estigmatizar el alto índice de criminalidad de los inmigrantes italianos. Pero tenía el mérito de coincidir exactamente con el comportamiento de las poblaciones receptoras, efectivamente dispuestas a reconocer a los inmigrantes como franceses, desde el momento en que aceptasen, además de la lengua francesa, unos pocos valores que definen un fondo común mínimo, en particular la exogamia y la igualdad de los sexos. Más allá de esa exigencia, el monoculturalismo jacobino demuestra ser, como el multiculturalismo norteamericano, un mito de inversión. Mientras que Estados Unidos pulveriza las culturas y homogeneíza su sociedad, la República francesa, una e indivisible, hace alarde, en la práctica, de aceptación de las diferencias de costumbres y de valores.

Entre 1965 y 1989, el elogio de la diferencia por parte de los dirigentes ideológicos y políticos no ha detenido, ni siquiera frenado, la marcha de la asimilación. Sin embargo, ha agravado los sufrimientos de las dos poblaciones concernidas, la de los inmigrantes y la del medio receptor. Al renunciar a presentar la adhesión a la cultura francesa como el objetivo a alcanzar por los hijos de los inmigrantes, las elites han favorecido que en los medios populares se desarrolle un estado de inseguridad, que les impide autopercibirse como los generosos dispensadores de una cultura abierta a todos, pero con un valor intrínseco indiscutible. No es necesario ir más lejos para encontrar la razón última y real de la aparición del Front National, cuyo electorado se recluta preferentemente en las regiones de temperamento igualitario y universalista.

Sería inútil creer que el abandono del pueblo igualitario por sus elites haya beneficiado a los inmigrantes. Ciertamente, dejar de plantear la cultura francesa como dominante puede parecer una manifestación de tolerancia, susceptible de atenuar el trauma que sufren las familias extranjeras en un universo social nuevo. Pero la negativa a asumirse como antropológicamente dominante, en la práctica conduce a *ocultar* a los inmigrantes las reglas del juego reales de la sociedad francesa: una sociedad que aunque acepta con más facilidad que otras las pequeñas diferencias, en el fondo no reconoce ningún derecho a *la* diferencia. Los franceses de a pie raramente respetan en la práctica las fronteras que marcan los límites de las culturas oficialmente respetadas por sus elites. Por su indiferencia ante las nociones raciales y étnicas, los adolescentes del extrarradio destruyen, sin ni siquiera reparar en ello, las culturas inmigradas, la magrebí en particular, revolucionando las relaciones de autoridad en las familias, ya se trate de la autoridad del padre sobre el hijo o de la del hermano sobre la hermana.

Hubiese sido más inteligente explicar a los adultos magrebíes de la primera generación que sus hijos iban a sufrir una transformación ineluctable y que el sistema escolar es el camino ideal para la asimilación a la tradición francesa. En pocas palabras, hubiese debido confrontárseles al contrato jacobino tradicional. Es seguro que un tratamiento realista de ese tipo hubiese disminuido los daños psicológicos inducidos por el paso de un sistema patrilineal endógamo a un sistema bilateral y exógamo, preparando a los jóvenes de ambos sexos a los cambios de papeles que implica tal mutación. El «derecho a la diferencia» ha retrasado la toma de conciencia de las reglas antropológicas

345

y sociales del medio receptor, tanto en el caso de los padres inmigrantes como en el de sus hijos. Ha atenuado el primer choque sufrido por los padres, pero ha agravado un choque diferido: el que puede ensombrecer la vejez de un trabajador magrebí retirado si, en los últimos años de su vida, tiene que presenciar a la vez cómo sus hijos abandonan su propia cultura y cómo no logran adaptarse a la cultura francesa, si tiene que verlos perdidos en una especie de *no man's land* antropológico. La ideología del derecho a la diferencia no ha permitido preservarse a ninguna cultura inmigrada, pero ha contribuido en gran medida a la desorientación psicológica y social de la segunda generación de inmigración magrebí: al retrasar la adhesión a los valores de la sociedad francesa de los adolescentes distanciados de sus valores de origen, ha resultado un factor de anomia.

Conclusión

El análisis comparativo de cuatro grandes democracias occidentales —Estados Unidos, Reino Unido, Alemania y Francia— pone de manifiesto una fundamental diversidad de actitudes frente a la cuestión de la inmigración y de la diferencia humana. Esos cuatro países, de un nivel de desarrollo parecido, provistos de instituciones liberales y democráticas comparables, siguen siendo muy diferentes por la persistencia de sistemas antropológicos inconscientes. La vida familiar y las relaciones interpersonales —que se expresan a través de la escuela, la vecindad o la empresa— siguen definiendo estructuras mentales cuya lógica interna escapa a la racionalidad de la era postindustrial. Algunos valores simples de igualdad o de desigualdad, de libertad o de autoridad, siguen condicionando las actitudes frente al hombre diferente por su color, su religión o sus costumbres. La inmigración pulveriza el mito de una convergencia cultural que derivaría naturalmente del proceso tecnológico.

Las sociedades americana y alemana mantienen con firmeza su concepción de la diferencia: el enclaustramiento matrimonial de algunas mujeres, negras en Estados Unidos o turcas en la República Federal, define auténticos grupos parias. Indices de endogamia del 97 y el 99% demuestran que, bajo la aparente modernidad de las formas democráticas, existe un substrato primitivo intacto, una creencia *a priori* en la diferencia humana. Aunque ese mecanismo de segregación es constante, en ninguno de los dos casos conduce a la estabilidad de las relaciones raciales. La bienintencionada retórica del derecho a la diferencia no debe hacernos olvidar que la percepción de la diferencia siempre genera ansiedad a nivel inconsciente.

A pesar de todo, el diferencialismo liberal de tipo anglosajón se adapta bastante bien a la persistencia de una sociedad segmentada en categorías raciales. La pequeña distancia que significa mantener a un grupo de color en barrios especiales, parece satisfacer la necesidad que siente el grupo dominante blanco de percibir una diferencia y, al mismo tiempo, de aplacar la fobia a esa diferencia. Como es lógico, esa solución no satisface al grupo dominado negro, cuya tendencia a la autodestrucción es cada vez más manifiesta: el número de familias

347

monoparentales, el índice de homicidios y el porcentaje de toxicómanos pintan un cuadro apocalíptico. Los esfuerzos de la conciencia democrática norteamericana para erradicar la segregación del país, una vez que han resultado baldíos a causa de la resistencia del subconsciente diferencialista, han colocado a los norteamericanos negros en una situación psicológica inextricable, contribuyendo así, de manera involuntaria pero trágica, a su desorganización moral. Que una sociedad que te declara no humano te mantenga a distancia no es algo que pueda vivirse como una experiencia agradable; que una sociedad que no cesa de declararte humano te mantenga a distancia debería lógicamente volverte loco. He aquí la razón fundamental de que la descomposición de la estructura familiar de los norteamericanos negros sea, hoy en día, mayor de lo que era en la época de la esclavitud o de la segregación confesada de los años 1900-1940.

La persistencia de las concepciones norteamericanas no es, pues, generadora de estabilidad social sino que, por el contrario, produce un empeoramiento de las condiciones de vida de los negros y una evolución ideológica regresiva. En los años venideros, hay que prever la reestructuración de las relaciones raciales en la dirección de coordinar el consciente y el subconsciente. Ya se detecta la aparición de nuevas doctrinas entre las clases medias negras, en particular un aumento del odio, que se manifiesta a través del antisemitismo. El hecho de que ciertas elites universitarias negras estén recuperando los temas antisemitas más desgastados inquieta a los comentaristas norteamericanos, porque parece enfrentar a dos grupos que fueron aliados durante la lucha por los derechos civiles. A lo largo de los años sesenta, la contribución judía a la emancipación política de los negros fue decisiva. Así que la satanización de los judíos por parte de ciertos intelectuales negros, más que paradójica, es inmoral. El nuevo antisemitismo negro tal vez sea una consecuencia mecánica de la inverosímil situación en la que se encuentran los norteamericanos negros: definidos como iguales y mantenidos en situación de segregación. Con su apoyo, los judíos han encarnado, más que cualquier otro grupo, el ideal democrático norteamericano que ha acabado llevando a los negros a la trampa moral y social en la que se encuentran. Rechazarlos es volver a un odio elemental que tal vez sea más fácil de vivir. El antisemitismo negro designa a los judíos, en tanto que representantes de la sociedad norteamericana mayoritaria, como blancos arquetípicos y no como el grupo paria de un grupo paria. Sea cual sea la explicación, hay que admitir que, al engendrar un antisemitismo norteamericano negro, el diferencialismo ha alcanzado una de las cumbres de la sinrazón. La importancia mundial de la sociedad norteamericana implica que esa sinrazón no puede ser tratada como marginal en la historia de la humanidad.

Tampoco la segregación de los turcos en Alemania conduce a un sistema social estable. En primer lugar porque el diferencialismo autoritario alemán, a diferencia del diferencialismo liberal anglosajón, soporta mal la segmentación de la sociedad. Un sistema antropológico matriz implica, simultáneamente, una percepción *a priori* de las diferencias entre los hombres y un sueño de unidad. Alemania tolera mal la persistencia étnica que ella misma fomenta. Colocados en una inequívoca situación de segregación, los turcos de Alemania no viven su separación tan mal como los negros de Estados Unidos. Pero los alemanes viven peor que los norteamericanos blancos la existencia de un grupo diferente. Los turcos sólo son el 2% de la población de la Alemania reunificada, pero su fuerte índice de natalidad, que es más de dos veces superior al de los alemanes, implica un aumento de la masa relativa que debería conducir, si se mantienen las actuales actitudes culturales, a un aumento de las tensiones. El miedo a la expansión demográfica del grupo minoritario es un elemento clásico de la relación entre dominador y dominado en una situación de separación. El fantasma demográfico penetra directamente en el inconsciente, individual o colectivo, porque evoca simultáneamente una relación de fuerzas entre grupos étnicos y el trasfondo de sexualidad y de muerte que condiciona el movimiento de poblaciones. Desde ese punto de vista, la considerable proporción de incidentes raciales en los que aparecen implicados niños de origen turco en Alemania resulta un signo inquietante.

Frente a los dos modelos, Estados Unidos y Alemania, de obsesiones muy simples, Inglaterra y Francia se presentan como dos sociedades complejas, por razones diferentes. En Inglaterra, el sistema antropológico es, como en Estados Unidos, de tipo diferencialista liberal, pero una morfología de clase muy particular impide la focalización de la noción de diferencia sobre una categoría particular de inmigrantes. Para ese no muy halagüeño papel, antillanos, paquistaníes y sijs se encuentran en competencia con el trabajador manual autóctono que, aunque es blanco, para las clases medias inglesas encarna, desde mediados del siglo XIX, la idea misma de la diferencia. En Inglaterra, todos los índices de exogamia de los hijos de los inmigrantes son superiores al 15%, y a veces más elevados. Sólo la comunidad paquistaní podría perdurar, gracias más a su fecundidad que a su endogamia, lo que quiere decir que, probablemente, el Reino Unido podrá evitar la segmentación étnica o racial. Eso no ocurrirá porque sea una sociedad particularmente democrática y ferviente partidaria de la igualdad sino, muy al contrario, porque la tradición aristocrática inglesa impide la radicalización completa de las relaciones sociales. Como la igualdad entre los blancos es algo inimaginable, la idea complementaria de separar la población de color no puede desarrollarse plenamente.

Francia está protegida de la radicalización de la vida social por una creencia *a priori* en la igualdad de los hombres, inscrita en un sistema antropológico de alma igualitaria. Cualquiera que sea la dimensión de los problemas de cohesión social, los valores de libertad e igualdad impiden que se produzca una segmentación étnica o racial estable. Ya he explicado cómo la existencia de un sistema diferencialista periférico podía perturbar y estimular a un mismo tiempo la expresión de ese universalismo central. Pero el equilibrio de fuerzas internas en Francia debería favorecer la reconducción de las regiones de temperamento diferencialista y producir una reafirmación de la vocación universalista del sistema en su conjunto.

Francia no está sola en el mundo. Como nación de cincuenta y seis millones de habitantes, debe tener en cuenta el empuje ideológico de sus vecinos y aliados. Los dos más importantes, Estados Unidos y Alemania, viven, expresan y exportan ideales diferencialistas. La influencia norteamericana es inmensa y superficial a la vez, servida por una cultura audiovisual mundialmente dominante. Sin embargo, la capacidad de los medios de comunicación audiovisuales para influir en profundidad en las actitudes raciales o étnicas inconscientes es mínima. El espectador francés no percibe la combinación de buenos sentimientos multiculturalistas y respeto a la norma de endogamia racial que caracteriza los folletines estadounidenses, puesto que no posee el descodificador mental indispensable. En Hawai, quincuagésimo estado americano desde el año 1959, puede detectarse un alto índice de exogamia de los negros, de modo que si las actitudes diferencialistas norteamericanas no han logrado imponerse allí, parece inútil inquietarse por su difusión en Francia.

El empuje ideológico alemán es más discreto y también más concentrado. A diferencia de Estados Unidos, la República Federal Alemana no tiene la pretensión de exportar su visión del mundo. No obstante, contribuye a la importación por Francia de turcos convertidos al diferencialismo, que resultan resistentes a la asimilación. En el interior del conjunto europeo, Alemania, por su prestigio económico, legitima, tan involuntaria como inevitablemente, el conjunto de sus concepciones, incluyendo separación de los turcos y derecho de sangre. Así favorece la persistencia de una doctrina diferencialista en ciertos sectores de la sociedad francesa. Juntos, los Estados Unidos de América y la República Federal de Alemania forman un mal entorno para Francia, en el mismo momento en el que debe reafirmar su voluntad universalista y su capacidad para asimilar a todos los inmigrantes, negros y musulmanes incluidos.

La constatación de que existe una enorme diversidad de naciones europeas en lo que a su relación con el Extranjero se refiere implica la necesidad de revisar la construcción europea. Francia asimila a todos sus inmigrantes, empresa que la diferencia objetiva magrebí hace difícil, hecho que explica la aparición del Front National, indicador de tensión. Inglaterra asimila bajo el velo del multiculturalismo, con menor eficacia en el caso de los paquistaníes y haciendo sufrir a sus antillanos más de lo que Francia hace sufrir a sus magrebíes. Alemania selecciona a los ex yugoslavos como asimilables y a los turcos como minoría destinada a la segregación.

La divergencia de las naciones europeas frente a la cuestión de la inmigración tiene implicaciones conflictivas. Hará forzosamente que vuelvan a aparecer actitudes y oposiciones latentes, porque actualiza un antiguo enfrentamiento que se desarrolló en torno al destino de los judíos. Francia exigió que se asimilasen, aceptando no obstante en la práctica la conservación de ciertos aspectos importantes de su modo de vida tradicional. Inglaterra los asimiló de manera más completa, pero predicando el respeto a la diferencia. La Alemania nazi se negó a considerarlos hombres. La inmigración de las poblaciones que llegan del Tercer Mundo desencadena, en cada país de Europa, un nuevo ciclo de la diferencia del que podemos esperar que no conduzca, en el contexto de unas costumbres suavizadas, a los mismos excesos. A pesar de todo, en el campo de las relaciones étnicas, raciales o religiosas, la experiencia impone un mínimo de prudencia.

Una visión realista de los mecanismos de asimilación y de segregación revela hasta qué punto es huera la noción de identidad europea. La hipótesis de una unificación de los valores en un sentido universalista parece tener muy pocas posibilidades de convertirse en realidad. Francia no dispone de la suficiente potencia material y moral como para poder corregir las trayectorias británica y alemana, ya muy avanzadas. En el mejor de los casos, podemos pensar en una convergencia de las actitudes francesa, italiana y española. En Italia y en España es previsible la reaparición de su tradición universalista, a pesar de que las primeras reacciones ante la inmigración procedente del Magreb o del Africa negra hayan sido bastante violentas. En los países latinos, el fondo antropológico igualitario conduce a dos reacciones sucesivas. En un primer momento, la identificación de diferencias físicas o culturales objetivas exaspera a una población que rechaza a priori la idea de una humanidad segmentada. Luego, con el tiempo, el conflicto se calma: la costumbre permite a la sociedad receptora descubrir el carácter simplemente humano de los inmigrantes y de sus hijos.

Con frecuencia, las elites o los dirigentes políticos franceses, de derecha y de izquierda, viven la adhesión al ideal europeo como una aplicación más de la ideología universalista. Si todos los pueblos son equivalentes, ¿por qué no abolir la distinción entre los pueblos francés y alemán? Esa actitud que, como la voluntad de asimilar a los inmigrantes, deriva de un postulado igualitario, es perfectamente respetable en sí misma. No obstante, una visión realista de los fenómenos de la inmigración revela que para la sociedad francesa, el sueño de la unidad europea está convirtiéndose en un mito destructor capaz, como el derecho a la diferencia, de frenar y perturbar la entrada en la nación de ciertos hijos de inmigrantes. El europeísmo impide el desarrollo de una ideología capaz de guiar y de encauzar los procesos de asimilación «salvaje».

La asimilación es, ante todo, un proceso antropológico cuyos principales actores son los inmigrantes y las capas populares. La interacción de esos grupos en las ciudades y en sus cinturones trae consigo cambios de costumbres y cierta frecuencia de matrimonios mixtos. Pero también existe una dimensión ideológica de la asimilación: el grupo inmigrado tiene que entrar simbólicamente en una sociedad receptora con la que debe identificarse. Para los hijos de los inmigrantes que llegaron a Francia antes de la segunda guerra mundial, integrarse no sólo era casarse en cierta proporción con franceses, sino convertirse ellos mismos en Francia, identificación tanto más fácil, eficaz e indolora, cuanto que la definición dominante del ideal nacional rechazaba cualquier noción de etnicidad, origen o genealogía. La nación republicana se define tanto por su porvenir como por su pasado. Esa es la razón por la que, en el contexto cultural francés, una concepción nacional fuerte facilita la asimilación, como muy bien ha señalado Jean-Claude Barreau.[1] Pero resulta que el mito europeo debilita la nación en su papel de fijar las fidelidades colectivas, sin lograr reemplazarla. La construcción europea se ha convertido en un elemento generador de anomia en los cinturones de las ciudades porque desintegra la única identidad colectiva que podrían compartir los medios populares franceses y los hijos de los inmigrantes, Francia, al intentar reemplazarla por una Europa abstracta con la que ni los unos ni los otros pueden identificarse.

El análisis antropológico de la inmigración va derecho al corazón de la definición de los grupos humanos, con lo que pone en evidencia, con toda crudeza, el carácter de abstracción carente de contenido de la noción de Europa. Integrarse es, en primer lugar, aprender una lengua, y Europa no tiene ninguna lengua común. Integrarse es entrar en un sistema de costumbres, y en Europa no hay un sistema de costumbres común, particularmente en lo que se refiere a la actitud con respecto a las poblaciones inmigradas. Ya apunté en *La invención de Europa* las contradicciones que existen entre los derechos de nacionalidad alemán y francés. El análisis antropológico de los procesos de asimilación y de segregación muestra hasta qué punto el derecho refleja diferencias de costumbres mucho más profundas, enraizadas en el inconsciente de los pueblos y de los hombres. Al final de ese estudio comparativo, la creencia en el hombre universal de los franceses resulta ser un particularismo local que está implícitamente en conflicto con las concepciones inglesas y alemanas del color, de la raza y de la etnicidad. Creer que Alemania, que no reconoce como hijos suyos a los hijos de los turcos nacidos en su territorio, aceptará como europeos a los ciudadanos franceses de origen magrebí, antillano o camerunés revela una imperdonable ingenuidad. ¿Y cómo podrían esos ciudadanos identificarse con una Europa blanca y cristiana, definida por contraste con Japón, el Magreb y Africa? Si somos pesimistas, Europa es un proyecto diferencialista de gran envergadura, unificador de todos los diferencialismos del continente, susceptible de extender a todos los Estados un derecho de sangre de corte alemán. Si somos optimistas, Europa propone un universal abstracto, una fusión absolutamente teórica de los pueblos francés, inglés y alemán, que viven en lugares distantes, hablan lenguas diferentes y no tienen sino escasísimos lazos matrimoniales entre sí. Las relaciones entre franceses, ingleses y alemanes son superficiales en el nivel de las elites e insignificantes en el de las clases populares. Las relaciones entre franceses e inmigrantes son constantes, omnipresentes y reales. Se expresan en una lengua que todos comprenden: el francés. No excluyen los conflictos, pero si desembocan en la asimilación de poblaciones procedentes del mundo entero, harán de Francia un universal concreto.

He intentado demostrar en este libro que la descripción de las diferencias antropológicas objetivas entre grupos inmigrados y población receptora no conduce, en el caso de Francia, a una visión pesimista del presente o del porvenir, a pesar de que en el caso de las demás grandes naciones del mundo occidental el diagnóstico sea menos optimista. El hecho de que entre los sistemas antropológicos francés y magrebí exista una incompatibilidad no impide que la asimilación prosiga su curso. Pero sería prudente admitir que las trayectorias de entrada en la sociedad francesa de argelinos, marroquíes y tunecinos, patrilineales y endógamos, no se parecen en absoluto a las de italianos, españoles y polacos, cuyos sistemas parentales de carácter bilateral y exógamo definen como cercanos a la población receptora. La absorción de los inmigrantes de origen magrebí implica la destrucción de su sistema de costumbres, circunstancia que engendra mucho desconcierto y muchos sufrimientos.

La ideología del derecho a la diferencia ha agravado esos sufrimientos porque oculta a los inmigrantes la realidad de su destino y aumenta la sensación de inseguridad de las capas populares francesas. Ese diferencialismo, bienintencionado pero nocivo, va desapareciendo hoy poco a poco, en una sociedad francesa en la que no existe el substrato de concepciones raciales que pudiese garantizar su permanencia. Sin embargo, el mundo de las elites —altos funcionarios, políticos, periodistas, universitarios— no consigue alumbrar una doctrina clara de la asimilación. La palabra integración sigue reinando vacía de sentido, puesto que tanto los asimilacionistas como los segregacionistas la utilizan dándole el significado que les interesa, absorción de individuos los primeros, enclavamiento de grupos los segundos. La aceptación del término asimilación, con todas sus consecuencias morales y administrativas, facilitaría la gestión del proceso de destrucción de los sistemas antropológicos inmigrados, que el pudor de las elites no detiene. La conversión a un asimilacionismo franco implicaría un rechazo no vergonzante, en el territorio francés, de todos los elementos exteriores al fondo común mínimo francés. La opresión de la mujer, árabe o malí, es desde ese punto de vista un elemento central. El retorno de la sociedad francesa a un honesto asimilacionismo no exige forzosamente una ley, sino sobre todo un cambio de clima y de tono. Implica que las elites hablen con más valentía de los conflictos culturales entre franceses e inmigrantes, y con más amor por Francia, lugar simbólico y práctico de la asimilación.

La incapacidad para afirmar que Francia existe, y que el destino de los inmigrantes no puede ser otro que el de alinearse con sus costumbres mayoritarias, estimula la ansiedad de la población receptora. El sistema antropológico dominante es opuesto a una inmigración que propicie el establecimiento en Francia de grupos que no acepten entrar a formar parte de la comunidad nacional sobre una base individualista e igualitaria. La tolerancia abstracta del multiculturalismo ha conducido, en resumidas cuentas, al cierre de las fronteras. La clase política, incapaz de tranquilizar a la población francesa a base de una clara afirmación de los ideales republicanos, se ha visto forzada a someterse a sus prevenciones. La apertura teórica a la diferencia ha conducido al cierre práctico de las fronteras y de las mentalidades. Por el contrario, la redefinición de Francia como sociedad de asimilación, que afirma la primacía de su sistema de costumbres al mismo tiempo que está dispuesta a acoger a los individuos que acepten sus valores fundamentales, podría conducir a un relanzamiento de la inmigración.

Un asimilacionismo abierto permitiría a los magrebíes, a los malíes y a muchos otros orientarse con la máxima eficacia en su proceso de adaptación. En la medida en que cada hombre aspira ante todo a ser reconocido como tal por la comunidad que lo recibe, los inmigrantes de cualquier procedencia no podrían por menos de sentirse aliviados y felices al saber que Francia quiere hacer de sus hijos unos franceses de pleno derecho.

Notas

1. Universalismo y diferencialismo: simetría y asimetría en las estructuras mentales

1. Sobre la definición ateniense de la ciudadanía, *véase* N. Loraux, *Les Enfants d'Athéna*, París, Maspero, 1981.

2. Hay otros ejemplos griegos de definición de ciudadanía por los dos progenitores. *Véase* C. Vial, «Mariages mixtes et statut des enfants; trois exemples en Égée orientale», en R. Lonis y otros, *L'Étranger dans le monde grec*, Presses Universitaires de Nancy, 1992, págs. 287-296. Los ejemplos estudiados son Cos, Rodas y Mileto.

3. A propósito de ciertas modificaciones recientes del código alemán de nacionalidad, *véase* más abajo, pág. 173.

4. Libro de historia citado por M. Ferro en *Comment on raconte l'histoire aux enfants*, París, Payot, 1981, págs. 244 y 245. *Kokutai* puede traducirse por «esencia nacional japonesa». Hasta los años ochenta del pasado siglo, cada nación tenía su *kokutai* particular. Luego se reservó el término sólo para Japón. Sobre ese particular, *véase* K. van Wolferen, *L'Énigme de la puissance japonaise*, París, Robert Laffont, 1990, págs. 288-294.

5. J. Forné, *Euskadi. Nation et idéologie*, París, Éd. du CNRS, 1990, página 13.

6. La estudiaremos con detalle en el capítulo quinto.

7. Sobre los *burakumin*, *véase* J.F. Sabouret, *L'Autre Japon: les burakumins*, París, La Découverte, 1983.

8. El hinduismo admite la existencia de una esencia común a todos los elementos de la naturaleza, vivos o no. Los hombres, los animales, las piedras son múltiples manifestaciones de una misma esencia divina. Con frecuencia, se asocia la negativa a separar al hombre del resto de la naturaleza con el diferencialismo. No hay nada tan eficaz para fragmentar teóricamente al género humano como colocar los diferentes tipos de hombres en una cadena sin solución de continuidad que va de lo inanimado a la categoría humana superior. En esos modelos las especies humanas inferiores colindan con las especies ani-

males superiores. En la variedad social-darwinista, el negro estará cerca del mono. En el modelo religioso hinduista, el intocable estará cerca de los mamíferos superiores. En la India, mundo que no cree que los hombres sean iguales, ciertos grupos religiosos maximalistas, como los jains, se preocupan mucho por que la vida de los insectos sea respetada.

9. *Moral Sciences Series*, libro VII, Madrás, Macmillan, páginas 67 y 68.

10. Para una introducción a la religión sij, *véase* por ejemplo M. Williams, *Religious Thought and Life in India*, Nueva Delhi, Oriental Books Reprint Corporation, 1974, reedición de la edición inglesa de 1883, págs. 161-179. *Véase* también S. Nityabodhananda, *Mythes et Religions de l'Inde*, París, Maisonneuve et Larose, 1967, págs. 169-179, «Le shikisme: le nationalisme dans la religion».

11. Para una primera aproximación a esa hipótesis, *véase* E. Todd, *La Troisième Planète. Structures familiales et systèmes idéologiques*, París, Seuil, 1983, especialmente los capítulos tercero y sexto.

12. El sistema romano no excluye sistemáticamente a las hijas de la herencia. Pero el matrimonio de éstas, que implica el paso a la *manus* de otro *pater familias*, implica la pérdida de su calidad de herederas de su grupo familiar *(sua heres)*. Recuperan la calidad de herederas en el grupo familiar del marido, pero se trata de una calidad en cierto modo ficticia, porque sólo pueden transmitirla a sus hijos. Sobre la ambigüedad del status femenino en la transmisión de los bienes en Roma, *véase* J.A. Crook, «Women in Roman succession», en B. Rawson, *The family in Ancient Rome*, Londres, Croom Helm, 1986, págs. 58-82, en particular págs. 60-61. En el sistema familiar árabe, las hijas no heredan en la práctica, a pesar de las prescripciones coránicas. Sobre este importante punto, *véase* el capítulo undécimo, pág. 255.

13. Sobre este particular, *véase* por ejemplo J. Gaudemet, *Le Droit privé romain*, París, Armand Colin, 1974, págs. 108-113.

14. *Véase* la nota 12 de este capítulo.

15. *Véase* el detalle de la geografía del tipo familiar nuclear en E. Todd, *La invención de Europa*, Barcelona, Tusquets Editores, 1995, capítulo primero: «Los sistemas familiares».

16. Así pues, debe distinguirse entre la herencia *divisible* de la terminología inglesa *(partible inheritance)* y la herencia *igualitaria* del mundo latino.

17. *Véase* la geografía del tipo matriz y sus matices en el mundo germánico y en Europa, en E. Todd, *La invención de Europa, ed. cit.*, capítulo primero.

18. A propósito de las pequeñas diferencias regionales en Japón, *véase* C. Nakane, *Kinship and Economic Organization in Rural Japan*, Londres, Athlone Press, 1967, págs. 8-16. *Véase* también N. Nagashima y H. Tomoeda, *Regional Differences in Japanesse Rural Culture*, Senri

Ethnological Studies número 14, Osaka, National Museum of Ethnology, 1984.

19. *Véase* M.J. Leaf, *Information and Behavior in a Sikh Village*, Berkeley, University of California Press, 1972, págs. 71-73.

20. Sobre las dificultades para analizar la vida familiar judía, y para una descripción más detallada de algunas de sus múltiples variantes regionales, *véase* el capítulo décimo, dedicado a la asimilación de las poblaciones judías.

21. «Si un hombre tiene dos mujeres, a una de las cuales ama y a la otra no, y tanto la mujer amada como la otra le dan hijos, si resulta que el primogénito es de la mujer a quien no ama, el día que reparta la herencia entre sus hijos, no podrá dar el derecho de primogenitura al hijo de la mujer que ama, en perjuicio del hijo de la mujer que no ama, el verdadero primogénito. Sino que reconocerá como primogénito al hijo de ésta, dándole una parte doble de todo lo que posee: porque este hijo, primicia de su vigor, tiene derecho de primogenitura» (Deuteronomio 21, 15-17).

22. Extremo este que ha visto perfectamente S.W. Baron, en su *Histoire d'Israël*, París, PUF, 1956 y 1986: «Mientras que la legislación de la Biblia, en conformidad con arquetipos orientales muy extendidos, reconocía la superioridad natural del hijo mayor, la leyenda y la historia bíblicas concedieron mayor importancia a los hijos menores que Dios llamaba a su servicio. Abel, Isaac, Jacob, Moisés, David o Salomón fueron segundones cuya cualificación constituyó un desafío a las reglas de la sucesión natural» (pág. 29).

23. *La Cité antique*, París, Éd. d'Aujourd'hui, 1980, págs. 90 y 91. [Traducción española: *La ciudad antigua*, Barcelona, Península, 1984.] Fustel de Coulanges insiste en el contraste entre inigualitarismo griego e igualitarismo romano.

24. Para la descripción y geografía completas del tipo nuclear absoluto, *véase* E. Todd, *La invención de Europa*, capítulo primero.

25. Para una presentación con algún detalle de las reglas de herencia, *véase* K. Ishwaran, *Shivapur: a South Indian Village*, Londres, Roudledge and Kegan Paul, 1968, págs. 64 y 65, y K.G. Gurumurthy, *Kallapura: a South Indian Village*, Dharwar, Karnataka University, 1976, págs. 69 y siguientes. En esos dos pueblos de Karnataka, la regla igualitaria está muy matizada, por no decir adulterada, a base de disposiciones particulares que conciernen a los primogénitos y a los segundones. Algunas costumbres de herencia tal vez sean más igualitarias, especialmente en el Tamil Nadu; *véase* L. Dumont, *Une sous-caste de l'Inde du Sud*, París, Mouton, 1957. El hecho de que en el norte de la India exista un sistema familiar simetrizado, de reglas abiertamente igualitarias, tal vez explique ciertos titubeos y contradicciones en lo que concierne a las reglas de herencia en el sur de la India. Por un prurito de unificación, los antropólogos indios tienden

con frecuencia a presentar la familia del sur como extensa y comunitaria, al estilo de la del norte, error en el que no cae L. Dumont (*ibíd.*, págs. 51-61). El censo indio de 1961 confirma el carácter nuclear de la familia en la India del sur; para ese extremo, *véase* E. Todd, «L'analyse des structures familiales: approches anthropologiques et démographiques», en *Au-delà du quantitatif*, Chaire Quételet 85, Ciaco, Louvain-la-Neuve, 1988, págs. 467-482.

26. Sobre los primogénitos y los segundones en el sistema tamil, *véase* L. Dumont, *Une sous-caste de l'Inde du Sud*, págs. 206 y 265-271.

27. *Ibíd.*, pág. 189, confirmado para otra región tamil por B.E.F. Beck, *Peasant Society in Kontu*, Vancouver, University of British Columbia Press, 1972, pág. 238.

28. Cierto número de microsistemas culturales de la periferia de la India, tanto en el norte como en el sur, combinan un ciclo de desarrollo de tipo matriz con una regla de matrimonio asimétrico. Ese es el caso de los «Moros tamiles» de Ceilán, que combinan la sucesión a través de la hija mayor (ciclo matriz matrilineal) con una regla de matrimonio con la prima cruzada matrilateral; *véase* N. Yalman, *Under the Bo Tree*, University of California Press, 1967, págs. 286 y 288-289. Los garo del nordeste combinan esas dos mismas reglas, con la única diferencia de que la heredera no es forzosamente la mayor; C. Nakane, *Garo and Khasi: a Comparative Study in Matrilineal Systems*, París, Mouton, Cahiers de l'Homme, 1967, págs. 46-51 y 69. Los gurungs del Nepal combinan un ciclo matriz imperfecto con un matrimonio preferencial entre primos cruzados, matrilateral según B. Pignède, matrilateral y patrilateral según A. Macfarlane. *Véase* B. Pignède, *Les Gurungs. Une population himalayenne du Népal*, París, Mouton, 1966, página 228, y A, Macfarlane, *Resources and Population. A Study of the Gurungs of Nepal*, Cambridge University Press, 1976, págs. 17 y 19. La familia matriz, identificada en el siglo XIX por Frédéric Le Play, pronto se convirtió, para la sociología histórica de la familia en Europa, en una especie de obsesión; por su parte, el matrimonio matrilateral está en el centro de la reflexión de los antropólogos que trabajan sobre poblaciones del Tercer Mundo, y resulta particularmente esencial a la idea de cambio generalizado desarrollada por Claude Lévi-Strauss. Es llamativo ver cómo los sociólogos y los antropólogos que trabajan sobre campos geográficos distantes se centran, de manera independiente pero paralela, sobre dos aplicaciones distintas del principio de asimetría. Seguramente, la explicación a esa doble fascinación se encuentra en el carácter intrínsecamente sorprendente de las mecánicas sociales asimetrizadas. En una próxima obra sobre el origen de los sistemas familiares, intentaré demostrar que las diferentes estructuras asimétricas obedecen a una determinación común.

29. Sobre el cierre de Marsella con respecto a la Galia, *véase* A. Momigliano, *Sagesses barbares*, París, Gallimard, 1991, págs. 65-72.

30. Véase *La Guerre des Gaules*, París, Garnier-Flammarion, 1964, págs. 47, 100, 134. [Traducción española: *La guerra de las Galias*, Madrid, Gredos, 1990, 1991.]

31. Sobre César y la etnografía griega de la Galia, *véase* A. Momigliano, *Sagesses barbares*, págs. 83 y 84.

32. *Romans and Blacks*, Londres y Oklahoma, Routledge y Oklahoma University Press, 1989, en particular págs. 159-162. En ese libro también se encuentra un interesante análisis de las actitudes romanas frente a los pueblos más pálidos del norte de Europa.

33. A diferencia de Inglaterra y Alemania, relativamente homogéneas en términos de sistema antropológico, Francia es muy variada, así que, si se habla de medio social, tratándose de la Francia continental, se debe precisar la región. Sobre la complejidad, *véase* más abajo, el capítulo noveno.

2. Diferencialismo y democracia en Norteamérica. 1630-1840

1. Sobre los orígenes regionales ingleses de los primeros colonos de América, *véase* el estudio sistemático de D.H. Fisher, *Albions's Seed. Four British Folkways in America*, Oxford University Press, 1989.

2. No obstante, los cuáqueros, que a veces creen en la reencarnación de las almas, deben ser considerados como gentes que van más allá de los límites teóricos del cristianismo.

3. D.H. Fisher, *Albion's Seed. Four British Folkways in America*, pág. 101.

4. *Ibíd.*, págs. 274-276.

5. *Ibíd.*, págs. 481-483.

6. *Ibíd.*, págs. 172, 380-381 y 568.

7. *Ibíd.*, pág. 173.

8. En la medida en la que en esa época existen formalizaciones teóricas en Inglaterra, éstas conciernen al sistema familiar de la aristocracia, absolutamente minoritaria. Esa es la razón de que la Inglaterra de los siglos XVI o XVII con frecuencia sea considerada, erróneamente, como país de primogenitura masculina.

9. Juan Calvino, *Institution de la religion chrestienne*, París, Les Belles Lettres, 1961, t. III, pág. 62. [Traducción española: *Institución de la Religión Cristiana*, Holanda, Fundación Editorial de Literatura Reformada, 1967.]

10. Puede observarse una revolución análoga en Inglaterra, país en donde la Iglesia anglicana y las sectas puritanas de la época revolucionaria evolucionan hacia el arminianismo, que restablece, contra Lutero y Calvino, el libre albedrío en la metafísica protestante. Sobre ese punto, *véase* E. Todd, *La invención de Europa*, págs. 120-123.

11. W.A. Speck y L. Billington, «Calvinism in Colonial North

America 1630-1715», en M. Prestwich, *International Calvinism 1541-1715*, Oxford, Clarendon Press, 1985, págs. 257-283 *(véanse* págs. 260 y 261).

12. W.S. Hudson, *American Protestantism*, Chicago, The University of Chicago Press, 1961, pág. 14.

13. W.A. Speck y L. Billington, «Calvinism in Colonial North America 1630-1715», artículo citado, págs. 263 y 264.

14. *Ibíd.*, pág. 267.

15. *Ibíd.*, pág. 270.

16. Para una descripción detallada de la conquista anglosajona de Inglaterra, *véase* por ejemplo D.J. Fisher, *The Anglo-Saxon Age 400-1042*, Londres, Longman, 1973, capítulos primero y segundo.

17. Para la delimitación de esas zonas antropológicas, *véase* E. Todd, *La invención de Europa*, pág. 69.

18. «*We hold these truths to be self-evident, that all men are created equal, that they are endowed by their Creator with certain unalienable rights, that among these are life, liberty and the pursuit of happiness*» (R.D. Heffner, *A Documentary History of the United States*, Nueva York, New American Library, 1985, pág. 15). [Traducción española: *Historia documental de los Estados Unidos*, Buenos Aires, Arayú, 1955.]

19. G. Myrdal, *An American Dilemma. The Negro Problem and Modern Democracy*, Nueva York, Harper, 1944; *véanse* págs. 9-12 sobre el cristianismo.

20. A. Bloom, *The Closing of the American Mind*, Londres, Penguin Books, 1988 (primera edición: 1987), en particular pág. 55: «*America tells one story: the unbroken, ineluctable progress of freedom and equality. From its first settlers and its political foundings on, there has been no dispute that freedom and equality are the essence of justice for us. No one serious or notable has stood outside this consensus*». [Trad. española: *El cierre de la mente moderna*, Barcelona, Plaza & Janés, 1989.]

21. La contradicción entre los principios del calvinismo y los de la Revolución americana fue señalada por J.B.S. Haldane, diferencialista británico de extrema izquierda, a la vez que un extravagante chiflado. *Véase* en particular su libro *The Inequality of Man*, Londres, Penguin, 1937 (primera edición: 1932), pág. 23. Sobre la contradicción entre elección calvinista e ideal democrático *véase* también, a propósito de las sectas protestantes inglesas del siglo XVII, C. Hill, *The World Turned Upside Down: Radical Ideas during the English revolution*, Londres, Penguin, 1975, págs. 156-160.

22. Numerosos autores han señalado la existencia de un epicentro igualitario en Virginia. Un ejemplo reciente es el de L.H. Fuchs, *The American Kaleidoscope. Race, Ethnicity and the Civic Culture*, Hanover y Londres, Wesleyan University Press, 1990, pág. 12.

23. *De la démocratie en Amérique*, París, Gallimard, 1961, t. I, págs. 55 y 56. [Traducción española: *La democracia en América*, Madrid,

Alianza, 1980.] Tocqueville indica en nota que esas enmiendas a la Constitución de Maryland datan de 1801 y 1809.

24. Sobre el programa de expansión antiindia de los demócratas jacksonianos, *véase* L.H. Fuchs, *The American Kaleidoscope*, páginas 82 y 83.

25. Sobre el aumento de la fuerza del sentimiento racial en el Oeste americano, *véase* A. Saxton, *The rise and the Fall of the White Republic*, Londres y Nueva York, Verso, 1990, en particular el capítulo duodécimo: «Organizing the West».

26. Puede leerse un resumen de esta fase en M.A. Jones, *The Limits of Liberty. American History, 1607-1980*, Oxford University Press, 1938, págs. 281-285.

27. Citado por M. Banton en *Sociologie des relations raciales*, París, Payot, 1971. pág. 131 (edición original: *Race Relations*, Londres, Tavistock, 1967).

28. L. van den Berghe, *Race and Racism. A Comparative Perspective*, Nueva York, John Wiley, 1967, pág. 77.

29. *Véase* más arriba, pág. 32.

30. *Véase* P. Carlier, «Observations sur les *nothoi*», en R. Lonis y otros, *L'Étranger dans le monde grec*, t. II, págs. 107-125, especialmente págs. 113-116.

31. *Véase* más abajo, capítulo noveno, «El hombre universal en su territorio».

3. La asimilación de los blancos en Estados Unidos

1. *Véase* E. Todd, *La invención de Europa*, capítulo duodécimo.

2. *Ibíd.*, págs. 168-178.

3. *Ibíd.*, págs. 54-58, y capítulos noveno y décimo.

4. *Ibíd.*, págs. 54-58.

5. I.L. Reiss y G.R. Lee, *Family Systems in America*, Nueva York, Holt, Rinehart and Winston, 1988, pág. 362.

6. Esa coincidencia entre familia matriz preindustrial y muy baja fecundidad moderna no es aplicable a Suecia, donde el índice coyuntural de fecundidad acaba de subir hasta el 2,1 en 1993, frente al 1,4 de Alemania, 1,5 de Austria, 1,6 de Suiza y 1,5 de Japón.

7. Tönnies afirma explícitamente que la familia matriz de primogenitura masculina es la forma a la vez embrionaria e ideal de la *Gemeinschaft*. *Véase* la edición inglesa de *Gemeinschaft und Gesellschaft, Community and Society*, Nueva York, Harper, 1963, pág. 39. [Traducción española: *Comunidad y asociación*, Barcelona, Península, 1979.]

8. *Véase*, por ejemplo, T. Parsons, «The social structure of the fa-

mily», en R.N. Anshen, *The Family: Its Function and Destiny*, Nueva York, Harper, 1949, págs. 173-201. [Traducción española: «La estructura social de la familia», en VV.AA, *La familia*, Barcelona, Península, 1986, págs. 31-65.] Los posteriores trabajos de Richard Sennett pusieron en tela de juicio el papel de factor exclusivo de progreso que pueda representar la familia nuclear. Sennett pone de relieve la existencia de una relación entre extensión de la familia y buena adaptación socioprofesional de los hijos; no obstante, el criterio «étnico» no es significativo en el más clásico de sus estudios. *Véase* R. Sennett, *Families against the City. Middle Class Homes of Industrial Chicago*, Cambridge (Mass.), Harvard University Press, 1970.

9. *Statistical Abstract of the United States. 1984*, pág. 16.

10. Sobre la mecánica de separación de generaciones en la moderna familia americana, *véase* la excelente presentación de H. Varenne, «*Love and liberty*: la famille américaine contemporaine», en A. Burguière, C. Klapisch-Zuber y otros, *Histoire de la famille*, París, Armand Colin, t. II, págs. 413-435. [Traducción española: *Historia de la familia*, Madrid, Alianza Editorial, 1988.]

11. En la práctica, el igualitarismo de Puerto Rico subsiste; no puede decirse lo mismo de Luisiana, donde la tradición francesa es insignificante.

12. Sobre la familia ideal americana de finales de los cuarenta, *véase* G. Gorer, *Les Américains*, París, Calmann-Lévy, 1949, pág. 97.

13. *De la démocratie en Amérique*, t. II, tercera parte, capítulos noveno y décimo, págs. 206-211.

14. Sobre las mujeres y las madres americanas, *véase* G. Gorer, *Les Américains*, págs. 49-69.

15. Sobre la movilidad de las poblaciones campesinas de la Inglaterra preindustrial, *véase* el artículo «Clayworth and Cogenhoe», en P. Laslett, *Family Life and Illicit Love in Earlier Generations*, Cambridge University Press, 1977, págs. 50-101.

16. Para describir la adaptación noruega empleo un artículo de J. Gjerde, «Paterns of migration to, and demographic adaptation within rural ethnic American communities», *Annales de démographie historique 1988*, París, Société de démographie historique, 1989, págs. 277-297.

17. *Ibíd.*, pág. 289.

18. Esta contradicción ha sido subrayada por G.S. Berman en «The adaptable American Jewish family: an inconsistency in theory», *The Jewish Journal of Sociology*, vol. XVIII, número 1, junio de 1976, págs. 5-16.

19. C. Goldscheider y S. Goldstein, «Generational changes in Jewish family structure», *Journal of Marriage and the Family*, vol. XXIX, número 2, mayo de 1967, págs. 267-276.

20. A. Cherlin y C. Celebuski, «Are Jewish families different? Some

evidence from the general social survey», *Journal of Marriage and the Family*, vol. XIV, número 4, noviembre de 1983, págs. 903-910.

21. W. Toll, «The female life cycle and the measure of Jewish social change: Portland, Oregón, 1880-1930», en G.E. Pozzetta y otros, *Immigrant Family Patterns*, Nueva York, Garland, 1991, págs. 343-366.

22. *Ibíd.*, págs. 346 y 353.

23. *Ibíd.*, págs. 352-354.

24. Sobre el regionalismo etnocéntrico noruego del oeste, *véase* E. Todd, *La invención de Europa*, págs. 431-433.

25. Sobre la familia en el sur de Italia, *véase* E. Todd, *op. cit.*, capítulo primero, y G. Da Molin, *La famiglia nel passato, Strutture familiare nel Regno di Napoli in età moderna*, Bari, Cacucci editore, 1990.

26. Sobre la familia siciliana original y sus adaptaciones americanas, *véase*, por ejemplo, en G.E. Pozzetta y otros, *Immigrant Family Patterns*, el artículo de D. Gabbacia, «Kinship, culture and migration: a Sicilian example», págs. 75-89, y el de C. Leahy-Johnson, «Sibling solidarity: its origin and functioning in Italian-American families», págs. 169-181.

27. E.C. Banfield, *The Moral Basis of a Backward Society*, Nueva York, The Free Press, 1958, págs. 110-114.

28. Sobre la descristianización precoz de la mayoría de las regiones de familia nuclear igualitaria, *véase* E. Todd, *La invención de Europa*, págs. 166-178.

29. Sobre ese proceso, *véase* N. Glazer y D.P. Moynihan, *Beyond the Melting Pot. The Negroes, Puerto Ricans, Jews, Italians and Irish of New York City*, Cambidge (Mass.), MIT Press, segunda edición, 1970, págs. 202-205 (la primera edición es de 1963).

30. Sobre la tradicional práctica del matrimonio consanguíneo en Japón, y su reciente desaparición, *véase*, por ejemplo, Y. Imaizumi y R. Kaneko, «Trends of mate selection in Japan», *Jinko Mondai Kenkyu*, número 173, enero de 1985, págs. 1-21, e Y. Imaizumi, «Parental consanguinity in two generations in Japan», *Journal of Biosocial Science*, vol. XX, número 2, abril de 1988, págs. 235-243. Para los judíos, *véase* más abajo, capítulo décimo.

31. El sistema antropológico de los inmigrantes chinos en Estados Unidos no es propiamente matriz, pero está cerca por sus implicaciones educativas. Lo comento con detalle en el capítulo duodécimo, en un contexto francés.

32. *Beyond the Melting Pot. The Negroes, Puerto Ricans, Jews, Italians and Irish of New York City*, de N. Glazer y D.P. Moynihan, es una buena introducción al análisis diferencial de las adaptaciones económicas. El rápido ascenso de los judíos a las clases medias y la orientación obrera de los italianos están bien subrayadas. Los irlandeses presentan un modelo mixto de orientación predominantemente obrera, pero combinada con una particular aptitud burocrática que lleva al

grupo a dominar la política local, la policía y, como no podía por menos de ser, la Iglesia católica. Para la costa Oeste y los éxitos japoneses puede consultarse R.M. Jibou, *Ethnicity and Assimilation*, State University of New York Press, 1988. La adaptación japonesa pasa por el desarrollo de una agricultura de alta intensidad en trabajo: la horticultura californiana.

33. Sobre la tradicional endogamia judía, *véase* más adelante, capítulo décimo.

34. S. Goldstein, *Profile of American Jewry: Insights from the 1990 National Jewish Population survey*, Nueva York, North American Jewish Data Bank, Occasional Papers, número 6, mayo 1993, págs. 126 y siguientes.

35. P.R. Spickard, *Mixed Blood: Intermarriage and Ethnic Identity in Twentieth Century America*, Madison, The University of Wisconsin Press, 1989, págs. 200-203.

36. M. Kalmijn, «Spouse selection among the children of European immigrants: a comparison of marriage cohorts in the 1960 census», *International Migration Review*, vol. XXVII, número 1, primavera de 1993, págs. 51-78.

37. Para el estudio de la noción de *multiple ancestry* en el censo de 1980, *véase* el libro de M.C. Waters, *Ethnic Options. Choosing Identities in America*, Berkeley-Los Angeles, University of California Press, 1990.

4. La segregación de los negros en Estados Unidos

1. Entre 1944 y 1966, once estados abolieron de su legislación la prohibición del matrimonio interracial: Arizona, California, Colorado, Maryland, Montana, Nebraska, Nevada, Dakota del Norte, Oregón, Dakota del Sur y Utah. Hacia 1966 aún quedaban diecinueve estados con una legislación contra el matrimonio interracial: Alabama, Arkansas, Delaware, Florida, Georgia, Indiana, Idaho, Kentucky, Luisiana, Mississippi, Missouri, Carolina del Norte, Carolina del Sur, Oklahoma, Tenessee, Tejas, Virginia, Virginia Occidental y Wyoming.

2. Bureau of the Census, *Household and Family Characteristics*, «Current Population Reports», serie P-20, número 467, marzo de 1992.

3. D.H. Heer, «Negro-White marriage in the United States», *Journal of Marriage and the Family*, agosto de 1966, págs. 262-273.

4. R.M. Jiobu, *Ethnicity and Assimilation*, pág. 161.

5. M.B. Tucker y C. Mitchell-Kerman, «New trends in Black American interracial marriage: the social structural context», *Journal of Marriage and the Family*, febrero de 1990, págs. 209-218, en particular pág. 214.

6. *Véase* el capítulo octavo, págs. 162 y 164, y el capítulo undécimo, pág. 266.

7. L.H. Fuchs, *The American Kaleidoscope*, pág 115. Esa ley fue abolida en 1922, pero parece que se aplicó hasta 1931.

8. M.C. Waters, *Ethnic Options. Choosing Identities in America*, pág. 76.

9. Uso conscientemente una clasificación arcaica. En realidad, los indios también descienden de poblaciones asiáticas.

10. M.B. Tucker y C. Mitchel-Kernan, «New trends in Black American interracial marriage: The social structural context», pág. 209.

11. *Statistical Abstract of the United States 1992*, pág. 11.

12. P.R. Spickard, *Mixed Blood: Intermarriage and Ethnic Identity in Twentieth Century America*, pág. 88. Este libro, que estudia los mecanismos del intercambio matrimonial de las poblaciones japonesa, judía y negra en Estados Unidos, descubre el gran paralelismo existente entre las asimilaciones japonesa y judía.

13. Citado por P.L. van den Berghe, *Race and Racism. A Comparative Perspective*, pág. 79.

14. H. Rogger, «Conclusion and overview», en J.D. Klier y S. Lambroza, *Pogroms. Anti-Jewish Violence in Modern Russian History*, Cambridge University Press, 1992, págs. 314-372, en particular págs. 352 y 353.

15. Sobre la ilusión de una democracia americana basada en un ideal primordial y absoluto de igualdad, *véase* el capítulo segundo.

16. A. Hacker, *Two Nations. Black and White, Separate, Hostile, Unequal*, Nueva York, Charles Scribner's Sons, 1992, pág. 234.

17. C.M. Cipolla, *Literacy and Development in the West*, Londres, Penguin, 1969, pág. 99. [Traducción española: *Educación y desarrollo en occidente*, Barcelona, Ariel, 1983.]

18. Para todos estos datos *véase* H. Schuman, C. Steeh y L. Bobo, *Racial Attitudes in America*, Cambridge (Mass.), Harvard University Press, 1988, págs. 74 y 75 y XII-XIII.

19. F.W. Wood y otros, *An American Profile - Opinions and Behavior 1972-1989*, Dretoit y Nueva York, Gale Research Inc., 1990, página 479.

20. C.M. Cipolla, *Literacy and Development in the West*, pág. 94.

21. *Ibíd.*, págs. 94, 96, 97, 172.

22. A. Bloom, *The Closing of the American Mind*, pág. 91.

23. Sobre los guetos negros acomodados, *véase* A. Hacker, *Two Nations, Black and White, Separate, Hostile, Unequal*, pág. 35.

24. Sobre la familia antillana, *véase* también el capítulo sexto, pág. 108 y el capítulo duodécimo, pag. 311-313.

25. A Hacker, *Two Nations, Black and White, Separate, Hostile, Unequal*, pág. 231.

26. I.L. Reiss y G.R. Lee, *Family Systems in America*, págs. 365 y 366.

27. A. Hacker, *Two Nations, Black and...*, pág. 231.

28. Fuentes: anuarios estadísticos americanos y franceses.
29. Para todos estos datos, A. Hacker, *Two Nations. Black and White, Separate, Hostile, Unequal*, pág. 231.
30. *Statistical Abstract of the United States 1992*, pág. 89.

5. La ilusión multiculturalista

1. N. Glazer y D.P. Moynihan, *Beyond the Melting Pot, The Negroes, Puerto Ricans, Jews, Italians, and Irish of the New York City*. Uso la segunda edición, que es de 1970.
2. H. Schuman, C. Steeth y L. Bobo, *Racial Attitudes in America*, gráfico pág. 27.
3. Tasa de participación en D. Mc Kay, *American Politics and Society*, Oxford, Blackwell, 1989, pág. 107.
4. Bureau of the Census, *Trends in Relative Income: 1964 to 1989*, «Current Population Reports», serie P-60, número 177, 1991.
5. Extraigo estos dos índices de la popularidad del tema étnico de L. Fuchs, *The American Kaleidoscope*, pág. 337.
6. *Véase* el capítulo séptimo, los diferencialismos matrices: percepción de la diferencia y necesidad de unidad.
7. R.C. Rist, *Guestworkers in Germany: The prospects for Pluralism*, Nueva York, Praeger, 1978. J.B. Cornell, «Ainu assimilation and cultural extinction: acculturation policy in Hokkaido», *Ethnology*, julio de 1964, págs. 287-304. Pyong Gap Min, «A comparison of the Korean minorities in China and Japan», *International Migration Review*, primavera de 1992, págs. 4-12.
8. *Véase* el capítulo décimo.
9. *Véase* el capítulo decimotercero: «La falsa conciencia».
10. M.C. Waters, *Ethnic Options. Choosing identities in America*.
11. *Ibíd.*, págs. 82-83, 93.
12. *Ibíd.*, pág. 135.
13. *Ibid.*, pág. 121.
14. Citado por L. Fuchs, *The American Kaleidoscope*, pág. 186.
15. Para todos estos puntos, *véase The Disuniting of America. Reflections on a Multicultural Society*, de A.M. Schlesinger Jr., Nueva York, Norton, 1992, págs. 45-72.
16. *Ibíd.*, págs. 63 y 64.
17. El paralelismo de los antiguos retrasos culturales anglosajón y africano deriva de posiciones geográficas igualmente alejadas del centro de desarrollo histórico representado por el cercano oriente. El noroeste de Europa y el Africa negra son los dos extremos del Mundo Antiguo, dos zonas periféricas.
18. L.W. Levine, *Black Culture and Black Consciousness*, Nueva York, Oxford University Press, 1977.

19. Sobre los jamaicanos, *véase* también el capítulo siguiente, dedicado a Inglaterra.

20. Sobre los éxitos iniciales y el alineamiento «racial» de los jamaicanos de Nueva York, *véase* N. Glazer y D.P. Moynihan, *Beyond The Melting Pot. The Negroes, Puerto Ricans, Jews, Italians and Irish of New York City*, págs. 34-36.

21. Sobre el grado de integración objetivo de los hispanos, *véase* L. Chavez, *Out of the Barrio, Toward a New Politics of Hispanic Assimilation*, Nueva York, Basic Books, 1991, en particular pág. 58. Sobre el grado de segregación escolar y residencial en la región de Los Angeles, *véase* P. García, «Immigration Issues in Urban Ecology: The Case of Los Angeles», en L. Maldonado y J. Moore, *Urban Ethnicity in the United States, New Immigrants and Old Minorities*, Beverly Hills, Sage, 1985, págs. 73-100.

22. Bureau of the Census, *Household and Family Characteristics*, marzo de 1980.

23. A. Hacker, *Two Nations. Black and White, Separate, Hostile, Unequal*, pág. 231.

24. C.B. Hale, *Infant Morality: an American Tragedy*, Population Reference Bureau, *Population Trends and Public Policy*, número 18, abril de 1990, pág. 6.

25. L. Chavez, *Out of the Barrio, Toward a New Politics of Hispanic Assimilation*, págs. 77-83.

26. Las categorías del censo mezclan criterios físicos y lingüísticos: los hispanos pueden ser blancos, negros, indios, etcétera.

27. L. Chavez, *Out of the Barrio, Toward a New Politics of Hispanic Assimilation*, pág. 37.

28. F.D. Bean, J. Chapa, R. Berg y K. Sowards, *Educational and Sociodemographic Incorporation among Hispanic Immigrants to the United States*, Texas Population Research Center Papers, número 12, 10, 1990-1991, pág. 6.

29. L. Chavez, *Out of the Barrio, Toward a New Politics of Hispanic Assimilation*, pág. 29.

30. F.D. Bean, J. Chapa, R. Berg, y K. Sowards, *Educational and Sociodemographic Incorporation among Hispanic Immigrants to the United States*, pág. 20 y cuadros 8 y 9.

31. Bureau of the Census, *Household and Family Characteristics*, marzo de 1992.

32. P.L. van den Berghe, *Race and Racism. A Comparative Perspective*, capítulo segundo, pág. 52.

33. A. Hacker, *Two Nations. Black and White, Separate, Hostile, Unequal*, págs. 6 y 227.

6. Inglaterra: diferencialismo de clase contra diferencialismo de raza

1. B.R. Mitchell, *European Historical Statistics 1750-1970*, Londres, Macmillan, 1978, pág. 61.

2. Bureau of the Census, *Historical statistics of the United States, Colonial Times to 1970*, Washington, U.S. Department of Commerce, 1975, t. I, pág. 134.

3. Citado por P. Jenkins en *Mrs Thatcher's Revolution*, Londres, Pan Books, 1988, pág. 48.

4. Sobre todos esos puntos, *véase* P. Trudgill, *Sociolinguistics*, Hardmondsworth, Penguin Books, 1974.

5. *Véase* en P. Jenkins, *Mrs Thatcher's Revolution*, la idea que la pequeña burguesía del sur de Inglaterra se hacía de la clase obrera: *«an alien race»* (pág. 82).

6. D. Coleman y J. Salt, *The British Population*, Oxford University Press, 1992, págs. 449-451.

7. S. Patterson, *Immigration and Race Relations in Britain 1960-1967*, Institute of Race relations, Oxford University Press, 1969, página 3. Esta serie concierne a la *inmigración neta*, es decir, el resultado de *restar las salidas a las entradas* en Gran Bretaña. Las cifras citadas arriba se refieren únicamente a las entradas.

8. D. Coleman y J. Salt, *The British Population*, diagrama pág. 452.

9. *Ibíd.*, pág. 450.

10. En 1919, la presencia de unos pocos millares de marineros negros en Liverpool ya provocó unas algaradas «blancas» que duraron una semana.

11. D. Hiro, *Black British, White British*, Londres, Paladin, 1992, pág. 38 y 39.

12. D. Gillborn, *«Race», Ethnicity and Education*, Londres, Unwin Hyman, 1990, págs. 19, 20 y 78.

13. *Véanse*, por ejemplo, los artículos dedicados a la evaluación cuantitativa de las minorías étnicas en *Population Trends*, revista publicada por la Office of Population Censuses and Surveys: «Estimating the size of the ethnic minority populations in the 1980s» (número 44, verano de 1986), «Ethnic minority populations in Great Britain» (número 46, invierno de 1986), «Components of growth in the ethnic minority population» (número 52, verano de 1988).

14. D. Coleman y J. Salt, *The British Population*, págs. 489-491.

15. Un 70 % de asistencia al oficio dominical en Jamaica frente a un 7-8 % en las grandes ciudades inglesas. D. Hiro, *Black British, White British*, págs. 32 y 34.

16. Para Jamaica y Paquistán, Unesco, *Compendium des statistiques relatives à l'analphabétisme*, número 30, París, 1988; para Punjab, *Census of India 1961*, vol. I, Part. II C(I), «Social and cultural tables».

17. Para una descripción más detallada de la familia antillana, *véase* el capítulo duodécimo, págs. 311-313.

18. N. Foner, «The Jamaicans», en J.L. Watson, *Between Two Cultures Migrants and Minoritis in Britain*, Oxford, Blackwell, 1977, págs. 120-150. *Véase* en particular pág. 140.

19. Sobre la familia comunitaria paquistaní, *véase* V. Saifullah Khan, «The Pakistanis: Mirpuri villagers at home and in Bradford», en J.L. Watson, *Between Two Cultures: Migrants and Minorities in Britain*, págs. 57-89. Sobre la familia matriz sij, *véase* más arriba, pág. 31.

20. J. Solomos, *Race and Racism in Contemporary Britain*, Londres, Macmillan, 1989, págs. 132.

21. Citado por D. Hiro, *Blach British, White British*, pág. IX.

22. Sobre los partidos y el informe Swann, *véase* D. Hiro, *ibíd.*, págs. 227-232, y Roy Todd, *Education in a Multicultural Society*, Londres, Cassell, 1991, págs. 56-60 y 73 y 74.

23. Discusión en Roy Todd, *ibíd.*, págs. 69-71.

24. *Le Déclin d'Occident*, París, Gallimard, 1948, t. I. págs. 74-75. [Traducción española: La decadencia de Occidente, Madrid, Calpe, 1983.]

25. D. Hiro, *Black British, White British*, pág. 78.

26. *Ibíd.*, págs. 95 y 96.

27. *Ibíd.*, pág. 102.

28. *Ibíd.*, pág. 128.

29. D. Gillborn, «*Race*», *Ethnicity and Education*, pág. 111.

30. M.J. Leaf, *Information and Behavior in a Sikh Village*, páginas 185 y 186.

31. P. Hershman, *Punjabi Kinship and Marriage*, Delhi, Hindustan Publishing Corporation, 1981, pág. 66.

32. D. Natarajan, «Changes in Sex Ratio», *Census of India 1971*, Nueva Delhi, pág. 8.

33. E. Todd, *L'Enfance du Monde*, París, Seuil, 1984, pág. 147.

34. *Véase* más arriba esas características aplicadas a los modelos matrices japonés, coreano y judío, págs. 67-71.

35. R. Ballard y C. Ballard, «The development of South Asian settlements in Britain», en J.L. Watson, *Between Two Cultures: migrants and Minorities in Britain*, páginas 21-56, en particular página 37.

36. D. Hiro, *Black British, White British*, pág. 128.

37. R. Ballard y C. Ballard, «The development of South Asian settlements in Britain», artículo citado, págs. 48-56.

38. D. Gillborn, «*Race*», *Ethnicity and Education*, pág. 111.

39. R. Skellington, «*Race*» *in Britain Today*, Londres, Sage, 1992, pág. 130.

40. D.A. Coleman, «Trends in fertility and intermarriage among immigrant populations in Western Europe as measures of integration»,

Journal of Biosocial Science, vol. XXVI, número 1, enero de 1994, páginas 107-136.

41. Para la descripción de la estructura familiar de los habitantes de la región de Mirpur, de donde son originarios la mayoría de los paquistaníes de Inglaterra, *véase* V. Saifullah Khan, «The pakistanis: Mirpuri villagers at home et in Bradford», artículo citado, págs. 59-62.

42. Sobre la exclusión de la herencia de las mujeres en el Punjab paquistaní, *véase* A. Rauf, «Rural women and the family: a study of Punjabi village in Pakistan», *Journal of Comparative Family Studies*, vol. XVIII, número 3, otoño de 1987, págs. 402-415, en particular páginas 404-406.

43. *Census of Pakistan 1951*, vol. I, pág. 60.

44. Sobre esa contradicción central de la cultura arábigo-musulmana, *véase* el capítulo undécimo, dedicado a la asimilación de los magrebíes en Francia.

45. Saifullah Khan, «The Pakistanis: Mirpuri villagers at home and in Bradford», artículo citado, pág. 77.

46. Los paquistaníes son cuatro veces más numerosos que los originarios de Bangladesh.

47. Sobre todos estos hechos, *véase* D. Hiro, *Black British, White British*, capítulo décimo.

48. J. Haskey, «Estimated numbers and demographic characteristics of one parent-families in Great Britain», *Population Trends*, número 65, otoño de 1991, págs. 35-47 *(véase* pág. 38).

49. Sobre la importancia de la inversión en educación en Jamaica, financiera y psicológica, *véase* N. Foner, «The Jamaicans», artículo citado, págs. 134-138. N. Foner habla también del hundimiento de los valores educativos jamaicanos en Inglaterra.

50. D.A. Colleman, «Trends in fertility and intermarriage among immigrant populations in Western Europe as measures of integration», pág. 127.

51. *Ibíd.*, pág. 127. Para la segunda generación, el artículo no da el índice de matrimonio mixto de las mujeres.

52. D. Hiro, *Black British, White British*, págs. 309 y 310.

53. J. Haskey, «Estimated numbers and demographic characteristics of one parent-families in Great Britain», pág. 38.

7. *Los sistemas matrices:*
percepción de la diferencia y sueño de unidad

1. Sobre las sociedades matrices postindustriales, *véase* el capítulo tercero, págs. 57-60.

2. Cuando no tiene hijos, el cabeza de familia adopta a un niño que con frecuencia no es un pariente. *Véase* sobre este particular

370

C. Nakane, *Kinship and Economic Organization in Rural Japan*, página 4.

3. A. de Tocqueville, *Voyages en Angleterre, Irlande, Suisse et Algérie*, en *Oeuvres complètes*, t. V, vol. 2, París, Gallimard, 1958, páginas 176 y 177.

4. Sobre los burakumin, *véase* J.F. Sabouret, *L'Autre Japon. Les burakumins.*

5. Cifras facilitadas por J.F. Sabouret, *ibíd.*, pág. 16.

6. La palabra «*gésitains*» hace referencia a la Biblia: Giezi, servidor de Naaman, es castigado con la lepra, él y su descendencia, enfermedad de la que Eliseo acababa de curar a su señor, por haber intentado sacar provecho personal de la curación. El origen de los términos «cagot» y «capot» es muy oscuro. Sin establecer una relación determinada entre la Reforma protestante y el cambio terminológico que concierne a los cagots, F. Bériac subraya que la Reforma bearnesa no produjo ninguna mejora en la situación de los cagots; *Des lépreux aux cagots*, Burdeos, Fédération historique du Sud-Ouest, 1990, página 413.

7. Sobre la ruptura de la endogamia de los cagots, *véase* A. Guerreau e Y. Guy, *Les cagots du Béarn*, París, Minerve, 1988, pág. 154.

8. Sobre la geografía de la frecuencia del fenómeno, *véase* F. Bériac, *Des lépreux aux cagots*, págs. 273-283. La estimación se refiere a Bearn entre 1360 y 1385, y a Armagnac a finales del siglo XV.

9. Sobre el monoteísmo sij, *véase*, por ejemplo, S. Nityabodhananda, *Mythes et religions de l'Inde*, págs. 169-179. Sobre las imperfecciones de ese monoteísmo, insuficientemente distanciado del medio cultural indio, *véase* M. Williams, *Religious Thought and Life in India*, págs. 161-177.

10. Sobre el amidismo y el Jodo-shinshu, *véase*, por ejemplo, J.M. Kitagawa, *Religion in Japanese History*, Nueva York, Columbia University Press, 1966; G. Renondeau y B. Frank, «Le bouddhisme au Japon», en R. de Berval y otros, *Présence du Bouddhisme*, París, Gallimard, 1987, págs. 615-650; R. Fujishima, *Les Douze sectes bouddhiques du Japon*, París, Trismégiste, 1982, reedición facsímil de la edición de 1889, págs. 135-145. Sobre el paralelismo Jodo-Shinshu/protestantismo, *véase* E.O. Reischauer, *Histoire du Japon et des Japonais*, París, Seuil, 1973, t. I, págs. 73-79.

11. Otani Chôjun, *Les problèmes de la foi et de la pratique chez Rennyo à travers ses lettres*, París, Misonneuve et Larose, 1991, pág. 89.

12. Sobre la secta Nichiren, *véase*, por ejemplo, G. Renondeau y B. Frank, «Le bouddhisme au Japon», págs. 645-649.

13. Sobre el concepto de *gathered church* y el hundimiento del tejido parroquial en Estados Unidos, *véase* W.S. Hudson, *American Protestantism*, págs 28 y 29. Sobre la organización de las iglesias luteranas, B. Vogler, *Le Monde Germanique et Helvétique à l'époque des*

Réformes 1517-1618, París, Sedes, 1981, t. I, págs. 105-114. Sobre la escasamente delimitada distribución del protestantismo inglés, *véanse* los mapas que J.D. Gay propone en *The Geography of Religion in England*, Londres, Duckworth, 1971.

14. Sobre la importancia del concepto de soberanía universal en la visión alemana de las relaciones internacionales, *véase* L. Dumont, *L'Idéologie allemande*, París, Gallimard, 1991, págs. 40 y 41.

15. D. Schoenbaum, *La Révolution brune. La société allemande sous le IIIe Reich*, París, Robert Laffont, 1979.

16. Maestro Eckhart, *Les Traités*, París, Seuil, 1971, págs. 144-153.

17. Martin Lutero, *Les Grands Écrits réformateurs*, París, Aubier-Montaigne, pág. 25.

18. Hegel, *Leçons sur la philosophie de l'histoire*, París, Vrin, 1963, págs. 318 y 322, por ejemplo. [Traducción española: *Lecciones de filosofía de la historia*, Madrid, Revista de Occidente, 1974.]

19. L.S. Dawidowicz, *The War against the Jews 1933-1945*, Harmondsworth, Penguin Books, 1987, págs. 100 y 101.

20. B. Bennassar, *Un siècle d'or espagnol*, París, Robert Laffont, 1982, págs 175 y 176. [Traducción española: *La España del siglo de Oro*, Barcelona, Crítica, 1983.] Bennassar aporta apreciaciones para todas las provincias en 1541: igual número de hidalgos que plebeyos en León, una cuarta parte de hidalgos en la provincia de Burgos, una séptima en Galicia y en la provincia de Zamora, una octava parte en Valladolid, una décima parte en Toro, Avila, Soria y Salamanca, una doceava en Sevilla, Granada, Córdoba, Jaén, Cuenca, Guadalajara, Madrid y Toledo, una catorceava parte en las provincias de Segovia y Murcia.

21. B. Bennassar, *L'Inquisition espagnole, XVe-XXe siècle*, París, Hachette, 1979, pág. 151. [Traducción española: *Inquisición española, poder político y control social*, Barcelona, Crítica, 1984.]

22. Fichte, *Discours à la nation allemande*, París, Aubier, 1952, pág. 78. [Traducción española: *Discursos a la nación alemana*, Madrid, Tecnos, 1988.]

23. Sobre los Schreber, padre e hijo, y sobre la relación entre evolución pedagógica y endurecimiento autoritario en Alemania, *véase* M. Schatzman, *Soul Murder, Persecution in the family*, Harmondsworth, Penguin Books, 1973. *Véase* también, de Daniel Schreber, *Mémoires d'un névropathe*, París, Seuil, 1975; la edición original en alemán es de 1903.

24. *Statistique générale de la France, Statistique internationale du mouvement de la population*, París, Imprimerie nationale, 1907, página 454.

25. Sobre la mortalidad infantil alemana, *véase* J.E. Knodel, *The Decline of Fertility in Germany, 1871-1939*, Princeton University Press, 1974, págs. 148-187.

8. Asimilación y segregación en Alemania

1. R.C. Rist, *Guestworkers in Germany: The Prospects for Pluralism*, pág. 58.

2. *Ibid*, pág. 61.

3. *Statistisches Jahrbuch 1974*, pág. 51.

4. R.C. Rist, *Guestworkers in Germany: The Prospects for Pluralism*, pág. 56.

5. *Ibíd.*, pág. 63.

6. *Statistisches Jahrbuch 1991*, pág. 72.

7. *Statistisches Jahrbuch 1992*.

8. Sobre la emergencia del concepto alemán de la nacionalidad, *véase* R. Brubaker, *Citizenship and Nationhood in France and Germany*, Cambridge (Mass.), Harvard University Press, 1992, págs. 114-137.

9. R.C. Rist, *Guestworkers in Germany: The Prospects for Pluralism*, págs. 139 y 140.

10. Para un análisis desde esa perspectiva, *véase*, por ejemplo, R. Brubaker, *Citizensship and Nationhood in France and Germany*.

11. R. Brubaker, «Citizenship and naturalization: policies and politics», en R. Brubaker y otros, *Immigration and the Politics of Citizenship in Europe and North America*, Lanham, University Press of America, 1989, págs. 99-127 *(véase pág. 105)*.

12. Sobre todos estos particulares, *véase* J. Fijalkowski, «Les obstacles à la citoyenneté: immigration et naturalisation en République fédérale d'Allemagne», *Revue européenne des migrations internationales*, vol. V, número 1, segundo trimestre de 1989, págs. 33-45.

13. Sobre el sistema matriz de Galicia y del norte de Portugal, *véase*, E. Todd, *La invención de Europa*, capítulo primero. Sobre Eslovenia y Dalmacia, *véase* P.E. Mosely, «The distribution of the zadruga within southeastern Europe», en R.F. Byrnes y otros, *Communal Families in the Balkans: The Zadruga*, Notre Dame-Londres, University of Notre Dame Press, 1976, págs. 58-69, en particular pág. 61. Sobre Eslovenia, *véase* también J.F. Gossiaux, *Le Groupe domestique dans la Yougoslavie rurale*, París, tesis mecanografiada, École des hautes études en sciences sociales, 1982, en particular págs. 184 y 185 sobre la ausencia de principio de igualdad entre hermanos.

14. Sobre las regiones de origen de los italianos y de los españoles, *véase*, por ejemplo, E. Kolodny y otros, *Les Étrangers à Stuttgart*, París, Éd. du CNRS, 1977, mapas 3 y 4 en anexo. Sobre sus tipos familiares de origen, *véase*, E. Todd, *La invención de Europa*, capítulo primero.

15. Sobre las regiones de origen de los ex yugoslavos y de los griegos, *véase*, por ejemlo, E. Kolodny y otros, *Les étrangers à Stuttgart*, mapas 5 y 6.

16. Sobre el status de las mujeres en Croacia y en el resto de la ex Yugoslavia, *véase* V. St. Erlich, *Family in Transition. A Study of 300 Yugoslav Villages,* Princeton University Press, 1966, págs. 213 y 214.

17. Sobre esa ausencia de diferencias familiares entre ortodoxos, católicos y musulmanes de Bosnia, *véase* P.E. Mosely, «The distribution of the zadruga within southeastern Europe», artículo citado, página 66.

18. Para una presentación clásica de ese tipo, *véase* S. Dirk *La famille musulmane turque,* París, Mouton, 1969.

19. Eso es lo que demuestra un análisis de los grupos domésticos en las setenta y tres provincias del censo turco de 1985. *Véase* el mapa de la pág. 157.

20. Sobre el carácter bilateral del sistema parental en el sudoeste de Turquía, y sobre el carácter neolocal del matrimonio, *véase* P. Benedict, «Aspects of the domestic cycles in a Turkish provincial town», en J.G. Peristiany, *Mediterranean Family Structures,* Cambridge University Press, 1976, págs. 219-241.

21. T. Içli, «Turkish family structure», en Actes du Colloque, *L'Avenir de la famille au Moyen-Orient et en Afrique du Nord,* Túnez, Cahiers du CERES, 1990. El porcentaje de matrimonios entre parientes se calcula en un 21 %, sin que se precise el grado genealógico.

22. Sobre las regiones de origen de los turcos, *véase,* por ejemplo, E. Kolodny y otros, *Les Étrangers à Stuttgart,* mapa 7.

23. *Statistical Yearbook of Turkey 1990.*

24. *Vital Statistics from the Turkish Demographic Survey 1966-67,* State Institute of Statistics, Ankara, 1970.

25. *Statistical Yearbook of Turkey 1991.*

26. Sobre la extrema derecha nacionalista turca, *véase,* por ejemplo, M.A. Agaogullari, «The Ultranationalist Right», en I.C. Schick y E.A. Tonak, *Turkey in Transition* Oxford University Press, 1987, páginas 177-217.

27. Sobre el islam político, *véase,* por ejemplo, B. Toprak, «The religious right», *ibíd,* págs. 218-235.

28. M. Tribalat, «Évolution de la natalité et de la fécondité des femmes étrangères en RFA», *Population,* marzo-abril de 1987, páginas 370-378.

29. M. Tribalat, «Chronique de l'immigration», *Population,* enero-febrero de 1988, págs. 181-206. Para los paquistaníes, *véase* más arriba, pág. 119.

30. Para una introducción a los problemas que plantea el análisis de los matrimonios mixtos, *véase* F. Muñoz-Pérez y M. Tribalat, «Observation statistique des mariages mixtes», *Hommes et Migrations,* número 1167, julio de 1993, págs. 6-9.

31. *Véase,* por ejemplo, T.T. Kane y E.H. Stephen, «Patterns of intermarriage of guestworker populations in the Federal Republic of

374

Germany: 1960-1985», *Zeitschrift für Bevölkerungswissenschaft*, número 2, 1988, págs. 187-204. Las cifras brutas se encuentran en el *Statistisches Jahrbuch* de los años correspondientes y con ellas se pueden prolongar las series que en este artículo sólo llegan hasta 1985.

32. La teoría debería plantearse el caso de los hijos con ambos progenitores extranjeros de diferentes nacionalidades, muy escasos en Alemania.

33. *Cf.* más arriba, págs. 74 y 75.

34. Para un análisis detallado del caso de la inmigración magrebí en Francia, *véase* el capítulo undécimo.

35. Ese tópico es comentado por J. Ardagh en su libro-encuesta sobre Alemania, *Germany and Germans*, Londres, Penguin Books, 1991, pág. 286.

36. En 1971 el número de hijos de padres turcos supera los 20.000 por año y en 1974 alcanza los 40.000. *Véanse* las cifras detalladas por año en anexo. Se puede considerar que esos turcos nacidos en Alemania no alcanzan la edad de matrimonio hasta 1990.

37. Sobre los tipos físicos y la inexistencia de «razas» yugoslavas, *véase* J. Ancel, *Peuples et Nations des Balkans*, París, CTHS, 1992, primera edición: 1930, págs. 80-86.

38. En 1990, se celebran 119.716 matrimonios entre cónyuges católicos, 100.080 entre cónyuges protestantes y 94.820 son matrimonios mixtos con un cónyuge protestante y otro católico. Fuente: *Statistisches Jahrbuch 1992*.

39. Sobre la fuerza de diversas organizaciones turcas en Alemania, *véase* H. Bozarslan, «Une communauté et ses institutions: le cas des Turcs en RFA», *Revue européenne des migrations internationales*, vol. VI, número 3, 1990, págs. 63-81.

40. E. Flitner-Merle, «Scolarité des enfants d'immigrés en RFA. Débats et recherches», *Revue française de sociologie*, vol. XXXIII, 1992, págs. 33-48. El sistema de enseñanza secundaria alemán se divide en líneas nobles *(Realschule* y *Gymnasium)* y línea normal *(Hauptschule)*. En 1987, el 22 % de los hijos de extranjeros alcanzan las líneas nobles, frente al 43 % de los hijos de alemanes (pág. 38). Esa persistente diferencia no excluye que existan importantes progresos en la educación de los hijos de extranjeros. Las cifras se refieren al conjunto de los niños extranjeros; dentro de esa categoría, los resultados de los turcos son los peores *(op. cit.,* pág. 39).

41. Censo de 1987, Cuaderno 5, «Struktur der ausländischen Bevölkerung». El índice de paro de los yugoslavos tan sólo era del 8,9 %, muy parecido al de los alemanes. En este caso, el indicador económico de asimilación (índice de empleo) no hace más que confirmar el indicador antropológico (índice de matrimonios mixtos), coincidencia que es frecuente, aunque no universal.

42. En el momento del censo general alemán de 1987, el 74 % de

los turcos estaba ampleado en las minas, la industria o la construcción. Las cifras correspondientes eran para los yugoslavos del 60 %, para los griegos del 62 %, para los italianos del 60 %, para los alemanes del 40 %. Fuente: Censo, Cuaderno 5, «Struktur der ausländischen Bevölkerung».

43. En *Guestworkers in Germany. The Prospects for Pluralism*, págs. XII-XIII. Se trata de un libro típico de la fase en que los universitarios americanos no cesan de predicar la buena nueva multiculturalista. Hay otros sermones dirigidos, por entonces, a franceses y japoneses.

44. J.O'Loughlin y G. Glebe, «Intra-urban migration in West German cities», *The Geographical Review*, vol. LXXIV, número 1, enero de 1984, págs. 1-23.

45. J. Friedrichs y H. Alpheis, «Housing segregation of immigrants in West Germany cities», in E.D. Hutman y otros, *Urban Housing, Segregation of Minorities in Western Europe and the United States*, Durham y Londres, Duke University Press, 1991, págs. 116-144.

46. E. Flitner-Merle, «Scolarité des enfants d'immigrés en RFA. Débats et recherches», artículo citado, pág. 40.

47. Sobre las vicisitudes de la *Polenpolitik*, *véase* R. Brubaker, *Citizenship and Nationhood in France and Germany*, págs. 128-132.

48. Sobre la geografía electoral y religiosa de Alemania, *véase* E. Todd, *La invención de Europa*, capítulo noveno.

49. Sobre este punto, *véase* capítulo séptimo, pág. 136.

50. E. Sur, «A propos de l'extrême droite en Allemagne. De la conception ethnique de la nation allemande», *Hérodote*, número 68, enero-marzo de 1993, págs 18-40 *(véase* pág. 26).

51. Sobre todos esos extremos, *véase* B. Collet, «La nouvelle loi allemande sur le séjour des étrangers», *Actualités Migrations*, números 389-399, 1-15 de enero de 1992, págs. 1-11.

52. *Véanse* mapas en E. Sur, «A propos de l'extrême droite en Allemagne. De la conception ethnique de la nation Allemande», artículo citado, págs. 19 y 20. En 1992, hubo 4,19 atentados de extrema derecha por cada 1000 habitantes en Schleswig-Holstein, y 0,98 en Baviera.

53. J. Ardagh, *Germany and the Germans*, pág. 228.

54. E. Sur, «A propos de l'extrême droite en Allemagne. De la conception ethnique de la nation Allemande», artículo citado, pág. 23.

55. *Ibíd.*, pág. 28.

9. *Francia: el hombre universal en su territorio*

1. Sobre la inicial pertenencia de Poitou y de Angoumois a la esfera lingüística de oc, *véase* M. Cohen, *Historie d'une langue: le français*, París, Hier et Aujourd'hui, 1947, pág. 80. Para la evolución de las es-

tructuras familiares en esas regiones, puede compararse el análisis de los costumarios del siglo XVI propuesto por J. Yver en *Égalité entre héritiers et exclusion des enfants dotés*, París, Sirey, 1966, págs. 125-130, con los datos recogidos por A. de Brandt en *Droits et Coutumes de populations rurales de la France en matière successorale*, París, 1901, páginas 189 y 190, que abarca la segunda mitad y postrimerías del siglo XIX.

2. Para una aplicación de ese principio a la interpretación de la distribución mundial de los tipos familiares comunitarios y patrilineales, *véase* L. Sagart y E. Todd, «L'origine du sistème familial communautaire: une hypothèse explicative», *Diogène*, número 160, octubre-diciembre de 1992, págs. 147-175.

3. Análisis no publicado de la lista nominativa de 1846 de la Comuna de Plounevez-Quintin, de E. Le Penven.

4. Puede encontrarse una descripción detallada de esos tipos familiares, de sus relaciones con las estructuras agrarias y con los temperamentos religiosos o ideológicos en E. Todd, *La Nouvelle France*, París, Seuil, 1988.

5. Ejercicio al que yo también me he entregado en H. Le Bras y E. Todd, *L'Invention de la France*, París, Hachette-Pluriel, 1981.

6. Sobre la variedad de tipos físicos europeos, analizados por países, puede consultarse la obra de J. Geipel, *Anthropologie de l'Europe. Une histoire ethnique et linguistique*, París, Robert Laffont, 1971, capítulo cuarto.

7. Sobre el origen de los parisienses de finales del siglo XVIII y de principios del XIX, *véase* C.H. Pouthas, *La population française pendant la première moitié du XIXe siècle*, París, INED, Cuaderno número 25, PUF, 1956, págs. 164-169, y H. Le Bras y E. Todd *L'invention de la France*, págs. 233-242.

8. E. Weber, *La Fin des terroirs. La modernisation de la France rurale*, París, Fayard-Recherches, 1983 (edición americana, 1976).

9. En *Les Origines de la France contemporaine*, París, Robert Laffont, 1986, t. I, págs. 227-234.

10. *Caractères*, 128 (IV), París, Gallimard, col. «Folio», 1975, página 263.

11. S. Wahnich, «Anglais: des ennemis extraordinaires. Nivôse-Thermidor an II (janvier-juillet 1794)», *Dicctionnaire des usages sociopolitiques 1770-1815*, CNRS, Klincksieck, col. «Saint-Cloud», 1990, págs. 35-61.

12. É. Durkheim, «*L'Allemagne au-dessus de tout.*» *La mentalité allemande et la guerre*, París, Armand Colin, 1991, reedición de la primera publicación de 1915, pág. 86-89.

13. J.B.S. Haldane, *The Inequality of Man*, págs. 47 y 48.

14. Para un análisis geográfico de la transición demográfica en Gran Bretaña, *véase* M.S. Teitelbaum, *The British Fertility Decline*, Prin-

ceton University Press, 1984. *Véase* en págs. 117-143 la extraordinaria sincronización de la caída de la fecundidad en el conjunto de la isla, Escocia incluida.

15. Sobre el equilibrio de las parentelas paterna y materna en la familia burguesa francesa, *véase*, en particular, «Continuité et changement au sein de la France bourgeoise», de Jesse R. Pitts, en S. Hoffmann y otros, *A la recherche de la France*, París, Seuil, 1963, páginas 282-288.

16. *Sur l'eau*, París, Minerve, 1989, pág. 124. [Traducción española: «Agua de río», en *Obras escogidas*, Madrid, Aguilar, 1979.]

17. *Contemporary Western European Feminism*, Londres, Allen and Unwin, 1992, en particular págs. 161-177.

18. Sobre el *unitarismo* religioso o político, *véase* más arriba el capítulo séptimo.

19. Sobre la relación Norte-Sur al final de la guerra de los Cien Años, *véase* P. Chaunu, *La France*, París, Robert Laffont, 1982, págs. 223-230.

20. *L'Action française, 6 juillet 1912*, citado por R. Girardet, *Le Nationalisme français. Anthologie 1871-1914*, París, Seuil, 1983, pág. 209.

21. Sobre los problemas de autodefinición y de etnocentrismo francés frente a Alemania, *véase* P.A. Taguieff, *La Force du préjugé*, París, La Découverte, 1988, págs. 133-138, «Le nationalisme français contre le racisme germanique».

22. *Revue d'Acction française*, 1901, citada por R. Girardet, *Le Nationalisme français. Anthologie 1871-1914*, pág. 198.

23. E. Weber, *L'Action Française*, París, Hachette-Pluriel, págs. 82-85, para una geografía hacia 1907.

24. *Ibíd.*, pág. 207.

25. *Véase* capítulo séptimo, págs. 128-130.

26. E. Weber, *L'Action Française*, págs. 83, 95, 405 y 614.

27. Citado por R. Girardet, *Le Nationalisme français. Anthologie 1871-1914*, pág. 206.

28. Estas cifras y las que siguen están tomadas de SOFRES, *Opinion publique, 1984*, París Gallimard, 1984, págs. 247 y 252.

29. Sobre la familia matriz de Quebec y sus variantes, *véase* la colección de artículos publicada bajo la dirección de J. Goy y J.P. Wallot, *Évolution et Éclatement du monde rural. Structures, fonctionnement et évolution différentielle des sociétés rurales françaises et québéquoises, XVIIᵉ-XVIIIᵉ siècles*, París, Éd. de l'EHESS, 1986, y particularmente las contribuciones de L. Assier-Andrieu, «Fonder le Canada?», págs. 353-358. Barthélemy de Saizieu, «Les alliances matrimoniales à Neuville à la fin de XVIIIᵉ siècle», págs. 315-322, y L. Michel, «Varennes et Verchères au milieu du XIXᵉ siècle», págs. 325-340.

30. M. Verdon, «The Quebec stem-family revisited», en K. Ishwaran y otros, *Canadian Families: Ethnic Variations*, Toronto,

NcGraw Hill, 1980; H. Miner, «Saint-Denis, A French Canadian parish», en E.C. Hughes y otros, *French Canada in Transition*, The University of Chicago Press, 1959; y T. Barthélemy de Saizieu, «Les alliances matrimoniales à Neuville à la fin du XVIIIe siècle», artículo citado.

31. El peso de los loreno-alsacianos es más simbólico que demográfico.

32. Sobre la concentración agraria, *véase* C.R. Ageron, *Histoire de l'Algérie contemporaine*, París, PUF, 1990, págs. 76-77.

33. *Mémoires d'outre-tombe*, París, Le Livre de poche, t. I, página 502.

34. *De la démocratie en Amérique*, t. II, pág. 204.

35. E. Weber, *L'Action Française*, págs. 374 y 375.

36. Para Francia, *véase*, por ejemplo, J. Sutter y L. Tabah, «Fréquence et répartition des mariages consanguins en France», *Population*, octubre-diciembre 1948, págs. 607-630. Hacia 1900, la proporción de matrimonios entre primos hermanos sólo supera el 2 % en Córcega, en donde el sistema familiar recuerda, por algunos rasgos de patrilinealidad y de endogamia residual, al sistema árabe. Para algunos países de Europa, *véase* C.H. Alström, «First-cousin marriages in Sweden 1750-1844», *Acta Genética et Statistica Medica*, 1958, vol. VIII, número 3-4, págs. 295-369. La frecuencia del matrimonio entre primos hermanos es del 0,71 % en Prusia y del 0,87 % en Baviera hacia 1875-1880, del 0,97 % en Francia en 1939 (igual que hacia 1890), del 0,77 % en Italia hacia 1868-1870. Algunos datos regionales respecto a Italia en 1953, bastante tardíos (al final de un periodo de baja de medio siglo, general en Europa occidental) revelan un índice del 1,65 % en Sicilia, que sugiere, como la tasa de Córcega hacia 1900, un efecto endógamo residual que recuerda ciertos rasgos del sistema familiar árabe: *véase*, sobre ese particular, M. Fraccaro, «Consanguineous marriages in Italy», *Eugenics Quarterly*, marzo de 1957, vol. IV, número 1, págs. 36-39. Los pocos datos de los que disponemos sobre las poblaciones norteamericanas sugieren que los índices de matrimonio entre primos de primer grado son aún más bajos en Estados Unidos que en Europa: *véase* A. Serra y A. Sioni, «La consanguinité d'une population. Rappel de notions et de résultats. Application à trois provinces de l'Italie du Nord», *Population*, enero-marzo de 1959, págs. 47-72, y N. Freire-Maia, «Inbreeding levels in American and Canadian populations: a comparison with Latin America», *Eugenics Quarterly*, marzo de 1968, vol. XV, número 1, págs 22-33.

37. M. Khlat, *Les Mariages consanguins à Beyrouth*, París, INED, Cuaderno número 125, PUF, 1989. Hacia 1986, la proporción de matrimonios entre primos hermanos es en Beirut del 17,4 % entre los musulmanes y del 7,9 % entre los cristianos (pág. 93).

38. L.D. Sanghvi, «Inbreeding in India», *Eugenics Quarterly*, di-

ciembre de 1966, vol. XIII, número 4, págs. 291-301. Datos recogidos en los años 1957-1960 demuestran, a partir de un amplio muestreo en Andhra Pradesh, la existencia de una frecuencia del 33,3 % de matrimonios entre primos hermanos, muy asimétrica, puesto que el índice se descompensa en 31,2 % matrimonios con la hija del hermano de la madre y 2,1 % matrimonios con la hija de la hermana del padre. A esos matrimonios horizontales desde el punto de vista de las generaciones, hay que añadir un 9,2 % de matrimonios oblicuos, con la hija de la hermana mayor. En el caso de los cristianos se observa un 31,2 % de matrimonios con la prima cruzada matrilateral, un 2,8 % con la prima cruzada patrilateral, y un 6,5 % de matrimonios oblicuos. En este caso el efecto del cristianismo es nulo, a diferencia de lo que puede observarse en Líbano, donde el índice de matrimonios consanguíneos, aunque elevado entre los cristianos, lo es menos que entre los musulmanes (*véase* nota precedente).

39. Sobre la exogamia romana, inútilmente contestada por Jack Goody, *véase* B.D. Shaw y R.P. Saller, «Close-kin marriage in Roman society?», *Man*, nouvelle série, vol. XIX, número 3, septiembre de 1984, págs. 432-444.

40. P. Weil, *La France et ses étrangers. L'aventure d'une politique de l'immigration, 1938-1991*, París, Calman-Lévy, 1991.

41. En su prefacio a la obra de P. Weil, *La France et ses étrangers*, págs. 16 y 17.

10. *La emancipación de los judíos*

1. *Histoire de l'antisémitisme*, París, Seuil, 1991, t. II, págs. 109-110.

2. Citado por Claude Klein en su prefacio a *L'État des Juifs*, de Théodore Herzl, París, La Découverte, 1989, págs. 144 y 145.

3. Esas preguntas pueden encontrarse en S. Schwarzfuchs, *Du Juif à israélite. Histoire d'une mutation, 1770-1870*, París, Fayard, 1989, págs. 87 y 171.

4. *Véase* más arriba, capítulo primero, pág. 32.

5. P.J. Magnarella, «A note on aspects of social life among the Jewish Kurds of Sanandaj, Iran», *The Jewish Journal of Sociology*, vol. XI, número 1, junio de 1969, págs. 51-58.

6. E. Friedman, *Colonialism and After. An Algerian Jewish Community*, South Hadley, Massachusetts, Bergin and Garvey, 1988, páginas 76 y 77.

7. J. Bahloul, «La famille sépharade dans la diaspora du XXe siècle», en S. Trigano y otros, *La société juive à travers l'histoire*, París, Fayard, 1992, págs. 469-495, en particular págs. 485 y 486.

8. Por ejemplo, la legislación bávara prohíbe hasta 1868 el matrimonio de los pobres y asocia el derecho de residencia al matri-

monio. El principio de esa legislación se remonta a 1616. *Véase* J. Bertillon, *La Dépopulation de la France*, París, 1911, págs. 79 y 80.

9. C. Roth, *A History of the Jews*, edición revisada, Nueva York, Schocken Books, 1989, pág. 280. Sobre la transmisión del derecho de residencia a un solo hijo en el mundo alemán, *véase* también S. Schwarzfuchs, *Du Juif à l'israélite*, pág. 60. Para el reglamento prusiano de 1750, que sólo autoriza que se establezca en el lugar un hijo por pareja de padres judíos, *véase* H. Schultz, *Berlin 1650-1800, Sozialgeschichte einer Residenz*, Berlin, Akademie Verlag, 1987, págs. 260-262.

10. *Cf.* más arriba, págs. 64-67.

11. Sobre todos estos puntos, *véase* J. Baumgarten, «Amour et famille en Europe centrale (fin de Moyen Age-XVIIIe siècle)», y S. Stampfer, «L'amour et la famille chez les Juifs d'Europe orientale à l'époque moderne», en S. Trigano y otros, *La société juive à travers l'histoire*, págs. 413-433 y 435-468.

12. *Mémoires de Gluckel Hameln*, traducción y presentación de Léon Poliakov, París, Minuit, 1971.

13. Sobre la situación de las mujeres en la familia judía argelina, *véase* E. Friedman, *Colonialism and After. An Algerian Jewish Community*, pág. 76.

14. Para el abandono de la poligamia en Europa, *véase* C. Roth, *A History of the Jews*, pág. 174. Para los debates sobre la poligamia judía en el mundo árabe, *véase* sobre todo H. Zafrani, *Mille ans de vie juive au Maroc*, París, Maisonneuve et Larose, 1983, págs. 81-83.

15. M. Weinreich, *A History of the Yiddish Language*, University of Chicago Press, 1980, pág. 3.

16. Gobierno general civil, *État de l'Algérie*, Argel, 1881, pág. 281.

17. F. Job, *Les Juifs de Lunéville aux XVIIe et XIXe siècles*, Presses Universitaires de Nancy, 1989, pág. 112.

18. J. Cavignac, *Les Israélites bordelais de 1780 à 1850*, París, Publisud, 1991, pág. 281.

19. S. Schwarzfuchs, *Du Juif à l'israélite*, págs. 83 y 84.

20. *Véase* Y. Imaizumi, «Parental consanguinity in two generations in Japan», artículo citado. La proporción de matrimonios consanguíneos en el Japón de la posguerra parece haber sido del orden del 6 o el 7 %, de los que el 4 % es de matrimonios entre primos hermanos.

21. R. Calderón y otros, «Inbreeding patterns in the Basque country», *Human Biology*, octubre de 1993, vol. LXV, número 5, páginas 743-770.

22. Maimonides, *Le livre de la connaissance*, traducido por V. Nikiprowetzky y A. Zaoui, París, PUF, 1990, sección 3, «L'étude de la loi».

23. L.S. Dawidowicz, *The War against the Jews 1933-1945*, páginas 461-465 y 468.

24. Unesco, *L'analphabétisme dans divers pays*, París, 1953, páginas 49 y 50. En la comunidad judía se observa una importante diferencia

según el sexo, porque mientras el índice de alfabetización de los hombres es del 90 %, el de las mujeres tan sólo es del 57 %. En el caso de los búlgaros, los porcentajes correspondientes son del 68 % y 28 % respectivamente.

25. Sobre los conflictos ideológicos relacionados con la modernización en Bulgaria, *véase* E. Benbassa, «Processus de modernisation en terre sépharade», en S. Trigano y otros, *La société juive à travers l'histoire*, t. I, págs. 565-605. Sobre la debilidad del antisemitismo búlgaro *véase* P. Lendvai, *L'Antisémitisme sans Juifs*, París, Fayard, 1971.

26. E. Friedman, *Colonialism and After. An Algerian Jewish Community*, pág. 49. En esa fecha, el índice de alfabetización de las mujeres judías de Batna es tan sólo del 16 %, como resultado del sesgo patrilineal impuesto por el medio.

27. D. Bizeul, *Nomades en France. Proximités et clivages*, París, L'Harmattan, 1993, pág. 149. Aquí sólo se trata de gitanos asentados en Francia desde hace mucho tiempo y no de los recién llegados de los países del Este como consecuencia de la caída del telón de acero.

28. Sobre la primogenitura, poco acentuada, *véase* K. Stoyanovich, *Les Tsiganes. Leur ordre social*, París, Marcel Rivière, 1974, págs. 164 y 165. Sobre el matrimonio precoz, *ibid*, pág. 142. Sobre el carácter extenso del sistema familiar, *véase* J.P. Liégois, *Tsiganes*, París, Maspero, 1983, pág. 104.

29. W. Cohn, *The Gypsies*, Addison-Wesley Publising Co, 1973.

30. Sobre la «epidemia de conversiones» en la Alemania de principios del siglo XIX, *véase* L. Poliakov, *Histoire de l'antisémitisme*, t. II, págs. 136 y 137: «Rachel Varnhagen-Levine afirmaba que en 1823 la mitad de la comunidad judía de Berlín ya se había convertido». [Traducción española: *Historia del antisemitismo*, Barcelona, Muchnik, 1980-1986.] Las conversiones empiezan ya en el último tercio del siglo XVIII, con una aceleración entre 1780 y 1790: *véase* L. Kochan, «La fin de la *kehila*. Forces sociales de la société juive d'Europe centrale et orientale aux XVIIe et XVIIIe siècles», en S. Trigano y otros, *La Société juive à travers l'histoire*, pág. 159.

31. L. Poliakov, *Histoire de l'antisémitisme*, pág. 159.

32. *Ibíd.*, pág. 125. Sobre el desarrollo del antisemitismo en Prusia tras la emancipación de 1812, *véase* H. Arendt, *Sur l'antisémitisme*, París, Seuil, 1984, págs. 76-83.

33. En el periodo 1792-1801, entre los judíos de Lunéville, ciertamente ya situados en territorio francófono pero que, no obstante, representan la extremidad occidental del judaísmo alemán, encontramos una edad de matrimonio cercana a los veintidós años para las mujeres y de veintiséis años para los hombres. *Véase* F. Job, *Les Juifs de Lunéville aux XVIIIe et XIXe*, pág. 106.

34. L. Poliakov, *Histoire de l'Antisémitisme*, págs. 359 y 360.

35. Sobre el «odio judío de sí mismo», *véase* L. Poliakov, *Histoire*

de l'Antisémitisme, t. II, págs. 132 y 133; sobre la invención del concepto de *jüdischer Selbsthass* por Theodor Lessing, *véase* también I. Berlin, *Trois Essais sur la condition juive*, París, Presse Pocket, 1993, pág. 48.

36. *Geschlecht und Charakter.*

37. Sobre el odio judío de sí mismo en contexto austriaco, *véase* W.M. Johnston, *The Austrian Mind, An Intellectual and Social History 1848-1938*, University of California Press, 1983, págs. 99-102, 158-162, 203-207, para los casos particulares de Adler, Weininger y Kraus.

38. S. Della Pergola, L. Cohen y otros, *World Jewish Population: Trends and Policies*, The Hebrew University of Jerusalem, 1992, páginas 154-156.

39. V. D. Lipman, *A History of the Jews in Britain since 1858*, Leicester University Press, 1990, pág. 61.

40. *Ibíd.*, pág. 206.

41. Sobre la escolarización y sobre el porcentaje de matrimonios mixtos antes de 1940, *véase* V.D. Lipman, *ibíd.*, págs. 106, 112 y 121. Sobre la proporción de matrimonios mixtos hacia 1980, *véase* S. Della Pergola, «Recent trends in Jewish marriage», en Della Pergola, L. Cohen y otros, *World Jewish Population: Trends and Policies*, pág. 77. Ese índice, no obstante, se categoriza como «coyuntural».

42. V.D. Lipman, *A History of the Jews in Britain since 1858*, pág. 233.

43. Sobre los debates internos en la comunidad que han conducido a la opción sionista, *véase* V.D. Lipman, *ibíd.*, págs. 124-134.

44. Sobre el conformismo y la total asimilación de Disraeli, *véase* H. Arendt, *Sur l'antisémitisme*, págs. 155-158. «Disraeli procedía de una familia totalmente asimilada. Su padre, hombre cultivado, bautizó a su hijo para que tuviese las mismas ventajas que los demás hombres. Tenía pocas relaciones con la sociedad judía y no sabía nada de la religión, ni de las costumbres judías» (pág. 155).

45. Sobre la glorificación de los hebreos y del judaísmo por parte de Disraeli y sobre su adhesión a los valores aristocráticos ingleses, *véase* el ensayo de I. Berlin, «Disraeli et Marx», en *Trois essais sur la condition juive*.

46. Sobre esas actitudes ideológicas *véase*, por ejemplo, L. Fein, *Where are We? The Inner Life of America's Jews*, Nueva York, Harper and Row, 1988, pág. 86.

47. S. Goldstein, *Profile of American Jewry: Insights from the 1990 National Jewish Population Survey*, pág. 126.

48. S. Schwarzfuchs, *Du Juif à l'israélite*, págs. 39 y 40.

49. Sobre el sistema prusiano, E. Todd, *La invención de Europa*, págs. 257 y 258; sobre el Condado Venesino, S. Schwarzfuchs, *Du Juif à l'israélite*, pag. 42. En los capítulos noveno y décimo de *La invención de Europa* se hace un análisis detallado de los productos ideológicos de la familia matriz en los estados europeos, grandes y pequeños.

50. S. Schwarzfuchs, *Du Juif à l'israélite*, pág. 267.

51. M.R. Marrus, *Les Juifs de France à l'époque de l'affaire Dreyfus*, Bruselas, Complexe, 1985, págs. 45 y 46.

52. S Schwarzfuchs, *Du Juif à l'israélite*, pág. 274.

53. P. Hyman, *De Dreyfus à Vichy. L'évolution de la communauté juive en France, 1906-1939*, París, Fayard, 1985, pág. 106.

54. R. Daniels, *Coming to America, A History of Immigration and Ethnicity in American Life*, Nueva York, Harper Collins, 1991, páginas 296-302.

55. D. Bensimon y S. Della Pergola, *La population juive de France: sociodémographie et identité*, Jerusalén, The Hebrew University y CNRS, 1984, págs. 32 y 33.

56. P. Hyman, *De Dreyfus à Vichy*, pág. 107, estimación según el lugar de residencia de los naturalizados entre 1924 y 1935.

57. Para una discusión de esas cifras, D. Bensimon y S. Della Pergola, *La Population juive de France: sociodémographie et identité*, pág. 35.

58. *Ibíd.*, pág. 38.

59. P. Hyman, *De Dreyfus à Vichy*.

60. C. Tapia, *Les Juifs sépharades en France (1965-1985). Études psychosociologiques et historiques*, París, L'Harmattan, 1986.

61. Sobre el escaso número de matrimonios mixtos entre los judíos franceses del siglo XIX, *véase* M.R. Marrus, *Les Juifs de France à l'époque de l'affaire Dreyfus*, pág. 82.

62. D. Bensimon y S. Della Pergola, *La Population juive de France: socodémographie et identité*, pags. 130-133 sobre los matrimonios mixtos.

63. Una crítica completa de estos aspectos metodológicos puede encontrarse en D. Schnapper, «Les limites de la démographie des Juifs de la diaspora», *Revue française de sociologie*, abril-junio de 1987, vol. XXVIII, número 2, págs. 319-331.

64. D. Bensimon y Della Pergola, *La Population juive de France: sociodémographie et identité*, pág. 131.

65. *Ibíd.*, pág. 132.

66. Para todas esas cifras, *véase* S. Goldstein, *Profile of American Jewry: Insights from the 1990 National Jewish Population Survey*, página 126, y D. Bensimon y S. Della Pergola, *La Population juive de France: sociodémographie et identité*, pag. 132.

67. Sobre ese particular, *véase* la descripción de Joëlle Bahloul, «Naissance et mariage: temps forts de la reproduction familiale chez les Juifs nord-africains en France», en J.C. Lasry, C. Tapia y otros, *Les Juifs du Maghreb*, París L'Harmattan, y Presses de l'Université de Montréal, 1989, págs. 241-262.

68. S. Schwarzfuchs, *Du Juif à l'israèlite*, pág. 305.

69. M.R. Marrus, *Les Juifs de France à l'époque de l'affaire Dreyfus*, págs. 74 y 75.

70. Sobre ese orgullo judío y sobre el proceso cultural e ideológico que conduce a la fundación en 1860 de la Alianza Israelita Universal, *véase* M. Graetz, *Les Juifs en France au XIXᵉ siècle. De la Révolution française à l'Alliance israélite universelle*, París, Seuil, 1989.

71. En 1913, la Alianza Israelita Universal controla 183 establecimientos, con 43.700 alumnos. *Véase* A. Rodrigue, *De l'instruction à l'émancipation. Les enseignants de l'Alliance Israelite Universelle et les Juifs d'Orient, 1860-1939*, París, Calmann-Lévy, 1989, pág. 21.

72. W.B. Cohen, *Français et Africains. Les Noirs dans le regard des Blancs, 1530-1880* París, Gallimard, 1981.

73. J. Ponty, «La presse quotidienne et l'affaire Dreyfus en 1898-1899; essai de typologie», *Revue d'histoire moderne et contemporaine*, vol. XXII, abril-junio de 1974, págs. 193-220.

74. Z. Sternhell, *La Droite révolutionnaire. Les origines françaises du fascisme, 1885-1914*, París, Seuil, 1978, págs. 221 y 222.

75. Las cifras departamentales pueden encontrarse en L. Chevalier, *La Formation de la population parisienne au XIXᵉ siècle*, París, INED, Cuaderno número 10, PUF, 1950, pág. 286.

76. L. Poliakov, *Histoire de l'antisémitisme*, pág. 364.

77. *Ibíd.*, pág. 295.

78. A. Cohen, *Persécutions et Sauvetages: Juifs et Français sous l'Occupation et sous Vichy*, París, Cerf, 1993.

79. *Ibíd.*, pág. 88.

80. *Ibíd.*, pág. 137. Sobre el gran número de médicos en el Midi francés y su relación con la familia matriz occitana, *véase* E. Todd, *La Nouvelle France*, pág. 38.

81. *Op. cit.*, pág. 504.

82. Sobre el antisemitismo en Argelia, *Véase* C.R. Ageron, *Histoire de l'Algérie contemporaine*, págs. 53 y 54.

83. Sobre la composición antropológica de Italia y de España, *véase* E. Todd, *La invención de Europa*, cap. primero.

84. Las cifras brutas que permiten el cálculo de los índices «europeo» e «israelita» en 1898 pueden encontrarse en el *Annuaire statistique de la France* para 1901, pág. 435. Para los índices de natalidad «musulmanes» en las diferentes fechas, difíciles de calcular dada la imperfección del registro civil, *véase* J.N. Biraben, «Essai d'estimation des naissances de la population algérienne depuis 1891», *Population*, julio-agosto de 1969, págs. 711-730.

85. *État de l'Algérie, op. cit.*, pág. 90.

86. *Véase*, sobre todos esos extremos, G. Dermenjian, *La crise antijuive oranaise (1895-1905)*, París, L'Harmattan, 1986.

87. Sobre ese particular, *véase* J. Taieb, «Les Juifs du Maghreb au XIXᵉ siècle», *Population*, enero-febrero de 1992, pág. 85-104, en especial pág. 91.

11. La desintegración del sistema antropológico magrebí

1. Estimación dada por Michèle Tribalat.

2. Para los turcos, *véase* F. Sen y otros, *Migration Movements from Turkey to the European Community*, Essen, julio de 1992, texto preparado por la Comisión de las Comunidades europeas, pág. 32: en 1970, el 63,1 % de los inmigrantes turcos con edades comprendidas entre veinte y veintinueve años han completado la instrucción primaria, frente al 35,9 % para el conjunto del mismo grupo de edad en Turquía. Para los magrebíes, *véase* Y. Courbage, «demographic transition in the Maghreb peoples of North Africa and among the emigrant community», in P. Ludlow, *Europe and the Mediterranean*, Londres - Nueva York, Brassey's, 1993: de los hombres argelinos con edades comprendidas entre catorce y cuarenta y nueve años en 1982, el 18,2 % de los que viven en Francia tienen instrucción primaria frente al 55,9 % de los que viven en Argelia. La diferencia va en la misma dirección para los marroquíes —16,9 % de estudios primarios entre los que viven en Francia frente al 38,2 % entre los que viven en Marruecos— y para los tunecinos, 24 % con estudios primarios entre los que viven en Francia frente al 67,7 % entre los que viven en Túnez.

3. *Véase*, por ejemplo, la privación de la herencia a las mujeres de Túnez en J. Cuisenier, «The domestic cycle in the traditional family organization in Tunisia», en J.G. Peristiany, *Mediterranean Family Structures*, págs. 138 y 142.

4. A. Bouhdiba, *La sexualité en Islam*, París, PUF, 1975, pág. 214.

5. Sobre ese particular, *véase* M. Khlat, *Les mariages consanguins à Beyrouth*, cuadros 5 y 6, págs. 92 y 93. Los índices de matrimonio entre primos hermanos en medio urbano, en los años setenta u ochenta, son, por ejemplo, del 6,2 % en Rabat (Marruecos), del 11,4 % en el medio urbano egipcio, del 12,9 % en Damasco (Siria), del 30,2 % en Ammán (Jordania), de más del 25 % entre los musulmanes de Beirut y del 30,2 % en el conjunto de Kuwait.

6. Sobre los niveles de homogeneidad de los tres países del Magreb y sobre la complejidad de la relación entre los fondos culturales árabe y bereber, *véase* X. Planhol, *Les Nations du Prophète*, París, Fayard, 1993.

7. Sobre la familia campesina de Túnez, *véase* J. Cuisenier, «The domestic cycle in the traditional family organization in Tunisia», artículo citado, y N. Abu-Zahra, «Family and kinship in a Tunisian peasant community», en J.G. Peristiany, *Mediterranean Family Structures*, págs. 157-171.

8. A. Kouaci, *Familles, Femmes et Contraception. Contribution à une sociologie de la famille algérienne*, Argel, 1992, pág. 118.

9. Sobre la familia de Cabilia, *véase* J. Le Roy, *Deux Ans de séjour*

en *Petite Kabylie*, París, 1911, págs. 165-261, y M. Khellil, *La Kabylie ou l'Ancêtre sacrifié*, París, L'Harmattan, 1984, pág. 33-60.

10.   A. Kouaci, *Familles, Femmes et Contraception. Contribution à une sociologie de la famille algérienne*, pág. 117.

11.   J. Lizot, *Metidja. Un village de l'Ouarsenis*, Memorias del Centro de investigaciones antropológicas, prehistóricas y etnográficas. Argel, SNED, 1973, págs. 76-79.

12.   A. Kouaci, *Familles, Femmes et Contraception. Contribution à une sociologie de la famille algérienne*, pág. 116.

13.   *Ibíd.*, pág. 119.

14.   D.H. Hart, «Notes on the political structure and intitutions of two tribes of the Ait Yafalman confederacy: the Ait Murghad and the Ait Hadiddu», *Revue de l'Occidant musulman et de la Mediterranée*, vol. XXVI, 2, 1978, págs. 55-74. La comparación de estos dos grupos es una buena introducción a la complejidad marroquí, puesto que los Ait Hadiddu, que representan un caso límite, son exógamos y monógamos, y los Ait Murghad endógamos. Entre los Ait Hadiddu, la elección de cónyuge es libre, chicos y chicas pueden hablar de ello con toda libertad, rasgo que por sí solo hace pensar en la persistencia de costumbres heredadas de un sistema individualista, nuclear y bilateral. Otras monografías ponen de relieve la patrilinealidad marroquí, como la de D. Seddon, «Aspects of kinship and family structure among the Ulad Stut of Zaio rural commune, Nador province, Marocco», en J.G. Peristiany, *Mediterranean Family Structures*, págs. 173-194. El inventario realizado en un «douar» [división administrativa rural del norte de Africa] detecta cuatro grupos domésticos que incluyen varios hermanos casados cada uno (pág. 180). En uno de esos grupos domésticos, además de dos hermanos casados se encuentra también su hermana casada, combinación no patrilineal que ya hemos encontrado en Côtes-d'Armor, en Bretaña, y que sugiere una patrilinealización inacabada *(véase* más arriba, pág. 179.).

15.   Y. Courbage, «Économie en récession, activité féminine en expansion et mortalité en diminution au Maroc», *Population*, septiembre-octubre de 1991, págs. 1277-1283 *(véase* pág. 1279).

16.   Para las cifras de los países europeos hacia 1900, *véase* J. Daric, «Quelques vues sur le travail féminin non agricole en divers pays», *Population*, enero-marzo de 1958, págs. 69-78.

17.   P. Fargues, «La baisse de la fécondité arabe», *Population*, noviembre-diciembre de 1988, número 6, páginas 975-1004 (especialmente página 984).

18.   Este punto se discute con detalle en el capítulo siguiente a propósito de la poligamia africana, mucho más desarrollada.

19.   Censo de 1971 en Argelia; de 1971 en Marruecos; de 1975 en Túnez. Unesco, *Compendium des statistiques relatives à l'analphabétisme*, número 30.

20. Para un relato objetivo de estos acontecimientos, *véase* E. Behr, *The Algerian Problem*, Harmondsworth, Penguin Books, 1961.

21. «La femme adultère», en *L'Exil et le Royaume*. [Traducción española: *El exilio y el reino*, Madrid, Alianza 1983.]

22. Sobre el concepto de fondo común mínimo, *véase* más arriba, págs. 202-205.

23. Sobre el conflicto con los judíos y su resolución, *véase* más arriba, págs. 249-251.

24. El índice americano corresponde, pues, al *stock* total de la población casada en una fecha determinada; el índice argelino, al *flujo* de matrimonios de un año. La relativa constancia de los índices anuales da sentido a la comparación. Teniendo en cuenta el ligero crecimiento de los índices anuales argelinos durante los años 1937-1955, la proporción de parejas mixtas entre los europeos de Argelia, evaluado en términos de *stock*, es en última instancia ligeramente inferior al de los negros americanos.

25. Sobre la dimensión ideológica de la guerra de Argelia, *véase*, por jemplo, R. Girardet, *L'idée coloniale en France*, París, Hachette-Pluriel, 1978, págs. 357-377.

26. M. Tribalat, encuesta «Mobilité géographique et insertion sociale», INED, 1992-1994.

27. Sobre los niveles de exogamia de los grupos inmigrados en Alemania, *véase* más arriba, págs. 160-165.

28. Sobre este punto, *véase*, M. Tribalat, «Attribution et acquisition de la nationalité française», *Population et Sociétés*, julio de 1993, número 281.

29. Sobre la reforma del código de nacionalidad en 1993, *véase* más adelante, pág. 335.

30. Doble derecho de suelo. Disposición modificada por la reforma de 1993.

31. *Véase* más arriba, capítulo octavo, págs. 162 y 163.

32. Las cifras facilitadas por el INSEE obligan a este cálculo por defecto del número de niños nacidos de uniones exógamas, en el caso en que la extranjera sea la madre.

33. La encuesta del INED es precisa en su definición de los orígenes étnicos, puesto que no se conforma con la nacionalidad. En este caso mide la exogamia de las parejas, con o sin hijos. Su principal defecto es el carácter reducido del muestreo, desde el momento en que se trata de estudiar un grupo particular, en nuestro caso, el de los individuos de origen argelino. El cálculo a base de los nacimientos tiene todos los defectos de un análisis que sólo tiene en cuenta la nacionalidad, en un país en donde la gente puede cambiar de nacionalidad. Deja de lado las parejas sin hijos, e implica distorsiones por la fecundidad difíciles de corregir. Pero es exhaustiva y exacta en el sentido restringido del término, porque el registro de nacimientos en

el territorio francés es de una fiabilidad absoluta, superior a la del censo, por ejemplo.

34. G. Desplanques y M. Isnard, «La fécondité des étrangères en France diminue», en INSEE, *Données sociales 1993*. Porcentajes calculados según las cifras presentadas por el cuadro 6, pág. 50.

35. *Véase* también M. Tribalat y F. Muñoz-Pérez, «Les mariages d'inmigrés avec des Français. Leur évolution depuis quelques décennies», INED, *Congrès et Colloques n° 7*, 1991, págs. 112-132. La propensión al matrimonio mixto, para las uniones celebradas en 1980-1981, se estima, sobre la base de la encuesta familiar de 1982, en uno de cada tres para los hombres argelinos, con tendencia al alza.

36. G. Desplanques y M. Isnard, «La fécondité des étrangères en France diminue», artículo citado, cuadro de la pág. 50. En este caso, a los problemas de la nacionalidad de los cónyuges viene a añadirse la incertidumbre de la declaración de la nacionalidad en el momento del censo, problema que se evita cuando se utilizan las estadísticas del registro civil.

37. Commission nationale consultative des droits de l'homme, *Rapport 1992. La lutte contre le racisme et la xénophobie*, París, La Documentation française, 1993, pág. 62.

38. Sobre el carácter pluriétnico de las «bandas», M. Fize, *Les Bandes. L'«entre-soi» adolescent*, París, Desclée de Brouwer, 1993, página 114; F. Dubet y D. Lapeyronnie, *Les Quartiers d'exil*, París, Seuil, 1992, página 144.

39. A. Hammouche, «Choix du conjoint, relations familiales et intégration sociale chez les jeunes Maghrébins», *Revue européenne des migrations internationales*. 1990, vol. VI, número 3, páginas 175-186.

40. Según G. Desplanques y M. Isnard, «La fécondité des étrangères en France diminue», artículo y cuadro citados.

41. Audición por la Comisión de la nacionalidad, en *Etre français aujourd'hui*, presentado por M. Long, París, Union Générale d'Éditions, 1988, pág. 131. *Véase* también B. Étienne, *La France et l'Islam*, París, Hachette, págs. 89-133.

42. G. Kepel, *Les Banlieues de l'Islam*, París, Seuil, 1991, pág. 38, por ejemplo, sobre la sobrerrepresentación de los turcos en el grupo de los musulmanes activos.

43. *Ibíd.*, pág. 353.

44. En E. Todd, *La invención de Europa*, puede hallarse un conjunto de datos antropológicos y culturales sobre Portugal, particularmente en págs. 37-68 y 364-370.

45. Restos matriarcales de uno u otro tipo son típicos de toda la vertiente atlántica de Europa. En el País Vasco, Bretaña, Irlanda, e Inglaterra, el status de la mujer es particularmente alto. Esa localización extremo-oriental de los restos matriarcales puede explicarse si

se admite que el concepto patrilineal ha llegado a Europa por el este y por el sur, sin alcanzar el extremo occidental del continente y dejando subsistir «bolsas» en las que la mujer conserva un status más elevado por ser más tradicional. No obstante, a escala planetaria, el conjunto de Europa occidental, con sus sistemas parentales bilaterales, se presenta como una gran bolsa en la que el status de la mujer es elevado y que tiene sus equivalentes orientales, del otro lado de la masa euroasiática patrilineal, en Japón, y aún con mayor claridad en Tailandia, Camboya, Indonesia y Filipinas.

46. E. Todd, *L'Enfance du monde*, anexo, págs. 227-236.

47. Para todas esas cifras, *véase*, M. Tribalat y colaboradores, *Cent Ans d'immigration, étrangers d'hier et Français d'aujourd'hui*, París, INED, Cuaderno n° 131, PUF, 1991, pág. 165.

48. P. Tournier y P. Robert, *Étrangers et Délinquances: les chiffres du débat*, París, l'Harmattan, 1991, pág. 161.

49. *Véase* más arriba, capítulo décimo, pág. 231.

50. *Op. cit.*, pág. 245.

12. *Francia y los colores*

1. *Véase: Dieu est-il français?*, París, Grasset, 1930, reedición 1991, págs. 53 y 54.

2. Nouvelles Éditions latines, pág. 642.

3. C.V. Marie, *Les Populations des DOM-TOM, nées et originaires, résidant en France métropolitaine*, INSEE, 1993, pág. 15. Los «originarios» de los Departamentos y Territorios franceses de ultramar (DOM-TOM) no incluyen a los individuos nacidos en Francia de padres nacidos en los DOM-TOM, pero que están casados o ya no viven con sus padres. De ahí una infravaloración que, en el estadio actual, no puede ser muy importante.

4. Para esas cifras y para las que siguen, *véase* INSE, *Recensement de la population de 1990: Nationalités*.

5. Para una introducción general a la problemática de las sociedades antillanas, *véase* D. Lowenthal, *West Indian Societies*, Oxford University Press, 1972.

6. J. Meyer y otros, *Histoire de la France coloniale*, París, Armand Colin, 1991, t. I, págs. 166 y 167.

7. J. Houdaille, «Trois paroisses de Saint-Domingue au XVIIIᵉ siècle», *Population*, enero-marzo de 1963, págs. 93-110 *(véase pág. 100)*.

8. Sobre los Saint-Barth (habitantes de San Bartolomé), *véase* F. Doumenge e Y. Monnier, *Les Antilles françaises*, París, PUF, 1993, págs. 112-114.

9. Sobre los bekés, *véase* E. Kovats-Beaudoux, «A dominant minority: the white creoles of Martinique», in L. Comitas y D. Lowental,

Slaves, Free Men, Citizens: West Indian Perspectives, Nueva York, Anchor Books, 1973, págs. 241-275.

10. J. Meyer y otos, *Histoire de la France coloniale*, para las características igualitarias y laicizantes de las Antillas coloniales, página 150.

11. Sobre la cohesión del sistema familiar beké, *véase* E. Kovats Beaudoux, «A dominant minority: the white creoles of Martinique», artículo citado, págs. 255-272.

12. Sobre la diversidad de los comportamientos franceses y sobre los casos específicos de las islas Santas, La Deseada y San Bartolomé, *véase* también J.L Bonniol, *La couleur comme maléfice*, París, Albin Michel, 1992.

13. *Ibíd.*, págs. 63-72.

14. Y. Gastaut, «La flambée raciste de 1973 en France», *Revue européenne des migrations internationales*, vol. IX, número 2, 1993, páginas 61-73.

15. Para los datos sobre los Departamentos y Territorios franceses de ultramar (DOM-TOM), *véase* C.V. Marie, *Les populations des DOM-TOM, nées et originaires, résidant en France métropolitaine*, pág.

16. En el cálculo no he tenido en cuenta a los esposos nacidos en el extrajero.

16. D.A. Coleman, «Trends in fertility and intermarriage among immigrant populations in Western Europe as measures of integration», artículo citado. Para una interpretación de la exogamia en Inglaterra, *véase* el capítulo sexto, págs. 122 y 123.

17. J. Houdaille, «Trois paroisses de Saint-Domingue au XVIIIᵉ siècle, artículo citado, pág. 100. En el siglo XVIII, en Santo Domingo, la tasa de matrimonio consanguíneo parece haber sido aún más baja entre los libres de color que entre los blancos.

18. Y. Charbit, *Famille et Nuptialité dans la Caraïbe*, París, INED, Cuaderno número 114, PUF, 1987, págs. 101-106. El lector encontrará en ese libro un análisis estadístico detallado de la estructura de los grupos domésticos en Martinica, Guadalupe y Jamaica.

19. *Annuaire statistique de l'Unesco 1991* para esas cifras y para las que siguen.

20. Familias que incluyen a hijos de menos de dieciocho años.

21. C.V, Marie, *Les populations des DOM-TOM, nées et originaires, résidant en France métropolitaine*, pág. 14. Esta estimación incluye a los de Reunión.

22. *Ibíd.*, pág. 107. Los de Reunión están incluidos.

23. Commission nationale consultative des droits de l'homme, *Rapport 1992. La lutte contre le racisme et la xénophobie*, pág. 62. *Véanse* también págs. 276-278 de este libro.

24. H. Bastide, *Les enfants d'immigrés et l'Enseignement français*, París, INED, Cuaderno número 97, PUF, 1982, pág. 179. Para datos

más recientes sobre la existencia de un efecto étnico real, aunque secundario, en los grupos magrebí y portugués, *véase* M. Duthoit, «Niveau d'acquisition à l'école: appréciations des principaux de collège», *Education et Formation*, agosto de 1991, número 27, págs. 37-48.

25. Le Huu Khoa, «L'insertion socioprofessionelle des jeunes issus de l'immigration de Sud-Est asiatique», *Migrations Études*, número 9, abril de 1990.

26. M. Guillon y I. Taboada Leonetti, *Le Triangle de Choisy, un quartier chinois à París*, L'Harmattan, 1986, págs. 39-41.

27. Para una introducción al sistema familiar chino del sur, H.D. Baker, *Chinese Family and Kinship*, Londres, Macmillan, 1979, y R.S. Watson, *Inequality among Brothers. Class and Kinship in South China*, Cambridge University Press, 1985. Para el sistema vietnamita, Phan Thi Dac, *Situation de la personne au Vietnam*, París, Éd. du CNRS, 1966. El lector encontrará un análisis del status específico de la mujer en los sistemas vietnamita y chino del sur en E. Todd, *L'Enfance du monde*, págs. 124-133.

28. *China Statistical Yearbook 1988*, Hong Kong-Pequín, pág. 91, y censo vietnamita de 1989.

29. Para evaluar el nivel de matrimonios mixtos hay que apoyarse en testimonios mal cuantificados. La estadística francesa no puede ayudar en este caso, como consecuencia del altísimo índice de adquisición de la nacionalidad francesa entre los inmigrantes que llegan a Francia procedentes del sudeste asiático. El censo francés de 1990 indica que el 17,7 % de las mujeres con edades comprendidas entre veinte y veinticuatro años, que tienen alguna de las nacionalidades del sudeste asiático y que viven en pareja (con o sin hijos), tenían un cónyuge francés. Esa proporción es inferior a la de las mujeres portuguesas (37,3 %), argelinas (31,8 %) u originarias del Africa negra (20,2 %), pero superior a la de las mujeres marroquíes (13,9 %), tunecinas (9,2 %) o turcas (1,5 %). No obstante, en esa fecha, de cada 100 mujeres asiáticas entre veinte y veinticuatro años que conservaban su nacionalidad de origen, 45 ya tenían la nacionalidad francesa, mientras que el número equivalente de francesas por adquisición era de 34 para las portuguesas, 29 para las argelinas, 14 para las marroquíes, 24 para las tunecinas, 17 para las africanas y 5 para las turcas. El alto índice de adquisición de la nacionalidad francesa por parte de las asiáticas hace que se enmascaren matrimonios mixtos, pero no es en sí mismo una prueba de asimilación, porque concierne a poblaciones que no tienen ninguna esperanza de regresar a sus países de origen y para las que las nociones de nacionalidad y de etnicidad no tenían, desde un principio, conexión entre sí, como por ejemplo en el caso de los chinos de nacionalidad camboyana, laosiana o vietnamita.

30. La mayoría de los datos demográficos necesarios para una descripción de la diversidad africana peden encontrarse en R.J. Lest-

haeghe y otros, *Reproduction and Social Organization in Sub-Saharan Africa*, Berkeley, University of California Press, 1989. Este libro fundamental es probablemente el primero en esforzarse por combinar sistemáticamente, a escala continental, los análisis demográfico y antropológico.

31. Sobre los «toutcouleurs» y los manjak del Havre, *véase* A. Nicollet, *Femmes d'Afrique noire en France*, París, Ciemi-L'Harmattan, 1992. Sobre los Wolof, que son la etnia dominante del Senegal, *véase* A.B. Diop, *La famille wolof*, París, Karthala, 1985.

32. Para un análisis de los sistemas akan de Ghana y de Costa de Marfil, R. Fox, *Anthropologie de la parenté*, París, Gallimard, 1972, página 101. [Traducción española: *Sistemas de parentesco y matrimonio*, Madrid, Alianza Editorial, 1972.] Para los kongo, G. Boudimbou, *Habitat et Modes de vie inmigrés africains en France*, París, L'Harmattan, 1991.

33. Se pone en relación el número de estudiantes de una nacionalidad dada censados en Francia por la Unesco en el año 1986 y 1987, con la población de esa nacionalidad que consta en el censo francés de 1990. Para el número de estudiantes, M. Decat y T. Mercier, *Étudiants d'Afrique, des Caraïbes et du Pacifique*, París, Karthala, 1989, págs. 40 y 41.

34. Indice global de fecundidad por 30. El índice global de fecundidad general pone en relación el número de nacimientos de un año con el de mujeres en edad fecunda, entre quince y cuarenta y cuatro años, en las misma fecha. Multiplicado por el número de años fecundos, es decir, treinta, nos proporciona un índice cuyo nivel general puede confrontarse, sin que se exija demasiada precisión, con el del índice sintético de fecundidad, que tiene mucho más en cuenta la estructura de edad de la población.

35. A. Nicollet, *Femmes d'Afrique noire en France*, pág. 145.

36. G. Boudimbou, *Habitat et Modes de vie des immigrés africains en France*, pág. 247.

37. Capítulo octavo, págs. 160-162, y undécimo, págs. 271-274.

38. La nacionalidad malgache, no despreciable desde el punto de vista cuantitativo, está incluida. Su heterogéneo poblamiento comprende poblaciones de origen malasio francamente bilaterales, que no es ilegítimo incluir en el grupo africano bilineal.

39. Camerún es, no obstante, anglófono en un 25 %.

40. J.P. Warnier, *L'Esprit d'entreprise au Cameroun*, París, Karthala, 1993, pág. 19; J.L. Dongmo, *Le Dynamisme bamiléké*, Yaundé, 1981, t. II. págs. 25 y 26.

41. *Ibíd.*, págs. 168 y 169.

42. Para el análisis antropológico del sistema bamileké tradicional, C. Tardits, *Contribution à l'étude des populations bamiléké de l'Ouest-Cameroun*, París, Berger-Levrault, 1960, y J. Hurault, *La structure sociale des Bamiléké*, París, Mouton, 1962.

43. Ese mecanismo es generalmente descrito como «poliandria».
44. Sobre las incertidumbres de la herencia, *véase* E. Pollet y G. Winter, *La société soninké*, Éd. de l'Université de Bruxelles, 1971, páginas 401-405.
45. *Ibíd.*, pág. 433.
46. *Ibíd.*, págs. 407-432.
47. *Ibíd.* pág. 417.
48. Sécrétariat général à l'intégration, *L'inmigration en France des ressortissants des pays d'Afrique noire*, París, junio de 1992, páginas. 75-83.
49. H. Bastide, *Les Enfants d'immigrés et l'Enseignement français*, págs. 108 y 109, 134 y 135, 179.

13. *La falsa conciencia*

1. F. Héran, «L'Unification linguistique de la France», *Population et Sociétés*, diciembre de 1993, número 285, presentación de los principales resultados de la encuesta INED-INSEE de 1992.
2. SOFRES, *L'état de l'opinion 1991*, París, Seuil, 1991, pág. 122.
3. Sobre esa célebre controversia, *véase* L. Chevalier, *Démographie générale*, París, Dalloz, 1951, págs. 32-37.
4. G. Kepel, *Les Banlieues de l'islam*, págs. 141-143.
5. «Tableau de bord» mensual BAV-*París-Match*.
6. En mi libro *La Nouvelle France*, encontrará el lector una descripción general del sistema político francés tradicional y de sus mutaciones entre 1965 y 1988.
7. Sobre ese empuje cultural de la periferia francesa, *véase* E. Todd, *La Nouvelle France*, pág. 196.
8. *La force du préjugé*, pág. 39.

Conclusión

1. *De l'immigration en général et de la nation française en particulier*, París, Le Pré aux Clercs, 1992.

Ultimos títulos